新編甲骨文字典

劉興隆著

文史哲出版社印行

國家圖書館出版品預行編目資料

新編甲骨文字典 / 劉興隆著. -- 臺一版. -- 臺北市 : 文史哲, 民86
面 ; 公分
參考書目:面
含索引
ISBN 957-549-062-2(精裝)

1. 甲骨 - 文字 - 字典, 辭典

792.204 86002728

新編甲骨文字典

著者:劉興隆
出版者:文史哲出版社
登記證字號:行政院新聞局局版臺業字五三三七號
發行人:彭正雄
發行所:文史哲出版社
印刷者:文史哲出版社
台北市羅斯福路一段七十二巷四號
郵撥〇五一二八八一二彭正雄帳戶
電話:三五一一〇二八

精裝定價新臺幣一二〇〇元

中華民國八十六年三月台一版

ISBN 957-549-062-2

新編甲骨文字典

目次

《新編甲骨文字典》再版自序

《新編甲骨文字典》初稿本，是北京國際文化出版公司在北京出版的，其實際出版時間是一九九三年三月，從其間直到各大書店行銷賣完，僅用去了七個月時間，在大陸可算是暢銷書了。

本書特點是集各家之長，簡明易懂，作者自己所釋出的生字較多。

一九九五年冬，我應邀訪臺兩月，在臺舉辦書法篆刻個展兩次。展覽現場我發現臺灣各界人士對甲骨文書法和仿刻甲骨文非常偏愛。隨展的一本「新編甲骨文字典」初稿雖標明「非賣品」，但仍有許多人要求讓售，其中有位來自台中的青年求購心情尤其迫切，從開幕一直「纏」到下檔，主辦單位終爲其所感動而成全了他。展覽期間，寶島各大報均有報導，捧我是「古文字學家」「甲骨文大師」「國寶級書法家」「一專多能的學者」等，使我惶恐等狀擔當不起。

我應邀先後在歷史博物館、淡大、師大，以「甲骨文之美」和「甲骨文與殷商文化」爲題，做了文化交流性質的講學，我發現在座的博士、教授學者中，對甲骨此一領域的鑽研皆有極高的成就。

記得在淡大演講時，適逢林洋港先生也在該校作競選演說，以林先生偌大的人物及其號召力，未能把我的聽衆拉走，這說明了寶島同胞對甲骨文這一中華瑰寶，我國最古老的成熟文字是極爲偏愛的。爲此，誘發我「字典一定要去臺灣再版」念頭，同時也算對臺灣各界同好者的一個獻禮吧！

由於「新編甲骨文字典」原爲初稿，它的不足之處是難免的。

「再版」改正了目錄中頁碼塡錯之字十餘處，並將原來編掉的「別」「個」「孝」「季」等十幾個字重新編入，又將「吽」「臨」「智」「最」「識」等十幾個字做爲補遺，列在「筆畫檢字表」第23頁中。

由於「再版」仍是獨家著作，謬誤之處再所難免，望讀者不吝賜教。

在拙著再版期間，蒙在臺同鄉同學林仁德教授、好友王譽榮先生熱心協助，文史哲老闆彭正雄先生古道熱腸，不怕賠錢，拍胸鼎力出版，在此一一致謝。

《新編甲骨文字典》序

劉興隆先生工書法精篆刻，尤長于仿刻甲骨文字，往往可以亂真。退休之後，仍學習不輟，曾先後出版《甲骨文集句簡釋》和《甲骨文集聯書法篆刻專集》兩書，書法挺秀，篆刻精美，頗得讀者好評。

近于甲骨文字，深入鑽研，經三年多時間，又寫成《新編甲骨文字典》一書，綜合前人研究成果，并提出自己意見，共收單字逾三千，新釋文字八十餘，親手清寫，達一千餘頁，約三十萬言，可謂盛矣。

余嘗念甲骨文自從一八九九年由王懿榮辨認後，一九〇三年劉鶚纂《鐵雲藏龜》，爲甲骨文著錄之始，其自序所釋才四十餘字。一九〇八年孫詒讓作《契文舉例》，爲第一部研究甲骨文之專書，其所釋亦只一百八十五字。一九一〇年羅振玉作《殷商貞卜文字考》，釋字較多，爲四百七十三。一九一五年作《殷虚書契考釋》，乃專門考釋甲骨文字，所釋爲四百八十五。一九二七年增訂本《殷虛書契考釋》，所釋又增爲一百七十一。一九二〇年王襄作《簠室殷契類纂》，釋字八百七十三。一九二九年重訂，所釋增爲九百五十七。一九二三年商承祚作《殷虛文字類編》，根據羅振玉、王國維考釋并加以己説，共釋七百九十字。一九三四年孫海波作《甲骨文編》，釋字一千零六，見于《説文》者七百六十五。一九六五年增訂本釋字一千七百二十三，見于《説文》者八百七十二。一九三三年朱芳圃作《甲骨學文字編》，釋字八百四十五，加補遺八十，共釋九百二十五。一九五九年金祥恒作《續甲骨文编》，釋字一千零四十八，除去重文五十九，實釋九百八十九字。一九七一年馬薇廎作《薇廎甲骨文源》，共收一千七百四十二字，爲考釋甲骨文字數最多之一書。一九八八年徐中舒主編十二人集

體編輯的《甲骨文字典》收一千一百一十一字，爲最近新出版的一部甲骨文字書。

這些年來，甲骨之學，臻于大昌，考釋文字者，頗不乏人。郭沫若之外，唐蘭、于省吾號爲大家。唐蘭有《殷虛文字記》，新釋之字七十四，加上《續記》及《古文字學導論》等書，達一百餘字。于省吾曩有《雙劍誃殷契駢枝》初二三編，近又重加整訂，加上未出版之《駢枝》四編，增訂改編爲《甲骨文字釋林》上中下三編共計一百九十篇，加上其他論文，號稱新釋三百字。俱爲甲骨學大師。

一九七八年，黨的十一屆三中全會以後，國家非常安定，又執行改革開放政策，學術空前繁榮。由於《甲骨文合集》《小屯南地甲骨》等大部頭著作的陸續出版，甲骨之學，尤爲活躍。特别是一些中青年甲骨學者，風起雲涌，極爲茁壯，考釋甲骨文字的著作，發表很多，尤以裘錫圭最爲突出，發明創作，不可勝舉，這是非常令人可喜的現象。

劉興隆先生的著作，在這時出版，正可以參加百家爭鳴，相互討論。我所佩服的是他自學成才，艱苦努力，以三年多時間，就能寫出這樣一部大書。他所考釋的甲骨文字，不一定都對，單是這種奮發圖强的精神，就很值得我們學習。

因爲他前出兩書，都曾讓我寫過書簽和序言，這次出書，仍然要我寫上幾句，乃略述所感以歸之。

記得一九三四年我從北京大學畢業，進入南京中央研究院歷史語言研究所，見會客室裏，有蔡元培院長寫的一幅集句對聯，上聯説「好學深思，心知其意」，下聯説「多聞缺疑，慎言其餘」，願即以此聯相贈，期與劉先生共勉焉。

胡厚宣

一九九一年十月十八日

序言

殷墟甲骨文是在一九八九年得到學術界的鑒定的，隨後海内外有許多學者從事研究，逐漸形成了古文字學的一個重要分支，即甲骨學。光陰荏苒，甲骨文發現這件學術史上的大事，再過幾年就要到一百週年了。幾代學者的工作，已使甲骨學成爲一門羽毛豐滿的學科，與考古、歷史、語言、藝術等各領域的研究都有密切的關係。現在每年都有好多甲骨文方面的論作發表，令人有目不暇接之感。

雖然如此，在甲骨學範圍内仍然有大量工作要做。特别需要做的，是從學科的深入發展看帶有基礎性質的工作。十幾年前我爲王宇信同志的《建國以來甲骨文研究》寫序，曾提到文字的釋讀是甲骨研究的一項基礎工作，「甲骨文的不同字數據説已逾五千，但必須承認，其中已經釋定，爲學者所公認的，數目并不很多。有些在卜辭中經常出現的字，到現在還不認識，不懂得怎麼講。至於詞語的解釋，文法的研究，更處於非常薄弱的階段。」當時我舉「彭」字、「㞢」字爲例，可惜有關這兩個字的問題迄今猶未解決。

在研究甲骨文的論作中，釋字的文章最多，盡管不能都發而中的，但都應承認是可貴的努力。學習和研究甲骨文的廣大讀者，不可能都遍讀這數以千計的文獻，因而迫切需要各種工具書的幫助。可是，編纂一部甲骨文的工具書是很不容易的。尤其是字典，由于衆説紛紜，實在難於别擇，這就要求編者有很高的識辨能力。在我看來，古文字的字典首先應做到穩妥，其次才是創新。

劉興隆先生精於書法藝術，更長於甲骨文的書寫和仿刻，曾出版《甲骨文集句簡釋》、《甲骨文集

聯書法篆刻專集》等書，深得讀者歡迎。我是通過他的作品及胡厚宣、許順湛兩先生爲他撰的序跋獲知他的事跡的。最近承他以新著《新編甲骨文字典》書稿見示，見該書功力巨大、新釋多字，所標宗旨：「在釋義中一是吸取各家之長，二是與金文對照，三是引證先秦及兩漢典籍資料并從中找出通假綫索來」，也是很正確的。劉興隆先生能在三年多時間中，做成這樣成果卓著的事業，貢獻於甲骨學林，是難能可貴的。全書爲他親筆繕寫，字體優美。因此，我很樂於寫出這篇小序。

李學勤

一九九一年八月於北京

作者簡言

甲骨文自一八九九年被發現以來，逐漸為國內外人士所重視，她不僅是歷史學家研究商史的第一手資料，也是古文字學者探討的主要課題，甚至書法和篆刻愛好者也加入了這一條洪流，可以說現在對甲骨文的研究工作已經成了熱門了。

人們通過對甲骨文的研究和宣揚，勢必會加深對我們祖先智慧才華的敬重，會更加瞭解到中華民族文化的源遠流長，從而樹立起作為炎黃子孫的自豪感。

我自幼喜愛書法，後來更偏重於甲骨文，在書寫和仿製過程中，日益加深了對這一書意很濃並且很有規律的美妙文字的興趣，特別是喜歡她每個單字的形義。近十年來我邊學邊寫並出版了《甲骨文集句簡釋》和《甲骨文集聯書法篆刻專集》。「學然後而知不足」，為了學習與提高自己的甲骨文水平，又寫出了《新編甲骨文字典》一書，該書共用了三年多時間。

《新編甲骨文字典》是工具書，為了使讀者能夠更多的瞭解文字的形義，在釋義中一是吸取各家之長，儘力注入個人見

七

解，二是與金文相對照，三是引證先秦及兩漢典籍資料並從中找

出通假綫索來。另外，為了讓讀者能夠得到較多的研究資料，

故將一些殘損的辭例以及目前尚釋不出的字也一並收入。

編排中基本上按《說文》部首排列，共收進單字（包括異

文和通假字）三千多個。

書中屬個人新釋出來的字（其中某些字或已為前人釋出而

自己尚未發現者）計八十多個，如〔古文字〕（茶）、〔古文字〕（牟，哞，

指好叫的大公牛）、〔古文字〕（圍）、〔古文字〕（同蚩）、〔古文字〕（衛，同徠，來）、

〔古文字〕（術，送）、〔古文字〕、〔古文字〕（盧，鱸）、〔古文字〕（枲，噪，譟）、〔古文字〕（夆，

同去）、〔古文字〕（辮，爭）、〔古文字〕（町，與瞑，瞠，瞪通用）、〔古文字〕（鼻，

猛）、〔古文字〕（睞）、〔古文字〕（詗，覗）、〔古文字〕（鼻，臱，邊）、〔古文字〕（能羽，能蟲）、

〔古文字〕、〔古文字〕（哶，哶，指好叫的大公羊）、〔古文字〕（膿，鼻病）、

〔古文字〕、〔古文字〕（剃，去熱刀，騸割）、〔古文字〕（卯，劉，鐂）、

〔古文字〕（飱，飧）、〔古文字〕、〔古文字〕（饟，餉與觀通）、〔古文字〕（戈食，

〔古文字〕、〔古文字〕（粻）、〔古文字〕（緤，繲）、

饈，噎）、〔古文字〕（尪，尫）、〔古文字〕（駒，鵝）、〔古文字〕（緤，繲）、

〔古文字〕（囷，圓，妞，指小女孩）、〔古文字〕（魏，贖，遺，隤）、〔古文字〕（槙），

（晛）、（顥）、（頊）、（腩、朋、朗）、

（裯）、（攢、攢）、（搔、騷）、（疤、瘢）、（佩）、

（偬、偮）、（裹、褾）、（肩、屑）、（舺、帽）、（麕、麈）、（項、頸）、

（喫、吃）、（髻、髶、頣）、（拖、燼、燼）、

（楓）、（熱）、

（懤）、（糧、餐）、

（注）、（沛、澮）、（溉、羌）、（泖）、（派、湝）、

（湮、羅）、（汭）、（泖）、

（鍬、鍛、鰔、鯢）、

（倉）、（杅、捽）、（蛆、餌）、（餕、遷）、

（捈）、（魩）、（娛、省文作冥、娩、玩、娩之初文）、

（嫿、妳）、（扶、扶占具卜用字）、（薑臬）、

（轁、輆）、（隋、蹐）、（纖、同毓）、

（育）、（馬、馬、馬、馬、馬、馬）、

（餃、攉）、栢（杏、誇）等。

由於作者水平有限，書中釋義的謬誤、文字的錯訛定所難

免、望讀者不吝賜教。

中國社會科學院歷史研究所研究員、中國殷商文化學會會長、當代甲骨文大師胡厚宣教授和中國社會科學院歷史研究所所長、國務院學位委員會委員李學勤教授為本書寫了序言、中國太平洋歷史學會理事、河南省博物館名譽館長、研究員許順湛先生為本書寫了跋、中國社會科學院歷史研究所甲骨文學者楊升南先生對本書進行了審閱並提出了不少寶貴意見。中國人民政治協商會議全國委員會常務委員、北京師範大學教授、中國書法家協會主席啟功先生為本書題了書名。特此一一致以謝意。

劉興隆於北京

一九九一年十月二十三日

凡例

一、本書每頁分上中下三欄，上欄為甲骨文單字之楷書寫法，中欄為甲骨文釋義，下欄為甲骨文單字之小篆寫法。

二、本書所收字形均按諸書拓片之原形摹寫或轉摹，並盡可能例舉金文、陶文、石鼓文以及《說文》之古文作對照。釋義中多引證先秦及兩漢典籍資料或吸取當代著名甲骨文學者的見解。

三、本書所收的每一個甲骨文單字，均在字下以小字註明其出處（如正文一〇頁中之下有合集八九二九六個較小之字，其中合集指甲骨文合集，八九二九指該書之八九二九片）。所引書目全稱見於卷末之引書簡介中。

四、文字編排中基本上按《說文》部首排列，無法肯定之字均歸入與其字形相近之偏旁部首之後。

五、卷末之檢字表，分筆畫檢字表、索引總表（按頁碼順序）兩部份。

新編甲骨文字典

劉興隆著

殷墟甲骨文字釋義

今楷：一

一 合集三三九　一 合集七二七九　一 粹一九六

劃一橫作數目字一，簡明易懂，與二橫作二、三橫作三義同。甲骨文一字不能豎寫，丨為九、十之十字。由於一不能象形，只得以指事符號來表示。《說文》古文一作弌，秦詔版更繁作□。文字發展規律是刪繁就簡的，而某些字則是為了需要而繁加的。

毛公鼎作一，戰國盟書作一，均與甲骨文同。

《廣韻》釋一：「數之始也，物之極也」。

卜辭均用作數目字：一□（一月）甲二二一　一□（一羊）甲一九七一

一□（一牛）合集二五七五　□一□□丨□（卯一牛，沈十牛）合集七七九

小篆：一

☐象一物劈剖為二，☐象沈牛水中。卯、沈在此皆用牲法，即向
神祖舉行剖牛、沈牛之祭。

元

☐ 合集二三三九。☐ 粹一三〇三 ☐ 屯一三。☐ 英五三八正
從二從☐。二非二、三之二，為卜辭上字，☐或☐乃人形
側面，卜辭某些字形要求不嚴，上下左右正反每無別，這是
象形文字之特點。人之上部為首，所以元字引申為大、第
一、開始之義。為會意字。或以古文元兀同字，可參。
今日用作元首、元勳、元旦等，不失初義。
金文商卣作☐，師虎毀作☐，皆與甲骨文同。
《說文》：「元，始也」。《漢書班固叙傳》註曰：「元，首也」。
《廣韻》：「長也」。
卜辭人名：☐☐☐☐☐☐☐☐（奠元暨永，皆在孟奠）屯
一〇九二 即向元及永祭奠，皆在孟地舉行。☐☐☐☐（其受元又）
續五、一九、一 受同授，又用作佑。即授給元以福佑。 地名：☐☐☐

☐

二

元(來羌自元)合集二三九 羌=指羌俘。 田元圭來乚出(田元往來亡災)英二五六二 田用作畋獵之畋，亡用作無。 始也、第一、首也=元卜用(元卜用)合集二三三九。元卜=始卜，指首次占卜之卜骨，用=茲此用之者。 大也=㐬屮元𠂤(氏侑元臣)前四、三三、五 氏=在此用如以，侑=祭名。 元示即第一個示，指第一位先王上甲=屮囟田元丁三屮二丁二屮(侑自上甲元示三牛，二示二牛)合集二○二五 侑=祭名，示=商時宗廟中諸位先王之牌位，引申為神祖之泛稱，示也可叫作主，即廟主、神主也。 在示前加一數詞名詞或形容詞來稱呼，就是指某位具體神祖或某些具體的神祖。

天

天 合集二○五四 天 甲三六九。 天 拾一○一八 天 合集一七九八五 天 屯二二四一 天 乙六八五七

天從二從大，二為上字，大象正面人形，示人上是天。天從一，示人上一層長天。天從口，在人之頂顛，示戴天。天從大，夫亦人形，與從大同義。 卜辭天大通用，天雨即大雨。

吏（事史使）

商父乙段作天、周早盂鼎作天、春秋秦公段作天、
戰國驫羌鐘作天。
《說文》：「天，顛也，至高無上，从一、大」。
卜辭疑受祀對象：□□□于天（惟曾犬于天）合集九四。方國名：天□
□□品（天方不其來𡇒）合八七卜辭中出征討伐用□正或□征，
敵人來犯用𡇒；天方應讀作大方。人之項顛：□天（疾天）乙九
○六七即頭部生病。與大同義：天邑商（天邑商）甲三六九。亦作
大邑商（大邑商）通別二一 天邑商指王都。或曰天邑商、大邑商有別。
史 人三○一六 史 合集六二二六 史 明四五○。史 合集二○二三二
象手持徽幟之狀。中為中、□之省。卜辭遊游字作□、
所從之□亦旗也，桿頭之杈為中所本，史、史同字也。
氏族社會，凡遇大事必先立旗建中，以便集結群眾，卜辭言「立
中」者，即此事也。商代把立旗建中視為大事，又視此類事為
歷史，從事此事者又皆為官吏，所以卜辭中事、史、吏同字，

叓

示：或釋作貢獻，於文可通。

上

並同音假借作使用之使。

金文矢方彝作[古文字]，毛公鼎作[古文字]。繁簡與甲骨文同。

《說文》：「吏，治人者也」。「史，記事者」。「事，職也」。「使，令也」。

卜辭中人名：[古文字]丅三[古文字]（吏示三屯）粹一五〇六 示：整治，屯：量詞，一對骨版。貞人名：[古文字]（吏貞）前六、四三、六 貞：卜問。

用為事：[古文字]（今夕又事）合集三〇三四七 又用作有。

用為史：[古文字]（史氏有取）合集九一二六 用為使：[古文字]（婦好使人于眉）合集六五六八 [古文字]直釋作帚，用作婦。

二）合集六八一九 二）前七、三二、四 二甲一一六四 二後二、八七

一長橫作中綫，上加一短橫成二或作二），以示為上，相反之二或（二則為下，為指事字。早期上字長橫多作弧形，為契刻方便改作直綫，這也是文字發展中由繁就簡的必然規律。卜辭中二與二、三之二不同，二三之二兩橫長短相同作二。殷人迷信，所言上者，多指天上，認為天上有上帝和其些自然神以及先祖之靈

上

魂。下有地祇，即河、岳之神等。這些天神地祇，可以惠人福祉，祟人災禍。

金文弔上匜作二，克鼎作二，齊侯壺作二，皆與甲骨文同。

《說文》：「丄，高也，古文上，指事也」。《正韻》：「君也，太上極尊之稱」。

卜辭中上下對稱：(二)[甲骨文](下上若受我又)合集六三二二

下上：地祇、天神；若：讀諾，准許、同意；受：用作授，給予；又：用作佑、祐。即天神地祇給我以福佑。上帝，觀念之神：二[甲骨文](上帝)合集一○一六六

上甲：二田(上甲)河二五八省作田田。由於田、田易混，所以冠一上字或一短橫以別之。口是宗廟中享受祭祀者之神龕，上寫受享者名字或廟號，靈牌前設牌位，其形作丅，即示字所本，神龕正面為口，側面為コ。田為上甲之專用字，上甲名微，為殷先王。田中之十為卜辭干支甲字，即上甲之名。殷先王皆以十干為名，如大甲、大乙、祖丙、仲丁、大戊、祖己、南庚、小辛、示壬、示癸等。上示：指殷商時代某些直系先王之簡稱。[甲骨文]二丅(貞百牛饎用自上示)合集一○二

下　帝　（禘）

阜：人名；見同音假借作獻，鐵：殺牲取血之祭。

（見五頁上字註釋）

□ 師友二、五 □ 粹一三一 □ 掇二、一二六 □ 後一、二六五 □ 乙六六六六

□ 甲七七九 □ 甲一一四八 □ 合集五六五八正 □ 乙六五三

象人工製作的偶象形。豎桿、肢體、腰繩、應有盡有。是殷人想象中主宰宇宙萬物的、可向人們賜福降災的、至高無上的上帝。或曰：象束木燔以祭天之形，為禘之初文，引伸為帝，可參。

金文井侯簋作□，仲師父鼎作□，𠭯狄鐘作□，與甲骨文同。

《說文》：「帝，諦也，王天下之號也，从丄，朿聲」。非初義。

卜辭中帝支配自然：□□□□（帝其令雷）合集一四一三。□□□□□（帝令多雨）合集一〇九七六 降福祟禍：□□□□（帝受我又）合集六二七三 受用作授，又用作佑，即上帝給我以佑助。□□□□□□（帝不降大旱）合集一〇一六七 支配殷王：□□□□□（王作邑帝若）合集一四二〇一 邑：城邑，若讀諾。祭名：：□□□：（：有疾，帝：）

下　帝

合集一五九六六帝用作禘。□（一）（禘下乙）乙四五四九
下乙即中宗祖乙，河亶甲之子。

旁

□林一、七、一五 □庫一五九六 □拾五、一。□合集六六六五
從□從□，□凡□方皆可作聲符，□乃□省，從井者少見。
金文旁鼎作□，旁尊作□，皆與甲骨文同。
《釋名》：「在邊曰旁」。《玉篇》：「猶側也，非一方也」。
卜辭中地名：中□（在旁）合集三六九四五 方國名：□□□□（王今旁方）屯九一八 □□□□□□□（旁方其圍作戰）合集六六六六 圍同圍，音語，本指監獄，此為動詞，有因禁或引伸為防衛、抵禦之義；戰即今捍字。

示

亍合集一〇二二 □乙八六七。□遺六二八 丅輔仁四 □英二二六。
象祭天、拜神、敬祖用的牌位，引申為神祖之泛稱。亍上短橫為供物，旁邊之小點為祭牲之血滴。卜辭中凡與祭祀有關的字多從示，如□宗 □祭 □祐 □祝等。

河南人多稱牌位為牌位桌或供桌，符合丅、亍之形義。

示屯之示乃眎、視之省文，典籍眎、示通用。《師古註》：「漢書多以視為示，古字通用」。視之本義為看視，卜辭引伸作監作、整治、貢納之義。

《說文》：「示，天垂象見吉凶，所以示人也，從二，二古文上字，三垂，日月星也，觀乎天文，以察時變，示神事也」。非初義。

卜辭中為神祖泛稱：𠦪禾于示（拜禾于示）合集三三一七

用作動詞：帚姜示十屯（婦姜示十屯）英一五四　屯：一對甲骨，示十屯即整治十屯骨版。

示前加數辭、名辭的，均指某位或某些神祖。　元示即第一個示，稱上甲：㞢自田元示三牛二示二牛（侑自上甲元示三牛，二示二牛）合集二二五〇五　二示為示壬、示癸：貞示〔壬〕示〔癸〕二示（貞示壬示癸二示）後上二八．七　兩示下各殘一字。按商王世系，示字開頭的先王應為示壬、示癸。　三示為大乙、大甲、祖乙：貞三示御大乙大甲祖乙五宰（貞，三示御大乙、大甲、祖乙五宰）合集一四八六七　御：祭名，宰：指圈養之祭牲，五宰即五頭圈養之羊，牢指圈養之牛，後世宰、牢通稱為牢。　四示：𠦪于亖示（拜于四示）屯三七五　或曰四示即上甲、大乙、大甲、祖乙。　五示指上甲、成、大丁、大甲、祖乙：㞢伐于五示田咸大丁大甲祖乙（侑伐于五示上甲、成、大丁、

大甲、祖乙）合集二四八侑、伐皆祭名。五示又指丁、祖乙、祖丁、羌甲、祖辛：大丙
于五于㞢口𠂤𠂤伐卯（三大貞于五示、告丁、祖乙、祖丁、羌甲、祖辛）合集二
九二 告：祭名。六示指大乙至仲丁：又㞢沐王中口介丁（又自大乙
至仲丁六示 合三二五 又用作侑、祭名。六示多與上甲享祭：米米㞢田介
于（拜禾自上甲六示）合集三三三一三 又乂㞢田穴介于（侑乇自上甲 六
示）屯三五九四 乇：同舌、𥙊，即磔字，卜辭用作肢解祭牲之祭。𢦏：殺取
祭牲之血以祭神靈也。 彡𠂉杙㞢田八于（彡、礿、伐自上甲、六示）
合集三二○九九 彡、礿、伐皆祭名。 七示：工㞢卜干十于（壬戌卜于七示）屯二
五三四 卜辭七作十，十作丨。九示指大乙至丁祖：米㞢朩王口日九于
（拜自大乙至丁祖九示）合集一四八二 十示指三匚至𠂤甲：ㄈ巾丫区三丁王
乙十丨于（乙卯卜福，三報至𠂤甲十示）合集二三四二 匚同匚，象神龕之側
面，內裝靈牌，即神主牌位。《說文》：「匚，受物之器，象形」。卜辭三報是
㔾、四、可，即《史記》中之報乙、報丙、報丁，殷之先公是也。匚音報，示
報答神祖之義。 十示又指上甲、大乙、大丁、大甲、大庚、大戊、仲丁、祖乙、祖辛、

祖丁」米凶田汰吠鈦怵吶泪神咱丨丅（拜自上甲、大乙、大丁、大庚、大戊、仲丁、祖乙、祖辛、祖丁十示）合集三二三八五　十示又一即十一示：㞢丨丅㐅一ψ（告十示又一牛）屯九九四　十示又二即十二示：米凶田丨丅㐅二（拜自上甲十示又二）合集三四一一五與三四一一六近同　十示又三即十三示：米冬凶田丨丅㐅三（拜禾自上甲十示又三）屯八二七　二十示：凶田∪丅（自上甲二十示）續一、二、四　二十示又三即二十三示：㐅旵干𣎳∪丅㐅三（又歲于伊二十示又三）合集三四一二三　又用作侑，侑、歲皆祭名；伊指伊尹，殷先臣，即舊臣或舊老臣。卜辭中示前冠數辭的，均指某些先王，大多自上甲開始，被稱為元示，在祭祀對象中名列第一。

示本為先民祭天拜神之牌位，後來多用於宗廟之中。由於廟中供奉廟主眾多，祭祀時不便將祭祀對象全刻於卜骨之上，只得先以示為神祖之泛稱，再將享祭者按資排輩、分類分組從簡稱呼。大示、元示、小示、上示、下示、它示以及二示至二十三示等稱呼，皆簡稱也。大示、上示為自上甲至示癸六位直系享祭先王之統稱，小示、它示、下示則為旁系

享祭先王之統稱。大示：大丅㞢王（大示㞢王）合集一四八三三 㞢：從止止從它虫，止象人足形，它象蛇，俗名長蟲；蛇咬人足，示為害之義。會意字，典籍㞢亦作蚩。《類篇》釋蚩：「蟲伸行，或作㞢」。㞢王：指神鬼為祟殷王。小示：小丅㞢羌（小示有羌）合集五五七 有用作侑，祭名；羌指羌俘，用為祭牲。即以羌俘作祭牲，向小示舉行侑祭。上示：卓見百牛鑯用自二丅（卓見百牛鑯用自上示）合集一〇二 卓：人名，見借作獻；鑯：殺取祭牲之血以祭也。下示：大丅五宰二丅三宰（大示五宰、下示三宰）屯二二五 宰指圈養之牛，五宰即五頭圈養之牛。它示：它丅三宰（它示三宰）合集一四三五三 殷之舊臣、四方神主皆稱示：黃示：防于黃丅（防于黃示）合集六三五四 黃示即黃尹。伊示：伊丅（伊示）合集三二八四七 伊示指伊尹。丁示：口丅㞢卓丅（丁示㞢卓）合集一四九〇六 卓：人名。徹示：徹丅不乂（徹示不左）合集二三四三一 左同佐，佐助之義。祟示：祟丅（祟示）明五一八 𪚥示：彳杙𪚥丅（衸伐𪚥示）合集三二〇八六 衸、伐皆祭名。

牛示：□□□（牛示隹羊）合集一四三五八 隹，象形字，禽類泛稱，
此作語助辭，同唯、惟、維。㝅示：□□□□（㝅示受有佑）
合集三六四八二 □ 為又又之省文，上一又用作有，下一又則為佑助之佑。
其它還有□□（右示）前六、六一、七 □□（中示）前四、三七、三 □□（北示）
□□（西示）前七、三二、四 等，皆四方諸神也。

祉

□ 甲編二九四七 □ 甲一三四三 □ 後上一九、六 □ 遺六七九
從示從□，□象敬神祭祖用之牌位，□止象足形，在此為聲
符。□、□同字，卜辭中字形要求不嚴，上下左右正反每無別，如相
字作□也作□、□、□等，這是象形文字之特點。
《說文》：「祉，福也，從示，止聲。」《詩小雅》：「既多受祉」，祉即福也。
卜辭作祭名，□□□□（祉日左正）京四三二九 左用作佐，正用作
征，即祭告日神給予輔佐，使征伐取得勝利。

祉

祭

□ 合集一〇五一 □ 陳六七 □ 前一、五、四
多象以手持肉置於牌位前，示祭天拜神敬祖之義；其旁小

祭

點為血滴。

金文鄭公華鐘作祭，義楚耑作祭，史喜鼎作□。皆與甲骨文同。

《說文》：「祭，祭祀也，從示，以手持肉」。

卜辭地名、方國名：□□□□（二月在祭）合集七九〇四 □□□□

（雀戈祭方）南誠三。雀：人名，戈同災。用作本義：□□（祭祖乙）寧

二

福（畐）

□ 合集二三四七七 □ 前五.四三.一 □ 南明三五六 从示从畐，釋福。或釋禧。

象雙手高舉酒器向牌位狀，以求神祖賜福，會意字。

金文乎卣作□，國差□作福，士父鐘作□。繁簡與甲文同。

《說文》：「福，祐也，畐聲」。古文福畐富一字。何尊「王豊福自天」作□。

卜辭祭名：□□□□□□□□（子漁疾目，福告于父乙）合集

一三六一九 □□□□□（王賓福無禍）合集二五六一四 賓福，親自參

加福祭，賓即儐，儐臨也。

祀

□ 合集三〇七五七 □ 甲三三五三 □ 佚五一八 □ 佚八六 □ 前三.二八.二

祀　福

) 禩 祀 (　　　　祐) 佐 左 (

卜辭干支中子子用作巳巳，巳象小兒上肢貼體跪下不見雙手之狀，
據此可知，祀為小兒跪於牌位之前，示祭祀神祖之義。巳應是
祀之初文本字。祀為形聲字，也可視為會意字。古文祀異體作禩、祀。
金文天王毁作祀，𨚔卣作祀，舀鼎作祀。皆與甲骨文同。
卜辭人名：令巳复出（令巳复出）合集二三〇四八 巳同祀，复同復。
地名：中巳（在巳）英二五二五 稱年曰祀：隹王二祀（惟王二祀）合集三
七八三六 祭祀：祀岳來歲受年（祀岳拜來歲受年）合集九六
五八 岳：岳神。來歲：指下一收穫季節。
祐合集一四一二〇 祐合集二二一五四 直釋作祐，象左手伸向牌位擺
放祭品之狀，示求神祖佐助之義。其用與卜辭佐助之ナ左、後
世輔佐之佐同。卜辭中祭名：于父乙祐（于父乙祐豕）合
集一九九四一 豕：去勢公豬，祭牲。另據卜辭字形要求不嚴，左右每無別，
如祭字作祭亦作祭，再結合辭例分析，祐祐佐祐祐、佑應為一字，
兩者字義相當無悖。（見一六頁祐字註）

位

祐（右 閈 佑）

後下一六、八 合集二七四一六 合集二三二七八 鐵七、四 乙三七。

從示從又，又亦聲。象單手或雙手伸向牌位之狀，示擺供祭告神祖以求保佑之義。古文祐同閈、佑，通右。

金文䛐祐頌鼎作，小克鼎作，漢印作，皆與甲骨文同。

《說文》：「祐，助也，從示，右聲」。《韻會》：「神助也」。《詩周頌》：「維天其右之」。《易大有》：「自天祐之」。

卜辭祭名：（祐妣庚）乙八八一四 妣：商代祖輩婦女之通稱。後世妣專指去世之母親，《禮曲禮》：「生曰父母，死曰考妣」。又用作祐：（正土方受有又）後上三一、六 正用作征。保佑：（王受佑）合集二七二〇九

祏

摭續九 鐵一二二、一 庫一〇六 前四、五三、四 从示，石聲，亦省作石。作為祭名，起始用石字，為了區別於石頭之石，才加示旁作祏。

《說文》：「祏，宗廟主也，周禮：有郊宗石室，一曰：大夫以石

為主」。《韻會》：「宗廟中藏主石也」。《左傳・莊十四年》：「命我先人，典守宗祏」疏曰：「慮有非常火災，於廟之北壁內為石室以藏木主，有事則出而祭之，既祭，納於石室。祏字从示，神之也」。

卜辭祭名：[甲骨文]（貞，祏南庚）合集二〇二。[甲骨文]（勿祏旨）合集一四六五五 旨：神祇名。[甲骨文]（貞，祏）懷一七六 [甲骨文]（岳石出从雨）合集九五五二 岳石即石岳；出用作有，从用作縱，縱雨即驟雨。[甲骨文]（祏妣庚）識八二

柴（禬 柴）

[甲骨文] 甲二七七四 [甲骨文] 合集二二八一五 [甲骨文] 合集二五三七。[甲骨文] 河四七二 [甲骨文] 珠三八三

象以手執木於牌位前，示焚柴祭拜於天神之義。古文柴、柴、禬一字。

《說文》：「柴，燒柴樊燎以祭天神」。《書堯典》：「至於岱宗柴」。岱宗：泰山。《正字通》：「按祡本作柴，後人因祭天改從示」。

祡

卜辭作祭名：王賓祟歲亡尤（王賓祟無尤）合集二二八一五
賓：同儐，儐臨也，即親自參加；尤：本為怨恨，在此作災禍。即
商王親自參加祟祭，結果無災。歲二牛祟亡尤（歲二牛，祟無尤）
遺三七四歲用作劌，劌殺之義。或釋作㲋，讀塞，為報塞之祭。可參。
且乙六六九。且前一、九、六 示且鐵四八、四 且粹二 且合集一七七七
且象宗廟中之靈牌，即神主是也，常藏於神龕之中，神龕
即《說文》所稱之「石室」是也。卜辭用且為示且祖，為祖之專字。且
與宜不同，宜之本義為置夕肉於且前，為[夕且]之省文，與後世俎
一字也；宜為祭名，如宜羊于兄庚（俎羊於兄庚）合集二三五〇二 宜
之異體作[宜刂]，直釋作劃，省作[且刂]則。辭例有：[宜刂]夕十（劃父甲）合
集二七四六五、[且刂]羌百（則羌百）合集三〇七 從辭例來看，宜、[宜刂]、
[且刂]皆為殺牲之祭，當是一字，但且與宜則涇渭分明也。
金文盂鼎作且，曶鼎作且，散盤作且，齊鎛作祖。
《說文》：「祖，始廟也，從示，且聲」。《玉篇》：「父之父也，又先祖、始祖通

祠：祠：周探二坑
从示，司聲。
金文趙孟壺作祠，姿壺作祠。
《說文》：祠，春祭曰祠。品物少多文詞也，从示司聲。仲春之月，祠不用犧牲，用圭璧及皮幣」。
卜辭祭名：祠。司蒿于㞢豆（祠自蒿于豆）周探二
蒿：假作鎬，鎬京。

祝	社	禮	禘	礿	祠	祰			

謂之祖」。

卜辭中先祖廟號：㞢于且丁（侑于祖丁）合二一 㞢于且辛（侑于祖辛）合集一七七七 㞢用作侑，祭名。

祰 卜辭用告為祰，見五三頁告字註。

祠 卜辭用司為祠，見五六五頁司字註。

礿 卜辭用勺為礿，見九一九頁勺字註。

禘 卜辭用帝為禘，見七頁帝字註。

禮 卜辭用豊為禮，見二八四頁豊字註。

社 卜辭用土為社，見九。頁土字註。

祝 祝 前六、六一、四 祝 合集八〇九三 祝 前四、一八、八 兄 甲三五六六 祝 佚八五四 兄 粹四八九 祝 前七、三、一 祝 前四、一八、七 祝 乙二三一四

象一人跪于牌位之前張口向上，有祝告祈禱之意。兄、兄乃省文，與兄弟之兄有別，兄為站立之形。

金文小盂鼎作祝，禽毀作祝，長甶盉作祝，多與甲骨文同。

祰 祠 礿 禘 禮 社 祝

《說文》：「祝，祭主贊詞者，從示，從人口，一曰從兌省」。
卜辭作祝告本義：（祝王受又）合集三〇六三四。又用作祐。
（王祝無𧊒）存一·一五〇七 𧊒：同蚰，蛇咬人足，災禍之意。
（祝于祖辛）合集七八七 方國名：（祝方）合集二〇。

九六六

祈（⿸㫃⿰單斤 ⿰單斤）

戩四七·九 合集五七八七 林二·七·二 在下五二三

從單從斤從卜，單斤皆兵器，卜象旗幟，應為从㫃⿰單斤聲之字。直釋作⿸㫃⿰單斤，省作⿰單斤。金文借音用如祈求之義，但卜辭未見用作祈求義。畢鮮簋有「用⿸㫃⿰單斤眉壽魯休」之句，⿸㫃⿰單斤義如祈。

金文頌鼎作，弔家父匡作，與甲骨文同。

《說文》：「祈，求福也」。《詩小雅》：「以祈甘雨」。《正字通》釋⿸㫃⿰單斤：「同祈」。

卜辭作地名：（从⿰單斤涉）合集三三九〇三 涉：渡水。
（令內以新射于⿰單斤）合集三二九九六
（辛未貞，畫以新射于⿰單斤）合集三二九二七 神祇名：

御某于神祖即為某祈福禳災。□□于□（御婦好于父乙）合集三六一三 御可直釋作卸，與禦通用。

禦（御）

□于□（尞于斳）續一、五二、三 尞同燎，燒柴祭天。意思是：何斳舉行尞祭。或釋為燎于斳地，可參。

□河三一二 □鄴三下、三七、四

從示從□御作聲符。直釋作禦，多省作御。用作防禦本義或祭名。禦字後世專用作防禦、抵禦，御則專用作御用、駕御等。

金文商代我鼎作□，周早禦父辛觶作□，均與甲骨文同。

《說文》：「禦，祀也」。《正韻》：「扞也，拒也」。古文禦、御通用。

卜辭作祭名：□（禦妣辛）鄴三、三七、八 防禦、抵禦本義：：□（王令御方）外三〇 御用作禦，方指敵對之方國。□

□（乎禦羌）合集六六一三 乎用作呼，評，命令。

囗（禍）

□合集五三六 □合集一二四七七 □合集一六五二五 □合集二二四〇八 □人二四八二 □合集三六八二〇 □前四、一九、一 □英三五三 □合集三四七二四

□象一塊牛肩胛骨，骨面之卜卜為兆痕，示為卜骨，省

或釋囚、𡆥為咎，咎周甲作□。咎乃災禍之義。《說文》：咎，災也，从人从各，各者相違也。卜辭云咎即無災：𠤎□(云咎)周探二坑七七 看來囚、𡆥與□，其形似不類，但在文義中兩者可通。

作囚或𡆥。晚期繁作□，从犬，骨被犬咬；或釋禍，可參。
卜辭骨字本作□冎，其用與𡆥有別。無兆之𡆥或囚可用作骨，從兆之𡆥或囚則不能用作骨。(見二五二頁骨字註)
金文戰國中山王方壺作□，後世禍字均从示。
《說文》：「禍，害也，神不福也」。《增韻》：「殃也，災也」。
卜辭用作災禍：88 □ 𠤎 □ 囚 (茲邑無降禍) 合集六八五二 88 □ □ □ 囚 (茲雹惟降禍) 合集一一四二三 A □ 𠤎 □ (今夕無禍) 前二、六、一 地名：𠤎 □ 中 □ (亡無虫在禍) 合集三六五二九

集

□ 拾三、一 □ 乙七五三 □ 掇二、七七 □ 甲九七三
象執倒鳥于牌位前，示求神佑助獵獲禽獸之義。當為獻禽之祭。
卜辭用作祭名：□ □ □ 口 (集祖乙暨父丁) 屯一一二八 □ 于 □ (亦集于唐) 合集九五二 唐即成唐。□ □ □ (在□集) 屯三三九。

□

⿰示升

□摭一四 □合集三五五一四 □合集三五七〇八 □甲二三九一 □寧

滬二·一〇七 □粹一五三 □甲二〇八二

繁文象雙手捧□於牌位前，示進獻神祖供品之義。□⿰示升

為□升字根據所需繁加而成。□本量器，象形，所加之小點是

升中散落之物，□與□同，均為升之初文。卜辭中升與斗近

似，斗作□，字劃少，斗把較直，且無散落之物。

卜辭中祭名：□□□□□（夕⿰示升其遘雨）合集三〇九二二

王□□□□（王賓⿰示升無尤）合集三五五一四 尤：災禍

⿰⿱貝示又

□合集三六七四七 □合集三六五四八 □合集三六九六六 金文象持貝致祭于牌位前，《說文》所無。

卜辭疑指某神祖：□□□□□□□□□□□□□□（：

余步从侯喜征人方，二⿰⿱貝示又示受有祐：）合集三六四八二 ……□□□□□□□

□□：（：左自上下于⿰⿱貝示又示余受有祐：）合集三六六五二 …⿰⿱貝示又示…（：⿰⿱貝示又示：）合集三六五一五

⿰示史

⿰示史：金七四。从示、史聲，《說文》所無。卜辭祭名：□□□□□□□⿰示史…

（自武乙肜日、衣、升⿰示升、⿰示史：）金七四。肜、衣、⿰示升、⿰示史均祭名。

三 前六、二、三　三 菁五、一　三 合集三二〇二七　三 前一、七、二　三 佚二一八

劃三橫作數目字三字，與一橫作一義同，為指事字。卜辭中气字作三，上下兩橫長，中間一橫短，與三字文意不同。《說文》古文作弎。

金文史頌毁作三，井侯簋作三，皆與甲骨文同。

《說文》：「三，天地人之道也，从三數」。天地人之說為後義。

卜辭皆用作數目：三人（三人）佚二一八　三萬 粹一一七 三萬合文　三月（三月）乙二三九三　三豕（三豕）續一、一九、五　千 乙六五八一 三千合文

王 甲三九四　王 乙八六五八　王 菁二一　王 合集一八二五　王 甲七二三　王 前一、二〇、四

象斧頭側面形，象徵王者有斬伐一切之權威，為會意字。王之下一橫比上兩橫間距遠些，下一橫是斧刃，故多作弧形。三橫間距相同是玉字，勿混。

金文小臣系卣作王，盂鼎作王，散盤作王，均與甲骨文同。

《說文》：「王，天下所歸往也」。非初義。《廣韻》：「大也，君也，天下所法」。

卜辭作當代商王：王勿往途眾人（王勿往途眾人）合集六七

三　王

皇（皇）：□合集六三三五四 □懷八一六 □合集九〇七四 初文或曰象冠冕形，釋皇，秦篆从自作皇。伯椃簋作□，士父鐘作□，彔伯簋作□。《說文》：「皇，大也，从自。自，始也」。卜辭凡皇應讀作徬徨，或俳徊，在此為騷擾行動：□于□……□□□□（舌方其凡皇于土……）英五四三，土方：方國名。

玉

途用作屠，屠殺。全句意思是：商王不要前往屠殺眾人。先公名號：□□于□□（拜年于王亥）京六〇九 □于□□（侑于王亙）合集一四七六七 亙用作恆。□□□（侑王矢）合集一〇五一 侑：祭名。

□合集一〇一七一 □合集六〇一六，□合集四七二。

象一串玉形。穿玉成串，便于携帶。玉字無形可象，成串之玉一目了然，造字者可謂費心良苦。

金文早周乙亥簋作□，周晚毛公鼎作□，戰國魚鼎匕作□。

《說文》：「象三玉之連，丨其貫也」。

卜辭用玉之本義：□□□□于□（令買取玉于□）合集四七二。用作敲擊樂器：□□□□（王歸奏玉）合集六〇一六 □□□□□□□（我奏茲玉黃尹若）合集一〇一七一 黃尹：商之舊臣。若：順心之義。□□王□……（弜將玉鼓……）屯四四一 弜：否定用語，用如勿。玉：指磬類樂器。鼓：動詞，敲擊。

玉

玨（㱿）

丰丰 合集八二六 丰丰 合集三二四八七 玨京都二八九四 玨屯二八〇。

象兩串玉形，一串讀玉，兩串相合讀玨，古文玨、㱿同字。

或謂丰丰、丰丰同字，但丰丰穿的是貝，丰丰音朋，丰丰音覺，相去甚遠。（參見三九九頁朋字註。）

《說文》：「玨，二玉相合為一玨。㱿，玨或从㱿」。徐鍇曰：「雙玉曰玨」。《正韻》：「音覺」。

卜辭作祭品名：：[甲骨文]于大甲[甲骨文]玨一丰（：：剛于大甲餗玨一牛）

合集三三四八六 餗：在此指安放牌位處。

⿰王又

⿰王又 粹六五三 ⿰王又 前六三五一 象手持玉形。為田獵區。後世罕見之字。

卜辭中人名：[甲骨文]⿰王又（烄⿰王又）合集三二二八八 烄：焚人求雨之祭。地名、田獵區：中⿰王又（在⿰王又）前二一一五 田⿰王又[甲骨文]來[甲骨文][甲骨文]（田⿰王又往來無災）前二三五一 田：同畋，畋獵。

⿰王殳

⿰王殳 合集三二八五。[甲骨文]玨 合集一一四〇〇。象以手執錘敲玉之形。

卜辭疑人名：[甲骨文]卜[甲骨文][甲骨文]八⿰王殳[甲骨文][甲骨文]：（庚午卜，賓貞，八⿰王殳

用作乞，乞求之義：

A日㞢口，王固曰，[三]88三，三㞢曰乞三）（今日其［雨］，王固曰：疑此乞雨，之日允雨。三月）前七、三六、二

气（乞迄訖）

匑奠三）合集一四三 匑，動詞，匑牧之義。奠，地名，或釋為鄭。

三 合集二九 三 京都九四九 象飄浮之气體。卜辭中假借作乞迄訖。卜辭三字中間一橫短，以便不與二、三之三字混同，也可从辭意中區別之。

金文齊侯壺作≡，洹子孟姜壺作≡，均與甲骨文同。

《說文》：「气，雲气也，象形」。

卜辭用作迄：三㞢日（迄至五日）合集三六七 用作訖，終止、最終之義：三氏眾伐吾（王訖氏眾伐吾）合集二九 㞢曰三㞢

（之日，訖有來艱）前七、三一、三

中

中 合集七三七六 中 合集七三六九 中 合集三二九八三 中 甲一五六一

中 簠天一○ 中 前六、二三 中 前四、二七、六 中 京都二六九 中 菁三、一

本旗形，旗中之口為指事，中間之義。氏族社會都建旗徽，作為自己氏族之標誌，凡有大事都「立中」，立中即立旗，以便眾人望而聚之。

中

（草艸）屮

金文商代中婦鼎作□，周代小盂鼎作□，頌鼎作□，散盤作□ 春秋石鼓文作□，均與甲骨文繁簡相同。

《說文》：「中，内也，从口，丨上下通」。《左傳文元年》：「舉正於中，民則不惑」。

卜辭作中間本義：□（中室）合集二七八八四 人名：□□（小臣中）合集五五七五 立中即立旗：四□□□（丙子立中）英六八。立中看風向：□□□□（立中允無風）續四．四五 允：果然。

貞人名：□（下卜）□□（乙亥卜，中貞）續一．四五．五 中丁即仲丁：□口（中仲丁）後下四。中丁為殷先王廟號，仲為伯仲之仲，指第二位。

□ 合三〇二 □ 合集一八九三八 □ 屯五九一 象草初生之狀，當為草字初文。卜辭字形要求不嚴，□草 □木往往不分，如囿字作□也作□，芻字作□也作□，暮字作□也作□，春字作□也作□等。

金文商代屮盉作□，父戊簋作□，均與甲骨文同。

《說文》：「屮，艸木初生也，象丨出形，有枝莖也，古文或以為艸

□

屯

《廣雅·釋詁》：「屯，滿也」。屯日猶它辭習日、終日之義。□□田于□□□(王其田于刀，屯日無災)屯二三四一

字」。

卜辭中作草之本義：□□□(光無草)合集一五三九六 地名：□□(自草)合三〇二 祭名：□□□(新鬯草祖乙)合集二七二一八鬯：香酒。大意是：用新釀的香酒向祖乙舉行祭祀。文獻記載：鬯乃黑黍、香草合煮釀製而成，其味芳香。

□合集三六八二 □後上一五、二 □掇一、三八五 □甲二八一五 □鐵四四、四 □屯一〇一三 象一株有枝有葉含苞待放的花草。

金文頌壺作□、頌鼎作□、秦公簋作□，皆象形。

《說文》：「屯，難也，象草木之初生，屯然而難，从屮貫一，一地也，尾曲，易曰：屯，剛柔始交而難生」。師𩰫鼎「錫女玄袞𪘹屯」屯用作純。

卜辭中量詞：□□□(畫入十屯)合集六八七 入：貢納，屯：一對骨版，十屯即二十個，或釋作純，絲織品一疋為一純。□□□(侃示十屯，允)合集一五五一五 侃：人名，示：在此作整治。 大意是：侃整治十對骨版，允簽收。 人名：□□(侯屯)庫一一三二 侯：同侯，侯，外

屯屯：□ 合集三二五九一 从三屯，屯為量詞，即一對骨版。多屯之屯屯。《說文》所無。卜辭祭祀用字：：：□ 卜：：□十 彡：：：□ □（：：□ 卜：：羌甲 彡：：屯屯族）合集三二五九一 彡即肜，祭名。

三。

地地方長官，屯為私名。屯用作春：□□□（雀于春出）合集四一四三

□□□（今春雨）合集二○四一六 屯兵：□□□（屯孟方）合集三六一八一

屯孟方即屯兵于方國孟之邊境。集兵而守曰屯，兵耕曰屯田。

每

□ 合集二八六七九 □ 懷一四三二 □ 英二二九九 □ 甲一九○八 □ 英二二九八

象插有笄簪之婦女形，與□母□女不同。

金文周早天王殷作□，杞伯殷作□，杞伯壺作□。

《說文》：「每，艸盛上出也，从屮，母聲也」。與初文不符。

卜辭假借作晦：□□□□□（惟西及南不晦）合集三六三八七 晦：昏暗、陰。用作女：□□三□（其烄三女）存二、七七四

烄：焚人求雨之祭。用作悔：□□（用弗悔）合集三六三八五。弗：否定詞。

蔡

卜辭蔡、祟、殺通用，見六○二頁希字註。

蒂

卜辭用𠧪為蒂，見一一六頁𠧪字註。

䖒

卜辭用䖒為□䖒或虘，見一五六頁䖒字註。

芟（蔪）

 合集一○五七一 象雙手揮動芟刀芟草，當為芟字。古文 芟

芟亦作蔪，从艸，从斬，斬草之義，兩字均為會意字。

《說文》：「芟，刈草也，从艸，从殳」。《齊語》註曰：「芟，大鎌所以芟草也」。所釋均與甲骨文吻合。

卜辭僅見一例，且為殘句：………………田冊……（……）白……芟……

田冊：合集一○五七一 句中田字與芟草貇田有關。

若（諾）

 前七、三八、一  甲二九九二 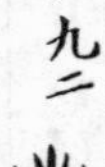 前五、三○、一  甲一二三七

象女子跪着雙手理髮，示順、从之義。

金文周早盂鼎作，周中彔伯𣪘作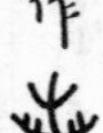，毛公鼎作。盂鼎不从口，與甲骨文同，彔伯𣪘从口，與今楷同，由簡就繁。

《說文》：「若，擇菜也，从艸，右，右手也」。所釋與字吻合，但與辭義不合。若在卜辭中多用作諾，許諾，同意之義，與辭意合。

卜辭用作如果：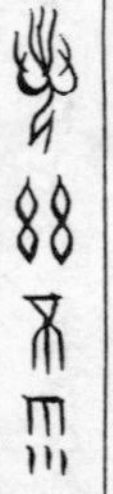（若茲不雨）遺六二○。茲：同此。

用作諾：（帝諾）乙五八五八 （王作邑

帝諾）丙九三 邑＝城邑。王正邑方（二）弗諾（王正邑方下上弗諾）

佚一一六正用作征，下上同上下，指天神地祇；弗＝否定詞。

芻

芻 屯二一二 芻 合集一二四 芻 佚六八三 芻 粹一五八七

象以手斷草之形。卜辭屮艸木木區分不嚴，如春字作萅亦作[glyph]，暮字作[glyph]亦作[glyph]。芻字从艸或从木義同。

金文散盤作[glyph]或[glyph]，與甲骨文从艸之芻同。

《說文》：「芻，刈艸也，象包束艸之形」。所釋與小篆吻合。

卜辭作刈＝于章大芻（于章大芻）前四、三五、一 章＝地名。

由以草飼養牲畜，引申作野獸＝芻弗其禽（芻弗其禽）合二二。禽同擒。

畜牧奴隸＝隻羌芻五十（隻羌芻五十）合集二二○四三

隻用如獲。由飼養引申作撫佑＝父乙大芻于王（父乙大芻于王）合集二二三一

薪

卜辭新 新字象以斧劈木取柴，古人視柴為薪，見九二頁新字註。

薶（埋）

甲一四五五七　甲八九。　乙三五五八　前七、三三　前六、四一、四　南輔二。象牛羊犬鹿等在坑中，坑中小點為土，示掩埋之義。其中有一倒牛，示被人推下，更為形象逼真。釋薶，即今之埋字。

《說文》：「薶，瘞也，从艸，貍聲」。《唐韻》：「與埋同」。

卜辭中用如埋，埋牲之祭：三（埋三宰）合集一四三六二　宰指圈養肥羊，專供祭祀用羊，三宰即三頭圈養之羊。卜辭之　可能專指圈養之牛，　則指羊。三（埋三犬）合集一六一九七　于（埋于河）合集一四六一二　埋牛祭河也。

折

合集七九二四　人三一三一　人三〇四三　合集二九〇九二

象以曲把斧砍折一木之形，一目了然。兩手折斷曰折，音淅，刀斧砍折曰折，音舌。

金文盂鼎作，甲盤作，戰國印作，均象斷草。

《說文》：「折，斷也，从斤斷艸」。

蒙

卜辭地名：□□（在圻）合集七九二四 神祇名：□□□□
（勿侑圻豕）合集一五〇四 侑：祭名。豕：去勢公豬。
□ 合集二七六八 □ 續存上七六三 从□虎从冃冒，冒亦聲。
為《說文》冡字，實乃蒙字初文。桂馥《說文證》：「冃通作
冒」。林義光《文源》：「冂、冃同字，今作帽」。段玉裁《說文解字註》：
「凡蒙覆童蒙之字，今皆作蒙，依古當作冡，蒙行而冡廢矣」。
邵英《說文解字經正字》：「冡，今經典通用蒙字」。胡厚宣
教授解得好：「古文虎字作□，豕字作□，字形象似，容
易混淆，《說文》冡字从豕，疑為从虎字之誤」。又言：「蒙者，其
本義為勇士偽裝，披戴虎皮，甲骨卜辭中，蒙字作□便是
這個意思」。

卜辭作偽裝進犯：□□卜□□□（甲戌卜豙
蒙良）合集二七六八 豙：武丁時人名；良：用作俘。大意是：豙
偽裝進攻敵人，捕獲了俘虜。

□

艿（芿）

[glyph] 摭續一〇六　[glyph] 續三·二八·六　[glyph] 京都二八九四

從艸或從茻，從乃乃作聲符。古文艿、芿一字，音仍，草名。

金文周中師旂鼎作[glyph]，伯艿簋作[glyph]，散盤作[glyph]。

《說文》：「艿，艸也，从艸，乃聲」。《正字通》：「芿、艿同」。

卜辭作人名：[glyph]（來告艿）合集三三二五

艿

蒿

[glyph] 甲三九〇四。[glyph] 菁一〇·一。[glyph] 合集二九三七五　从艸或从茻，从高作聲。卜辭艸、茻每無別，如囿字作[glyph]亦作[glyph]。

金文春秋曾姬無卹壺作[glyph]，中山王圓壺作[glyph]。

《說文》：「蒿，菣也，从艸，高聲」。

卜辭作地名：[glyph]田（其蒿田）合集二九三七五　田：同畋，畋獵。

蒿

⿱艹亯

[glyph] 乙七七九七　從茻從亯，亯亦聲。卜辭偏旁字首茻、艸每無別，當釋⿱艹亯。古文享之異體，通亨。

《字彙補》釋⿱艹亯：「即享字」。《博雅》：「通也」。

卜辭作地名：[glyph]于[glyph]（貞于⿱艹亯）乙七七九七　貞：貞問。

⿱艹亯

春（萅 旾 芚 旾）

□ 拾七．五 □ 菁一○．七 □ 乙五三一九 □ 乙五九一九 □ 庫一六七二
□ 明一五八八 □ 京一九四九 □ 戩三．二 □ 粹一一五一

从草（或从木，卜辭从草从木每無別），从日，屯聲。卜辭春為紀時名詞，指全年，與今日四季之春含義有別。但春字形意卻有春日百草生長之義。□字从竹，亦春筍茁壯，□字从屮，當為有節之草，亦拔節茁壯生長之義。

金文春秋蔡侯鐘作□，於賜鐘作□，與甲骨文同。

《說文》：「春，推也，从艸，从日，艸春時生也，屯聲」。

卜辭作紀時：□□□□□（今春求有工十月）合集一八該辭卜在十月，今春當指今年、今歲。□□□□（來春不其受年）合集九六六。來春指明年。地名：□（在春）庫一六七二屯用作春：□□□□（來春伐帽）合集六五五六。□象飾有羊角之帽形。古勇士偽裝，披戴獸皮以吓唬和迷惑敵人。古文帽字作冃或冃，象形；帽子有飾無飾同，□疑為帽之初文。

萅

萻

□ 佚九九五 从艸，从害音轄作聲。本為草名，卜辭作地名。

金文井侯毀作□，與甲骨文同。

《唐韻》：「音轄」。《博雅》：「藹萻，蘇也」。《揚子方言》：「蘇長沙人謂之萻」。

卜辭中地名：王□□□□□（王麓枚萻往來無災）佚九九五 楚麓：商代畋獵區，引申作動詞，即畋獵。

萑

□ 河七四六 □ 合集二八三四八 □ 合集一八四三二 □ 燕四八八 □ 合集八一八四 □ 合集一〇九九九 从木从屮，卜辭木屮無別，多少無別。

《說文》：「萑，艸多皃，从艸，隹聲」。《周禮春官》註：「萑：如葦而細」。

卜辭地名：□（在萑）合集八一八四 草莽畋獵區：……□□□□（……萑，射畫鹿，擒）合集二八三四八 ……□……□……（……萑……虎……）合集一〇二一〇 兩例皆有野獸。

莽

□ 存二四九五 □ 存一、一四四。□ 合集一八四三一 从艸（卜辭艸、木每通用）从犬，象犬在草莽之中。

《說文》：「莾，南昌謂犬善逐菟艸中為莾，从犬茻，茻亦聲」。
菟應為兔。

蓐

卜辭人名或方國名：（祖莾入）合集二一四三七
屯二六一　合集九四九八　合集九四九七　象以手持辰
除掉或割取草木之形，與《說文》蓐字同。
《說文》：「蓐，陳艸復生也，从艸，辱聲。一曰蔟也。
籀文蓐从茻」。
卜辭地名：于（于蓐擒）屯二六一

芸

乙六七一六　从艸，从幺，《說文》所無。
卜辭人名：（庚辰卜貞，婦芸
來）乙六七一六

茶，《韻會》釋荼：「茗也，本作荼，或作梌，今作茶」。《說文》釋荼：「苦荼也，从艸余聲，臣鉉等曰：即今之茶字」。

荼

合集三三五七二　合集二四四六九　从艸廿从　金、途或不从止
義同。可釋荼，从艸，余音塗聲，苦荼，即「如火如荼」之荼。

（荼）

卜辭地名：（□巳卜，王其田荼）

蓐　荼

〔艹聽〕

合集三三五七二 田〔古文字〕田獵。（〔古文字〕卜，貞：辛〔古文字〕田〔古文字〕〔古文字〕：田荼：擒：）合集二四四六九（古文荼、㭌、荼一字）

〔古文字〕粹九二七 从〔古文字〕、从〔古文字〕聽，構形不明，疑為从〔古文字〕聽聲之字。

卜辭地名：〔古文字〕田〔古文字〕日〔古文字〕（惟〔艹聽〕田湄日亡𢦏）粹九七。田：田獵；湄日即彌日，終日也；亡用作無；𢦏用如災。

莫（暮）

〔古文字〕合集二九八〇八 〔古文字〕寧滬二一〇七 〔古文字〕甲二六八七 〔古文字〕甲二五九五

〔古文字〕戩一三九 〔古文字〕輔仁八五 〔古文字〕英一九七八 〔古文字〕粹三〇

从茻（卜辭艸、𠂈或林每無別，僅是繁簡之分）、从日或从禾从隹。〔古文字〕、〔古文字〕象日在草木之中，會日暮之義；从禾與从茻義同；从隹會日暮鳥類歸林或鵜類暮投草莽之義。後世分作莫、暮兩字。

莫用作否定詞，暮字不失初義。

金文父乙觶作〔古文字〕，散盤作〔古文字〕，戰國尊作〔古文字〕。

《說文》：「莫，日且冥也，从日在茻中」。

〔古文字〕

卜辭中地名：王田□□□（王田暮無災）合集三三五四五 田，田獵。
方國名：□□□（令暮伯）英一九七八 伯，方國首領。日暮：□彭
（暮彭）合集三〇八三七 彭，祭名。

芭

□屯一〇八 □合集五六三七 从艸，从巴。此字《説文》所無，直
釋作芭，當為形聲字。卜辭中地名：□□□□□□□□
（其霝舞于芭京又雨）屯一〇八 霝舞：祈雨之祭；又用作有。人名：
□□□（婦芭來）合集五六三七

茯

□甲二三六四 □乙八五〇二 □前六，五三，二 □後下一九，一〇 □合集二〇六二四
象一人伏于草木之下，形聲字。權釋茯字。《唐韻》：「音伏，茯令」。
卜辭方國名：□□（茯方）合集二〇六二四

荷

□合集二二三四六 □合集七〇〇一 象人荷戈形，與誰何之□何不同。
商父乙卣作□，商戊卣作□。—（見四八五頁何字註）
《説文》：「荷，芙蕖葉，从艸，何聲」。無負荷之義，似有失。
卜辭人名：□□□（令荷）懷一四六五 方國名：□□（荷方）合集七〇〇一

小

鐵一〇一、三　佚五一八　小佚四〇七　十七四二小甲合文　河二〇四小王合文

用三小點表示小，會意字。卜辭少字作，少、小通用。

金文盂鼎作，小臣鼎作，散盤作，與甲骨文同。

《說文》：「小，物之微也」。

卜辭作小之本義：（小雨）合集三二一三　少用作小：（小采）合集二〇八〇。小采為紀時之詞，指黃昏，采同彩、霞也。（小食）合七八　商代一日兩餐，小食指午後第二餐食。方國名：（于小方）合集二〇四七。宗廟名：（在小宗）合集三四〇四五　小宗：較小之宗廟。先王廟號：（小祖乙）續一、一五、八　即小乙，直系先王。（小辛）通一一八　旁系先王。（小丁）文三三八　直系先王。（小示）甲七一二　示本牌位，引伸為神祖之泛稱，小示為集合廟主之簡稱，與大示相對而言。（小耤臣）前六、一七、六　官名，負責農耕之官。

少

乙一八九　拾七、一五　前四、四二、五　或以為三點為小，四點為

小示即旁系先王之廟主也。

就形體言，小多作小，少多作小。就詞語結構言，小雨小字在前，雨少少字在後。小臣、小宰作小臣、小宰，亦可作小臣、小宰，但小乙只作小乙，从無作小乙者。

少，但卜辭中小、少二字每通用難分。可以說小、少為同源之字，但不能說絕無區別。

金文春秋鄘侯毁作少，戰國盟書作少。

《說文》：「少，不多也，从小，丿聲」。非初義。

卜辭小、少通用，均可用作小：十占小雨(甲子小雨)合集三三九二〇。

小采(小采)合集二〇八〇〇 紀時之詞，指黃昏；采同彩，霞也。

八

八 粹六七 八 菁四二一 八 甲三九一八 八 明藏七八七 八十合文 八千 粹一一九 八千合文

象一物一分為二，相背張開。卜辭分字从八从刀，即刀剖一物成八之形，是釋八之最好旁證。

金文旂鼎作八，鄧伯氏鼎作八，鄘侯毁作八。

《說文》：「八，別也，象分別相背之形」。

卜辭作序數：八羊(八羊)乙四五一六 八牛(八牛)前六、四五、六 後上一五、一〇。八桒(八桒)後一、一一、一八 地名：在八師(在八師)後上一五、一〇。

八

分

分 前五、四五、七 分 鐵三八、四 分 中大四三 象以刀剖物為二，會意字。

分

金文商代父甲觶作□，梁鼎作□，與甲骨文同。

《說文》：「分，別也。从八，从刀，刀以分別物也。」

卜辭用作本義：□□（𢽴分）前五．四五．七 𢽴同養，養分即分養。□□□□□（我弗其受分）六中四三

曾

□屯八二五 □屯一〇九八 □合集三一八二一 象蒸箅熱气上騰之狀。□

直釋作甾，應為曾、甑之初文。

金文易鼎作□，曾者鼎作□，鄭伯𥂕作□。

《說文》：「曾，詞之舒也。从八，从曰，田聲。」與初文不合。

（甑）

卜辭中人名：□□□（曾令歸）合集三二九〇四 地名：□于□（祭于曾）合集四〇六四 方國名：□□□□（往曾征無災）屯一〇九八 祭名亦用牲法：□□□于□（惟曾犬于天）合集二二三五四

豕

□乙七六七四 □合集七六五三 从八从□，豕聲，為豙之初文；後世又□假通作遂、隊、隧，隊更通作地。

金文井侯𣪕作□，彔伯𣪕作□，均豕形，不从八。

《說文》：「㒸，从意也，从八，豕聲」。《玉篇》：「今作遂」。
卜辭用作人名：□□□□（爭貞、㒸獲）合集一〇八六三
□于（㒸于）合集七六五三

介（介個箇）

□ 合集七二 □ 佚五七五 □ 鐵八〇、二 □ 掇二、二七八

象一人渾身披甲，會英雄介士意。八本動物之鱗甲，即保護層，此指人之衣甲。卜辭中之「多介」為頌稱，意為立下汗馬功勞之諸位英雄，「多介祖」即諸位祖輩英雄，「多介兄」即諸位兄弟輩英雄。對諸祖、諸父、諸兄、諸子統稱「多介」。

金文春秋禺邗王壺作□，石鼓文作□，戰國簡作□。

《說文》：「介，畫也。从八，从人。人各有介」。不合初文。

卜辭中頌稱：㞢于□□（侑于多介）合集二二六四二 侑：祭名。用作匄同丐，乞求之義：□□（介雨）乙二八七七

卜辭頌稱包括陣亡的子輩：㞢于□（侑于介子）合集一六二三

後世介或用義如介（個），如「一介書生」。

《集韻》釋箇：「亦作个、介，俗作個」。

𠔁

□ 前五、二八、一 □ 存下九七九 □ 林二、二一、一。象重八之形。《說文》、《玉篇》均釋重八為別之異體。卜辭谷字作□，从□，从口，□象

水出谷後分別流入開潤之地，有分別之義。

《說文》：「八，分也，从重八，八別也，亦聲，孝經說曰：故上下有別」。《玉篇》：「古文別字」。

卜辭中地名：「帚井田于八」（婦姘田于八）前二·四五·一 田：畋獵。

公

公 京津四一二一 公 明一三四三 公 菁一〇·一 公 周甲五三·98

从八，从口，八象一物平分為二，口應為容器，示平分器中之物，以表公正。古公為五爵之首，為先祖、長者之統稱，皆取公正之義。

金文令毁作公，毛公鼎作公，虢文公鼎作公。

《說文》：「公，平分也，从八、从厶，音司，八猶背也，韓非曰：背公為厶」。

卜辭中地名：「中公」（在公）甲一三七八 神祇泛稱：「王尞河公」（王燎河公）合集二一一四 先公統稱：「勺歲于多公」（勺歲于多公）合集三四二九六 勺用作礿，祭名；歲，祭名；多公即諸位先公。「三公宮衣丝夕亡禍寧」（三公宮衣丝夕無禍，寧）合集三六五四三 公宮：設有諸先公牌

余

位之宮室；衣：祭名；寧：安寧。

合集五五〇七前四˙一〇˙六甲二三〇。

象一簡陋房屋，屋頂只靠木柱支撐着。

金文周早盂鼎作，散盤作，王孫鐘作。

《爾雅釋詁》：「我也」。

卜辭作第一人稱：（余受年）合集二一七四貞人名：（丙申余卜）前八˙一二˙一 地名：田（田余）掇二˙二七三

田用作畋，打獵。

牛

甲二九一六佚四六（小牛合文）合集一四三七五

象牛頭形，以牛頭代牛與羊頭代羊義同。

金文商代牛鼎作，師寰簋作，友簋作。

《說文》：「牛，大牲也」。《禮曲禮》：「凡祭宗廟之禮，牛曰一元大武」。

卜辭中多用作祭牲：（燎三牛）合集二九四。燎：祭名。

（卯黃牛）合集一四三一三 卯：祭名，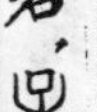：直釋作牟，同吽，

牟

□四 合集二三二一 □ 合集一〇五一 从牛角上有一橫或多橫，乃一歲牛或三歲牛之特出，均為祭牲。或曰：為頭數之標誌，非也。另一牡字从六橫作□，指的是六歲公牛。

卜辭作祭祀用牛口齡之專字：□于□～一□（祀于父乙一□）合集三三〇四 □□（呼雀用□）合集一〇五一 「一□」連用，可知指的是一歲之小牛，若認作頭數，於理不通。

俗稱「大牟」河南方言，音忙牛」是也。□□□（卯黃小牛）合集一四三一五 或曰：□指水牛或小牛合文，可參。

牡

□ 合集一一四二 □ 合集一一五一 从□牛从⊥□，士乃雄性之標誌，士者勢也。牡指公牛，□指公羊，□指公鹿，各有所指，似不可統用作牡。□直釋作牡，後世易士為土，會意字成了形聲字了。

周晚刺鼎作□，戰國中山王圓壺作□。

《說文》：「牡，畜父也，从牛，土聲」。

卜辭多用作祭牲：□于□十□（㞢于上甲七牡）合集一一四二 㞢用作侑，祭名。□□□□□（勿侑牝，惟牡）合集六六五三 □□□□□□□（庚子卜，行貞，其又于妣庚，牡）合集三三四七 又用作侑，祭名。□□□□□□□□□□（辛巳貞，㞢生于妣庚、妣丙，牡、牡、白豕）合集三四〇八一 㞢同擇，今作拜，牡、牡並舉，足見為各有所指也。

牝

□ 前五．四三．五 □ 戩二三．一 □ 佚三三一

牡：懷一六八 合集一七八〇 合集一五〇六七

从牡牛角上有三或五橫，為三歲、四歲、五歲公牛之特寫，專字，即對祭牲口齡上之限定。卜辭作祭祀用公牛口齡之專字：（翌癸丑侑祖辛）合集二七〇八 侑：祭名。

（	犺	剛	）	犅							

从牛从或匕，匕亦聲。卜辭指母牛，指母羊。匕也用作妣。有人視為雌性之標誌，根據與牝相對之牡字分析，其論可信。後世匕匙之匕字，即是由演變而成的。

金文周早盂鼎作，小篆作，可謂古今不渝。

《說文》：「牝，畜母也，从牛，匕聲，易曰：畜牝牛吉」。

卜辭中多作祭牲：（又妣庚牝）合集二三二四六 又用作侑，祭名。（御婦鼠妣己二牝牡十二月）合集一九九八七 御：同禦，祭名，為牝牡合文。

合集三六四三五 合集三〇四三九 合集三四二三三 懷一六六五。

从网，从刀，示刀子剛硬鋒利之義。所从之戌為兵器，與刀同義。繁加之束或牛為劃殺對象，在卜辭中多用作祭名。

金文犅刧尊作，靜毀作，大作大仲毀作。

《說文》：「犅，特牛也，从牛，岡聲」。《玉篇》：「特牛，赤色也」。

《集韻》：「通作剛」。《集韻》：「或作犺」。

卜辭人名：□□出□（剛其有疾）合集一三七四五　地名：□□□□□□□□（在剛貞今夕師不震）合集三六四三五　祭名：□于□（剛于父乙）合集二二七二六　□于□（剛于大甲）屯二八〇。□于□五□□（剛于河王賓吉）合集二〇四三九　河：先公名，賓：本義為从，此作親臨。大意是：向河舉行剛祭，商王親臨參加，大吉。

牲

□　合集五六五五九　从□、从□生聲。□象羊項繫繩，亦為養羊也。直釋作□。卜釋為形聲字。經傳牛羊豕為三牲。《周禮．庖人註》：「始養之曰畜，將用之曰牲」。□作祭牲名，疑即今之牲字。

金文矢方彝作□，矢尊作□，盂鼎作□。

《說文》：「牲，牛完全，从牛，生聲」。《庖人註》：「始養之曰畜，將用之曰牲」。

卜辭用作祭牲：□□三（巫牲三）合集五六五五九　巫：祭名。大意是：舉行巫祭，用牲畜三頭。

大牢疑指圈養之大牛，小牢則指圈養之小牛。三牢指三頭圈養的、專供祭祀用牛。

甲五四六拾一四、一九

象牛被餵養在圈內，會意字。祭祀是商代大事，祭事頻繁，為了使用方便，遂把祭牲畜養在圈，此圈即為牢。卜辭中从牛之牢、从羊之宰，為不同之字，各有所指。古文獻載：三牲（牛羊豕）為大牢，二牲（羊豕）為少牢。其實並不符合殷代實際情況。

金文商代牢爵作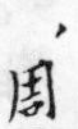，周早貉子卣作。

《說文》：「牢，閑養牛馬圈也」。《周禮地官》：「充人掌繫祭祀之牲拴，祀五帝，則繫於牢」。《禮王制》：「天子社稷皆太牢，諸侯社稷皆少牢」。《周禮天官小宰》註曰：「三牲牛羊豕，具為一牢」。《齊語》註曰：「牢，牛羊豕也」，言：雖山險皆有牢牧」。

卜辭作圈養的專供祭祀用牛：三（燎三牢）屯八一七 燎：祭名。于大（燎于土大牢）屯七二六 土：神祇名。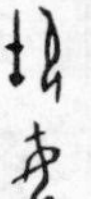（御母小宰）合集二八〇五 御用作禦，祭名。

屯一五〇九懷三一英二〇四七 五宰合文 象羊在圈內，會意字。圈

□：□乙四〇七
象二羊在冂中，構義不明。
卜辭義不明：□□□□□□□□……（癸卯卜，㠯貞，克妥□力三）乙四〇七

養之牲，專供祭祀之用。卜辭宰、宰各有所指，後世皆以牢代之，牢存宰亡。（參見五〇頁牢字註）

卜辭宰指圈養之祭羊：□于□□小□（燎于河五小宰）屯一五三

燎：祭名，河：河神。□于□□三□□（侑于盟室三大宰）合集一三五六二

侑：祭名，盟：或作盟，殺牲歃血、告誓神明之義，盟室應是向神祖歃盟宣誓之處。□□□□三□（御百宰盟三宰）合集二二四七　御用作禦，盟，歃血明誓之祭。三宰即三頭圈養之羊。

犀（兕兕豕舄）

□甲六二〇　□乙七六四　□粹九四一　□佚六三五　□乙八〇四九

象頭上長一個大角，身軀比較肥大之犀牛形。後世分作犀、兕兩類，實一獸也。經典中犀兕兩字同音、同義，同為象形字，當是一字。

兕、豕、舄等皆兕之異體也。

金文犀伯鼎作□，戰國印作□，變為形聲字。

《說文》：「犀，南徼外牛，一角在鼻，一角在頂，似豕，从牛，尾聲」。釋舄：「□，如野牛而青，象形」。《爾雅釋獸》：「兕似牛」，註

曰：「一角，青色，重千斤」，疏曰：「其皮堅厚，可製甲，交州記：角長三尺餘，如馬鞭柄」。

卜辭中獸名：（逐六犀擒）合集一〇四四五 （射犀）合集一〇四一九

物

戩六、四 陳六八 甲五八 粹五六一 前四、三五、二 

象以刀刎牛之形。卜辭物字專用於祭祀之辭，為雜色牛之專稱。古人占其形色曰物，《周禮春官保章氏》：「以五雲之物，辨吉凶水旱降豐荒之祲象」。《夏官校人》疏曰：「物即是色」。《楚語》：「毛以示色」。今人言「物色」者，不失古義。

《說文》：「物，萬物也，牛為大物」。《周禮春官司常》：「雜帛為物」。

卜辭多用作祭牲：（卯十物）後上二四、三 卯：用牲法，將牲畜對剖。（燎十物）前四、五四、四 燎：同尞，祭名。

或釋犬為負責狩獵之官員。

告

告　屯四五四四　合集三四二五六　合集三六五二八　合集三四一八四

合集九三八　人三八九　从牛在口上，與金文告同。卜辭中用作報告、禱告、祭告之義。

金文告田罍作、告田觶作、毛公鼎作。

《說文》：「告，牛觸人，角箸橫木，所以告人也」。與字之形象不符。

卜辭作禀告、報告：（犬來告有鹿王往逐）屯九九七　禱告：（告疾于祖乙）合集一三八四九

用作祰，祭名：（告于大甲祖乙）合集一八三

牟（吽、牡、犕）

英五八二　合集一四三一三　合集一八二七五　合集九○○四

从厶在牛上，會牛張口鳴叫之義。直釋作牟。口字偏旁後世或演變作厶，如甲骨文㕣字後作公，句踐後作勾踐等，牟字作牟也是這個道理。中原是甲骨文故鄉，民間給好叫的公牛按其叫聲取名曰「大牟牛」。《說文》釋牟曰「牛鳴也」，不失本義。

卜辭用為祭牲：（燎三宰卯黃牟）合集一四三一三

黃牟即黃色牟牛。：（幽牟）合集一八二七五 幽牟即黑色牟牛。牲畜名：（令鳴氏多方牟）英五二八

象一人以手提物形，引申作攜帶、帶來、取舒之義，多方指各個、諸多方國。大意是：命令鳴這個人帶來各個方國之牟牛。（氏牟）合集九〇〇四（牟、吽、牡、犃為同源之字）

口

甲一二一五 甲二二七七 佚二八六 象人之口形。

《說文》：「口，人所以言食也，象形」。

卜辭作人之口：（疾口）合集一三六四二 人名：（小臣口）甲六二四

貞人名：（口貞）佚二八三

吹

英二六七四 同版 合集九三六〇 乙三四

象一人張口向器皿中吹气，會吹去皿中殘存之義。

《說文》：「吹，嘘也，从口，从欠」。

卜辭中人名：（吹入）合集九三五九

（兄先祖曰吹）英二六七四

物： 屯二三〇八
从牢从勿，牢為圈養食的專供祭用牛，勿為刎割，祭牲之宰。直釋作物，或釋物，物為雜色牛。那麼，物當指雜色圈羊之牛了。卜辭作祭牲：（來乙巳酌祠，歲伐十五十物）屯二三〇八

物： 合集六九四七
从牢从勿。卜辭祭牲名：出于（侑于下乙，牢，冊十物）合集六九四七 冊，用牲法。

或曰：多君與多尹各有所指，多君即諸侯國之首領也。

名 前六、二四 七七八○八 乙一四二五 合集二一九。

从口从夕，會夜不見人，以口自名之義。

金文召伯毁作，吉日劍作，與甲骨文同。

《說文》：「名，自命也，从口，从夕，夕者冥也，冥不相見，故以口自名」。

卜辭中人名：竹（省从名）合集五一一八 貞人名：（名貞）甲三三九九 地名：（在名）合集九五○三

君 燕二八 合集二四一三四 从尹从口，象以手執筆或棒，示籌劃、治理之義。口示發號施令。卜辭中多君即多尹，指諸位文臣，古文君、尹通用。

金文天君鼎作，番君鬲作，夜君鼎作。

《說文》：「君，尊也，从尹發號，故从口」。

卜辭中官職名：（余告多君曰）合集二四一三五

（君入）甲三○○六 入：貢納、進獻。

召 掇一、四五。 前二、二二、四 粹五一八 林二、一六、八 寧滬一、四二六。

繁文象雙手置匙于酒尊上，其下之[字形]曾甑為蒸鍋，似與介紹或釀製酒類有關。[字形]乃省文，从口刀聲；[字形]則从口爪聲。

金文商代切卣作[字形]，伯害盉作[字形]，克鐘作[字形]。

《說文》：「召，評也，从口，刀聲」。

卜辭中地名：于[字形]（于召）前二、二二、一 方國名：[字形][字形][字形]（弜追召方）屯一九。弜用如勿，否定詞。[字形][字形][字形]（王征召方）屯四一。三

命

卜辭用令為命，見五六七頁令字註。

問

[字形] 合集三一四九。[字形] 後下九、一 从門从口，示人門前有所問。

金文陳侯因資敦作[字形]，汗簡作[字形]，戰國印作問。

《說文》：「問，訊也，从口，門聲」。

卜辭用其本義問訊，[字形][字形]……問[字形]……（貞余……問大）合集二二四九。

唯

[字形] 合集三八七二九 [字形] 懷一四六五 [字形] 合集三一二八七

从口，隹聲。隹為禽類泛形，一般代表不善鳴叫的。卜辭唯多作發語詞、虛詞、助詞等，从隹演變成唯，與後來之惟、維

問

唯

義同。唯與□鳴易混，可从詞義中別之。

金文周早獻侯鼎作□、豆閉毁作□、蔡侯鐘作□。

《説文》：「唯，諾也，从口，隹聲」。非初義。

卜辭用如隹，發語詞：□□□□□□（其唯大史寮令）前五、三九、八 寮同僚，大史寮官名，即大史僚。□□□□□（其唯姛啓正）合集三八七二九

和

卜辭和作龢，見一二一頁龢字註。

启

卜辭启同啟、啓，見一八一頁啟字註。

咸

□乙一九八四 □前五、四六 □甲二九〇七 从戌，从口，□象斧形。卜辭咸字作□，从口丁作聲，與咸不同。□乃口舌之口，□則是干支之丁。

金文商代咸父乙毁作□，史懋壺作□，秦公毁作□。

《説文》：「咸，皆也，悉也，从口，从戌，戌，悉也」。

卜辭中咸即咸戊，咸戊亦稱巫戊，爲殷之元臣，功比伊尹，並列于先王受祀：□□□□（咸弗佐王）合集二四八 弗用如勿。□干□□（侑于

咊　启　咸

咸戊）合集三五〇七　祭名：□□曰（王賓咸曰）合集一二四八　賓，同儐，
儐臨，引伸作蒞臨，咸曰，向日神進行祭祀。
卜辭用又為右，見一五二頁又字註。

右

吉

□英八二三　□前八、七、二　吉佚一六六　□佚二四七　□周早二六
由于吉字上部造形各異，難確其所象，釋者各執己見，或以所从之
士、□、□等為牡器，果然如此的話，所从之□王又作何解？吳其昌
曰：「皆象一斧一礎之形」。吳說可信，道理是：所从之士為□之訛省，
□乃無柄之斧，□、□為斧之側面，口是執具。斧頭所劈之物當
為吉祥之物，牛羊是也，此即从斧在礎砧上之本義。
金文周早矢方彝作吉，散毀作吉，旂鼎作吉，虢季子白
盤作吉，毛公鼎作吉。早期皆从王，無从士的。
《說文》：「吉，善也，从士口」。从士之見乃後義。
卜辭用其本義　吉利：□（大吉）英二五一三　□（弘吉）前五、一〇、三 合文
□□□（王占曰：吉）英八二三。

司　吉

周

□前五、七、七　□續五、二、二　□乙七三一二　□合一八一

象已種植的、條理井然的農田形。卜辭秦字作□，象雙手執杵擣禾取谷之狀；唐字作□，象雙手舉杈打谷入器之狀。可見作為地名、姓氏、方國、朝代名之周、秦、唐三字均與重視農業有關。後來周字从口，當與唐之从口義同。

金文免段作□，散盤作□，盂鼎作□，㝬鐘作□。

《說文》：「周，密也，从用口」。

卜辭中人名：□□（婦周）乙八八九四　婦周乃周女上嫁殷王者。方國名：□□□（王令周）合集四八八六　□□（鑿周）合集六八一七　鑿：本義為開、穿，引申作打擊、進攻。□□□□（周方無禍）合集八四七二

哆

□合集一五八〇四　□庫三八　从多，从口，疑為《說文》哆字。

卜辭疑人名：□：□子多□（出貞：子多哆）庫三二八

咩

□佚二四四　从□（疑同□羊）从口，應釋咩，同羊，羊鳴聲。

卜辭地名：□田：于□（其田：于咩）佚二四四　田，田獵。

周

唐

□ 人二九九一 □ 甲一一三二 □ 續一、七、六 □ 京一〇六五 从口，庚聲。

金文商代祖乙爵作□，唐子祖乙觶作□。

《說文》：「唐，大言也，从口，庚聲」。非初義。

卜辭中作商代開國君主之私名，唐即湯，或稱成湯、商湯，廟號大乙，乃直系親王：：□□□□□□□（侑于唐至于大甲）林一、三五

地名：□□□□（帝疾唐邑）乙七〇〇。

⿱䇂口 ） ⿱䇂口 櫱 （

□ 合集五六二五 □ 合集八七五五 □ 合集一五八八一 从□、从口，與《說文》⿱䇂口之篆文⿱䇂口同。□與□辛同。辛為刑刀，□為正面，□則為側面，可釋□為⿱䇂口或⿱䇂口。

⿱䇂口在卜辭中用作人名地名或祭名，與用作災祟義之□或□有別（見九七〇頁辥字註）。

《說文》：「⿱䇂口，語相訶歫也，从口歫辛，辛惡聲也，讀若櫱」。

卜辭人名：□□□（⿱䇂口允死）合集一七一〇六 允：果然。

用作格，格殺、格鬥之義：五 …… （王其比言各犀）合集二八四〇八 …… （…各犀）合集三三四三 …… （各逆方人）合集二一〇九九

地名：田（弜田）屯二四〇一 弜用如，田獵。 祭名：太

于口（王于丁）合集一九五六 丁，神祇名。

吝 合集二五二一六 佚七二五 从口，文聲，吝嗇之吝。

金文戰國中山王鼎作 ，戰國陶文作 。

《說文》：「吝，恨惜也，从口，文聲」。

卜辭地名：于（于吝）合集二五二一六

各 懷八三三 合集三三九八 合集一二九九七 合集二四七五七 合集二八四〇八

从倒止，从口，示走向穴居——落腳點，應是落字初文。古

（落、格、敋、挌）

文部落之落或作各（見諸葛銅鐳），部落指部族聚集落腳之

地。卜辭洛作 或 ，形有落水之義，古文洛或作各，石鼓

文「大車出各」即「大車出洛」也。 字或从 作 ， 乃

行之省，與辵之同，動符。卜辭出字作 或 ，足趾朝前，

示走出穴居之義，與 字相反。各為落、格、敋、挌之初文。

金文商代宰椃角作 ，沈子毁作 ，庚贏卣作 。

（今夕各雨）合集二九九七

（今日有各雨）合集二七五六（或釋內廿，內廿為退，可參）

〈說文〉：「各，異辭也。从口夊。夊者有行而止之，不相聽也」。

卜辭作降落：（大水不各）合集三三三四八

（各日）合集二九八〇二

祭名：（各祖丁）合集二七三〇四

（各于大乙）合集二七〇〇

（王其各禾：）合集三三二八八

昔

屯二六一三　合集三六五三五　合集三六五一五

从日。眉聲。與秦篆夢字所从之同，當為眉字，日為借聲符號，與今日呼、卿之口義同。卜辭中「不昔」三字常連用，昔用如蒙，疑是蒙字異文。（見三四頁蒙字註）

卜辭昔用如蒙，蒙受、遭受之義：（受有祐佑不昔）合集三六三四四　（呼伐其悔不昔）屯四六一三

吉

合集五四〇。　甲二二七九　鐵一五九、四　乙一四一七

从工口聲。吉字卜辭常見，因此學者們均感興趣，各執己見，不外乎釋作呂、吉、古、鬼、苦、共、邛等，迄無定論，但為方國名則

三𠂹或釋乞自，乞為乞求之義。可參。

⿱⿰工工口 ） 品 展 㠭 （

無異議。

卜辭方國名：⿱⿰工工口（王往伐舌方）合集六二一。⿱⿰工工口

（舌方不亦出）合集五五二。亦用作夜。

⿱⿰工工口 合集九四一三　⿱⿰工工口 前六、三九、七　品 英五七五　品 合集六四四五

大龜四版中貞人⿱⿰工工口與品同版，二者當為一字。卜辭塞作⿱宀㠭，金文䏶父匜作⿱宀㠭，塞簋作⿱宀㠭，秦篆作⿱宀㠭，二工與四工同。《說文》：「㠭，極巧視之也，从四工」。《玉篇》：「㠭，展也」。據此，⿱⿰工工口字應音展，口乃借聲符號。或釋展，可參。

卜辭中⿱⿰工工口、品為同版貞人名：（癸酉卜⿱⿰工工口貞）通纂一六五頁（癸丑卜品貞）同版用如㞡，陳述也：（攸侯令其品舌曰）合集五七六。攸侯：攸地首腦，品舌讀作展告，陳述也。大意是：攸侯令其陳述說。⿱⿰工工口、品皆人名：（癸亥旬迄自雩十屯⿱⿰工工口）合集九四一。大意是：癸亥這一天，旬得到來自雩之骨版十對，⿱⿰工工口驗收。屯：量詞，一對骨版。

⿱心口 （吣） 咾

丁三 吅（婦妸示三屯吅）合集一七三六。示：整治。

合集一八二四 合集一九三六。从口，心聲。直釋作⿱心口，即吐吣之吣字。

《集韻》：「音沁」。《玉篇》：「犬吐也，亦作吣或⿱心口吅」。

卜辭中「⿱心口牛」兩字常連用，⿱心口疑為牲畜嘔吐之病：

（⿱心口牛）合集一八二四 ：干：（：⿱心口牛于：）合集一九三六。

義不明： ： （貞，⿱心口：犬由）合集二六〇六

合集三六九四。 合集二三七〇五 合集三九四三七

从雙口、从 老，老亦聲。 象老者彎腰拄杖之形，雙口會老人哼咳較多之意。 乃省文，或釋 為哭，可參。

《集韻》：「音老，聲也」。

卜辭中地名：王 （王占曰：弘吉，在咾）合集三六九四。

疑多祀對象，神祇名： （衣咾若無尤）合集二三七〇五 衣：祭名，若：順意、如意之義，尤：災害。

□ 周探一七四 與金文同。

叩

□ 屯一二三九 □ 合集一〇六 从□口聲。即叩頭之叩，與扣通。《玉篇》：「叩，擊也」。《廣韻》：「與扣同，亦擊也」。《正字通》：「稽顙曰叩首」。

（扣）

卜辭疑為方國名：乎□……（呼叩……）屯一二三九……□

……（……王獲叩……）合集一〇六。

由

□ 合集一七三三 □ 合集一七三二 □ 英七五九 象武士所戴有纓飾之帽子頂部。

卜辭繇例分析，用如因由、事由之由。

（繇）

《韻會》：「因也」。古文由、繇同字，《前漢古今人表》許由作許繇。

卜辭人名：□（執由）合集五八九八 地名：□（由邑）乙八八六七

自也，从也：□（麋告曰：方由今春凡）合集四五九六

方：方國，凡用作犯。因也：□（子商□有由）合集二九五三

□：意如□，神鬼為祟，禍害。……□（……無由）合集一七三二五

胄

□ 合集三六四九二 从□由从□冃，□象古代武士所戴有纓飾之帽子，□直釋作冃，即冒，帽之初文。□即甲胄之胄，後世與从

□ □ □

）肉月之胄、子之胄混同。古文胄或作𩊚、鞧，从革之義是：此為

𩊚 介士所戴，革製品也。卜辭中為罕見之字。

鞧 金文盂鼎作□、𧆞簋作□，中山王方壺作□，

（以目代首或直接从人戴胄，更為形象。

《說文》：「胄，兜鍪也，从冃，由聲，𩊚，司馬法胄从革」。《荀子

議兵篇》：「冠鞧帶劍」。

卜辭執胄即手執兜鍪：□□□□（執胄人方）合

集三六四九二 人名：□□□□：（□胄呼奏受：）周探二坑一七四

吕 □珠四七。□粹一〇九三 □合集六六七 □京津二三一八

从弓，从口，《說文》所無。

卜辭人名：□□□□（吕呼伐□）合集六〇九。呼：命令。□

□□（吕令司工）合集五六二八 □、□同字：□□（令吕）合集五四七七

□□（令吕）懷四七。□□生□（子吕有疾）合集二三五三二……□

□（……吕入十）合集九二三 □□□□□（良子吕入五）合集九三八 入：進獻。

叨（饕餮）：
□ 屯三二〇一
从口刀聲。
叨孳𣪘作
□。
《集韻》、
《正韻》訓叨
音滔，同饕。
《正字通》
釋叨：「忝也，
濫也」。
卜辭疑作
人名：十□
卜□□五
□□才
□□□
□（甲子
卜，叨以王
族，宄九方在
□，無災）
合集三三〇一

弘

□ 合集三五六七三 □ 合集二八九三 □ 前六、六七、六 从弓从口，《說文》所無。

卜辭人名：……□□□□……（……弘不其氏……）合集九一〇六 □□ ……□□

（白弘）前六、六七、六 白用作伯，方國或地方首領。

□……（……令弘祟……）合集二八九五 祟：動詞，疑用作殺。

⿱午口

□ 英一七八八 □ 續六、二四、一六 □ 庫五三二 从午从口，《說文》所無。

卜辭人名：□□（侯⿱午口）甲二八七七 侯同侯，侯、伯之侯，商代地方長官。□□□（⿱午口子妫）合集二三〇二 妫用作嘉，卜辭生男曰嘉，生女則曰不嘉。……□□……（……⿱午口入……）合集九三三八 入：進獻。

載

□ 合集二五三七。 □ 英八八九 □ 後上二九一。 象栽培草木于坑坎之中，應為栽字初文，卜辭中借作紀時之載。卜辭戈災之災作□或□，所从之□、□在皆聲符也，此與□字所从之□同義。春秋時代金文从車作載，用作車載之載：「萬載千年」、「車載斗量」，一字多用，乃文字發展之必然規律。

金文春秋夜君鼎作□，鄧侯𣪘作□，鄧侯矛作庫。

載

《正韻》：「音宰，年也」。《書·堯典》：「朕在位七十載」。

卜辭紀時之辭，年也：□□□□□□（今載王伐土方）合集六四二七

□□□□□口：（來載王其柴丁？）合集二五三七。柴同柴，焚柴祭天求雨。

疑地名：于□□（于載彡）合集一二七六，彡：祭名。

嚛

□合集三六五五三　从樂从口，直釋作嚛，按卜辭从口之字位置常無定，如名字作□亦作□，□應為《說文》之嚛字。在卜辭為罕見之字。

《說文》：「嚛，食辛嚛也，从口，樂聲」。《玉篇》：「大啜曰嚛，伊尹曰：酸而不嚛」。

卜辭地名：□□□□□□□□（在嚛貞王今夕無禍）合集三六五五三

嚛

[口帚]

□合集三〇二三〇　从口从帚，《說文》所無。應是从口掃埽省聲之字。

《篇海》：「音燥，群鳥聲」。

卜辭疑神祇名：又□□□□□（侑[口帚]辛，歲十宰）合集三二九八二

吅（吕　吕）

吅 合集一五三五一 吅屯三 从二口口，疑與吕、㗊吕同（見四六三頁吕字註）。

卜辭地名：十□□□□□□□干□十□一88□□吅（甲子貞，今日又勺歲于大甲，牛一，茲用，在吅）屯一二 又用作侑，勺用作礿，侑礿、歲均祭名。……□□□□干吅□……（……貞丮允往于吅，其……）合集一五三五一 或釋吅為鄰字，可參。

單

□ 京都二〇五六 □ 存下九一七 □ 前七、二六、四 □ 乙二〇四九 □ 乙四六八〇

□象獵杈，為了鋒利，頭部戴上或縛以尖銳之物，遂成了□狀；為了投擲後便于收回，又在柄部縛上繩索，故又成了□形。古文干單一字。卜辭□狩字亦作□，可見單干同字。

金文小臣單觶作□、揚毀作□，單伯鬲作□。

《竹書紀年》：「武壬十二年，禽帝受于南單之臺」。南單之臺即殷紂王曾登之鹿臺。卜辭之東單、西單、南單、北單皆臺名。三千年後之北京，仍有東單、西單等站名、街道名。

卜辭中臺名：干□單□□□（于南單立岳雨）屯四三六二 立：

祭名。岳，岳神。大意是：在南單向岳神進行立祭，下了雨。

（爰南單）合集六四七三 爰：同援。（惟東單用）合集二八一二五 （西單田受有年）合集九五七二

疑獵具、武器名：（取單行女）合集二一四五七

噕（齅、嗅）

佚八九九 从雙口，畐聲。直釋作噕，同齅，即嗅字。《篇海》釋噕：「同齅」。《師古註》：「齅，古嗅字」。《說文》：「齅，以鼻就臭也，从臭，臭亦聲，讀若畜牲之畜」。卜辭中罕見。卜辭疑作動詞：（勿噕嗅）佚八九八 疑人或妣字。

喪

佚五四九 甲七三七 庫一五〇六 後二、三五、一 佚五四九

从一口或二口、三口、四口、五口，桑聲。𠙵乃採桑之器，借桑音諧作桑器，引伸作喪亡，金文作或，从大止走，从亾亡，亦失去之義。秦篆作，从犬，从亡，而貌雖非，仍有初義。《說文》：「喪，亡也，从哭，从亡，會意，亡亦聲」。非初義。

卜辭地名：□□于□（逐鹿于喪）合集一〇九二七 于□□（于喪無災）屯五四九 逃亡：□□□□（眔作耤不喪）合集八耤、耕作。喪失：□□□（目不喪明）合集二一〇三七 死亡：于巳□□□（于亘喪婦鼠）合集二八〇八 走失：□□（喪羊）合集二〇六七六

走

□ 合集一七二三〇 □ 合集二七九三九 □ 前四、二九四 象人跑、走時兩臂前後擺動之形。

金文周早盂鼎作□、效卣作□，从止與从辵之同。

《說文》：「走，趨也。从夭止。夭止者屈也」。

卜辭用作走、跑：□□□□（令亞走馬）合集二七九三九 □□□□□□（王往走災，至于賓別）合集一七二三〇

趄

□ 合集四九三一 □ 前二、八、七 从橫□止，从□亘，□本足形，足趾不朝前上方，示繞轉之義。卜辭□止、□□、□□辵之混同，每通用無別。□本回旋之形，為亘□回回之本字。

金文商代父丁鼎作□，周中牆盤作□，从止或从彳同。

《說文》：「趄，趄田易居也，从走，亘聲」。

卜辭地名：□□（在趄貞）前二、八、七

止

□庫九二 □乙二〇六 □甲二七四四 □甲一八九七

象人足形。卜辭□止、□彳、□辵之每混用無別。

足趾朝不同方向，各有用意：前字足趾向上作□，後字足趾向下作□，韋字足趾向左右上下作□或□、□等。

《說文》：「止，下基也，象艸木出有址，故以止為足」。意無可取。

卜辭作人足：□□（疾止）合集一三六八八 停止：□□□（今夕雨止）合集三四八〇一 用作之：□□□□（之之夕允不雨）合集二四六八四 允之果然。 地名：□□□（微侯𢦏止）庫一六七。

侯：侯同侯，伯侯之侯，商代地方長官，𢦏：動詞，打擊，傷害。□

于□（執隸于止）卜六三九 或釋□為長，□、□為𣥂微，可參。

前

□合集二九一〇。□粹三八二 □乙七六六一

□

肯

歷（暦　曆）　歸

从卄行𠀤止月盤聲。卄象十字交通大道，月為盤形，也是盤之省文，𠀤為足形，足指向前上方，示在道上前進之義。秦篆作歬，从止从舟，誤月為舟，但仍是前進之義。

金文追殷作☐，善鼎作☐，晚期周鐘作☐。

《說文》：「歬，不行而進謂之歬，从止在舟上」。非初義。

卜辭作人名：……☐☐于☐（……御前于司）合集三二〇五　御：用作禦、祭名。……☐子☐于☐（……御子前于父乙）合集三二〇七

歷

☐ 甲五四四　☐ 京津四七〇九　☐ 寧滬一、四四六

从止，秝聲。歷史、經歷，都是過程，此乃歷字从止之原因。𠀤是足形，與彳亻彳𠀤辵辶同，每可通用。古文𣦠、歷、曆同字。

金文毛公鼎作☐，禹鼎作☐，从止、不从止同。

《說文》：「歷，過也，从止，厤聲」。

卜辭貞人名：己丑☐貞（己亥歷貞）京四三八七

歸

☐ 河六〇四　☐ 燕四〇五　☐ 後二、四二、一二

）帰　逯　趧　踈　婡（　　朿　）困　梱　細（

从帚，从𠂤聲，卜辭以帚代婦，古代嫁女曰歸，歸返曰來歸，
此為歸字从婦之由來。所从之止與彳止辵同。
金文商代毓且丁卣作歸，不𣪕𣪘作歸，繁簡與甲骨文同。
《說文》：「歸，女嫁也，从止，从婦省，𠂤聲」。
卜辭用作歸來、返歸：歸（王歸）屯六九九 歸降：歸
歸（令𠭯方歸）合集八六六九。方國名：伐歸受
又）合集三三〇六九 又用作佑、祐。
歸伯：歸方伯長。或：歸即後之歸國，亦稱夔國，故地在今湖北秭歸縣境。
朿合集六 朿合集一三三九。从口止从木木，木乃木之省，會意字。
即困之古文朿字。
《說文》：「困，故廬也，从木在口中，朿，古文困」。《六書本義》：
「木在口中，不得申也」。
卜辭作停留：茲朿雲（茲朿雲，其雨）合集一 地名：朿于
朿（共牛于朿）合集八九三四 共用作供，供養之義。

⿱止矢 [甲骨文] 合集七〇五七 [甲骨文] 乙二三〇七 [甲骨文] 在二一九五 [甲骨文] 丙五三

）从一矢或二矢，从止。示以矢射足之義。《說文》所無，當為會

⿱止⿰矢矢 意字。疑為[甲骨文]蚩之或體。

（卜辭作災、傷：[甲骨文][甲骨文]⋯（勿⿱止矢步⋯）合集一八四六六 号羿

[甲骨文]出[甲骨文]（子商⿱止矢有由）乙二三〇七 子商：人名。由：原因。人名：[甲骨文]

[甲骨文][甲骨文][甲骨文]（王从易白⿱止⿰矢矢）合集三三八〇。从：本義為隨从、偕從，

引申作偕同，白用作伯，易伯⿱止⿰矢矢即易方伯長名⿱止⿰矢矢者。

⿱丕止 [甲骨文] 合集八六八七 [甲骨文] 摭續一八一 [甲骨文] 英一七七七 从止、从[甲骨文]不，《說文》所

無。卜辭人名：⋯[甲骨文][甲骨文][甲骨文]从[甲骨文]（⋯宋伯丕止从鼓）合集二〇〇七

地名：[甲骨文][甲骨文]（在丕止）摭續一八一

⿱止司 [甲骨文] 合集一四七七五 [甲骨文] 合集一四七七六 从止从司，《說文》所無，罕見之字。

卜辭神祇名：[甲骨文]于[甲骨文]（侑于⿱止司）合集一四七七五 侑：祭名。

大意是：向⿱止司進行侑祭。

⿱中止 [甲骨文] 合集二二七五八 [甲骨文] 合集二二一三〇 从中从止，《說文》所無，疑為停

字初文，《正韻》釋停：「中止」也。卜辭中罕見。當為會意字。

卜辭方國名：□□方（中止方）合集二二七五八 □□（在中止）京四一八四

⿱乙止

）□ 箙地三四 □□ 合集三六四一七 从止或从乏，義同，从乙，《說文》所

⿱乙止

）

無。應為从乙作聲之形聲字。

）

⿺辶乙

卜辭地名：□（使人于⿱乙止）箙地三四 疑作

⿺辶乙

（

動詞：□□□□□（王其⿺辶乙寇馬：小臣：）合集三六四一七

（

歨

□ 合集二二三四九 从止，从各，《說文》所無。

卜辭人名：□□□□□（癸巳卜貞，

子歨亡禍）合集二二三四九 亡用作無。

登

□ 燕六六四 □ 掇一、三八五 □ 前五、二一 □ 師友二、七三

豋

繁文象雙手捧豆作高舉之狀，□為雙足，足指向上，會升

登、豐登之義。豆為古代食具，原非米豆之豆。

金文商代車父丁觶作□，春秋鄧公毀作□。鄧公毀與甲骨

文同。

發（癹）

《說文》：「登，上車也，从癶、豆，象登車形」。非初義。

卜辭人名：（令登）合集九五七五 （呼登）合集七三八四

鐵二二六、一 前六、五五、六 合三五

象手執棍棒或梭鏢，象雙足，足指向前上方，會發射之義。《說文》分作癹、發兩字兩義，實一字也。

春秋工𠭯太子劍作發，戰國盟書作癹，文不同義同。

《說文》：「發，䠶發也，从弓，癹聲」。《玉篇》：「進也，行也」。

卜辭用作發之本義：（其先發）前五、二四八

人名：（王呼發）合集一八二三九 （令發）合集八〇六

步（走）

屯二二七七 屯七三四 合集二〇三七五 象兩足一前一後，示行于道。與金文步同。

金文商代子且辛尊作，步爵作，戰國陶作。

《說文》：「步，行也，从止、𣥂相背」。

卜辭用作行走：（王步于淮）英二五六四

祭名：⋯□出□□口㝐（⋯其告、步丁
（今日勿步）合集一七一五四
宗）合集一三五三五 告用作祰、祰、步皆祭名。

今歲指本收穫年度，來歲指下一收穫年度。

歲

□ 明二三三五 □ 餘一二 □ 甲一〇三 □ 後二一五六 □ 甲二九六一 □ 乙九七九 □

从□戌从兩□止，□象斧鉞形，□象人足形，會人牲被肢解之義。歲祭之歲用如劌，乃殺牲之祭。省文□所从之小點乃□之省，或曰為斧鉞之透孔，可參。

金文曶鼎作□，毛公鼎作□，子禾子釜作□，繁簡與甲骨文同。

《說文》：「歲，木星也，越歷二十八宿，宣徧陰陽，十二月一次，从步，戌聲」。唯「木星也」可參。

卜辭作季節（商代一年收穫一次）：□□□□（今歲受禾）粹八九六 □□□□□□（來歲大邑受禾）鄴三三九、五

祭名：□于小乙（歲于小乙）合集三二六一七 用作劌、□□

□□一□（又高祖，歲一牛）合集三三三二 又用作侑，祭名。

此

拾一〇、一三　明藏四二五　甲一五〇三　庫一〇九一　存一、一七五九　甲五七五

从匕止聲，直釋作如此之此，卜辭作祭名。或曰為柴之省文，果如此的話，當是同音假借。

金文此尊作，此毀作，南疆鉦作，與甲骨文同。

《說文》："此，止也，从止，从匕，匕，相比次也"。

卜辭祭名："此（烄此有雨）"合集三〇七八九　烄、此均祭名，為祈雨之祭。"于此雨"（拜年于河，此，有雨）合集二八二五八

正（征　足）

乙七七七三　佚三七四　甲三九四〇。鹿頭骨刻辭　周甲探一三

从止口丁聲，口為干支丁字，是俯視之釘形，為足形，足指向口以示正。或曰：口表示城邑，足所以走向城邑，可參。

金文商代切卣作，散盤作，陳侯鼎作。

《說文》："正，是也，从止一"。非初義。

卜辭紀時之辭："（在正月）"英二〇四二　用作征："（今載王征土方）"合集六四四一　用作足：""

步：□（合集一〇六四三）象雨足朝不同方向，《說文》所無。卜辭人名：□□（□□）□□，□（戊戌，羌）步示十屯，（小臣□）（合集一〇六四三）示：眂之省文，本義為察視，引伸作整治。或釋作貢獻，亦可。

（黍年有足雨）合三九 □□□□□□（雨不足辰無□）合集二四九三三 □：災禍。祭名：□于□（正于父乙）遺八五四 □□（正唐）丙五四 唐亦作湯，即成湯或商湯，商朝開國君主。

□

□合集六〇五七 □屯二六五 □合集三〇四三九 □合集六〇六二 金文作□、□。

所列各字每可假通，但不全同，各有所指：對敵討伐用□為征，獵捕野獸用□或□（倒□），敵人來犯用□或□。

卜辭用□為征：□□（征蒙）合集七〇五一 □□□□（王□（呼征𢀛方）合集六三〇五 獵捕野獸：□□□□□□（王獲鹿不）合集一〇三二一 □□□□□（王其□□襄麋兕）合集三〇四三九 敵人來犯：□□□□（𢀛方□我）合集六〇六二 □□□□于□（𢀛方□于我）合集六〇六八

□

□合集三三三九八 从□，从□，□象足在口內，示被圍困不得出也，口外之足足指向口，示為圍人之人也。从卜辭文句分析，應為圍字初文。（見三六七頁圍字註）

辵

□ 後二・四・八 □ 乙三〇二 从彳行从止，象十字要道，或省作彳，止是足形，辵多作偏旁字首，即甲骨文所从之彳止，今楷所从之辶是也。卜辭中與□延、延同字。

金文周早逌衍鼎作□，逌衍觥作□，與甲骨文同。

《說文》：「辵，乍行乍止也，从彳、从止」。从彳从止，與甲骨偏旁彳止相吻合。

卜辭用作延：延：□□□（貞勿辵出）合集五〇九六 □□（貞辵出）同版

徒（辻）

□ 乙四九二六 □ 乙四八八四 □ 乙八一三八 从止从土聲。止為彳止辵，辶之省，土為土堆，直釋作徒步之徒。

金文禹鼎作□，子仲匜作□，厚氏圃作□。

《說文》：「辻，步行也，从辵，土聲」。與甲骨文吻合。

卜辭作步行：□□□□□（子商徒基方）乙五五八二

人名：□□□□□□（呼侯徒出自方）合一二〇四

延

□ 合集三一七九一 卜辭偏旁中彳、彳、止、辵之每無別可通，故□可釋作延同征。

周早小盂鼎作□，麥鼎作□，㠱伯簋作□。今作征伐之征。

《說文》：「延，正行也，从辵，正聲」。

卜辭義不明：□□□□（弜使□戠延□）合集三一七九一

（征）

迎

□ 合集八二八二 □ 六七 □ 合集二一三七四 □ 合集四五五二 □ 合集六五七 □ 合集二八二四 □ 合集一〇七三九

迎字構形各異，□示有人面席平伸兩臂讓坐相迎。□所从之丨為□形側面。□、□、□所从之口，言示賓主相迎自當有話要說。□所从之彳為動符，古文偏旁中彳、辵、之、走每可通用，迎與金文□一字也。

易□簋作□。《說文》：「迎，逢也」。

卜辭作迎接：□□□□□□（卓氏羌，王于門迎）合集二六一

氏：帶來。羌指羌俘。□□□□□（王其迎盧伯）合集二〇七四一 盧伯：盧方伯長。

□□□□□（王其迎盂）合集二七八〇七 盂：疑為盂伯之省。

逢迎：王□□□□（王其迎舟于河）合集二四六〇九 □□（迎史）合集二八〇八四 史用作使，使節。

□□□□□□□□□□（王馬迎駛，其御于父甲亞，吉）合集三〇二九七

延

迎

卜辭有「王迒卓」，迒之義即迎也。「王迒卓」與「卓氏羌，王于門迎」之義無別，可見□、□、□等釋迎無疑。（見八四頁迒字註）

駁即驪，馬名。地名：于（于迎）合集八二八……（在迎）合集八〇六〇……

于（……王步自于迎司……）合集六五七 ……（王貞，迎往來無災）合集四五三……（……迎冕）合集七八五七 冕為以网網捕兔之專字。

人名：（呼从迎）合集六四六一 方國名：…… 合集八〇七四 （王其呼奴迎伯出牛有足）合集八九四七 伯，伯長。祭名：（貞，迎禦妣庚冊五垂）合集七七三 冊用牲法；垂：人牲。

進

南輔一八 京四三〇 从隹从止，古文止、辵在偏旁中每可通用，釋進。周代召卣作，兮甲盤作。

（邋）

《說文》：「進，登也，从辵，閵省聲」。《玉篇》釋邋：「古文進」。

卜辭作進獻：于（于余進犀）前六一三四 于（進燎于祖乙）京四〇〇一 燎：祭名。

迨

林二二五六 鄴初下三三八 河六七五

从彳从辵，之或从彳，彳義同，合聲。象有蓋之器物，

雒

會合之義，應是會□之別體。（見三〇六頁會字註）

會　金文周代早期戍甬鼎作□，牆盤作□，與甲骨文同。

（　《說文》：「迨，遝也，从辵，合聲」。《說文》釋會：「會，合也，从亼，

从曾省，袷，古文會如此」。

卜辭作地名：五屮□□□（王在師迨卜）合集二四二六七　會合：

□□□□干：（其令東迨于：）合集三六五一八

逆　□甲八九六　□金五〇八　□佚七二五　□乙八七六二　□合集二一六二六　□

）　□合集二九六〇。倒人□屰，示客自外入，从□辵，示主人出來迎接。本義為迎，與

屰　今日專作叛逆之義有別。

金文令毁作□，𢾊鐘作□，仲爯毁作□，與甲骨文同。

（　《說文》：「逆，迎也，从辵，屰聲，關東曰逆，關西曰迎」。

卜辭作人名：屰□（呼逆）合集四九一九　□□（令逆）合集四九一五

貞人名：□□（逆貞）前五、二六、四　地名：□屰□□（勿呼商取

逆）合集七〇五八　迎擊：□□□□□□（舌方其來王逆伐）英五五五

迎受。[glyph]（王于南門逆羌）合集三二〇三六 羌指羌俘。[glyph]（王于宗門逆羌）合集三二〇三五 [glyph]（弜逆羌）合集三二〇三七 弜用如勿。[glyph]（王逆卓三）合集三二〇三五

逢 [glyph]

[glyph] 後上一〇、四 [glyph] 續三、三一、九 [glyph] 合集三六九一六

从夂倒止从彳 丰聲。彳為彳止走之省，卜辭彳、辵每可通。倒止示有人迎面走來，彳示有人相對走去，會迎面相逢之義。《說文》分作逢、𠊧兩字，實一字也。卜辭罕見之字。

（𠊧）

金文戰國中山王圓壺作[glyph]，石鼓文作[glyph]，戰國盟書作𠊧。

《說文》：「逢，遇也，从辵，峯省聲」。

卜辭地名：王卜中[glyph]王乙七[glyph]（王卜，在逢貞，旬無禍）合集三六九一四

速 [glyph]

[glyph] 合集六 从彳 朿聲。卜辭彳、辵每可通。卜辭罕見之字。

春秋弔家父匡作[glyph]。春秋石鼓文作[glyph]。

《速，疾也，从辵，朿聲」。

通

卜辭人名：□□□□□□（氏子逨坐不死）合集六 氏：帶領。

□京津三一三六 □屯三六〇四 □甲三三七四

从彳、止，□用聲。用之金文作□，桶形，用、甬應爲一字。

金文衛鼎乙作□，頌𣪘作□，戰國盟書作□。

《說文》：「通，達也，从辵，甬聲」。

卜辭方國名：□□（征通）合集二〇五二一 □□□□（王敦通受祐佑）合集二〇五一〇。敦：打伐。□□（王幸通）合集二〇五三二 幸用作執，即□之省文。達也：……□□□□□□（……用冊通上甲十五牛）庫一〇五一

□

徙

□合集一六三〇一 □合集一九二七六 从彳、彳从雙□止。□象足形，足指向前，會遂動、遷徙之義。卜辭罕見之字。

金文商代徙尊作□，父己盉作□，均與甲骨文同。

（辿）

《說文》：「辿，遂也，从辵，止聲，征，徙或从彳，□，古文徙」。

卜辭文例殘，疑有遂動、遷徙之義：……□□……（……其徙）

□

還（徥）：周探四七
从彳、彳，从睘作聲。卜辭偏旁彳、辵每可通，故可釋為還。
周中遽伯毁作
周中免毁作。
《說文》釋：「還，復也，从辵，睘聲」。
卜辭疑作歸還，大還為時詞：
不
（大還惟不大追）明探四七

遘

冓（ ）

合集一九二七六
懷一四一七 甲一四一五 甲二四〇九 粹七二八

从彳、从辵 冓聲。象兩魚相遇，二魚碰頭一處，以示遘遇之義。《說文》分作遘、冓兩個其義不同之字，从卜辭文例分析，遘、冓一字也。

金文商代卯卣作，保卣作，冓斝作。

《說文》：「遘，遇也，从辵，冓聲」。「冓，交積材也，象對交之形」。

卜辭人名：（王令冓）合集三二九九四 地名：（冓受年）合集九七七四 與神靈之交遇：（在十月遘大丁）合集三六五二一 （伊歲冓大丁日）屯二二〇。（祭于祖乙其冓）人一七九。遇到：（冓大雨）屯四二 （遘小風）合集二八九七二 （遘羌方）合集二七九七九 （冓舌方）合集六一九六

講

⿺辶人 　合集三三五六　　合集二〇七二，从卜人从彳止辵，或从彳

義同，《說文》所無。

卜辭義不明：□未卜，……（丁未卜，……⿺辶人庶用）

合集三三五六　……（……來……）合集二〇七二

⿺辶甲 　屯五六　从辵，从甲，構形不明。

卜辭地名：（庚午貞，

今夕亡禍，在⿺辶甲）屯五六　亡用作無。

遲 　英七五六　　懷四五九　　合集一〇二六一

从彳亻或行，从尼作讀音。直釋作⿰彳尼，為遲字異文。

迡 《汗簡》及漢三公山碑皆作迡。《說文》誤遲為遲之異文，遲

⿰彳尼 乃避之或體。（參見八九頁避字註）

（ 《說文》：「遲，徐行也，从辵，犀聲，詩曰：行道遲遲，迡，遲或从

尼，遲，籀文遲从屖」。《玉篇》釋迡：「同遲」。

卜辭人名：　　（⿰彳尼至告曰）英七五六　　（呼

遲

避　）　遲　㣈　辟　（　達　）　达　（

遲逐鹿）合集一〇二六一 令㣈（令㣈）合集四三六七

㣈 合集二八〇八九 𨘲 合集二九〇八四 㣈 粹一二五五

从彳彳 辟聲。卜辭从彳从辵每無別，直釋作遲。《說

文》誤，籀文遲為遲之異文，遲、避實一字也。

金文䣄攸从鼎作遲，仲𠭯父𣪘作遲，伯遲父鼎作遲。

《說文》：「避，回也，从辵，辟聲」。《正韻》：「通作辟」。

卜辭人名：令㣈（令避）合集一四九一二 地名：王于㣈（王于避）

合集二八〇八九 王𨘲（王往避）合集二九〇八四 避開：其㣈于之若

（其避于之，若）合集三六八二四 之義如此，若：順利。

達 存二〇二 達 佚四二九 達 橫達，合集二〇九九

从彳𠙵辵或彳彳，大大聲。卜辭彳、辵每可通用，動符，

大象正面人形，會行走到達之義。與《說文》達之或體同。

金文師寰𣪘作達，保子達𣪘作達，戰國尊古作達。

《說文》：「達，行不相遇也，从辵，羍聲，詩曰：挑兮達兮。达，達或

避　達　）　达　（

追之對象為人，逐之對象為獸。

追

从大，或曰迭乚。

卜辭亞達為人名：（亞達一月至）合集二〇三三　方國名：

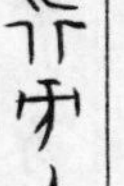（各達方人）合集二〇九九　各用作格、敋、挌，打擊也。

懷四〇一　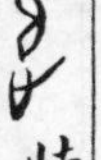懷四一三　合集二〇四六二　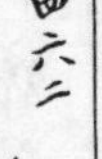合集一九三一二

从師，从止，為足形，足指向師，會追趕敵兵之義。

金文周早矢方彝作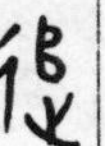，𨛫公鼎作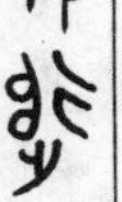，井侯毁作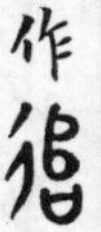。

《說文》：「追，逐也，从辵，𠂤聲」。

卜辭作追趕、追擊：（勿追召方）屯一九〇　

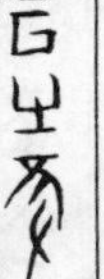（雀追亘，有獲）合集六九四七

逐

前三、三二、二　戩一七、九　佚九七七　鐵四五、三　佚六五八

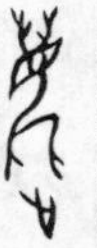拾六、八　前六、四六、三　明五七〇。

从豕或鹿等，从止，象足形，足指向獸，亦人追趕野獸之義。

遯：
□七一七。周探
从逐，从攴，
强調追擊
之義，當
與逐同。
卜辭作追
逐之義：
□□遯
囟三（庚子，
遯其四）探周
二坑一七。

金文周代逐毁作□，逐鼎作□，均與甲骨文同。
《說文》：「逐，追也，从辵，豚省」。
卜辭作追逐野獸，：□□（王往逐□）合集一○四○五
□□（逐鹿獲）合集一○二六五　貞人名：□□□□（癸
亥卜逐貞）存二·六八七　人名：□□□（呼逐从萬）合集六四七七

⿺辶𡍮　□ 佚九四○。□ 佚二九二 □ 屯二八四五 □□ 合集二九○八四 □□ 合集二九六　□

）　从彳□辵或从彳彳，□𡍮聲。辵、彳通用，動符，𡍮亦連

邇　續不斷、駱驛不絕、傳達無間之義。《說文》中⿺辶𡍮、邇、馹、驛四字

馹　文不同義同，所从之𡍮、爾、日、睪讀音近似，皆聲也。

驛　《說文》釋⿺辶𡍮：「⿺辶𡍮，近也，从辵，𡍮聲」。釋邇：「邇，近也，从辵，

（　爾聲」。釋馹：「馹，驛傳也，从馬，日聲」。釋驛：「驛，置騎也，从馬，
睪聲」。古文⿺辶𡍮、邇同字。
卜辭作驛傳：□□□于□（其⿺辶𡍮至于攸）合集三六八二四〈文□□
（衣其⿺辶𡍮）屯二七八□□□□□□于□□（⿺辶𡍮來羌其用于父丁）金二八

遠

王其田，□□（王其田遠往）合集二九〇八四 田：田獵。

□ 屯二〇六一 □ 同版 □ 屯三七五九

从彳，袁聲。卜辭彳、辵（辶）通用，直釋作遠。所列上兩字同版，三者均為地名，僅是繁簡之別。

金文周代克鼎作□，番生𣪕作□，袁上从止，與卜辭□（袁）同。

卜辭作地名：于□□（于遠擒）屯二〇六一 于□：（于遠：）同版

王其田□（王其田遠）屯三七五九 田同畋，田獵。

迄

卜辭迄、訖、乞、气同字，見二七頁气字註。

退

《說文》釋退：「斁也」，斁同壞，應為敗之異文，見一八六頁敗字註。

達

卜辭達、衛、率同字，見一〇四頁衛字註。

邁

□ 合集二七四一 □ 合集二七〇八八 □ 京津四八八六

从彳从辵□壽聲，直釋作邁。《說文》所無，卜辭用如禱。

（禱）

卜辭用作禱告：□□□（惟乙巳彫邁）合集三〇八二

酌：祭名。□十□彡日□□□日□（惟父甲彡日遣又正）合集二七〇四一彡

日即肜日，祭名，連日不斷，祭之明日又祭也；又正讀作有足或佑征。

遣 □

□□甲二八八 □續四、三四八 □乙九八〇。□後下一六三

从□臼从□，師从□口，與金文大保毁同。一期甲骨文不从口，與小臣遣毁同，後來金文加辵，為小篆所本。

金文周早小臣遣毁作□，大保毁作□，永盂作□。

《說文》：「遣，縱也，从辵，𦍒聲」。

卜辭祭名：□□□□（王侑遣祖乙）合集五四四七□□□

（王遣，若）合集五三一六 若：順利。

逴（趠 倬 卓）□

□合集二六九九二 从□彳□卓 卓聲。金文卓林父毁卓作□，與逴字所从之卓同，金文趠鼎之趠，與《說文》之逴音義全同。

卜辭彳、辵通用，倬、逴一字也。卜辭罕見之字。

金文周晚趠鼎作□，戰國盟書作□。

《說文》：「逴，遠也，从辵，卓聲」。《集韻》釋趠：「與逴同」。《史記

霍去病傳》註曰：「逴與卓同」。

卜辭作卓絕超群之「日」（其曰逴卓人）合集二六九九二

迒（防）

卜辭或、等即防衛之防，後來被衛字代替，防、衛均動辭，意思亦相當，見一〇五頁衛字註。

途（涂 塗 屠）

乙六四一九 續三、三七、一 前七、二四、二 前六、五二 前六、二六五

途

从止 余聲。卜辭从止从辵通用，余：自稱之余，音魚；山名檮余之余音途。卜辭用作路途之途，或借作屠殺之屠。《說文》所無。《玉篇》：「路也」。古文途與涂、塗通用，《論語》：「遇諸塗」。

卜辭作路途本義：：（：途若茲鬼）合集七一五三 鬼：惡劣之義。：：：：（：惟老、惟人途冓：）合集一七〇五五 冓同遘，途遘即路遇。

用作屠殺之屠：（今乘望途危方）合集三二八九九

（王勿往途眾人）合集六七

𨑒

合集四五六 从子、从止，《說文》所無。疑為《集韻》𨑒字，同遊。

迖

卜辭中疑為人名：□□□□□（永貞，迖徝）合集七二四五

方國名：乎□□□□（呼取迖方）合集四五六 □應為□之殘字。

□懷一四五四 □合集三六六八。□英二五五七 □同版 □合集三七四七三 □合集一〇三四八。

从□或□、□、□，从彳止。《說文》所無，卜辭中常見。

卜辭「□于召」亦作「□于召」或「□于召」、「□于召」，可見為音義全同之字。多年來學者所釋各異，不外乎釋作徏、徔、迖（讀過）、徝（步武之武）、迖、弋（秘之初文）、迖（弋獵之弋），迄無定論。

从辭義分析，應與巡察轄內有關，王迖于某地者即巡視、巡察或巡遊某地也。其本字為□，即从辵弋聲之迖。所从之□、□、□等皆弋之異構也。

卜辭作動詞，巡遊也：□□于□□□□（王迖于召，往來亡災）英二五六一 亡用作無。 □□于□□（王迖于雍雍）同版 □□于□□（王迖于亳亳）同版 □□□于□（王其迖于向）合集二七七九九 □□□□□□（王迖往來亡災）

𧵥：合集三 从彳，从子从貝。卜辭義不明：己未卜：：：：三（己未卜：貞呼：𧵥 十三月）合集一二○。

𢖍：合集一六一二○ 从值徝从米，《說文》所無。卜辭祭祀用字：：：：：（貞，我：率 吉：惟𢖍：）合集一六一二○ 用牲法。

徝

合集三六三九五 亡甫作無。

英五八○ 合集七二七一 甲二三○四 从直，从彳或行，義同。《說文》所無。前人誤釋德。

《玉篇》：「音智，施也」。

卜辭動詞，有巡視、觀察之義：出（王徝出）合集七二四一（不其遊徝）合集七二四（王徝土方）合集五五五九（不其徝伐𢀛方）合集六三八○。祭名：（徝，出于祖乙）合集二三二

復

英八三四 合集三三○六 南明四四七 从或，从夂。象盛酒之觚，象豆有食物，夂象倒足。表吃罷歸來，故有返、還之義。

金文甫比盨作，復公子毁作，小臣遽毁作。

《說文》：「復，往來也，从彳，夏聲」。

卜辭作返歸：合集七七七二 再次：（令巳

他（蚩、虫）：□合集三二五八　□合集三七四三五　从止彳从□、□、□。□，本也，虫、它、蛇之初文，故拙釋□為他之初文。卜釋中彳彳止止可通用，故□即□（蚩）之異構。《玉篇》釋他「音移，安行也」。《集韻》釋蚩：「音弛，蝨伸行」。卜辭義如蚩：□□□□（貞，疾蚩無亦疾）合集三三五八　蚩：神鬼為害也。

往

復出）合集二〇四八　□丙□□（戊辰復昱）南明四四七　復昱：再次出太陽。

□屯四二〇　□懷一一三五　□合集二九二三四　□合集二九二三六

从□止□王聲，□象足形，足指向前，示前往之義。从犬之往，每「往田」連用，疑為前往畋獵之專字。卜辭用㞷為往。

（徃）

金文春秋時代陳逆簋作□，吳王光鑑作徃，中山王壺作□。

（迬）

《說文》：「往，之也，从彳，㞷聲，□，古文从辵」。

㞷

卜辭作前往：□□□于□（王往省于敦）英四五九　省：省察。

（禳）

□□田□（王往田，擒）屯二三九八　□□田（王往田）合集二九二三四　用作禳：禳除災禍之祭：□于□（三□□）□□（告于祖乙三牛其往禳）屯七八三　夒：先公名。□□□□□□□（三婦好不往于妣庚）合集二六四三

[彳夋]

□合集四四五〇　□英三三五　从夋，从彳，或行，義同。《說文》所無。

卜辭人名：□□（令[彳夋]）合集四四五。

[彳先]

□合集五九二三　□合集一七二一三　从彳，从先，《說文》所無。

卜辭人名：□□（𢓊[彳先]）合集五九三　□□（無災[彳先]）合集一七二一三

徃

征：：合集三二九三 从彳，此聲。《集韻》：：「音此，行貌」。卜辭動詞，疑祭名：：于（于大乙征）合集三三九二

往：：合集三三五一 从彳，从之，从土。《說文》所無。卜辭義不明：：往：：三（：：往：：卣，羌三：：十，卯宰）合集三五三五一

彸

合集二七四三五 鄴三、四二、三 从彳，从公。疑同彸、从。

卜辭疑人名：：于（辛亥卜，彸戠于父庚）鄴三、四二、三 戠：：祭名。義不明：：（彸云）合集二七四三五

微

懷八九三 合集一七九 合集七六七 合集四五五七 合集三八三三

合集四二四二 繁文从光，从攴，象以手執杖打人形，釋散，與微同字。金文同散，石鼓文散、微並存。《說文》分作兩字兩義，顯然有誤。或釋、為長，可參。

（散）

金文周中牆盤作，牧師父段作，石鼓文作、。

《說文》釋散：：「散，妙也」。釋微：：「微，隱行也」。《廣韻》釋微：：「微妙也」。《爾雅釋詁》釋微：：「幽微也」。

卜辭人名：：（王令微）合集四五六二 地名：：（在微）合集七六七 神祇名：：于（呼師盤往于微）懷九五六 往：：祭名，禳除災禍之祭。甲微即上甲微：：：：十：：：（：：甲微：：）陳二三

方國名：：（微伯）合一八〇。伯：：方國首領。

彶：屯三〇八四 从彳从夂，釋彶，《說文》所無。卜辭義不明：……（……彶舟）屯三〇八四

㣼 卜辭㣼、逢同字，見八五頁逢字註。

復 或釋、為復、退之初文，見六二頁各字註。

徲 古文徲、遲同字，見八八頁遲字註。

後（夋） 屯二三五八 屯四三九七 合集三五九四八 从彳、彳夋聲。象足上綁有繩索，會不能向前、落于後邊之義。彳為行之省，道路也。夊為倒止，足指向後，以示落後，相對之先字作，足趾向前，以示領先，使人一目了然。

金文周早令𣪘作，師寰𣪘作，余義鐘作。

《說文》：「後，遲也，从彳、幺夊者後也。徐鍇曰：幺猶𦆓躓之也。」

卜辭作先後之後：（岳燎後酌）屯四三九七 岳：先公名；燎：祈雨之祭；酌：酒祭。大意是先向岳進行燎祭，後進行酌祭。（後王射犀集）屯二三五八 集：祈求祐助畋獵之祭。（先後束刺）乙八七二八 （貞，後酌）合集二五九四八

彾：

彾合集一三六七六疑同徉，即紀律之律。卜辭疑作人名：□□□：（庚申，婦彾：）合集一三六七六

衜：

□合集二四五五四釋衜。《說文》：「行衜衜也，从彳，由聲」。《集韻》音笛。卜辭疑作動詞：□：（貞勿□衜：）合集二四五五四

得 （㝵）

□京都二一一三 □英七三二 □合集七一三四 □合集八九二九

从彳从又持貝，彳為行之省，會道上得貝之義。貝為古人錢幣，小篆得字从見，當是誤貝為見。金文商代父乙觚作□，亞父癸卣作□，觚文作□。《說文》：「得，行有所得也，从彳，㝵聲，□，古文省彳」。

卜辭作得到：□（得馬）懷三五九 □三□（得四羌）合集五一九 羌指羌方戰俘。□□□□□（婦其無得子）合集八九二五

律

□懷八二七 □京都二〇三三 □人二〇五三 □屯七二九

从彳□聿聲，釋律，為卜辭罕見之字。《說文》：「律，均布也，从彳，聿聲」。

卜辭作紀律、法律：□□□（師惟律用）屯一一九 ：□ □：（：律在：）懷八二七

徉

□英二六七二 □屯七二五 □前六、二三、五 □合集八二〇 □合集三三〇七五

从彳□或□，卜辭彳、辵、行通用，羊、

徆：

□ 合集二〇一六七

□ 合集二一五一八

从彳，留聲，

《說文》所無。

卜辭動詞，

𡆥害也：十□卜□冊

□□□（甲寅卜，方弗徆邑）合集三四九五

□□卜□□

□□仙（丁丑卜，□曰：雀徆）□

二〇一六七

徠：

□ 合集一八七〇五

从彳，从禾，《說文》所無。

卜辭義不明：□□□（：徠畀：）□ 一八七〇五

御（御馭禦）

羊羊僅是繁簡之別。徉為形聲字，《說文》所無。

《韻會》：「音羊」。《廣韻》：「徜徉戲蕩也」。

卜辭地名：于□（于徉）合集八二〇九 □□（在徉）

合集三三一七三 疑地名：□□□□□□□（徉來羌其用于父丁）屯七二五

□ 英四一七 □ 合集二〇四五〇 □ 英二五六七 □ 合集六一五八 □

後二一九二 □ 英二三五二 □ 前六六三二 □ 合集二八〇一三

从彳，彳或从□行 □ 走，从 □ 攴，从 □ 或 丨、□ 午，从 □。彳為行之省，大道也；走示人行于道；攴象以手執鞭；午乃杵。會執鞭杵驅馬于道之義。古文御、馭通用。

盂鼎作 □，𠑹匜作 □，頌鼎作 □，禹鼎作 □。

《說文》：「御，使馬也，□，古文御，从又从馬」。《集韻》：「相迎也」。

卜辭貞人名：□□（御貞）燕六三一 官名：□□（御史）

合集九九二 方國名：□□□□□□（其乎戉御方及）三合集二八〇一

御

彶：□合集六〇三三 構形不明，當是从彳及聲之字。卜辭人名：四卜□□□□彶生于□(丙戌卜，韋貞，令彶往于□)合集六〇三三

𢓜：□合集三三〇二 从彳，从帝，从奴(或廾)，《說文》所無。卜辭疑祭名，義如禘：十丙卜□□田(甲辰卜，亞𢓜用)合集三三〇二

及：追及。□于□□(冓于御方)合集六八〇。冓：同遘。祭名：□□于□(御、燎于河)合集四〇五七 御用作禦，御、燎皆祭名，河：先公。大意是：向先公河進行禦祭和燎祭，御為攘災之祭。□□□于□(御疾身于父乙)合集一三六六八 □□□于□(御婦好于高)合集二六一二 抵禦：□□□(婦好呼御伐)合集二六三一 □□(御羌方)合集二七九七三

徲 卜辭徲與違、韙、韋同字，見九三頁違字註。

从 卜辭从同从，見五〇五頁从字註。

徸 □合集三二三九 □合集三一五六 从彳，从王，从丮，《說文》所無。卜辭祭名：□□□□牡三：(子□徸□牡三：)合集三二三九 □□□牡：(子□徸牡：)合集三一五六 子□：人名；牡：公牛，祭牲。

徹 □合集三四二九 从彳，从希，从又，構義不明。卜辭疑地名：□□于三門□(聚岳于三門徹)合集三四二九 聚：祭名。

建：□前六四四（象一人手持木柱類樹立於乚內，亦建立之義。春秋蔡侯鐘作□族名金文作□。《說文》：「建，立朝律也，从聿，从廴」。卜辭地名：：□中□（：：王卜，在建：）前二四四

延	𢓊
𢓊河一五二 □鐵一〇三·四 □佚二二九 □乙九〇九二 从彳彳从𠀠止，直釋作征，即延或延，會意字。《說文》分作兩字，實為同源一字。小篆所从之廴又實為彳彳之變也。 金文商代父辛尊作□，盂鼎作□，蔡侯鐘作□。 《說文》：「延，安步延延也」。「延，長行也」。兩者意無大別。 卜辭貞人名：□（延貞）乙三三八七 犬族首領名：□□□田于□（父（令犬延田于京）金五六九 田指墾田。延長、連續之義：□□□（丁歲其延）合集二三三二一 歲用作劌，殺牲之祭。連綿不斷：□□□□（今丙午延雨）合集四五七。□□（延風）英一〇九九 延長：□□□□□（王疾首無延）合集二四九五六 □□□□□□（婦好其延有疾）合集一三九三 □□□□□（王腹不安無延）續五·六·一 廷、庭、廳為同源一字，見五八三頁庭字註。	
行	□
□後二·二一·二 □甲五七四 □河三五 象十字交通大道，引申用作行走。	

衎：衎 合集一六二三九 从行，从牛，《說文》所無。卜辭疑人名：□□□（貞，令衎戠）合集一六二三九 戠，用作膱，用牲法。

衛：□ 英一九九五 从行，从萊，疑為徠（徠同來）之異構。卜辭疑用如來：：□□□□（：：呼般尸有衛）英一九九五 尸：或釋作屎、糞。

衛（率、帥）

金文周代早期父辛觶作 □、沖子鼎作 □、曾子匿作 □。

《說文》：「行，人之步趨也，从彳、从亍」。後人引申之說，非本義。

卜辭作進行：□□□：：（王行逐：：）合集二四四四五 □□□□□

□（王不行自雀）乙九四七 人名：□（令行）英三三九 □□□□

（行𠭯王事）英三四一 貞人名：□□（行貞）合集二三六七一 地名：□

□（有犀在行）合集二四三九一 □□□（遘在行）屯二一七八 遘，相逢。

□ 合集三三〇三〇 □ 甲三〇八 □ 前六、三三、七

□ 象一股絲，：：乃絲之斷頭，□ 行 含治亂之義。衛之本義是導順亂絲，遵循軌道。衛、率一字，僅是繁簡之別。

金文周早盂鼎作 □，周晚毛公鼎作 □，簡繁與甲骨文同。

《說文》：「衛，將衛也」。《玉篇》：「衛，循也，導也，今或為率」。《集韻》：「音帥，與帥通」。《六書正譌》：「將帥也，統也，从行，率聲，會意，今趨簡易，借用帥字」。 或釋 □、□ 為二字，可參。

卜辭作殺牲血祭：□□□□□（令來羌率用）合集二四八

衛

衍：□合集二〇一三　从行，从口。《說文》所無。卜辭疑人名：□□□□：(衍曰：延雨：)合集二〇一三

衛：□合集三一二七六　从行，从□，《說文》所無。卜辭作動詞：□□：□□(惟衛：)合集三一二七六

衛(迭)：□合集一八六九七　从行从关，卜辭行、辵之每可通。疑迭字：□：□：(□衛：)合集一八六九七

□□□□□□：(乙丑，王先衛：)合集三三一四九

衛（衛　韋）

□衛□□□□(貞衛氏隸寧用)合集五五五　義不明：衍

□□□□(衛召于□)合集三三〇三〇

□合集二八〇五七　□懷九四六　□英七八二　□明七一六　□前四、三一、六

□庫一三三一　商代連年不斷與方國進行戰爭，防衛乃國家大事，所以卜辭衛字造形也就很多，可謂一字一幅圖畫。大都从□、□从□、从□或口，从□則少見。□行是十字通衢，□止是足形，口是城邑，乃防衛對象，□方與口同，也是注音，□人是武裝人員。□是省文，示人環城巡邏。本為方音，應是防字初文，大概是防衛之意有相同之處，所以後來就作保衛之專字了，看來，防、衛乃同源之字，古文韋、衛同字。

金文商代且己爵作□，周中賢毁作□，春秋俞父盤作□。

《說文》：「衛，宿衛也，从韋帀，从行，行列衛也」。《篇海》：「俗作衛」。

卜辭作防衛：□□□□(令多射衛)合集九五七五　多射：兩個以上司射武官。□□□□□□(令多馬衛于北)合集五七二一　馬：指司馬武官。

□（衛、趍）：□合集八一一 □合集九五三。从坐从彳或行義同。古文彳、行、走表示動之偏旁每相通用，所以□、衛即是趍之初文。《說文》：「趍，走意，从走，坐聲」。《集韻》：「音莎」。《廣韻》：「走疾」。卜辭作疾走：：□于□（：趍往于吳）合集八二：：□□（：趍氏）合集一八六九五 氏：帶來。

衘

□□衛□□（師往衛無禍）合集七八八八 □□衛（呼戍衛）屯七二八 方國名：□□□十□□衛于：：（王其呼甲尹伐衛于：：）

英二二八三 祭名：□于□□（衛于妣己）合集九一六

□合集六九四九 从戈、从行，《說文》所無。

卜辭作動詞：□□□□□（呼雀衛伐亘）合集六九四九

衛

□合集三二六一六 从行、从韋，疑與衘衛同。

卜辭疑人名：□□□□□□□□□□：：（在丁牧來告辰衛，其比史□：：）合集三二六一六

衞

□合集六四五四 □合集七二一 从行、从方、从□或从止，動詞，《說文》所無。或釋還，據不足。卜辭已有還字作□，另外，與辭例亦不合。（見八七頁還字註）

卜辭作侵犯之義：□□□□□□□□（舌方衞，率伐不？王其征）合集六三四七 即：舌方來侵犯，率領部隊討伐不？商王前去征伐。

疑指象牙：……□ □□□ □□□ □（……曰：卓來，其氏齒）合集一七三〇三 卓，人名，氏：送來，貢獻之義。

齒

□京津一九六二 □前六、三二、一 □珠一四三一 □合集一七三〇 □拾一〇、四 □乙五八八三 □乙七八四二

象張口見齒之形，原本象形字，後世从止，成了形聲字。

金文戰國中山王壺作□，从止，从齒，形聲字。

《說文》：「齒，口齗骨也，象口齒之形」。

卜辭作牙齒：□□（疾齒）合集一三六六〇 □□□□（有疾齒惟有由）合集一三六五六 □□（齒蠱）合集一三六六五 入侵、災禍：□□□□（其有來齒）合集一七〇七八 □□□□□□□□□□□□□□□□□（王占曰：有祟，三日乙酉，夕𡆥，丙戌，允有來入齒）英八八六 □□（王占曰：吉，無來齒）合集一七三〇一

□

𪘏（齲）

□合集一三六六二 □合集一三六六三 象牙齒有蟲之形，示患蟲牙之疾。

釋𪘏、齲，禹金文作□或□，蟲形。或釋作它齒，它金文作□或□，亦蟲形。根據《說文》釋義分析，釋𪘏為宜。《篇海》釋它齒：「音池，齒齗也」，齗為齒本，形義相反。

《說文》：「𪘏，齒蠹也，从牙，禹聲，□，齲或从齒」。

□

卜辭作齒疾：□□□□（御婦嘉觭）合集一三六六三

御用作禦，祭名。

足 疋

卜辭足、正征一字（見七九頁正字註）。

□ 英二〇八八 从己，从止，《說文》所無。或釋跽，據不足。

卜辭貞人名：□□□□□□□（癸巳卜，

疋貞，旬亡禍，六月）存一一六七三 義不明：□□□□

□（□足□燎□□酌）前六、二五、一 燎、酌均祭名。□□□

□□□（□卜疋□□□）英二〇八八 （疋應在止部）

盧

□ 合集五九四四 □ 合集五八五八 从□止从□盧，應為从止、

盧聲之字。卜辭偏旁止、足每可通，故可釋作《集韻》之䠠字。

《集韻》釋䠠：「音盧，或作臚」。《類篇》釋䠠：「傳也，一曰：上

（䠠）

傳語告下為䠠」。（應在止或足部）

卜辭人名：□□□□□□□□□□□□

（己巳卜，王貞，中其執䠠任，六月允執）合集五九四四 □□□□

足

黃 □（⋯⋯蹠⋯⋯允牵幸、執）合集五八五八
□ 英二五一 从止、从黃、《說文》所無。（應在止部）
卜辭疑人名：⋯⋯□⋯⋯□⋯⋯□□⋯⋯（⋯⋯辰卜、耳⋯⋯𦕯黃⋯⋯）英二五一

躋 □合集二〇八。从廿止□聲，止本足形，古文偏旁中，止、足可通，躋即
躋，與□躋義同（見九四三頁躋字註）。（應在止部）
《說文》：「躋，登也，从足，齊聲，《商書》曰：予顛躋」。顛，頂峰。
卜辭疑祭名：⋯⋯□□□（⋯⋯父乙躋）合集二〇〇八〇。□□
（不躋）同版

趾 廿止即趾之初文（見七二頁止字註）。

足 □合集二三三六 □合集一三六九三 □英一七八〇
象整條人腿形，應為腿字初文，《說文》釋作人足，非

（腿） 本義。
《說文》：「足，足也，上象腓腸，下从止」。
卜辭人名：□□（令足）合集四五八四 ⋯⋯□□□（足獲羌）合集

足

品

一九一　人之腿：疒足（疾足）乙一一八七

品 屯二三九二　品 懷一四九四　卜辭之品口用義不同，品字之口，則為容器，供裝祭品，用以享獻神祖，待遇有別，祭品各有等差，后世遂引申為官吏之級別，如「錫臣三品」、「四品卿」、「七品官」等。

金文周早保卣作品，春秋穆公鼎作品，與甲骨文同。

《說文》：「品，眾庶也，从三口」。視口為人之口，三口為眾多之人，可備一說。

卜辭作祭名：于逆京品（于逆京品）合集二四〇〇。于即品（于即品）屯九一七　王賓品亡尤（王賓品無尤）合集二八七一五　賓同儐儐臨，可釋作親臨，尤：災禍。

品

喿（噪　譟）

喿 合集三三八八五　从品在木上，从冖，木為一木合文，即朱，樹一株也；橫弧指範圍，為指事，與刃之一點義同；品為羣鳥之喙，亦羣鳥枝頭，鴉、雀亂鳴之意。可釋喿，即聒噪之噪，與譟、噪同。

金文周代晚期叔喿父毁作喿，戰國盟書作喿，均从簡。

《說文》：「喿，鳥羣鳴也，从品在木上」。《集韻》：「或作噪、譟」。

喿（噪　譟）

所从之龠為[glyph]（龠）之省，與單字之[glyph]（龠）有別，龠字从冊。

《廣韻》釋喿：「同譟」。

卜辭辭例僅一見，且殘損甚，義不明：……[glyph]……[glyph]……[glyph]（[glyph]……干……（……卯貞……木喿……于……）合集三二八八五

龠

[glyph] 合集四七二〇。 [glyph] 合集三二四一 [glyph] 合集二五七五七

象編管樂器，[glyph]為管端之空，A為人之口，示此為吹奏之物。

金文周早臣辰卣作[glyph]，臣辰盉作[glyph]，散盤作[glyph]。

卜辭地名：[glyph][glyph][glyph]于[glyph]（令賵取王于龠）合集四七二〇。

祭名、音樂助祭：[glyph][glyph][glyph][glyph][glyph]（王賓龠無禍）前五．一九．二 賓：同儐，儐臨，可釋作親臨。 [glyph][glyph][glyph][glyph][glyph][glyph][glyph][glyph][glyph]（王其賓中丁彡龠無蚩）存二．六二一 彡：祭名，連續之祭；蚩：災禍。

龠

龢（和）

[glyph] 合集一二〇四。 [glyph] 合集三〇六九三

从[glyph]龠[glyph]禾聲。釋龢，後省作和，卜辭罕見之字。

金文周中龢爵作[glyph]，春秋子璋鐘作[glyph]，余義鐘作[glyph]。

《說文》：「龢，調也，从龠，禾聲，讀與和同」。

龢

卜辭祭名：[甲骨文]（貞，上甲龢暨唐）合集一三〇。暨：

連詞；唐指成唐，即成湯，商代直系開國先王，史稱商湯。

冊

冊 甲二三七 冊 乙一七一二 冊 鐵一六五、三 冊 甲一五六。

象編簡之形，||| 為竹簡，古人無紙，著書于竹片上，○為繩子，用繩把寫好的竹簡編聯起來即成書冊。甲骨文置冊于器作[甲骨文]，直釋本作𠕋，後世訛作𠕋，雙手接冊作[甲骨文]典，卜辭有稱冊，亦有稱𠕋與稱典，可見冊、𠕋、典有大同之處或血緣關係。（參見二七二頁𠕋字註和二六七頁典字註）

金文周早令毀作冊，周中頌鼎作冊，均與甲骨文同。

《說文》：「冊，符命也，諸侯進受于王也，象其札一長一短中有二編之形，𥮯，古文冊从竹」。秦簡中，簡條長短一致。《書、多士》：「惟殷先人，有冊有典」。《說文》釋典為「大冊也」。

卜辭作簡冊：[甲骨文]（沚𢦔爯冊王从

作冊：制作典冊或為官名。

	伐土方）英五四五 祉戠：商朝大將。爯同稱，舉也；稱冊即手舉簡冊，冊中列舉敵人罪狀，猶如今日之討伐令，用以討逆伐罪也。从：偕同。[glyph]冊（乍冊）合二六八 乍用如作。疑人名：冊入（冊入）屯二七六八 通刪、本義為除、削，引申作砍殺：曲三[glyph]（冊三艮）合集七一。艮：本為治服之服，通俘，此指祭祀用人牲。祭名：[glyph]冊[glyph]（其冊妣辛）合集二七五六。
嗣	[glyph]冊 合集二六九〇 [glyph]冊 合集三〇六八五 [glyph]冊 合集三〇六九二 [glyph]冊 合集三二八九 [glyph]冊 英二五八 魯實釋嗣：「……大嗣國為嫡長子，故卜辭作[glyph]冊，乃从冊从大子，子亦聲；作[glyph]冊者，乃从冊从辭省，辭亦聲。《說文·辛部》云：「辭，訟言也」；良以冊立嗣子，必宣讀冊詞，此所以亦从辭省而作[glyph]冊，義猶篆文嗣之从口也。案子止司三聲於古音同屬噫攝，辭屬益攝，旁轉相通，是以其字或从子聲作[glyph]冊，或从辭聲作[glyph]冊，是皆會意而兼諧聲」。可參。金文盂鼎作[glyph]，曾姬無卹壺作[glyph]，漢印作嗣、[glyph]。《說文》：「嗣，諸侯嗣國也，从冊，从口，司聲。[glyph]，古文嗣从子」。卜辭疑為祭祀活動，宣讀冊辭以致祭也：[glyph][glyph]于[glyph][glyph][glyph][glyph]冊[glyph]（拜年于河，惟舊嗣用）合集三〇六八五 河：先公名，舊：原有。[glyph]

乙未卜[glyph]……（乙未卜貞，自武乙彡日，衣，升，祋，其即[glyph]五牢正，王受有祐）英二五八 彡日、衣、升、祋均祭名。[glyph][glyph]于[glyph]冊于……（其即[glyph]冊于……）合集三二八九

□亦作□,在此,从册从口義同,均可釋作嗣。合集三四二九、三六七、□另外,□、□二字均嗣字。合集三〇六九一、屯二三□

□□□□□□□(其用舊嗣,二十牛,受禾)合集三〇六八九

㗊

㗊 前六、五五、二 㗊 粹八七八 與《說文》之㗊同,為卜辭罕見之字。

《說文》:「㗊,眾口也,从四口,凡㗊之屬皆从㗊,讀若戢,又讀若呶」。

卜辭地名:□□㗊□□(今秋㗊黍年)粹八七八

黍年:黍子豐收之年。(《字彙補》釋㗊為古文靁字,可參。)

嚚

□ 合集一八六五。从五口,从臣,卜辭从口之字,三口、四口、五口每無別,釋嚚。

古文用作貞辭。卜辭罕見之字。

《說文》:「嚚,語聲也,从㗊,臣聲,□,古文嚚」。《玉篇》:「愚也」。

《左傳僖二十四年》:「口不道忠信之言為嚚」。《書堯典》:「父頑母嚚」。

卜辭文例殘損,義不明:……□……□……(…嚚…□…)合集一八六五。

□

□ 前二、八、七 从四口,从甲,《說文》所無,為卜辭罕見之字。

卜辭地名:王往□□□□□(王𢓊□往來無災)前二、八、七

𢓊:巡遊。

□

□ 合集一〇六一三 □ 戩四六、三 从三口或四口,从叀,《說文》所無,應為从㗊,

叀聲之字，為卜辭罕見之字。

卜辭地名：□□□□□□□（貞生五月，陝至介□）合集一〇六三三

舌

□ 合集五五三二 □ 合集一三六三五 □ 英二一八 □ 英一六九七

皆象舌出于口，小點為口液。

《說文》：「舌，在口，所以言也，別味也，从干，从口，干亦聲」。

卜辭作舌之本義：□□（疾舌）合集一三六三四 祭名，同告，用作祰：□□（舌母庚）合集二五六一 告訴：□□□（舌伊侯）英一八八

□

干

□ 合集二四五七 □ 合集二八〇五九 □ 屯二六五八

象獵叉形，為人類最早使用之武器。其大形作□，當為木質。為了鋒利起見，干頭縛上尖銳之石錐或骨錐，遂作□狀；或于兩歧下細上適重石塊，便于錘擊敵人或野獸，又作□、□狀。卜辭狩字作□（从干从犬）亦作□（从單从犬），可證干、單本一字。（參見六九頁單字註）

金文周中豦簋作□，周晚克盨作□，春秋干氏叔子盤作□。

□

《說文》：「干，犯也。」後義也。

卜辭獵具、武器：（取干行文）合集二四五七 地名、同單：（南干）英七五四 義不明：（弜令戍干衛其：）合集二八○五九

屰

卜辭逆、屰同字，見八四頁逆字註。

丙

合三四。明九九二 象編有人字紋形的席，應是席字初文。卜辭宿作，秦篆作，皆象室內一人席地而宿，、丙位置相當，且同為聲，可見、丙為古今字。古文席作，象崖下一席，示席居之地，所从之與卜辭之全同。

（席）

（𢊁）

《說文》：「丙，舌皃，从谷省，象形，，古文丙。」丙之古文與近似。

卜辭疑作地名：（今日步于丙）明九九二

剛

合集一三六八一 从丙，从刀，《說文》所無。

卜辭疑作動詞：：：（貞：剛：肱）合集一三六八一

勔

合集三八一○ 从丙、从力，《說文》所無。

卜辭義不明：[glyph]（貞[?]）合集三八一。

酔

[glyph] 屯二六四 从酉，从[glyph]，構形不明。

卜辭義不明：三[glyph][glyph]（三其酔舊于之，若）屯二六四

商

[glyph] 佚三四八 [glyph] 甲二三二七 [glyph] 甲二三六五 [glyph] 前二、五、三 [glyph] 乙四五一六 [glyph] 合一七八 [glyph]

象酒具之形，口、頸、足皆明。始為部族名，繼之為國邑名、朝代名。甲骨文早期不从口。金文繁加㗊，似與星宿有關。

金文商[?]尊作[glyph]，周早康侯毁作[glyph]，春秋秦公鎛作[glyph]。

《說文》：「商，从外知內也，从㕯，章省聲。[glyph]，古文商，[glyph]亦古文商，[glyph]籀文商」。

卜辭人名：[glyph]（勿呼商取逆）合集七〇五八 地名：[glyph]（至于商）前二、二、二 王田[glyph]（王田商）續三、二八、五 王都名：[glyph]（在大邑商）合集三六五三〇 [glyph]（三天邑商公宮衣，茲夕無[?]，寧）合集三六五四三 或曰天邑商即大邑商，可參。

句（勾、鉤）

句 前八、四、八 句 後下三、二 从口，从ㄐ或ㄐ。ㄐ象掛勾，ㄐ象雙曲糾結，兩者直釋即《說文》之句、ㄐ是也。句為一字多用之字。古勾、句一字，如「勾踐」亦作「句踐」，ㄙ是口之省。後來又用作章句之句。金文周晚鬲比盨作[glyph]，父鼎作[glyph]，姑口句鑃作[glyph]。《說文》：「句，曲也，从口，ㄐ聲」。《正韻》釋句：「音溝，俗作勾」。卜辭例句殘損，義不明：句ㄐ（句ㄐ）前八、四、八 ㄐ同ㄐㄐ。

句

ㄐ（糾）

ㄐ 掇一、二七 ㄐ 後二、二六、五 象雙曲糾纏之形，直釋作ㄐ，當為糾之初文本字。《說文》：「ㄐ，相糾繚也，一曰瓜結ㄐ起，象形」。卜辭作纏繞：乎ㄐ肘（呼ㄐ肘）合集一〇八 大意是：命人纏紮肘部。貞人名：ㄐ貞（ㄐ貞）南二、一、三

ㄐ

古

古 英三五三 古 屯二六九一 从口中毌聲，釋古。象置兵器盾于口，示大事發生，為古、故之初文。卜辭捍字作毌或毌，金文戎作戎或戎，所从之口、毌、中、中、十即為盾。

古

（故）

金文周早盂鼎作古，古伯尊作古，師旂鼎作古。

《說文》：「古，故也，从十、口，識前言者也」。非初義。

卜辭作故、辦事也：王竹王古（其从王古）合集九五六○。人名：古

古令（古令）合集二三六八二 婦古（婦古）合集六三二五 貞人名：古貞（古貞）

甲二二二三 方國名：古來馬（古來馬）合集九四五 古來犬（古來犬）合集九四五

執古子（執古子）合集五九○六

十

丨菁二、一 丨前一、五、五 卜辭九、十之十作丨，六、七之七作十，金文朕十

尊仍依古作一豎，其它金文多作十，秦篆作十，為後世所本。合

文五十讀五十，六十讀六十，十五讀十五，十二月讀十二月。

金文朕尊作丨，盂鼎作十，散盤作十，中鼎作十。

《說文》：「十，數之具也，一為東西，丨為南北，則四方中央備矣」。

卜辭作數目：十五牛（十五牛）合集三三五八二 十羌（十羌）乙八七四

十五人又二（十五人又二）屯二一○四

千

千前八、五、一 千後上三、六 从一，人聲，釋千。人字下部壓一橫千

□或省作廾，有徵招義。

作□，讀千；壓二橫作□，讀二千；三千作□，四千作□，五千作□，六千作□。

金文周早盂鼎作□，周晚翏生盨作□，禹鼎作□。

《說文》：「千，十百也。从十，从人」。

卜辭作數目：八□（八千人）合集三一九九七 □□□□□□□□□（今載王共人五千征土方）合集六四〇九 □□□□□（登人三千呼伐𢀛方）合集六一七一 人名：□□□□□□□（貞千弗其作帽方禍）合集八四二四

廿

□前一·四五·五 □甲八五四 □合集三七八六九 為二十合文，讀二十。□或作□，□與戊辰簋之二十作□同，卜辭「王二十祀」皆用□，不用□。

金文周早盂鼎作□，宰椃角作□，秦公毀作□，戊辰簋作□。

)

卅

(

《說文》：「廿，二十并也，古文省」。

卜辭作數目：□□（二十牛）屯三九七八 □□□□（婦井示二十）懷五三。示：整治。王□□（王二十祀）合集三七八六七 王□□（王二十司）合集三七八六三

卅（卅）

□ 河五五三 □ 前五、三、一 □ 粹四○六 為三十合文，讀三十。今作卅。

金文周早矢𣪘作 □，周中㫃鼎作 □，鬲攸比鼎作 □，毛公鼎作 □，徍公壺作 □，廣陽鼎蓋作 □。

《說文》：「卅，三十并也，古文省」。

卜辭作數目：□ □（三十牛）屯三七六八 □ 入 □（雀入三十）合集一九○。入：貢納。□井丁□（婦井示三十）合集一七四八六 示：整治甲骨。

卌（卌）

□ 懷一○二 □ 屯六三六 □ 合集三七四五。為四十合文，讀四十。或作卌。

金文㫃鼎作 □，一石鐘作 □，均與甲骨文同。

卜辭作數目：□ □ □ □：□ 一（獲犀四十、鹿二、狐二）合集三七三七五 □ □（四十牛）合集一四七二六 □丁□（亘示四十）懷一○二

言（音）

□ 拾一四、一○ □ 乙七六六 □ 前五、二○、三 □ 庫一二五○。

□ 舌前加一橫作 □ 言，示言从舌出，由于語言有聲音，所以卜辭音、言一字，通假得理。兩者可以辭義中區別開來。

金文周早伯矩鼎作 □，赦卣作 □，均與甲骨文同。

《說文》：「言，直言曰言，論難曰語，从口，䇂聲」。
卜辭作言、告訴：□□□（丁言我）合集二一五八。
□（多君弗言余）合集二四一三三 用作音：□□□□（言其有疾）□□□□□（言其有疾）合集一三六三七 用作告，祰祭：□□□□□（王侑告祖丁）乙四、七〇八
侑亦祭名。疑人名：□□□（言無冓）合集四五一九 冓同遘，相遇。

諾
卜辭若用作諾，見三一頁若字註。

訏
卜辭乎用作呼，同訏、嘑，見二七六頁乎字註。

訖
卜辭乞用作迄、訖、乞，見二七頁气字註。

訥
卜辭內用作訥，同吶，見九五九頁內字註。

譟
卜辭喿通噪、譟，見一一〇頁喿字註。

訊
□ 英一五四九 □ 遺八二 □ 續三、三一、五 □象一人被反綁雙手，所从之口，示有人開口訊問，所从之□為繩索，反綁之義更明。卜辭如字作□、□象一人雙手自然相交胸前，與□不同。
金文周中虢季子白盤作□，師寰𣪘作□，兮甲盤作□。

訊

誇（𧦝 夸 侉）

《說文》："訊，問也，从言，卂聲"。

卜辭作訊問：□（王訊曰：）合集一八二四 □□□

（婦好有訊值）合集一九一三四 王□：（王訊：）合集三六三八九

□ 合集三〇三七三 □ 戩二六、三 从大 大 从□ 言，大 象正面人形，□為

□ 舌上加一橫，示言从舌出，語言有音，卜辭言、音一字，假通合理，二者可从辭義中區別開來，在此當為偏旁之言。□字从大、言，會意字，可釋誇。誇之古文作𧦝，从大，从言，與卜辭□字同。

《說文》誇字加亏，乃後加之聲符也，卜辭齒字作□，象張口見齒之形，本象形字，金文中山王壺作□，从止作聲，齒字加止與誇字加亏同義。誇字初文从大、言，造字者可謂費心良苦，一個字即道出了"誇誇其談，大言不慚"之貶義來。

《說文》："誇，譀也，从言，夸聲"。譀為謊誕之言，令人說話謊誕，被人笑謂"胡砍"，即"胡譀"也。《韻會》："或作侉"，改大為人，不失原形。

《廣韻》："大言也"，義與初文吻合。《集韻》："通作夸"，夸乃省文。

詞

卜辭作誇張、誇大；用（弜誇，用）戩二六·二 弜用如勿，否定詞；弜誇：不要誇張、誇大；用：茲用或用茲卜之省。

詞、辭同字，見九七二頁辭字註。

吕

吕、㗊 吕疑亦作吅，見六九頁吅字註。

䜌（蠻 欒 孌 鑾）

周探二坑一五三 从言从絲，釋䜌。典籍、金文假借作蠻、欒、孌、鑾。

周中觥季子白盤「用政蠻方」作，周中頌鼎「鑾旂」作，春秋「虢事蠻夏」作，中伯壺「中伯作亲姬孌人朕壺須盃」作或，宋公欒戈「宋景公名欒元公子，春秋定公四年从會召陵侵楚」作。兮甲盤作，與卜辭全同。

《說文》：「䜌，亂也，一曰治也，一曰不絕也，从言絲，，古文䜌」。

卜辭庶䜌即庶蠻，即《春秋會要》中之「群蠻」，即眾蠻：

（庶䜌）周探一五三

設

英四八八 合集六四八五 懷一五六一 从辛从殳，為言省，象手執錘，多作偏旁，有敲擊、驅使之義，如卜辭

或釋□為永，永久，長久也。

咏女：咏地女奴。也可釋作永女。

□役，役字所从是也。或釋作鑿，但與辭例不符，當釋設，形義均宜。

《說文》：「設，施陳也，从言，从殳，使人也」。

卜辭作施設、神靈施設之兆象：㞢□□于□（有設虹于西）合集二四九七 㞢□□（有設新星）合集六〇六三 陳設、設置：□日□（設司室）合集一三五六一 司用作祀。祭名：□□□~（王設父乙）合集二〇一 □□于□（告設于河）合集一四五三三 告用作祰，亦祭名，河先公名。

詠

□ 屯一〇一三 □ 屯一〇九八 □、永聲，釋咏，同詠。

金文周早詠尊作□，與甲骨文全同。

《說文》：「詠，歌也，从言，永聲。□，詠或从口」。

（咏）

卜辭作頌詞，歌頌：□□□□王□（菁往來無災，王咏）合集三七四三九 □□□□王（湄日無災，咏王）合集二八七一三 湄，讀作彌，借音字，湄日即彌日，終日也。地名：田□（田咏）合集二九三八二 田同畋，畋獵。□□□□□□□（其焚咏女有大雨）

□

譁

合集三〇七七二 烄：焚人祈雨之祭。

吳 屯四五五六 从口从大，會意字，釋吳，應為譁、嘩初文。

《廣韻》釋吳：「音華」，《玉篇》：「大聲也」。《集韻》釋譁：「音華」，「或作嘩」，《類篇》：「諠譁也」。吳之音義與大聲諠譁之譁同，乃簡繁之別。

譁

（吳）

卜辭作人名：[彳古] 令 吳（出令吳）合集二〇一六四 地名：田于吳（田于吳）屯四五五六

競

競 戩三、一二 競 前五、四一、五 競 甲二一四一 競 京四一八八 競 合集一〇六

象兩人徒步相競之形，人上為頭飾。

金文周早父乙卣作 競，毁文作 競，㝬鐘作 競。

《說文》：「競，彊語也，一曰逐也，从誩，从二人」。从誩之說乃後義。

卜辭作人名：競 令（競令）合集四三三七 祭名：競 自十（競祖甲）合集二七三三七 競爭：競 弗 敗（競弗敗）合集四三三八

競

音

卜辭言、音一字，見一二一頁言字註。

辛

辛 人三五一 辛 前四、四六、二 辛 人七〇。 辛 後下三六、七

象刻鏤之曲刀，可用來刻劃罪犯或俘虜之額，即施黥之刑刀也。

辛

童（僮）

□

卜辭□妾□僕所从之□乃刑刀也，□是曾受黥刑之標誌。

《說文》：「辛，辠也，从干二，二，古文上字，讀若愆」。从干二之說不確。

卜辭作人名：□□（勿呼辛）合集一九六六五 □□□（辛值九）合集三二二九 値：循視。地名：三□于□（乞骨于辛）屯六三八 □□□（自辛負）英二四二六 義不明：□□□□□（辛伊尹眾彭十宰）屯二一三

伊尹：商舊臣名。

按□、□、□本為一字，《說文》分為辛、䇂二字，義亦不同。（見九六九頁辛字註）。

□屯六五〇 □合集三〇一七八 象頭有曾受黥刑標誌、足有足械之童奴形。是一幅生動之畫圖。釋童，與後世僮僕之僮通用。

金文周中牆盤作□，毛公鼎□，番生𣪕作□。

《說文》：「童，男有辠曰奴，奴曰童，女曰妾，从䇂，重省聲」。自辛即古文罪字，可見童、妾等所从之□辛均為曾受黥形之標誌。

卜辭作地名：□田于□（貍田于童）屯六五〇。

所獻小臣，疑指某種奴隸。

妾

□ 乙二七二七 □ 粹二一八 □ 前四、二五、八 从□辛从□女，□象施黥之刑刀，是曾受黥刑之標誌，《說文》釋妾：「有辠罪女子給事之得接於君者，从辛，从女」。此外，□僕，□童（童奴）皆从□，想非巧合。換言之，王妾未必受過黥刑，但在以男性為中心的社會裡，輕視女性，貶意是可能存在的。

金文周晚伊毁作□，克鼎作□，均與甲骨文同。

卜辭中小妾可以進獻給人，地位不高，當為有罪女子給事者：□□□□用□□，□于□（令庚辰夕用□小臣三十、小妾三十于婦）合集六二九 □用作獻，小臣：官職名，婦指商王配偶。人牲：□□于□□（侑妾于妣己）合集九〇四 侑：祭名。配偶，同妻：□□□（王夢妾）英一六一六 □□□□（妾娩不其嘉）合集一四〇三六 □□□（王亥妾）合集六六〇。□□（河妾）合集六五八

□

竟

□ 合集一八一八六 □ 合集三五二二四 从□音从□人，釋竟。

《說文》：「竟，樂曲盡為竟，从音，从人」。

□

竟寸

卜辭作人名：乎□（呼竟）合集一八一八六 疑為終結、盡、了：□□（弜竟）合集三五三二四 弜用如勿。 義不明：□：□（竟：來）乙八八九。 □ 从舌，與从音言之□竟無別。

□ 合集三五五九 □ 合集一七〇九七 从丵，从寸司，《說文》所無。

卜辭人名：小□□（小竟寸老）合集二三七一五 小□□（小竟寸死）合集一七〇九七 神祇名：㞢于□（侑于竟寸）合集二二五五九 侑：祭名。

對

□ 前四、三六、四 □ 林二、二五、一〇。 □ 佚六五七 □ 甲七四〇。

□ 象以手持鐙，□ 象以手撥鐙燈，因黑夜無光，點鐙以當明，引伸作相當、對、應之義。

（對）

金文周早父乙尊作□，對卣作□，燮殷作□。

《說文》：「對，譍無方也，从丵、从口、从寸，對，對或从士，漢文帝以為責對而為言多非誠對，故去其口以从士也」。非初義。

卜辭地名：于□□□□□（于東對王占曰吉）林二、二五、一〇。

對

僕

□ 合集一七九六一 象雙手捧箕以執賤役之奴僕，頭上之□辛為刑刀，亦為曾受黥刑之人，與□妾□童之从辛義同。□為尾飾，含侮辱之義。此字圖畫性強。

金文周早旅鼎作□，趞毀作□，召伯毀作□。

《説文》：「僕，給事者，从人，从菐，菐亦聲。□，古文从臣」。

卜辭文例殘損，疑為地名：……□卜（……（在）僕卜……）合集一七九六二

□

収（拱　共　供）

□ 上三一・六 □ 後下三三・三 象兩手相向，拱揖之狀。直釋作収廾，廾，為拱字初文，本義為拱手，或假通作共、供。

金文周中師㝨鼎作□，周晚叔向毀作□，均象供揖。

《説文》：「収，竦手也，从ナ从又。□，楊雄説：廾，从兩手」。竦，敬也。

卜辭作供給、供納：□□□（呼吳収牛）合集八九三七 □□□（勿呼収羊）合集八九五。

徵召：□□□□□□□□□（令戴王収人五千征土方）合集六四〇九 □□□□□□（令在北工収人）合集七二九四 □□□□□□□□□□（収眾人立大事于

□

西周）合集二四

丞

 鐵一七一三 象人陷入坑坎，上邊有人雙手拉提拯救之狀。乃丞、拯之初文。或釋亦作丞，非也，此象雙手捧人之形，有奉承、承蒙之義，釋承。、兩字可謂「涇渭分明」。

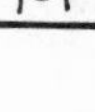

金文周早丞鼎作，戰國衛斋作。

《說文》：「丞，翊也，从廾，从卩，从山，山高奉承之義」。誤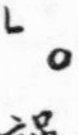為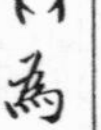，誤為山，唯从卩不誤，直釋可作卩。「奉承」之說大誤。

卜辭中罕見，辭例殘損，祭名：⋯⋯⋯⋯（⋯丞父乙⋯）

鐵一七一三

承

 合集四〇九四  後二·三〇·二 象雙手捧舉一人形，有奉承、承蒙之義。

金文周早承卣作，小臣遙簋作，令狐君壺作。

《說文》：「承，奉也，受也，从手，从卩，从収」。誤為月，从収即从，从手成了「三隻手」了。所釋與秦篆吻合。

卜辭例句殘損，義不明。□（□弓來馬承）合集六一七五

弓，方國名。

弁 □ 乙六三七。从□収从亻人，《說文》所無，罕見之字。疑同承。

卜辭罕見，義不明。□□□□□□用□（我其有令戠弁用，王）乙六三七。我，商王自稱。

奔 □ 存二〇四三 □ 寧滬三二一四 从□女从□収，廾，釋奔。

象雙手捧一女子形，《說文》所無，罕見之字。

卜辭王妻名。□□□□□（婦奔娩嘉）存一〇四三 嘉，生男曰嘉，好也。

𢍚 □ 明藏八〇六 从□每从□収，廾，□象有髮飾之女子。釋𢍚。

《說文》所無，罕見之字。

卜辭例句殘損，義不明，疑與奔同。□□□□□□□（王翌其其𢍚受又王）明藏八〇六 又用作祐佑。

𢍜 □ 河五九五 □ 存六三三 □ 後二一九三 □ 甲三五八 象雙手捧器物

狀，即《說文》𢍏字。音渠。

（畁）

金文周晚師酉毀作畁，與秦篆畁同。

《說文》：「畁，舉也，从廾，甶聲，春秋傳曰：晉人或以廣墜，楚人畁之，黃顥說，廣車陷，楚人為舉之，杜林以為騏麟字」。皆引申之義。

卜辭方國名：[illegible]（勿呼雀伐畁）合集六九六二

舉也：[illegible]（王其畁戈）合集三九八二 本義之引伸，登高也：[illegible]（王其往宓山畁）甲探八。宓同密，指密須國之山。

𢧵

𢧵 合集三五六〇五 𢧵 合集三五六八九 从凿，从奴，从冂或内義同。象陳牲首於內上，示進獻之意。疑與[illegible]、[illegible]爵同（見五六二頁爵字註）。

卜辭祭名：王[illegible]（王賓雍已𢧵無尤）合集三五六四

弄

[illegible] 佚九六一 [illegible] 佚九七六 [illegible] 乙一八〇〇 象兩手在礦穴採玉。[illegible]為其省文。所从之王乃丰之省，所从之亚乃玨之省。殷時玉、貝均多枚為一繫，合二繫為丰丰、[illegible]狀，於玉謂之玨，於貝謂之朋，然二者古本一字。

金文商代銅蓋作[illegible]，春秋天尹尊作[illegible]，智君子鑑作[illegible]。

《說文》：「弄，玩也，从廾持玉」。

卜辭地名或方國名：（雀其𢦏弄）合集六九八〇。

弇

拾三、五　甲一二五六　寧滬一、三一三　雙手捧肉，與《說文》弇同。

《說文》：「弇，持弩拊，从廾肉，讀若逵」。似與「持弩拊」無關。

卜辭用如祭：（惟辟臣弇）合集二七六〇四　辟臣即嬖臣，近臣也。……（……肉其弇……）合集三一七七。（弜弇）戩三七、三　弜用如勿。

戒

乙五〇四七　合集七〇六〇　粹八〇四　象兩手持戈，以示警戒。

金文周晚戒鬲作，戒叔尊作。

《說文》：「戒，警也，从廾持戈，以戒不虞」。

卜辭用作祴，持戈而舞之祭：（惟戒祐雨。九月）合集二五〇三。（惟執戒禓于妣辛）遺三六三

警戒：（王呼萬戒師，九月）合集二〇二五三

疑人名：……（……戒取宁）合集七〇六〇。

兵 [glyph] 陳一〇〇 [glyph] 佚七二九 [glyph] 摭續八九 从廾从斤，象兩手持曲柄斧，引申為兵器、戰士。

金文春秋庚壺作[glyph]，春秋鉦作[glyph]，𠭯志盤作[glyph]。

《說文》：「兵，械也，从廾持斤，并力之皃。[glyph]，古文兵从人廾干，[glyph]籀文。」

卜辭作戰鬥部隊：[glyph][glyph]（貞，出兵若）合集七二〇四 若：順利。[glyph][glyph][glyph]（貞，勿出兵）合集七二〇五 兵器：[glyph][glyph]（勿易黃兵）陳一〇〇 易用作賜。[glyph][glyph]（易龍兵）屯九四二

龏 [glyph] 續五、六、六 [glyph] 乙五四〇三 [glyph] 摭續一〇五 [glyph] 前六二五、六

（龔 恭 供） 从[glyph]龍从[glyph]廾，共，釋龏，與龔同。《說文》誤分為兩字。

金文周早子龏鼎作[glyph]，毛公鼎作[glyph]，邾公華鐘作[glyph]。

《說文》釋龏：「愨也，从廾，龍聲」。《說文》釋龔：「給也，从共，龍聲」。《玉篇》釋龔：「奉也，亦作供，又愨也，與恭同」。

卜辭人名：[glyph][glyph]（令龏）合集六八一六 地名：[glyph]

[glyph] 龏

：：（王于龔：）合集七三五二 □□（在龔）合集三六九六二 神祇名：□□□□（有龔虫王）屯二三六九 虫：神鬼為祟。受祀神祇中龔司、龔𠬪、龐司同：㞢于□□（侑于龔司）合集一四八四 㞢于□□□□（侑于五毓至于龔𠬪）合集三四九五一 □□□□□□（惟龐司虫婦好）合集七九五 龐、龐同。

具 □ 合集三一五三 象兩手舉鼎，與金文父段之具同，或省鼎為貝、為目，是文字因繁就簡之必然規律。古文具、俱通用。

（俱）

金文周早叔具鼎作□，周晚函父段作□，曾伯匿作□。

《說文》：「具，共置也，从廾，从貝省，古以貝為貨」。非初義。

卜辭例句殘損，義不明：□□：：□（具伐：：不）合集二二五三

共 □ 續五、五三 □ 合集一三九六二 □ 合集二四四九 象兩手捧一器物形。釋共，或假通如供、拱。或釋作弁，可參。

金文周早父乙卣作□，共段作□，禹鼎作□，禽肯匿作□。

《說文》：「共，同也，从廿、廾」，□，古文共」。

弆

卜辭人名：□□□□（婦共其㚤）乙四五九 㚤即嘉，生男曰嘉。□□□□：（貞，婦共娩，不〔嘉〕）合集一三九六三

□合集一七九八八 从□去从□収廾，即《集韻》弆字。

《廣韻》：「藏也」。《集韻》：「通作去」。

卜辭義不明：□仜：干：□：（：足仼：干：弆：）合集一七九八八

𢍏

□英二二七四 从亲从廾，《說文》所無。

卜辭疑祭名：□□亻多□□□□□（庚子卜，多母弟暨酉𢍏）英二二七四

𢿌

□合集三六四八二 从美，从収廾，《說文》所無。

卜辭疑祭名：：□干□□□□□□□（：其于西宗𢿌王，王占曰：弘（吉））合集三六四八二

異

□屯六一〇 □屯一四二六 象人戴假面，以示奇異。

周早孟鼎作□，春秋虢叔鐘作□。

《說文》：「異，分也，从廾，从畀，畀，予也」。非初義。

卜辭作它日、今後某日之義：：□□□□□（王異其

異

田，亡災）合集三〇七五七 田：田獵，亡用作無。 （異其耤）合集二八〇六四 耤：耕作。 奇異也：（新異鼎）合集三一〇〇〇 即：新鑄的，奇特別緻的鼎。

𢍏

合集八二七五 从甫，从廾，《說文》所無。

卜辭疑神祇名：（三侑三十牛于𢍏）合集八二七五

⿱孟廾（猛）

合集三三〇二四 合集二三三三 从廾，从孟，皿或口義同，《說文》所無。卜辭疑用作猛：（召方來惟其⿱孟廾）合集三三〇二四 （吾師毓育）合集二二三三

興

合三三 人三一五一 甲二一二四 甲一四七九 寧滬一·六〇三

象兩個人以手向上擡起擡把之狀，所从之口，示有人喊數之義。

金文周早父辛爵作，周晚鬲邁作，簡繁與甲骨文同。

《說文》：「興，起也，从舁，从同，同力也」。

卜辭作興旺：（歲不興無匄）合集三三三九 匄：災禍。 人名：（興有疾）合集一三七五四 地名：（王其田興無災）合集三三五六四 方國名：（興方來）合集六五三。

(一 (从輿方伐下危)合集六五三○。祭名： (輿司戊)合集二三○四 (輿子庚)同版

輿(輿)

合集五五○四 合集二○五七九 象四手或兩手舉一橐橐形。橐字初文作、，象橐中有物，兩端作結紮之狀，後借作東西之東。篆文、車兩字形近，所以輿字从車不从東，這也是文字因繁就簡之必然規律吧！或釋作舉，象舉物之狀，可釋輿、舉為同源之字。「舉之車」。

舉(

《說文》：「輿，車輿也，从車，舁聲」。《增韻》：「舁車也，兩手對

卜辭人名：(令望乘暨輿途虎方)合集六六六七 途用作屠。地名：卜于(卜于輿)合集二○五七九

要(腰)

前二·一八·四 象一女子自臼其腰形，亦女子尚細腰、束腰要細之義。所从之⊙非日，頭部也，《說文》要之古文作，與甲骨文近似。古文要、腰同字。

金文周早伯要毀作，說文古文作，秦篆作。

《說文》：「，身中也，象人要自臼之形，从臼，交省聲，

古文要」。身中指腰。《玉篇》：「本作要」。《廣韻》：「或作署」。

卜辭例句殘損，義不明：……𡚒……女中㚇（：要：）五十在䜌）前二、一八、四

晨

晨 前四、一〇 象兩手持蚌鐮形，與金文晨、小篆晨同，直釋作晨。應與農事有關，《說文》釋作「早昧爽也」，義即晨字，戰國印作晨，皆从辰，即後世之晨也。

金文周中期侯鼎作「晨」，師晨鼎作晨，𦎫公鼎作晨。《說文》：「晨，早昧爽也，从𦥑，从辰，辰時也，辰亦聲，𠃨夕為𠨑，𦥑辰為晨，皆同意」。

卜辭職官名，多晨指諸多晨們：令多晨（令多晨）

合集九四七七

晨

農

農 乙二八二 農 續二、一、四 農 乙五三三九 農 乙八五〇二 農 後上七、一一

从屮或从林，从辰，或从木林作農，卜辭从屮从木每

農

）無別。象操持蚌鎒農耕於草木之中，釋農。另外，蓐、媷

□ 从艸、从辰、从寸，有手持蚌鎒耕作之義，與農有同源之緣。

農 金文周早農卣作□，農毁作□，散盤作□。

（ 《說文》：「農，耕也。从晨，囟聲。□，籒文農从林。□

古文農。□亦古文農」。

卜辭神祇名：口□貞□乂□（丁農，歲其又伐）合集二六一○

丁，祭名，又用作有。□丁（農示）乙二八二三 示：受祀神主。地

名：□网□干□（呼网鹿于農）合集一○九七六

□ □ 後下二四、八 从臼、从歯，《說文》所無。

卜辭義不明：口□卜□□：□（丁卯卜貞，來：□）

後下二四、八

□ □ 合集二七七三九 从臼、从止、从埜，構形不明。

卜辭疑作動詞：□□□□□□（今日辛□，弗

每）合集二七七三九 每用作晦。

鬲	）	⿲弓鬲弓	⿰鬲瓦	⿱丽鬲	⿸麗鬲	（			鬳	）	獻	甗	（

鬲

粹一五四。 甲二一三 明藏六二五 象形字，是古代一種炊具。一般是無耳、侈口、中空、三足，便於加火煮食。

金文周早盂鼎作 ；令毁作 、易足為羊，春秋季真鬲又从金作 ，先陶後銅，銅乃金屬，从金可知。

《說文》：「鬲，鼎屬，實五觳，斗二升曰觳，象腹交文，三足」。

卜辭作禮器（祭器）： （其尊鬲𢽍十牛于丁）合集一九七五 尊：酒尊、祭器。𢽍：象以棒擊蛇，血滴可見，殺牲之祭也；丁：神祇名。 （切𢦏至于父丁尊其鬲）屯一〇九。地名： （在師鬲）合集二四二八。

鬳

合集二六九五四 合集三一八二 佚二七三 甲三五八四 英一六一二

从 虎或 犬，从 鬳或省作 。釋獻鬳。既是形聲字，亦是會意字，从虎犬在甗，用以進獻也。卜辭獻甗通。

金文虢季子白盤作 ，子邦父甗作 ，遣甗作 。

卜辭作進獻： （獻羌其用妣辛卅廾）

辰鬲（𩰪 𩰪）

合集二六九五四 羌：指羌俘，用作人牲；祭名。

（貞，今庚辰夕用，𧆨小臣三十、小妾三十于婦，九月）合集六二九

（癸酉卜貞，多妣𧆨小臣三十、小母三十于婦）合集六三○。

（甲寅貞，來丁巳，尊𧆨于父丁，𦎫三十牛）合集三二一二五 𦎫即後世之俎，象陳肉于上，此作用牲法。

（丙寅卜，又𧆨鹿其𣪊）合集三○七六五 又用作有；𣪊：進獻之祭。

（乙卯貞，其尊𧆨有羌）合集三二一二五

（𧆨骨）英一六二三 人名：

（令子𧆨脙，八月）合集二三五三六 脙同𦞅，動詞。

京一二三。从鬲，虍省聲，同𩰪。《說文》所無。《篇海》釋𩰪：「同𩰪」。《集韻》釋𩰪：「音辰寺」。《玉篇》釋𩰪：「大鼎也」。

金文周晚𦘔肇家鬲作□，从火，不失初義。

卜辭方國名：□屮□□屮□□□：（舌方氏𩰫方𦎫名允）京一二三。氏：帶領；𦎫：打伐，讀如敦。

𩰫

□簠典二六 □前四、七、四 □寧一、九四 □粹一三八 □林二、一、一

从□食从□。索，束，釋餗，繁文作𩰫。

金文商代父癸鼎作□，商代龔鼎作□，周早母己鼎作□。

《說文》：「𩰫，鼎實，惟葦及蒲，陳留謂鍵為𩰫，从𩰲，速聲，□速𩰫或从食，束聲」。

（餗）

卜辭作供奉、獻食；祭名：□餗□（其餗王）合集一○一二一 □餗□（來餗王）合集一五八一六 祭名：□餗□□（其餗自祖乙）合集三二五四九 □餗于□□（彭餗于祖乙）合集一五九四 □餗□（曰餗㲋）屯二○六 于□□□（于生月餗）屯一○七二 生月指下一月。

𩱧

□合集四八五五 □同版 从鬲，从木或屮無別。疑《說文》鬻字。

卜辭疑人名：□□□□（貞，𩱧禍亡祉）合集四八五五

𩰫

𢐗

（从𢐗水，从垂倏）合集五七〇八

懷一四〇二 从匕在鬲中，《說文》所無。

卜辭祭名：（弜𢐗䰜，其雨）合集三〇三六 䰜：禮器。

爪（手 抓）

合集一八六四〇　乙四五二二　卜辭與作，象以手擡物；盥作，象洗手皿中；孵作，象鷄爪扒蛋；可見爪、手一字，應為手、爪、抓之初文本字。周代金文爪、手有別。

金文周晚克盨爪字作，周中舀鼎手字作。

《說文》：「爪，丮也，覆手曰爪，象形」。《韻會》：「爪本為抓爪之爪，非手足甲也」。《集韻》：「音抓」。《類篇》：「音笊」。今日用作爪牙、雞爪是也。

卜辭疑用如爪：（爪啟千找）乙四五二二

孵（孚）

甲二六一七　合集六三五四　英五四三　象以爪扒蛋之狀。禽類扒蛋翼下，示抱蛋孵卵之義。動辭、會意字，可釋孵。《說文》、《揚子方言》、徐鍇等皆釋孚為孵，兩者同字異文。孚字从爫从子，爪下之子為將出蛋殼之子雛也。蛋形無法書寫，只得以子代之。孚

下之子與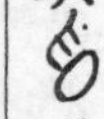下之同義。卜辭俘虜之俘作或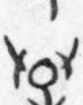，象兩手或單手抓住戰俘之形。俘、孚各有所指，本不同之字也。

《說文》：「孚，卵孚也，从爪，从子。一曰信也。徐鍇曰：鳥之孚卵，皆如其期，不失信也。鳥裒恒以爪反覆其卵也」。《揚子方言》：「雞伏卵而未孚，或作孵」。

卜辭地名：（在孵）合集一八九 疑方國名：（方孵）合集六七八四 （敦孵，允其敦）英五四三 敦：打伐，允：果然。

為（爲）

 明藏一四五  同版  金五九一  乙三〇八  京津二二六二 

象手牽大象鼻子，象爲野獸之最，能夠降服、役使大象，亦大有作爲之義。會意字。

金爲周中㠯鼎作，益公鐘作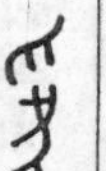，陳子子匜作。

《說文》：「爲，母猴也，其爲禽好爪，爪母猴象。下腹爲母猴形。王育曰：爪，象形也。古文爲，象兩母猴相對形」。乃據小篆想象之釋。

母猴實獼猴也。

卜辭人名：（呼為凡果ㄓ）合集一三六二五 凡用作盤，盤遊也 果：地名。

為之本義，作也：

（貞，王為巳，若）合集一五一八九 巳用作祭祀之祀；若：順心。

（其為祖丁㱿、衣、卯）合集三〇二八二 㱿、衣、卯均祭名。

丮

後下三八二 合二七〇四 乙九一四 合集二〇二三一 象一人伸出雙手操作之狀。

金文周中沇子毁作，與甲骨文同。

《說文》：「丮，持也，象手有所丮據也，讀若戟」。

卜辭人名：入（丮入五）合集一一〇〇六 入：進納。（丮其死）合集七三〇四 地名：（丮受年）粹八六二 祭名：（漁光丮，今癸雨）合集一二〇二三

埶

甲三九五 前四．三六．五 後一．一四．六 前六．一六．一

象一人下蹲培植禾苗之狀，為埶、𠫓埶、藝之初文。

[illegible]

（埶　藝）

金文商代父辛段作，毛公鼎作，盠彝作。
《說文》：「埶，種也，从坴丮，持亟種之，書曰：我埶黍稷」。
卜辭地名：王田（王往田埶）合集二四四九五 田用作畋，畋獵。
（王其田埶無災）屯二○九。祭名：王
（王賓埶、福）合集二三○○二 賓：親臨、親自。
（庚子埶鳥星，七月）合集一一五○○ 王（惟埶王受佑）

（𦏧）

合集三○七三五
二六七六 合集三○二八五 象一人拜于宗廟之前，有進食祭祖之義。
金文作，从女，當是中人足之變異，與金文埶或
作義同。卜辭𦏧即孰、熟之初文，本義是進熟食於宗廟也。

（孰　熟）

金文周晚伯侄敦作或。
《說文》：「𦏧，食飪也，从丮，𦎫聲，易曰：孰飪」。飪：大孰也，孰
即熟。《韻會》：「熟，本作孰」。
卜辭作進食之祭名：于（于廳門熟、飲）合集三○二八五

𩛥 [glyph] 人三○九一 [glyph] 續五、一四、三 [glyph] 前一、二、六 [glyph] 甲二六九五 [glyph] 通一六二 [glyph] 合三二九

[glyph] 續一、五、二 [glyph] 甲二六二二 [glyph] 前二、二○、一 [glyph] 合集四二四 [glyph] 合集二六八九九

卑𩛥為殷代五種重要祭祀之一，所以此字造形很多。一般早期从[glyph]从[glyph]，中期从[glyph]从[glyph]，晚期省作[glyph]，中如[glyph]字从[glyph]丮[glyph]食从[glyph]才作聲，與《說文》𩛥字全同。皆為手持食物享祭神祖之義。[glyph]、[glyph]所从之[glyph]甾亦聲符。𩛥同飤(見三○四頁飤字註)。

金文周早沈子毁作[glyph]，周中𩛥毁作[glyph]，師虎毁作[glyph]。

《說文》三「𩛥，設飪也，从丮，从食，才聲，讀若載」。

卜辭地名：[glyph]𩛥[glyph](在𩛥貞)前二、二○、一 [glyph]廿廿三𩛥匕[glyph](今步：𩛥，無災)金五四四 祭名，設食之祭：[illegible](乙丑酢、𩛥，易日)存一、一四三三 酢：酒祭。易日：賜日，殷人迷信，以為太陽為上帝所賜。

[glyph]今[glyph](其𩛥，今𩛥無尤)合集二六八八九 𩛥亦祭名。尤：災禍。

[glyph](𩛥上甲)續一、五、一 [glyph]十(𩛥戔甲)續一、五○、二 [glyph]十(祭陽甲、𩛥羌甲、協戔甲)續一、五○、五

□□□□□□（王其賓大甲□無𡆥）通一六一 賓：親臨；𡆥：神鬼為祟。

𢦒

□ 前五、一二、五 □ 後下二六、一七 □ 續五、一〇、六 □ 前六、二六、七 □ 前四、四三、二

象一人舉戈跪降。𠟭卣「既𢦒于上下帝」、段毁「命龔𢦒逸大鼎于段」，皆獻義也。

金文周早□鼎作□，周中縣妃毁作□，𢉖史甗作□。

《說文》：「𢦒，擊踝也，从丮，从戈，讀若踝」。非初義。

卜辭作獻降：□□□□（其𢦒，戈一，斧九）合集二九七八三 □□□□□（王曰：𡆥其𢦒）合集二〇〇七。□□□□（基方不其𢦒）合集八四四五 神祇名：□□□□□（女𢦒弗𡆥王）合集二五三三

□

□ 合集二〇二四一 □ 合集九〇〇三 从丮从口，《說文》所無。

（□）

《集韻》：「音戟，聲也，或作□」。

卜辭人名：□□□□□（婦□延死）合集一七一五九 □□（□入）前六、二九、三 入：進納。地名：□□□□□（□不其受：）合集九八〇二

□

□ 英二五二六 从竹，从丮，《說文》所無。

𦤎（致）

卜辭地名：（戍人方于，吉）英二五二六

粹一二七五 从丮，至聲。直釋作𦤎，即後世「致意」之致。

《說文》：「致，送詣也，从夊，至聲」。

卜辭作動辭，送詣也：（惟小臣妥致不作自魚）合集二七八九。小臣：官職名。自魚即腥、胜、鮏、鯹，指生鮮肉。

[南丮]

粹一二一七 續六、七、五 从丮，从南，《說文》所無。

卜辭義不明：（我勿將自茲邑[南丮]賓祀作，若）粹一二一七 我：王自稱。

[自丮]

京二八四六 从丮，从自，《說文》所無。

卜辭祭名：（禘告王[自丮]于丁，三月）合集一九五八

鬥（鬭 鬪）

乙七一九 乙六九八八 粹一三二四 坊間三、一〇二 誠四五三

象兩人相互揪髮之狀，古人男女皆蓄髮，鬥毆時，揪髮是常見的。

《說文》：「鬥，兩士相對，兵杖在後，象鬥之形」。

卜辭疑作搏鬥：……（王崔不鬥豎？）合集四七二六

地名：□于□（朕芻于門）合集一五二 朕：我也，商王自稱；芻：本義為取草。□于□□□一□□□□（燎于河，五牛，沈十牛，十月，在門）合集一四五五三 燎：焚柴之祭，沈：沈牲之祭。

又

□ 戩二四·六 □ 京四〇六八 象右手形，釋又。卜辭□正反每無別，□或作□，惟左右對稱時，□為右，□為左，區別甚嚴。又為一字多用之字，除用作再意（如二十又五）外，與有、右、佑、侑、㞢通用。

金文周早盂鼎作□，𦎫鼎作□，盂文作□，秦公殷作□。

《說文》：「又，手也，象形，三指者手之𠛬多，略不過三也」。

卜辭作連詞，再也：□一□又二（在十月又二）陳四一 用作有：干九□又□（于九月有事）用作右：□三□又□又（王作三師右中左）合集三三〇〇六 □又□□又□（令右旅暨左旅）屯二三二八 用作佑：□□又（祖辛佑）合集八二 用作侑：又□日入日（侑出日、入日）懷一五六九 又：為有、佑連用省文：王□又□（王受有佑，吉）英二三四八 又同㞢：□㞢□（其有來媗）英六三五 媗：讀作艱難

釋　為以手舉杖為確。

之艱，凶禍。

右　卜辭又用作右，見一五二頁又字註。

厷　乙六八四三　後下二○、一七　象人之臂肘，諧音作八九之九，

字所从之ㄥ為指事，亦為肱部，直釋作厷，即股肱之肱字。

（肱）　《說文》三「厷，臂上也，从又，从古文ㄥ，古文厷，象形，　，厷或从肉」。

卜辭作臂上：中　（中子厷疾）合集二一五六五　疑作人名：

（獲厷射犀）合集一○四二一

叉　前六一九、三　前五七、二　後二、三七、六　象手有甲形，釋叉。

卜辭丑字作　，亦象手有甲形，叉、丑讀音又似，兩者或為同源之字。

《說文》三「叉，手足甲也，从又，象叉形」。

卜辭地名：中　（在叉貞）英二五六二

（今日步于叉，無災）同版

父　河三一、三　乙五三二八　甲二六九五　或曰：象手持石斧操作之形，因操

斧者為男性，遂引申作父母之父。是父非單的通稱。

金文周早父辛毁作□、父癸鼎作□、散盤作□。

《說文》：「父，矩也，家長率教者，从又舉杖」。

卜辭作父輩通稱：□于三□（告于三父）林一、五、五 告用作祰，祭名，

三父指三位父輩。□生于□十□□□一□（勿侑于彖甲、

父庚、父辛一牛）乙七七六七 侑：祭名，彖甲即陽甲。□□□五（惟

父祟王）乙四九六一 父指父輩先王，祟：神鬼為祟。

叜（叟 搜）

□ 前四、二八、七 □ 前四、二九、一 □ 前四、二九、二

象以手執炬於室內，示搜索之義。釋叜，省作叟，即搜字初文。後世釋叟為「老人」，如「童叟無欺」，乃同音假借。

《說文》：「叜，老也，从又，从灾闕，□，籀文从寸，□，叜或从人」。

卜辭地名：□：（自叜：）合集四六三四 搜索也：□□五

□□□（爭貞，賤王□曰叜）合集五六二四 賤同錢，貝幣。

燮

□ 前五、三三、四 □ 明一五五二 从又又持□辛 从炏炎，直釋作燮。卜辭言作□，辛作□，言、辛形近易混，所以《說文》有燮、燮二

（燮）

字，疑一字也。

金文周中燮毁作□，曾伯匿作□，晉公盦作□。

《說文》：「燮，和也，从言，从又炎。籀文燮从羊，讀若溼」。芊羊與辛形近似。燮今音攜。

卜辭夕燮為祭名：□□□□□□…（夕燮大爯至于相：）合集一八七九三 夕燮：夜晚燮祭。爯同稱。

吹

□ 英一八三二 □ 合集九三六七 象以手持口，疑為丸字。

卜辭人名：□（一（吹入一）合集九二 入：入貢，交納。□（吹入）英一八三二 義不明：□□□□□□…□：

□□ 八□（丁酉卜，祝貞，惟吹老：氏小豹死，八月）合集二三七〇八

㱿

□ 合集六八五五 从自，从又持乙，構義不明。

卜辭人名：□ 丁一□ □（婦㱿示一屯，永）

示：整治；屯：量詞，一對骨版；永：簽收人。（或釋屯為純，指絲織品，一束或一疋為一純，可參）

（爕）

尹 後上三五 鐵二四三、四 从又持筆或杖，會意字，有治理、籌劃之義。為商代官名，正、長之義。卜辭又字作，手在下，與手在上部之有嚴格區別。

金文周早矢方彝作，周中㝬壺作，周晚毛公鼎作。

《說文》：「尹，治也，从又丿，握事者也，，古文尹」。

卜辭商代舊臣名、祭祀對象：（侑于黃尹）英一八七 侑：祭名。（侑于伊尹牛五）合集三四二四。多尹指兩個以上之尹：（王令多尹墾田于西，受禾）合集三三二〇九（其令多尹作王寢）合集三二九八〇。官職之稱：（尹其有禍）合集五五五一（令尹作大田）合集九四七二 貞人名：（尹貞）前六、一五、三 方國名：……（……尹方至）前四、四六、一

叡 前五、三七、五 後上一八、二 鄴三下四三、四 後上一八、九 甲八〇七

从又，虘聲。或从艸義同。為叡、虘、摣、蘆、[illegible]、䣜、抯初文。卜辭

） 虘 摣 ⿱艹虘 ⿱艹⿰虘攴 ⿰虘阝 抯 （ 𢻸 ） 釐 （

方國名⿰虘攴可能是後來沛國⿰虘阝縣之⿰虘阝，《前漢地理志》：「沛郡酇縣，本作⿰虘阝，王莽改曰贊，治故遂以⿰虘阝為酇」。音渣。

金文周早盂鼎作□，周中縣妃毀作□，⿰虘攴壺作□。

《說文》：「⿰虘攴，又卑也，从又，虘聲」。釋虘：「虎不柔不信也，从虍，且聲，讀若⿰虘阝縣」。《集韻》釋摣：「音渣，又取也，與⿰虘攴同」。

卜辭商王小臣名：小□□（小臣⿰虘攴）合集二七八八九 地名：□□（在虘）合集七九一〇。方國名：□□□□（戌及虘方）合集二七九九七

□□□□□□（庸𢦏⿰虘攴方不雉眾）屯三六五五 雉：傷亡。

□□□□□（余其辜⿱艹⿰虘攴）英二五二三 辜用作敦，打伐。……□

□□□：（：⿱艹⿰虘攴方，余从：：）合集三六九六五 ……□□□：（：𢦏□抯：）合集七〇四〇。

□ 合集八一三六 □ 甲二六九五 □ 存一、二〇二 □ 甲二五六九 □ 合集三七三八二

象以手執棒打麥脫粒之形，示喜慶豐收之義。釋𢻸或𠩺，即後來之釐。

金文毓祖丁卣作□，師𢻸毀作□或□。

⿱𢻸貝

《說文》：「𤼽，引也，从又，𤼵聲」。非初義。

卜辭延𤼽、𦁊𤼽同，福祉連綿不斷之義，如（其延𤼽）合集三七三八二（妣辛歲其𦁊𤼽）合集二六九七五

歲，祭名，當是祈求豐收年成之歲祭。（𦁊𤼽其雨）合集二八三四二 人名，如（勿執𤼽非）英五九三

如（貞，𤼽非歸）合集八三一六 疑地名，如（惟𤼽災）合集二八一三九

及（彶）

甲二八四五　後上二二、三　合九八　甲三九一三　合集二六五三

象一人下肢被人抓住，會追及之義。為及、彶初文。

金文周早保卣作，周中啚鼎作，戰國中山王壺作。

《說文》：「及，逮也，从又，从人。徐鍇曰：及前人也」。

卜辭作追及，如（呼追隸，及）合集五六六（令王族追召方，及于）合集三三〇一七 至、到達，如（及今四月雨）合集九六〇八

《說文》釋彶：彶，急行也」。非初義。

……□（後）□
□□□
□□（……
貞，彶五月，
呼婦來歸）
合集二六五三三

（及茲月出，穫受年）屯三四五 □□□□□□（及茲夕，有大雨）屯四三三四

秉

□ 珠五七二 □ 珠四六五 □ 後下一〇、一〇 从又持禾，會意字，把持也。

金文周早秉觚作□，周晚井人鐘作□，秉中鼎作□。

《說文》：「秉，禾束也，从又持禾」。

卜辭地名：……□三□中□二□（……得四羌在秉，十二月）合集五一九

□

反

□ 前二、四、一 □ 簠地七 从又手从厂，厂象山厓，示攀緣之義。

金文周早大保段作□，周中頌鼎作□，周晚師寰段作□。

《說文》：「反，覆也，从又厂，反形，□，古文」。

卜辭地名：中□□王□匕□（在反貞，旬無禍）合集三六五三七

□

艮（服）

□ 拾一二、二 □ 乙八八五二 □ 粹四四七 从又手从□卩，象以手抓住一跪地之人形。或以「古文艮服一字」，但《說文》艮、服各有所指。卜辭艮用如俘人牲，地位同牛羊相當。卜辭印作□或□，手在人前，與□□艮有別。

金文周晚㝬鐘作□，與甲骨文近同。

《說文》：「艮，治也，从又，从卩，卩事之節也」。卩本人形，非所持之節。

□

卜辭用作人牲，地位與羊、豕同：□于□□□□（御于祖庚，羊、豕、艮）乙四五二一 御：祭名。□于□□三□（御于南庚三艮）英六一 南庚：商代旁系先王。疑用如服、降服也：□□卜大□□□□（庚戌卜，王貞，伯□允其服角）合集二〇五三二

伯□：首領名。允：果然。角：人名。

𣪠

𣪠之初文為□或□、□等，《說文》演化作𣪠，釋作「𣪠，楚人謂卜問吉凶曰𣪠，从又持祟，祟亦聲，讀若贅」。□象以手執木於牌位前，示焚柴祭拜天神、祖宗之義。即柴祭之柴，同柴。（見一七頁柴字註）

叔

卜辭□弔用作伯叔之叔，見四九三頁弔字註。

取

□鐵六〇、一 □鐵三六、三 □前五、九、一 □前五、四二、三

象手執耳朵之形，示割取戰俘耳朵之義。古取戰死、戰敗者的左耳，做為記功之憑證，此為取之本義。一父癸卣作□。

金文周中大鼎作□，周晚毛公鼎作□，揚𣪘作□。

《說文》：「取，捕取也，从又，从耳，周禮：獲者取左耳，司馬法曰：載獻

或謂祭名取用作䎸·可參。

彗

䎸，䎸者耳也」。

卜辭作取得、獲取，□□（呼取羊）合集八八一三 呼、命、令。□□（呼取牛）合集八八〇八 □□（取馬）合集八七九八 掝取或索取。□□□□（呼取女于林）合集九七四一 □□□□（呼取奠女子）合集五三六 □□□□□（今日其取伊丁人）合集三八〇三 □□□（取效丁人嬉）合集三〇九七 攻取。□□□□（令般取龍）合集六五九。□□□□（呼取微伯）合集六九八七 □□□（呼取彭）合集七〇六四 祭名。讀作槱（同禉、楢、栖，近似燎祭）。□□□□□（取河有从雨）粹五七 从甾作𦃇，𦃇雨即雨量很大的雨。□□□□（取于河，祀）後下四三·一 □□（取岳）粹二九

□ 鐵六〇·四 □ 林一七·三 □ 南明四七二、□ 掇一四三一 □ 後下二五·九

卜辭霻雪作□或□，所从之□，象羽毛之羽，示雪片似羽；《說文》釋雪為「从雨，彗聲」，又釋彗為「掃竹也，从又持甡」；釋羽，釋彗皆有道理。在卜辭中，尚未發現用如羽毛之羽，一作□之省文，

彗

或釋□為并，可參。□尊文作□。

友

二作掃竹之篲（同彗）；三作彗星之彗；四作人名、地名。

《說文》：「彗，掃竹也，从又持甡。篲，彗或从竹」。

卜辭用作□羽之省文：□□□□□□（曰，翌丁酉，其有雪）合集一三四二五

□□□□□（侑妣庚有雪）合集六九八 侑：祭名。用作掃竹之彗，引

申作掃除、祓除：□□□□□□□□（王疾首，中日彗，禍旬）

前六、一七、七 用作彗星之彗：□□□（延彗出）合集一九三三八 大意是：

彗星連續出現。人名：□□（令羽）懷九五八 地名：□□□（羽受年）合集九七八九

□ 前四、二九、五 □ 林二、一六、一九 □ 合集五六三二 □ 象兩手相交，會友

好之義；□或从二，有二手相連、不分彼此之義，與《說文》古文近同。

金文周早麥鼎作□，君夫毀作□，辛鼎作□，友毀作□；

友毀所从之□為酒具，示二友共飲之義。

《說文》：「友，同志為友，从二又相交友也。□，古文友」。

卜辭疑人名：□□□□（□友甾王事）合集五六二〇 甾：辦理。

□□□□□（友唐告曰）前四、二九、五 □□□□□□□□□

□

夌：□ 一周探二
从友从𠙵，直
釋作夌。
卜辭疑
人名：□
□□（曰夌惟克
事）周探二
即：言夌
能勝任此
事。
夌典籍
同友，即
《說文》友之
古文□。
（乃傳寫之
譌）
郛友父鬲
作□，
趞曹鼎「用
卿倗夌」作
□，多友
鼎「用倗用
友」作□。

攻					𡳿		瞅		敹				
□ 前二八、五 □ 合集三七五三六 □ 同版 象以又手持工，工象某	十有五人：）合集一三七	：□□十□□于□□一□：（：昔甲辰方征于𡳿，俘人	田一□（：允有來嬉自北𡳿妻笈告曰：土方侵我田，十人）合集六〇五七	卜辭地名：□□□□□□□□□	□ 菁六二 □ 菁二一 □ 拾一四、一四 从又又从㞢有，《說文》所無。	卜辭義不明：□：□：（貞，：瞅：）英一四〇一	□ 英一四〇一 从目，从示，从又，構形不明。	卜辭祭名：□□□（其敹凡辛）合集二七六二八	□ 合集二七六二八 从又持□。	作畋，畋獵。	取：獲取、抓取。□□□（令田：友，十二月）合集一〇九六。 田用	七月）合集六〇六八 疑地名：□□□□□（貞，呼行取龍共友）合集六五九五	□□□□于□□□十□（七日己丑微友化呼告曰：𢀛方征于我奠豐。

種生產工具，《說文》所無。

卜辭方國名：亞囟从戉白伐…（…亞其从戉伯伐…）合集三六三四六

伯：方國伯長。地名：才戉貞（在戉貞）合集三七五三六

⿰矢又

⿰矢又 後下五、一〇 从矢又持矢 矢，《說文》所無。

卜辭人名：令侯⿰矢又（令侯⿰矢又）合集五七七 侯：地方首領、長官。

乎从侯⿰矢又（呼从侯⿰矢又）後下五、一〇 从：隨同。

权

权 存二、五一四 权 鄴三、四六、一五 从又持木 木，《說文》所無。

卜辭地名：王囟省权于楙…（王其省权于楙已…）合集二七七八一

省：省察、循視。于用作與。

⿰阝及

⿰阝及 合集一三六一九 ⿰阝及 合集七六六 从二及，《說文》所無。

卜辭疑為及之異文，祭祀時用作人牲也：亘貞王出⿰阝及若（亘貞，王出⿰阝及，若）合集七六六 出用作侑，祭名；

若：順心。

⿰月及

⿰月及 合集三六九二四 从月盤从及。卜辭月本象竪盤形，

諧音作凡，月、月舟形近，所以金文服字从舟，盤般字亦然。

金文周早盂鼎作䑦，周晚毛公鼎作䑦，服鼎作䑦。

《說文》：「服，用也，一曰，車右騑，所以舟旋，从舟，𠬝聲，䑦，古文服从人」。从舟與初文無關，餘亦牽强。服本奴僕奉盤服事之義。

卜辭地名：……卜中服……（……卜，在服……）合集三六九二四

𦝫

𦝫乙三九二 𦝫同𦝫 𦝫合三六七一，从又又从𦥑朋，𦥑或作𦥑、𦥑，均為以綫繩穿貝成串之形，貝為商代貨幣，朋為貨幣量詞。直釋應作𦝫，《說文》所無。

卜辭地名：庚子卜狩𦝫不冓日（庚子卜狩𦝫不冓日）合集二〇七五七 狩：打獵。冓同遘，遇也。不冓雨狩𦝫（不冓雨，狩𦝫）合三九二

㺩

㺩合集三二八八 象以手持玉之形，王為丰、丰之省文，《說文》所無。

卜辭人名：其烄㺩（其烄㺩）合集三二八八 烄：焚人祈雨之祭。

抂

抂屯二六一三 从又又从太王，太本斧鉞形，為權力之象徵。抂是

手持斧鉞，當為會意字。即《集韻》之狂，音狂，攘亂也。

卜辭疑作動辭，殺伐也：：

（：：殺啓𢀛方，其呼伐，其每，不𢀛𢦏）屯二六一三 啓同攺、

啓，本義為開啓，引申作開闢、啓廸教化；每用作晦，昏暗，有雲霧、天气不好；𢀛用如蒙，蒙受、遭受之義；𢦏：傷害。

豩

英一九二四 同㪔 象以手捉豕形，《說文》所無。

卜辭疑作動詞：：（中貞曰：其豩，九月）英一九二四

𢼸

屯三三 象以手執屮形，疑即史、事、使字之缺刻。

卜辭用作史、事，疑祭名：：（：：妣辛𢼸其延：：）屯三二三

ナ（左）

乙六九〇四 合一七七 象左手形，卜辭正反多無別，亦用作右，惟左右對稱時，區分甚嚴。ナ、左為同源之字。

金文周早小盂鼎作，周早班毁作，周中虢季子白盤作。

《說文》：「，ナ手也，象形」。

）卜辭作方位、左右之左：[甲骨文]（王作三師右、中、左）

佐

合集三三〇〇六 [甲骨文]（令右旅暨左旅）屯二三二八

（[甲骨文]（左、右、中人三百）前三、三一、二 用作又右同有：[甲骨文]（有祟）乙一三六四 祟：神鬼為祟。[甲骨文]（有大風）甲一三四〇。用作佐，助也：[甲骨文]（帝弗佐王）英一一三六 [甲骨文]（王占曰：吉，佐朕）乙八三六八 朕：商王自稱。褒貶用語，貶詞，卑也：[甲骨文]（其酌，下上無左）甲二六一六 酌：進酒之祭。

卑

[甲骨文] 合集三七六七七 [甲骨文] 京二六八四 象右手持工具之形，金文、小篆多从左手，古人尊右卑左，示執事者為卑賤下人。

金文周中曶鼎作[金文]，周晚散盤作[金文]，春秋國差𦉜作[金文]，春秋鄀氏鐘作[金文]，曾伯簠作[金文]，余卑盤作[金文]，秦篆作[小篆]。

《說文》：「卑，賤也，執事也，从𠂇、甲。」徐鍇曰右重而左卑，故在甲下」。

卜辭例句殘損，疑作卑賤之卑，與𤰈婢女之婢通用：……王曰[甲骨文]（……王曰：卑文）合集三七六七七

「彖又」（掾）

□ 存一、一九六七 □ 甲五三七 □ 後上八、五 □ 合集二〇八四二 从又，彖聲，釋彖又，即《說文》掾字。卜辭中，掾彖又有緣循、延長意，故掾釐與延釐同，福祉綿長不斷也。《說文》：「掾，緣也，从手，彖聲」。卜辭又本手形，从手从又相同。

卜辭掾嫠釐同延釐，福祉綿長之義：□□□□□□□□（庚戌卜，何貞，妣辛歲，其掾釐）合五二歲：祭名。□□□□（貞，其掾釐）後上八、五 疑祭名：□干□□□□（掾于之若，王弗悔）粹一一九五 義不明：□□□□□□□□（癸酉卜，七日己卯，爵：掾）合集二〇八四二

掾

聿

□ 京一五六六 □ 乙八四〇七 □ 京四三五九 象以手執筆之形。

金文商代聿戈作□，周早聿壺作□，周早女帚卣作□。

《說文》：「聿，所以書也，楚謂之聿，吳謂之不律，燕謂之弗，从聿，一聲」。

聿

書

書

卜辭地名：于𦘒（于聿）合集一〇八四　由𦘒（在聿）合集二八一六九。

𦘒 京一二二七　从聿从曰，曰為者之省文，聲符，釋書。

金文周中師旂鼎作書，頌鼎作書或書，欒書缶作書。

《說文》：「書，箸也，从聿，者聲」。箸於竹、木謂之書，箸同著。

卜辭例句殘損，義不明：……[illegible]……書子……（……卜貞……書子……）合集三三七二

畫（劃）

畫

畫 後下四·一〇　畫 戩三一·六　畫 前二五·四

象人執筆畫圖之形，釋畫。卜辭㶩作[illegible]，从水、从畫，《集韻》：「㶩，畫，水名」。可見畫之為畫無疑。另外，[illegible]字之畫與金文甾毁之畫全同。畫、劃古文同字。

金文周早矢方彝作畫，周早宅毁作畫，周中甾毁作畫，周中師望鼎作畫。

《說文》：「畫，界也，象田四界，聿所以畫之。畫，古文畫省。劃亦古文畫」。

卜辭人名：子畫[illegible]（子畫疾）合集三〇三三　地名：王其田于畫[illegible]（王其田于畫，擒大狐）合集二八三一九　田用作畋，畋獵。[illegible]

畫

（狩畫，擒）合集一〇九二六　狩：打獵。畫圖或籌劃義：

（貞，不其畫）合集一七五一六

（旨征不其畫）合集六八二八

晝

合集二二九四二　屯二三九二　象以手持筆畫日之形，日者晝也，與夜相對，會意字。與金文𣪘毀銘文「晝夜𢓊躍」之晝同。

金文周晚𣪘毀作，與甲骨文同。

《說文》：「晝，日之出入與夜為界，从畫省，从日。，籀文晝」。

卜辭作晝之本義：：：（：：今晝：：）合集三三九四二

臤（賢）

續一、一四三　合集八四六一　从又从臣聲。除灝曰：「臤即古賢字。臤本訓勞，从又，操作之意也。《小雅．北山篇》：「我从事獨賢」。毛傳：賢，勞也。引申為賢才、賢能之稱。漢碑皆用其本字，非假借也。若賢則本訓多財，故从貝，說見貝部，古音賢、臣相近，故用為聲」。商代弜觥與周代父癸毀銘文均與甲骨文同。

金文商代弜觥作，周早父癸毀作，鳥且癸毀作。

臨

合集三六四二八

象一人下視目下有視綫之狀。小篆作。《說文》：「監臨也，从臥，品聲」。卜辭人名：

小臣

王

（弜改令，王弗每（悔）其唯小臣臨）合集三六四二八

《說文》：「臤，堅也，从又，臣聲，讀若鏗鏘之鏗，古文以為賢字」。

卜辭例句殘損，義不明：……（……周臤……）合集八四六一

臣

前四、三一、三　粹一三　象豎目形，郭沫若謂「以一目代表一人，人首下俯時則橫目形為豎目形，故以豎目形象屈服之臣僕奴隸」。

卜辭臣一為奴隸，二為臣僚。另外望字所从之臣為睜目遠望，有觀察、監視之義。臨字所从之臣為下視監臨、親臨也。

金文周早辰臣卣作，周中曶鼎作，靜𣪘作，毛公鼎作，臣辰父乙鼎作；均與甲骨文同。

《說文》：「臣，牽也，事君也，象屈服之形」。

卜辭作奴隸：（州臣有逃，自寅得）合集八四九

州臣：州地奴隸，逃：逃亡，得：抓得。臣僚：小（惟小臣令眾黍）合集一二黍：穀物，即黍子。小（馬小臣）粹一一五二　管馬之官。小（小耤臣）前六、一七、六　管農耕之官。（惟帝臣令）懷八九七　帝指上帝。（王臣）合集一一七　商王

臣

多臣多指奴隸。

之臣僚。（惟辟臣昇）合集二七六〇四 辟讀作嬖，近臣。

（小眾人臣）存二四七六 管眾人之官。（小丘臣）合集五六〇二 管丘陵之官。

（我家舊眠臣無𡆥我）合集三五三

我：商王自稱，𡆥：神鬼為祟，舊眠臣當是死去之人。（元臣）前四.三二.五 指死去之大臣。（多臣）英五二 指爾位以上之臣。

小臣亦有女性，疑指女性奴僕：（小臣娩嘉）乙附三 娩嘉：生男孩曰娩嘉，嘉，好也；生女孩曰不嘉，可見重男輕女商已有之。

臣臣

合二四二 林一.二四.一八 前六.五七.六 从二臣上下相疊，《說文》所無。臣臣之本義是臣之臣，猶言末臣，謙詞也。

卜辭人名：（臣臣不死）合集一七〇八三

三（壬子，㱿乞自臣臣）英七八六 （臣臣入十）合集九二五。

入：進納、貢獻。

臧

甲一.六九 菁八.二 象以戈擊目之形，釋臧，本義為奴隸。奴隸不敢橫恣，必恭謹待人，故引申為善、厚之義。與藏、臟通。

臧

藏（臟）

金文春秋時代㠱伯𥃝作□，臧孫鐘作□，均增爿作聲。《說文》：「臧，善也，从臣，戕聲，□，籀文」。《揚子方言》：「罵奴曰臧，罵婢曰獲」。《名義考》引風俗通：「臧，被罪沒官為奴婢，獲，逃亡獲得為奴婢」。《集韻》：「與藏同」。與臟同，《前漢王吉傳》：「吸新吐故，以練五臧」。

卜辭作善、好：□□十□□□（其惟甲，余臧）合集三九六三

惟甲：惟有甲日（那天），余：商王自稱。□□□□□（有災，其惟辛臧）合集一二八三六　□□～□□（其惟乙臧）合集三三九七

臣殳

□ 英三五九　□ 合集五三五一　□ 合集五三五二　从□臣 从又 又持口。

《說文》所無。从辭例看，此字多與占卜有關。

卜辭人名：□□□□□（令臣殳弗其从□）合集九〇二

□□□（臣殳占曰）合集五三五二　王臣殳疑作人名：□□□□□：（王臣殳曰，戌其有災）合集七七〇七　義不明：□□

□：（王取臣殳）合集五三三五。

⿰臣子

□合集九六 □合集九九三一 从臣臣从子，與小臣⿰臣子𣪘之□同，為子臣合文。疑為「王子臣」或「公子臣」、「子臣」之省稱。《說文》所無。

卜辭疑人名：□□□□□不□（甲辰貞，羌⿰臣子不肯友、万）合集二一三五 □□□□□□（戕弗其氏⿰臣子芻）合集九六

「小子𣪘銘文：『卿事錫小子⿰臣子貝二百，用作父丁尊彝』。知⿰臣子為人名。

⿰臣⿱曾曾

□□合集三七三八三為曾曾、臣臣合文。疑重累意，今孫之孫曰曾孫，古臣之臣亦曰曾臣。疑□□、□□為繁簡字。□字⿰臣曾鼎作□。

（⿰臣曾）

卜辭地名：……田于□□……（……田于⿰臣曾，往……）合集三七三八三

⿰臣曾鼎銘文：「⿰臣⿱曾曾作寶䵼彝」。另外卜辭有「令門□」之句，可知⿰臣曾乃⿰臣⿱曾曾之省文。

殳（杸）

□乙一六五五 □乙三五二一 □合集六 □合集二一八六八 □合集二〇〇八六

象以單手或雙手執錘之形。釋殳。殳為古代兵器，後世多用作偏旁，如毆、毀、㲄等。卜辭鼓字作□亦作□、□，可見□、□、□一字。古文殳、杸一字。

金文周中𧻚曹鼎作□，春秋季良父壺作□。

「殳，以杸殊人也。禮，殳以積竹，八觚，長丈二尺，建於兵車，旅賁以先驅，从又，几聲」。

□

甲骨文作[字形]、[字形]，文作[字形]。

殸（殼）

[字形]甲八四 [字形]甲一〇四三 [字形]乙二三五九 象手執錘敲鐘之形，釋殸。

卜辭常見之字，多作武丁時貞人名，常代王貞卜國之大事。殸同殼。

《說文》：「殸，从上擊下也，一曰素也，从殳，𡉉聲」。从上擊下即敲鐘。

卜辭人名：[字形][字形][字形][字形][字形]（婦井示百，殸）合集二五三〇。示：整治；殸：收到者。[字形][字形][字形][字形][字形]（旃暨殸氐羌，若）合集二六七

暨：及、與之義。氐同氐、抵，抵禦之義。若：順利。 貞人名：[字形][字形][字形][字形][字形][字形][字形][字形]（戊戌卜，殸貞，旃暨殸無禍）合集一三五〇五

兩位殸疑為同一個人。

卜辭人名：[字形]：[字形][字形][字形][字形]（殳自白弘，十一月）合集二〇〇八六 [字形]：[字形][字形][字形]：（：殳自白弘：）合集二三〇。[字形][字形][字形][字形][字形]（殳弗其氏有取）合集九〇六九 弗：否定詞；氏用作動詞，致也；取：獲取。[字形][字形][字形][字形][字形][字形][字形]（令甫取又伯殳，及）合集六

又伯：又方首領，白通伯；及：追趕上，追及。

殸

𣪈 ）殺 投 杸 （ 𣪘 ） 簋 （

 合集三〇三一五  屯二二五九  寧滬一、二三  前一、三五、六

从殳，豆聲，釋𣪈。典籍𣪈、殺、投、杸通用。

金文𣪈肯作，从豆，从攴，與甲骨文近同。

《說文》：「𣪈，繇擊也，从殳，豆聲，古文祋如此」。繇即遙，繇擊即遙擊，《玉篇》訓為投字。

卜辭作殺人、屠牲之祭：王

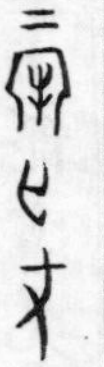（王賓祖乙、爽妣己，姬婢二人，𣪈二人，卯二牢，無尤）合集三五三六一 賓：親臨；爽：配偶；卯：對剖。

（侑𣪈羌，王受佑）合集二六九五六

（惟𣪈羊）合集三〇三一五

 後下七、一二  下七、一三 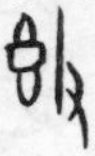 乙八八一〇  屯附二 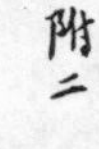 甲七五一

象以手持勺向食器中取食之形，金文作器名，如頌𣪘「皇母龔始寶䵼𣪘」。《說文》分作𣪘、簋二字，實為一物、二字也。

金文周早令𣪘作，周中頌𣪘作；周中伯御𣪘作，所从之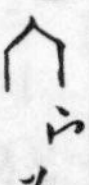為房屋，示𣪘在室中。

《說文》：「𣪘，揉屈也，从殳，从皀，皀，古文叀字，廏字从此」。非初義。

釋簋：「簋，黍稷方器也，从竹，从皿，从皀，匭，古文簋从匚飢，𠥩，古文簋或从軌，朹亦古文簋」。所訓與𣪘之實物不相吻合。

卜辭容器名：（元𣪘惟多尹饗，大吉）合集二七八九四　元：大也；多尹：指兩位以上之職官；饗：同卿、鄉，此為宴饗食之義。（有𣪘）合集二五九七一

役（役）

前七、六、一　前六、四、一　前六、一三、四　象以手持錘驅人之形。後易人為彳，彳是行之省文，動符，亦驅人前往勞役、戍邊之義。

《說文》無役，但役之古文即役也。役、役為古今字。

《說文》：「役，戍邊也，从殳，从彳，古文役从人」。

卜辭貞人名：（役貞）前七、六、一　人名：（呼从役征）乙三四九二　驅使：役使：（王不役，在行）合集八三九　（王役）合集一八二七二　役用作疫：疾：（疾役不延）乙七三〇一　延：蔓延、連綿不斷。（御役）前六、一六、四　御同禦，祭名。

役

殳

□京五三〇 □佚九二二 □英一四五 □英一八七 象單手或雙手持錘或棒擊人之形。《說文》所無。直釋作殳或攴，或謂與□役、役同字，可參。

卜辭風名：……九□曰□（……伏風曰殳）合集一四二九四 □□
曰出□三曰□□出□（王固曰，有祟，三日乙酉，奠，有攴）
合集一六九三五 疑人名：……□□……□□□□（……垂侯……殳允氏）
英一八七 垂侯：垂地首領；允：果然；氏：動詞，致也。□□：
（殳子……）英一四五

⿰癸殳

□粹九七二 □鄴初下三三九 □明藏六三三 从癸，从殳，釋⿰癸殳。
《說文》所無。
卜辭地名：中□□（在⿰癸殳貞）合集三六四三八 田□□□□
（田⿰癸殳，無災，擒）合集二七九〇五 田用作畋，畋獵。方國名：□□□才
（征⿰癸殳方）屯二六五一

㲉

□河七一〇 □合集二四七七九 从卯，从殳，《說文》所無。

炈（炈）：□合集八二三 □合集三三九一六 从□从又然或……。□乃少字，卜辭少、小一族，可釋作炈。炈字為《說文》所無。毛公鼎作□，與甲骨文同。卜辭作祭祀用語：□□□□（貞屯，率炈，王若）合集八二三 ……□□（……炈……疾）合集一三九一六

殺	卜辭地名：□□□（在師□卜）合集二四二六六 □鄴三下三〇．一〇 □菁一二 □甲一三五六 均為杀之初文，《說文》殺之古文作□，與甲骨文□近似。卜辭□□即殺牛。魏三體石經古文蔡字作□，與甲骨文同，卜辭又假借作祟。殺、蔡、祟三字讀音亦近，□字一字兼三，不無道理。（見六〇二頁杀字註）
殸	卜辭□□殸即《說文》之磬，見五八九頁磬字註。
磬	□前二．四四．三 □合集一五八四四 从□殸、磬从□方，《說文》所無。 卜辭地名：王田于□（王田于磬）前二．四四．三 田用作畋，畋獵。□□□□：（合□于磬鬧：）合集一五八四四 □祭名，或釋作福，即□、□之異構。
將（𢪇）	□屯二四三四 □懷九一三 □懷一五六四 □合集三〇七六一 从兩手，从爿作聲，為將、𢪇、妝之初文。《說文》誤認將、𢪇為不同之字。《說文》：「將，帥也，从寸，牆省聲」。「𢪇，扶也，从手，爿聲」。 卜辭祭名：……□□（……將母戊）合集二七五九。□□

殷：□ 乙七七六 與盂鼎之□同，即殷字。卜辭句殘，動詞：：□□（：：其殷）乙二七六

殷

□于□□□□□□□（丁巳貞，于來丁丑將兄丁）屯五五。

□□ 合集一〇九四八 □□ 合集一三六七四 从身，从殳，所从之小點與□

字所从同，示汗液。

卜辭指人體某一部位：□□□（貞，疾殷）合集一三六七三

専

□ 林一、二八、七 □ 明一五三八 □ 人二二三 □ 粹四五八 □ 前五、九、二 □ 拾二、一八

象以手旋轉紡錘之形，□上之□乃絲頭，旋轉後即成綫。直釋作

轉

専，應為轉字初文。専字卜辭、金文从殳，秦篆从寸，殳寸均手也。

《說文》：「専，六寸簿也，从寸，叀聲，一曰，専，紡専」。簿指笏，事書其上

（

，以備不忘，紡専即紡錘。壺文作□，鉦文作□。

）

卜辭貞人名：□□□□（専貞，旬無禍）存一、一六八七 侯伯名：

□□□□（余从侯専）前五、九、二 余：商王自稱。从：偕同之義。

地名：□□□于□（呼作國于専）合集一二二七四 □□□□（氏

其専伐）合集七六〇三 専伐即伐専。□□□□□（呼甫省専牛）

合二三。省：省察。 用作轉：□□□（今乙轉甬）合集一六二二六 専之本義：

叀

攴（攵）　啟（启啓）

不㞢專彭（不其專彭）合集一六二一七　彭：酒祭。

攴 摭續一九。攴 英一三三。攴 合集二二五三六　象以手執鞭子或棍棒之狀。多用作敲擊，如牧、敀等字皆从之。卜辭牧字作牧亦作牧，敀字作敀亦作敀，从攴或从攵，可見攴、攵通用。卜辭攴、攵作攴，與父形近，可从辭義中區別之。

《說文》：「攴，小擊也，从又，卜聲」。

卜辭作敲擊：丙辰攴禾（丙辰，攴禾）合集二二五三六

啟 後下三二·一四　啟 佚九二　啟 粹六四六　啟 粹六五。啟 粹六四九

从又又从户从日。或从日，亦以手啟户、雲開見日之義。

金文周中召卣作啟，周晚番生殷作啟，啟尊作啟。

《說文》：「啟，教也，从攴，启聲。論語曰：不憤不啟」。

卜辭人名：子啟亡疒（子啟無疾）乙八七六八　啟入（啟入）合集一〇五〇四

入：進納。

晴天：王其田啟（王其田啟）甲一四四七　田用作畋，畋獵，即打獵。

翌日丙啟，不雨（翌日丙啟，不雨）合集三〇二〇二　啟……（啟

攴　啟

不見雲）乙四五五 □□（延啓）英六六 延＝連續。開啓＝□暟□

□日（其啓廳西户）合集三〇二九四 廳同廷、庭。由開啓引申作開

路＝□□□□□□□□（沚戠啓，王从，帝若，受我佑）

合集七四四〇。若用作諾，許可。啟稟＝□□□□（其有來啟）金五六三

徹

□前六、三五、一 □寧滬二、三 □前二、九、五 □合集三六五六七

象以手徹去食具鬲之形，示食畢徹去之義。□為有甲之手，即干支

之丑，□字多从丑少从□□，在於从丑作聲也。徹古文作徹。

（徹、撤）

金文周中牆盤作□，戰國厲驫羌鐘作□。

《說文》＝「徹，通也，从彳，从攴，从育，□，古文徹」。古文从鬲，本義也。

卜辭人名＝□□□（徹示矢）合集一四二七。示＝整治。地名＝□□

于□匕□（今日往于徹，無災）合集三六五六七 □□田□□＝（王其田

徹，延＝）合集二九三五七 田用作畋，畋獵。延＝連續。

肇

典籍肇、肁、戟、肇一字，見八五。頁肇字註。

敏

□後下一〇、一五 从□□，□每聲，釋敏。□象有髮飾之女子

□ □ □

形，與攴同，象手執鞭、棒之狀，示手執教鞭教文之義，與斆

教字訓為教子之義相同。

《說文》：「敏，疾也，从攴，每聲」。

卜辭例句殘損，義不明。（敏）後下一〇、一五

效

京津二〇七七　京津二〇七八　林一、二一、二　从攴　交聲。

象執棒打人，示教人效法之義。象兩腿相交之人，亦是聲符。

金文周中𠂤鼎作，效卣作，效父毁作。

《說文》：「效，象也，从攴，交聲」。　象指象所效法之對象也。

卜辭人名：「（子效無禍）」英一三八　干三（效

往于三）」合集三〇九四

故

卜辭古、故一字，見一一八頁古字註。

⿰也攴

續五、二〇、一　後上六八、四　甲五五。　續二、二九、三　前六、二七、七

象手持棍棒或錘擊蛇，小點為血滴。為⿰也攴、⿰㐌攴、⿰它攴之初文，通施。

⿰㐌攴

《說文》：「⿰也攴，敷也，从攴，也聲，讀與施同」。《集韻》：「或作⿰它攴、⿰㐌攴」。

故　施（改）（攺）更

卜辭作用牲法亦祭名。（殹羌）合集四三八（攺牛）合集一六七五

殺牲之祭。（攺牛于祖辛）合集六九四九

（攺羌自妣庚）合集四三八（于夕攺，王受佑）合集三二一七

前四、二七、三　象手執教鞭責打跪着之小兒形，亦教子改錯歸正之義。直釋作攺，後演變作改，《說文》分攺、改為音義不同之字，實一字也。

金文周代晚期改盨作，與甲骨文同。

《說文》：「改，更也，从攴、己。李陽冰曰：己有過攴之，即改」。釋攺：「攺，毅改大剛卯以逐鬼鬽也，从攴，巳聲，讀若巳」。改，卜辭用如更改之改。

卜辭作更改。（弜改其唯小臣臨令，王弗悔）合集三六四一八　弜用如勿。小臣，臣僚名。（弜改）合集三九四六六

乙七六八○　佚四三九　前六、六四、八　从攴丙聲，攴象手執鞭子，釋更，即古鞭字。儹匜鞭字作便：。

金文周中舀鼎作，周中舀壺作，周晚師嫠毀作。

） 叓 鞭 便（ 伎 ） 攸（

《說文》：「更，改也，从攴，丙聲」。

卜辭動詞：（叓更㪅，擒，允擒）合集一〇九五一 叓㪅，鞭打驅麇，使麇陷入阱中，允擒：果然擒獲。 冉 （叓㪅，弗其擒）同版 ……（王叓……麇……）合集一〇三八〇。人名：……（丁酉卜，叓來……）鐵一三八．三

伎 ）

 英一八八 懷一九〇一 合集五七六〇。从人从攴或攴，直釋作伎。《說文》所無。井鼎、㪤尊銘文與甲骨文同。商承祚疑攸字，學者多从其說。

金文周中井鼎作，周中頌壺作，周中𠭯壺作。

《六書統》釋伎：「籀文侮，从人，从攴，戲以攴擊人」。「戲以攴擊人」為侮，似有道理。《說文》釋攸：「攸，行水也，从攴，从人，水聲，徐鍇曰，攴入水所杖也。，秦刻石繹山文攸字如此」。

（

卜辭地名：（今夕無禍，在師攸）合集二四二六〇。

（攸雨）合集三四一七六 （告攸侯）英一八八 告用作告；攸侯：攸地長官。

敦

《說文》：「敦，怒也，詆也，一曰誰何也，从攴，𦎫聲」。典籍或借𦎫為敦。卜辭 𦎫 亦用作敦，打，伐之義。見三九頁𦎫字注。

敗（退、䝿、𧶠）

前三·二七·五　乙七七〇五　綴二五　象以棒擊鼎或貝，示擊毀、敗壞之義。為別體。敗之古文退从辵，敗走也，亦作䝿，从刂刀，毀壞也。

金文春秋時代南彊鉦作，與敗之古文同。

《說文》：「敗，毀也，从攴、貝，敗賊皆从貝，會意，籀文敗从䝿」。

卜辭作失敗、禍害：

（無敗）前三·二七·五　（商不敗）合集一一三六　（巳方不其敗）乙八七一

（父乙不異，敗王）合集三二七四　異用作翼，輔佐、佑助之義。

（父乙異，惟敗王）同版

數

《說文》：「數，刺也，从攴，耑聲」。耑甲骨文作，象蛇咬足形，攴、攵作，象手執棒形。數當是、敳、敚之同文。見一八三頁敳字注。

鼓

《說文》：「鼓，擊鼓也」。卜辭鼓作壴或鼓鼓鼓。《說文》分作壴、鼓、鼓三字（見二七九頁鼓字注）。

⿰扌殸：□懷四六八 从又手，才持辛，辛于口上，从𠬝又，直釋作⿰扌殸。卜辭人名或作動詞：□□□（貞令⿰扌殸）懷四六八

攷

《說文》：「攷，敂也」。攷與考之古文同。《說文》分作攷、考二字。見五二四頁考字註。

（篆）□

攻（⿰工殳）

□柏四九 □甲編三一七一 象以手執錘擊□（工）形。□省作工，為某種生產工具，其小點為飛濺之屑物。直釋作⿰工殳，疑同攻。

金文春秋國差𦉜作□，春秋攻敔王夫差劍作攻，戰國王□戈作□。

《說文》：「攻，擊也，从攴，工聲」。

卜辭罕見之字，疑作動詞，攻擊、攻打之義：□□……（⿰工殳氏……）柏四九

疑人名：……□……□（……子攻……擒）甲編三一七一

（篆）□

□

《說文》□、□、□三字，實一字也。□即卜辭□，厂即□（人）形之演變。見一五七頁□字註。

（篆）□

畋（田）

□前六、二、二 □乙四五四 象以手執棒于田，田指畋獵區。畋或省作田。

《說文》：「畋，平田也，从攴、田，周書曰：畋，尒田」。非初義。《廣韻》：「取禽獸也」。至確。

卜辭疑作畋獵，即狩獵：□□□□……（王貞，畋無……）合集二〇七四五

……□□……（……允畋……）合集二一六二二 允：果然。地名：于□□（于畋安）

（篆）□

牧

合集二二四六四　畋或省作田：王田于□□□□□（王田于召，往來無災）合集三七四六三

□前五、二七、一　□乙一二七七　□燕一九七　□前五、四五、六　□存二、四七六

□後下一三、一四　象以手執棍或鞭放牧之狀。或从彳止辵、之，示行進遊動之義。

金文周早小臣謎段作□，周中免段作□，南宮柳鼎作□。

《說文》：「牧，養牛人也，从攴，从牛」。

卜辭易牧、北牧為牧場：□□□□□（在易牧獲羌）遺七五八

□□□□（其北牧擒）合集二八三五一　人名：□□□□□（牧告散□）屯一四九

告：稟告、報告。□□□□（牧爯冊□）合集七三四三　爯同稱，稱冊

即舉冊述命之義。□入十（牧入十）乙七一九一　入：貢納。

教

□前五、二〇、二　□粹一三一九　□甲二〇六　□前五、八、一

从攴、从子，爻聲，有鞭策教子之義。

金文周早散盤作□，春秋鄘侯段作□，戰國中山王壺作□。

《說文》：「教，上所施下所效也，从攴，从孝，□古文教，□亦古文教」。

□

斆（學）

卜辭作教導：□□□（其教戍）合集六〇〇八 戍：衛戍、戍邊。地名：□□于□（雀弗于教）合集二〇五〇〇 弗：割草。 貞人名：□□卜□□（癸亥卜，教貞）甲一二五一

□鐵一五七、四 □京津四八三六 □存下二五六 □乙二五〇七 □餘七、二

从□ □从宀 爻聲。□象兩手，有模仿之義。宀象房屋，學校也。周早沈子毀學字从攴，《說文》从之。攴有鞭策之義。古文學、教通用，《禮記·學記》：「兌命曰：學學半」，上一學字讀教。今日「教學相長」，不失古義也。

金文周早盂鼎作□，周早沈子毀作□，春秋者沪鐘作□。

《說文》：「斆，覺悟也，从教，从冂，冂尚矇也，臼聲。學，篆文斆省」。

卜辭作學校，庠序總名：于大□（于大學迎）屯六〇。 學用作教：王□□□□于□□□□（王學眾伐于□方，受有佑）合集三二 人名：□于□□（侑于學戍）合集九五二 侑：祭名。學戍：商代舊臣。□□亦作□□：□于□□（侑于學戍）合集七八六二

斆（學）

[麓攴]

粹九五五　甲七〇三　屯南一二五　从麓从攴，釋𢿢，《說文》所無。麓本為山麓，為商代田獵地方，𢿢字从攴，說明為田獵活動或某種狩獵方式。

卜辭作狩獵方式：（惟行南𢿢，擒有狐）合集二八三二〇。（惟阰𢿢獲有大鹿，無災）合集二八三四五　（惟阰𢿢擒）屯四一九五　（勿𢿢阰）合集二九〇九八　（其以人𢿢）合集二八九〇四　𢿢：動詞。

[酉攴]

甲二〇二九　佚二九六　乙七三六七　屯四〇六六　从酉，从攴，攴，《說文》所無。

卜辭地名：（于酘）英一二四　義不明：

（戍其酘遼于西方東饗）合集二八一九〇。饗用作向。

敳

前六、一、五　庫一九八七　京津二四七五　从攴，从肯，《說文》所無。

卜辭疑作祭名：（于妣庚御有敳）合集二三三九二

御用作禦，亦祭名。（貞，勿敳）合集一五六八四

𢿜

甲九四　英二三五七　合集二六七八〇。从樂，樂从攴，攴或从又人，《說

文》所無。繳、僸有秦樂、作樂之義，疑為□樂之異文。

卜辭例句殘損，義不名：……合□□（……今日魚僸）合集二六七七八

……□□……（……繳不……）合集二〇九〇五 ……□……□……（……魚……繳……）

英三五七

（僸）

敫

□ 英一九〇三 □ 合集一〇一六 象以手執杖擊豸形，或从二豸，義同。

豸象張口猛獸，敫字《說文》所無。

卜辭疑人名或方國名：□□□□（敫于戊至）合集二一六〇五

□□□（印執敫）合集二一七〇八 地名：□□（至敫）英一九〇三 于□□

（繳）

□（于敫先罝）合集二〇一一六 罝：以網擒獸。

敃

□ 英二六七四 □ 合集二一〇四七 □ 合集七〇七六 □ 合集二二三四一 从

日或目，从攴，象以手執杖擊目或日，疑為□肇之異

文（見一八二頁肇字註）。

卜辭作打擊之義：□□□□（我師無敃摧）合集一一二七四

《□□□□（卒無敃摧）同敃 卒：士卒、部隊。

卜

卜拾三.八 丫佚四〇 亻粹九七五 卜金四〇三 象龜兆之縱橫。

金文周中旨鼎作卜，周晚卜孟𣪘作卜，皆與甲骨文同。

《說文》：「卜，灼剥龜也，象灸龜之形，一曰象龜兆之從橫也」。《周禮·大卜》注：「問龜曰卜」。

卜辭灼剝龜甲、獸骨視兆以判吉凶：癸未王卜貞旬亡𡆥王占曰吉（癸未王卜貞，旬無禍，曰吉）合集三九三四九 癸亥𣪘貞旬三卜亡𡆥（癸亥，𣪘貞，旬三卜，無禍）懷一六二二 官職名：多卜（多卜）甲九〇四。多卜指諸位卜官。 習卜為練習之卜：習三卜（習三卜）合集三一六七四 習四卜（習四卜）同版。 一事多卜：其用三卜（其用三卜）合集三一六七七 用三卜即用第三卜。

習卜即習刻，習契，多刻在癈置的卜骨或卜甲上，或刻在未經整治、鑽鑿的甲骨上。有特徵，可分辨。習刻不是卜骨。

貞

貞南南二.九 貞鐵四五.二 貞京三一四三 貞京三一三三 貞本鼎形，後省作貞，因貞、貝形近，又訛作貝，貞則訛作貞。古貞、鼎同字。

金文周晚散盤作貞，春秋鄭伯御戎鼎作貞，戰國冲子鼎作貞。

《說文》：「貞，卜問也，从卜、貝以為贄，一曰鼎省聲」。

卜　貞

卜辭作貞問、卜問之義。〔甲骨文〕（戊辰卜，王貞）前八、一二、三 〔甲骨文〕（癸巳貞，旬無禍）懷一六一八 〔甲骨文〕（癸卯卜貞）掇二、一六四 〔甲骨文〕（戊辰卜，尹貞）英二〇四二

占

〔甲骨文〕餘二二 〔甲骨文〕前八、一四、二 〔甲骨文〕佚八〇七 从卜从口，釋占，卜問之義。

《說文》：「占，視兆問也。」

卜辭作占卜、卜問。〔甲骨文〕（己酉卜，王占）合集二〇六七 〔甲骨文〕（戊戌卜，扶占）合集二〇六九

固

〔甲骨文〕乙三〇九〇 〔甲骨文〕菁二 〔甲骨文〕乙七七九五 〔甲骨文〕京津一六〇一 〔甲骨文〕合集三七四二 〔甲骨文〕英二五三九 〔甲骨文〕英二五〇三

从〔甲骨文〕骨从〔甲骨文〕占，釋固。卜辭〔甲骨文〕、〔甲骨文〕或〔甲骨文〕、〔甲骨文〕或〔甲骨文〕等實一字也，王下之〔甲骨文〕、〔甲骨文〕、〔甲骨文〕皆占卜之義。三者僅為時代不同，早期多作〔甲骨文〕、後來作〔甲骨文〕、〔甲骨文〕。

卜辭作視兆預側判斷吉凶：〔甲骨文〕（王固曰，其有摧）合集六六五五 摧，摧折、災難。〔甲骨文〕（王固曰，辛，其有

〔甲骨文〕

卲：□周探二坑五 □周探二坑四三 與《說文》卲字同。《說文》：「卲，卜問也，从卜，召聲」。卜辭卜問也：□□ □（卲曰：巳）周探二坑五 巳用祀，祭祀。□□□ □□□□（卲曰：茲惟克使）周探二坑六 茲，疑史官名，使，使：出使。

𠧞（兆）	用
來艱）合集七一五八 □□□□□□□□（王固曰：吉，受有年）合集九九五。 □□□□□□□□□□□（癸巳，王卜貞，旬無禍，王固曰吉） 英二五〇三 □ 乙三九八 象裂紋，為龜甲、獸骨灼後呈現之兆痕。 《說文》：「𠧞，灼龜坼也，从卜，兆，象形。□，古文兆省」。 卜辭疑作卜骨兆痕之兆：□于□～□ □□ □（禘于祖 乙，告王固兆）乙三一九八 禘：祭名。	□ 後下三三、九 □ 前五、三五、一 □ 後二、三七、八 □ 甲八七四 象桶形。卜辭通作□，所从之□為聲符，可見用、甬可通。象 伯𣪘甬作□，與江小仲鼎之用字相同，均桶形。用之本義為施用。 金文周早盂鼎作□，邾公釛鐘作□，江小仲鼎作□。 《說文》：「用，可施行也，从卜，从中，臣鉉等曰：卜中乃可用」。 卜辭作使用：□□□□（惟白羊用）合集三〇七一九 □□□ □（五百牳用）屯六五一 □□□□□□（口啟，大吉，茲用）懷一五九一
𠧞（𠧞）	用

甫（圃）

□乙三二二 □前四、五五、七 象田長屮之形，應為圃字初文。金文作□或□，从父作聲，釋甫。後又加口作圃圖之圃。《說文》之甫、圃二字實同源一字也。

金文商代宰甫毀作□，周早父乙尊作□，盂鼎作□，甫丁爵作□。

《說文》：「甫，男子美稱也，从用、父，父亦聲」。

卜辭人名：□□□□□□□□（令甫取又伯、叉及）合集六又伯：又方伯長。叉：打擊，及：追及，趕上。□□□□□□□□□□□□（癸卯卜，賓貞，惟甫呼令沚蚩羌方）合集六六二三 蚩：災害，引申作打擊、攻打。□□□□（甫其有疾）合集一三七六二

地名：□□□□□（甫受黍年）合集一○○二 疑作園圃之圃：□□□□□□（令祝保甫，六月）合集六 保：保護、保養。

庸

□甲六四一 □屯一○二三 □屯四五五四 □屯二三二四 □合集二七三一○

从□庚□用聲。□用或省作□，或从□攴，亦敲擊也。釋庸，古與鏞通，大鐘也，《詩周頌》：「庸鼓有斁」，庸鼓即鏞鼓。

□ □

（鏞）

《說文》：「庸，用也，从用，从庚，庚，更事也，易曰：先庚三日」。

卜辭演奏大鐘之祭：叀□□□（惟祖丁庸奏）合集二七三一〇。叀□□王□（惟庸奏，王永）同版 永：永久。□□□□（…雨，庸舞）合集一二八三九 庸舞：鐘聲伴舞，祈雨之祭。

𢍜

□ 合集三三四〇五 □ 英一八一八 象雙手持用桶之形，《說文》所無。

卜辭地名：□□□□□□□□□（呼从奠取炋𢍜啚三邑）合集七〇七四

□□卜□□（丁卯卜，克𢍜）英三二六 克：克復，攻克。

（葡）

□ 前五．一〇．二 □ 佚九六四 □ 後一．二八．三 □ 前七．四四．一

象多矢在器，有備用之義。卜辭備犬作□後二．二二．一六，从犬，从備，省文作□鐵五五．二，从犬从葡，可見備、葡同字。或釋作箙，可參。

金文周晚毛公鼎作□，周晚番生𣪘作□或□。

（備）

《說文》：「葡，具也，从用，苟省聲」。具：具備也。《玉篇》：「與備同」。

卜辭人名：□□□□□（邑示□，葡）英四二七 示：整治。□：量詞，一對骨版。葡為簽收之人。 貞人名：□□□□□（癸丑卜，

或釋奴有徵招之義。

葡貞：）合集二九〇二 官職名：（勿奴多葡）二合集五八〇

奴用如餐招集也：从卜辭「多尹」、「多奠」、「多臣」等分析，「多葡」

之葡亦官職名，似為備用官員。用牲法：于三一

一（侑于母辛，三宰，葡一牛，羌十）英一九七二 侑：祭名；宰：專

作祭牲，牢養之羊。 地名：（葡受年）乙七〇〇九

甯

卜辭為甯、寍、寧之初文，見二七四頁寧字註。

爻

《說文》：「爻，交也，象易六爻頭交也」。卜辭爻同學，爻戊即學戊，

學戊為商代舊臣名，見一八九頁學字註。

爾

英四一四 英三九五 合集五五二七 與何尊爾字近似，

釋爾。

周早何尊作，戰國中山王鼎作。鐘作。

《說文》：「爾，麗爾，猶靡麗也。从冂从㸚，其孔㸚，尒聲。

此與爽同意」。《詩·小雅》：「彼爾維何，維常之華」註曰：「爾，

華盛貌」。《詩·大雅》：「戚戚兄弟，莫遠具爾」，爾同邇，近也。

商切卣銘文：「遣于妣丙彡日大乙□。」

商辭毀銘文：「遣于妣戊武乙□。」

爽

卜辭地名：□（在爾）合集二四〇〇。人名：□□（爾允得）英四一四。華盛之義：□□（華爾）合集一〇〇五八

□合集二三一九七 □英一三一一 □屯二三八五 □戩三、七 □後上四〇 □前一、八、二 □甲二八九三 □合集三六一九五 □合集三六二三六 象一人兩腋下有對稱之□、□、□、□、□、□、□、□、□、□等，金文編釋爽。因字之異文較多，所以各家考定各異，不外乎釋爽、赫、奭、□、夾等，迄無定論；但視為先祖配偶（夫人）卻無分歧。《說文》爽之篆文作□，與商代切卣、周晚散盤銘文同，訓㸚之隙縫有光也，光明爽朗，合乎道理。

金文商代切卣作□，商代辭毀作□，周早矢尊作□，周晚散盤作□。

《說文》：「爽，明也，从㸚，从大。」徐鍇曰：「大其中隙縫光也。」□，篆文爽」。

卜辭作配偶：□□□（大庚爽，妣壬）甲一六四二 四□□□（妣丙，大乙爽）同版 □□□（妣己，祖乙爽）南明六六〇。舊臣名：□□□□

□□（拜雨于伊爽）合集三四二一四 □于□□（戠于黃爽）合集一〇五一

目

□前四、三二、六 □拾一〇、三 □戩一、三 象人之目。

金文周早夲目父癸爵作□。

《說文》：「目，人眼，象形，重童子也，□，古文目」。

卜辭人名：□□□□（王令目歸）合集三九二九 □□（目入）懷八八九

入：貢獻、貢納。地名：□□□□□□（其田目擒有鹿）合集三三三六七

田用作畋，畋獵。□□□□□□（至于目北，無災）合集二九二八五 方國

名：□□□（呼雀征目）合三〇三 □□（目方）合集二八〇一。祭名：

□□□□□（王目于祖丁）合集一三六二六 監視、觀察：□□□□（呼目

𢀛方）合六一九五 呼：命令。

眔（暨）

□乙三二九七 □甲六七五 □甲二二五八 □甲二六二三 □甲二五五四

象目中流淚，亦垂涕之義。卜辭中多假借作連詞，義同及、暨。

金文周早矢方彝作□，周早井侯簋作□，春秋齊鐘作□。

《說文》：「眔，目相及也，从目，从隶省」。

卜辭人名：□□□（呼眔往）寧一、五〇七 □□三□（眔令三侯）

後下二六、十六 祭名。□□（卯眔大乙）屯二六四八 卯，用牲法。□□、彡

（弜眔彡）合集二七五一九 弜用如勿。彡，彡，酒祭。 連詞，暨及與之義。□

□□□□（惟西眔南不每）合集三六三八七 每用作晦，陰天。□□、

□□（犬眔麋擒）合集三三八六七

眢

□ 佚五六一 □ 前三、二二、四 □ 合集二九三四七 □ 屯二七〇二 省文作从目，夗聲，釋眢。

《說文》：「眢，目無明也，从目，夗聲。」《六書故》：「眢子枯陷也」。

卜辭祭名：□□（眢婦妥）合集二一五六三 □□（眢大示）合集一四八四七

□□□□（眢大示有足）合集三〇七六四 地名：□□卜（在眢卜）合集二八九六二

相

□ 前五二、五五 □ 前七、三七、二 □ 乙四〇五七 从木从目，釋相。

金文周早父乙觥作□，周中相侯簋作□，春秋庚壺作□。

《說文》：「相，省視也，从目，从木。易曰：地可觀者，莫可觀於木。詩曰：相鼠有皮。」

卜辭作祭名：□四□□□（相日今日允雨）前五、二五、五 疑方

國名：……□□……（……相方……）合集八六二八 讀如傷，當是

眚　昳（眣）眹　瞚　瞬　眴（䀢）

借音字：□□□□□□□□□曰：□□□□□三□（：允有來艱自西，𢦏告曰：𢀛夾方相二邑）合集六〇六三　允：果然。

眚　《說文》：「眚，目病，生翳也，从目，生聲」。此字應是卜辭之□省字，見二〇六頁省字註。

昳　□存二、三四　□後下四六　从□目□矢聲。象以矢射目，射目自然可怕，故《玉篇》釋作「目動也」。《說文》誤眣為昳，矢、失形近音同，易混，昳、眣一字也。□字从□臣从□寅，□為豎目形，卜辭臣目每可通用，卜辭寅作□或□，省文□，與矢字同形。昳、瞚乃同源一字。《集韻》釋瞚「或作昳」，實有據也。

《說文》釋眣：「眣，目不正也，从目，失聲」。釋瞚：「瞚，開闔目數搖也，从目，寅聲」。搖即目動也。《集韻》釋瞚：「或作瞬、眴、眣、瞤」。《莊子庚桑楚》註曰：「目動曰瞚」。《玉篇》釋眣：「目動也」。《正韻》釋眣：「音瞬，與瞚、瞬、眴並通」。

卜辭地名：中□□（在師眣）合集二四二四九　方國名：「□井□□」

（侯弗𦎫𢦔）合集六八四一　侯、侯伯之侯，地方長官或方國首領。弗、否定詞。𦎫同敦，打擊，討伐。弗（雈侯弗𢦔眣）合集六八三九

瞀

庫一六六。佚二七　甲三三五二　从从禾从首或从又又从禾禾从目目。釋瞀或𥈲，《說文》所無。

卜辭地名。王田……（王異其田瞀……）合集二九三九五　異、異日、它日。田用作畋，畋獵。……（王其射瞀麋）合集二八三七六

𤨏

合集三七七三九　合集三七四三。合集三七六六。从王王从禾禾从目目或首或从動符止止。釋𤨏，《說文》所無。

卜辭地名。王田于（王田于𤨏，往來無災）合集三七六六。

田……（田𤨏……）合集三七四三。

昌

英一四三　前一、四九、七　从目从日。《說文》所無。

卜辭人名。（子昌娩嘉）合集一四○三三　嘉、生男曰嘉。

神祇名。于（拜年于昌）續一、五○、四　于（燎于昌）前一、四九、七

旻

燎同尞、𥜽，祭名。

□ 合集三三七九四 □ 合集一六九八一 象以手執針挑刺眼睛，釋旻，同旻。

金文周早癸旻爵作□。

《說文》：「旻，舉目使人也，从攴、从目，讀若颰」。《類篇》：「目小動也」。

（映 瞲）

《泝原》：「與瞲同」。《六書故》：「別作映」。

卜辭例句殘損，義不明：～……□……□……（……乙……拜……旻……）合集三三七九四

……□……大……□……（……旻……祟……）合集一六九八一……□早……于……（……旻子……于……）

英一四六

𥄉

□ 合集七〇三九 □ 合集七〇四八 □ 合集二〇二〇四。从目、从又或从□、□，

又、□皆手形，又叉為有甲之手。□象以手抓、摳音口眼睛。直釋作旻，

（眢）

即《說文》𥄉字。

《說文》：「𥄉，捾目也，从目、叉」。捾：剜取之義。

卜辭人名：□□𡳿（𥄉其有疾）合集一三七四一 □□□

□（令𥄉复止宋）合集二〇二三三 □□□□□（令𥄉往宋）。合集二〇二〇四

旻 𥄉

盯 甲二三六四 英二五六 从目〇丁聲。卜辭丁釘均从便作口，惟
字辭例皆从〇，有强調之義，示瞪目、盯人也。疑為盯字初文，
瞕 典籍盯字或作瞕，通瞠、瞪，亭、堂、登皆聲也。盯字《說文》所無。
瞠 《廣韻》云：「直視也」。《類篇》云：「或作瞕」。《集韻》云：「與瞠同，或作瞪」。
瞪 卜辭地名：（壬寅卜，在盯貞，
（王其射柳，雨）英二五六六
⿱目北 河七〇九 从目，从北，《說文》所無。
卜辭地名：卜（其陟，在⿱目北阜卜）文七〇九 陟：登
山，指登上⿱目北阜。
⿱目⿱東廾 屯四五一四 从目 从東 从𠬞收，《說文》所無。
卜辭地名：（癸亥貞，王在⿱目⿱東廾，無禍）屯四五一四
睞 佚二一三 从目，从，為來之省，可釋為从目來聲
之睞。
《說文》云：「睞，目童子不正也，从目，來聲」。《廣韻》云：「旁視也」。

盻 睞

視（眎、示）：卜辭視省作示。《師古註》：「漢書多以視為示」。《前漢趙充國傳》：「以眎羌虜」註曰：「眎亦示字」。視之本義為看視，卜辭引伸作監作、整治之義，或釋作貢獻，當是引伸，於文義可通：□（丅一□）□（婦□）示十屯。（英一五四四）屯：量詞，一對骨版。

字頭	說解	篆文
	卜辭地名：田□□（田賕、亡災）佚二三 田：田獵；亡用作無。	
偳	□ 合集一八一五七 从旹、从俑，《說文》所無。	
	卜辭義不明：□□□□△□（其偳秉、惟今夕）合集一八一五七	
眮	□ 合集一八二六六 象以手罩目，示瞭望、觀察、窺伺之義。可釋為眮、伺	
	、覗之初文。	
（覗伺）	《集韻》：「與覗同，竊見也，通作伺」。	
	卜辭疑窺伺之義：□：□：□：□：（征：眮：無：伐：）合集一八二六六	
䀠	□ 珠五六五 □ 合集一八〇八四 从䀠从卩，象人張大兩目，示驚懼之義。	䀠
）	即《說文》䀠字，商䀠鼎作□，活象兩隻有眼有喙的鷹頭，樣子可	
瞿	怕，疑為瞿、懼之初文。	
懼	金文商代䀠鼎作□，祖癸鼎作□，䀠爵作□□。	
（	《說文》：「䀠，左右視也，讀若拘，又若良士瞿瞿」。左右視即驚懼之狀。	
	卜辭神祇名：□：（：于：燎䀠）合集二〇二八一 燎：祭名。	
眉	□ 明一八五四 □ 鐵七三一 □ 京都一五四一 □ 乙四六二三 □ 後二、三三、一八	眉

象目有眉毛之形，釋眉。金文或借釁爲眉，釁象雙手倒皿洗身之形，或爲沐之初文，銘文「釁壽」即「眉壽」，美壽、長壽之義。

金文周早小臣逋殷作，周中周𡨦鼎作，頌鼎作，姬盤作。

《說文》：「眉，目上毛也，从目，象眉之形」。

卜辭人名：（眉不其得）拾一四三　地名：（婦好使人于眉）續四·二九·二　義不明：（又眉丁妣于河）英二四二八　河：先公名。

省（眚）

甲五　前三·三三·三　佚六八　从目生省文聲。卜辭眚、省同字。

金文周早天亡殷作，周早大盂鼎作，周中曶鼎作。

《說文》：「省，視也，从眉省，从屮。古文从少从囧」。惟「視也」可取。

卜辭作省察、巡視：田（呼省我田）合集六六一一　田指田地。

（勿省在南啚）合集五七〇八　啚：同倉廩之廩，此用作鄙，指邊邑。（王勿往省黍）合集九六一二

（王其省舟）懷一四五六　災害也：（無省）周探一一三

省

自

□河六七八 □甲三九二 □甲六三二 象人之鼻，如今人自指其鼻，以示□

自己之義。卜辭自、鼻同字。

金文周早令鼎作□，周早沈子毀作□，周晚毛公鼎作□。

《說文》：「自，鼻也，象鼻形」。至確。

卜辭作鼻：□□（疾自）合集一一五〇六 自己：□□（王自饗）合集五二三九 从、由之義：□□□于□（自瀼至于膏）合集二八一八八

親自：□□□□□（舌方出，王自征）鄴一、四一、七

臱（𨘢邊）

□四 合集二八〇五八 从□自四丙聲。疑即《說文》之臱，同𨘢，讀作□邊邑之邊。邊字从辵，乃繁加之動符，示前往也。𨘢、邊為簡繁之別。

《說文》：「臱，宮不見也闕」。「宮不見也」示在邊遠之地 闕：闕疑也。

《說文》：「𨘢，行垂崖也，从辵，臱聲」。《玉篇》釋邊：「畔也，邊境也」。

《禮.玉藻》：「其在邊邑」註：「九州邊鄙之邑」。

卜辭𨘢同邊，邊邑也：□□□四：（惟往邊：）合集六〇五八

[甲骨文]（戍徝往于來取延邊備衛有戕）同版戍＝戍邊，徝＝循視，延同乃，備疑用作備，衛＝防衛，有戕即有災。

[甲骨文] [甲骨文] 合集一二〇八 从[甲骨文]自从[甲骨文]重，《說文》所無。卜辭地名＝＝[甲骨文]（＝莫，弜匃匃于[甲骨文]＝）合集一二〇八 弜用如勿，匃＝割草或放牧。

[甲骨文] [甲骨文] 屯三四一 [甲骨文] 同版 [甲骨文] 合集七六九三 从[甲骨文]自从巾，所从之八為鼻涕液。《說文》所無。卜辭地名＝[甲骨文]（呼雀往于帛）合集六四六。[甲骨文]（王令鑊以子尹立于帛）屯三四一

[甲骨文] [甲骨文] 合集一三六五六 [甲骨文] 合集一八〇八七 从[甲骨文]自从[甲骨文]卣，《說文》所無。卜辭作人名＝[甲骨文]（[甲骨文]其有禍）合集一三六五六 [甲骨文]＝

𦤎（□獲三）合集一八〇八七

□合集二三五四 □合集三四四九 □合集二〇八六 从□自 从八或□八，象鼻子流鼻液之狀，《說文》所無。

卜辭人名：□□丁二 □□（婦𦤎示二屯，永）合集二三五四 示，整治。屯，量詞。永指簽收之人。方國名：□□□□（及𦤎伯，弘）合集二〇八六 及，打擊。𦤎伯，𦤎方伯長。弘乃弘吉之省，弘吉即大吉。

皆

□合集三一八三 □合集二九六 □合集二九三二 □合集二九三〇八 □英二三二 □

繁文从□从曰，與秦詔版之□皆字同。當釋皆。卜辭皆字或从火，从辭例分析，與从口之皆無別。

金文周晚皆壺作□。

《說文》：「皆，俱詞也，从比，从白」。

卜辭作俱，全部之義：五□酉□□□□中□酉（王其奠，元暨永皆在盂奠）屯一〇九二 奠，祭奠。□□□□用（豚暨羊皆

用）合集三二八二 地名，田（田皆，無災）屯三一五六 田用作畋，畋獵。

于（弜至于皆）合集二九三二二 弜用如勿。

昔

合集三三五八 从井，从百，《説文》所無。

卜辭義不明：工︰︰内︰︰︰（壬︰卜︰丙︰令︰昔︰）合集三三五八

⿱自朩

合集二六〇八九 構義不明。

卜辭義不明：︰︰︰（︰︰南︰⿱自朩若）合集二六〇八九

若：順利之義。

⿰自刂

卜辭⿰自刂即後來之劓、劓。（見二五八頁劓字註）

魯

甲三〇〇〇 零五五 續六、二七、五 象魚在器皿之中，示魯嘉美之義。或者所从之口為坑坎，坑淺魚大，魚露在外，所以魯之本義為露。河南省有古邑魯山，當是因山得名，而離城僅有十餘里之遙之山卻名「露山」。縣名「魯山」，山名「露山」，可見魯之為露是有其「遠」因的。

金文周早井侯毀作，周晚井人鐘作，頌鼎作。

孙生

卜辭魯或省作魚：（其雨，在甫魚）合集七八九六 甫：地名，魚用作魯，嘉美之義。……（：在甫，魯）合集七八九五

《説文》：「魯，鈍詞也，从白，羨省聲，論語曰：參也魯」。非初義。《釋名》：「魯，魯鈍也，國多山水，民性樸魯也」。《集韻》：「旅，古作魯」。

卜辭疑地名：……（：魯受黍：）九集九九七九 黍下當有年字，大意是：魯地受到祐助，得到黍子豐收之好年成。

（壬午卜，魯不其妨，五月）合集二二一〇二 妨即嘉，嘉美，佳好之義。

……（魯妨，允妨：）同版允：果然之義。魯，吉並稱，有美善嘉好之義：（吉魯）合集一〇一三三 （商魯）合集七八二三 商：疑指商丘，魯：吉魯之省。祭名：于（婦姘魯于黍年）合集一〇一三二 即：婦姘舉行了喜慶黍子豐收之魯祭。

百

屯二三〇 屯一六一九 鐵六五一 合集一七九〇〇 合集八一八六

从一，从白，多為一，白合文。讀為百，讀二百，讀三百……。

作百亦作白色之白，讀作百、白，又作伯長之伯，可从

文義中區別來。」

金文周中𠭯鼎作、伊毁作、沇兒鐘作。

《說文》：「百，十十也，从一白，數十百為一貫相章也。，古文百从自」。

卜辭作數詞：、（百羊）英一二五六　三八（擒三百又四十八）屯六六三　用（五百棣，用）合集五五八　十口（御自唐、大甲、大口、祖乙、百羌、百牢）合集三〇〇

御用作御，祭名。牢：圈養之羊。八（八百）合集六〇七六

鼻

前六·一八·六　前六·二九·一　坊間四·一五八

从自畀聲，所从之::為鼻液。本鼻形，卜辭鼻或作自，「疾自」即「疾鼻」。象鏃形，金文班毁作，永盂作，後世演化作畀。鼻尊𩑶作，變作，變作。

畁畀有別，讀音相同，𩑶尊从畁作聲，亦不誤也。

《說文》：「鼻，引气自畀也，从自、畀。凡鼻之屬皆从鼻」。所从畀、畀混用不清，又分作畀、畀兩字，或有失檢。

卜辭地名：工□□□□□□□□□（壬申卜貞，呼御在鼻：在棋）合集八一八九

習

□甲九二〇　□粹一五五〇　□明七一五　□寧五一八

从羽从日，不从白。卜辭有「習一卜」、「習二卜」，有練習之義。

《說文》：「習，數飛也，从羽从白」。白為日之誤。

卜辭作練羽、學習：□一卜（習一卜）合集三一六七一　□三卜（習四卜）合集三一六七四　□□卜（羽茲卜）合集三一六六七　□□卜（習龜卜）合集三六九七九

羽

□前六、一七、七　□粹八六三　□乙一九七二　□明藏四一八

象羽毛之形，卜辭中一作□羽雪之省文，二作掃竹之彗（同彗），三作彗星之彗，四作人名、地名。（參見一六一頁彗字註）

《說文》：「羽，鳥長毛也，象形」。

卜辭人名：□□□于：：（令羽出于：：）懷九五八　□羽□□□□（令羽郭氏黃執隸）合集五五三　氏：帶領。地名：羽

易日或讀暘日，暘日即陰天。可參。

翊（翌 昱）

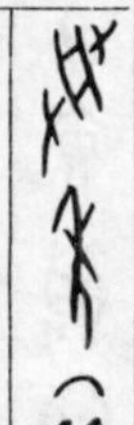（羽𡆥年）合集九七八九

屯二三八三 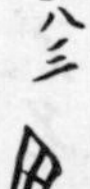英二〇七五 合集二〇八九八 象鳥翼形，借作

時詞，或从立，从日義同，為《說文》翊字所本，翊字所从之羽即

翼字之省。卜辭中翊翌指第二天或今後某一天，與後來

昱之昱有別，昱指明日或次日。雖然翌、昱其義有別，但兩

者則為同源之字。

《說文》：「翊，飛皃，从羽，立聲」。皃即貌，飛貌二字可見羽乃翼之

省，無翼怎飛？《類篇》釋翊：「輔也」。輔即輔翼，翼助也。《集韻》

釋翌：「立弋，明日也」。《說文》釋昱：「昱，明日也」。卜辭翊指明日、將來。

卜辭指某日：（翌癸酉不雨）英二〇七五 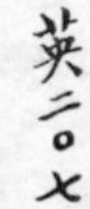

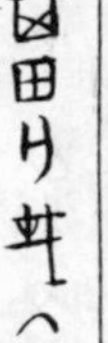（翌日戊，王其田，無災）屯二三八三 田用作畋，畋獵。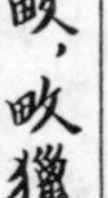

（翌乙卯，易日）乙六三八五 易讀賜。祭名：（翌大甲）

續存下九六六 用于（一〜（辛亥卜，翌用于下乙）乙五三二七

（翌上甲）遺二四四

能羽(䲋)：　合集二六九
从羽，能聲。《說文》所無。擬疑即能羽，䲋之初文。《篇海》釋能羽：「䲋名，與䲋同」。
卜辭疑作地名：　　　(其在面䲋溢)合集一一六九

⿱止羽

粹一五五五　存下三　林一、二九、二三

从三止或二止，　翼聲。或直釋作⿱止羽，羽乃翼之省。　乃　省，象鳥翼，止象人足。《說文》所無。

卜辭人名：　(呼⿱止羽)合集八六三六　地名：　卜(在⿱止羽阜卜)合集二四三五六　(⿱止羽受禾)乙八六三八　方國名：　(登人三千伐⿱止羽，𢦏)合集六八三五　登：徵召、召集；𢦏(與戋有別)：打擊、傷害之義。

隹(唯　惟　維)

鐵九六三　甲二一二　前三、二七、七　甲三九四一　戩四五、四

象禽鳥形，為禽類泛形、泛稱，故雉、雀等字从隹。在偏旁字首中與鳥字通用，如雞亦作鷄，雛亦作鶵。用作發語詞、助辭等，同唯、惟、維。

金文周早天文毀作　，周中曶鼎作　，周晚㝬鐘作　。

《說文》：「隹，鳥之短尾總名也，象形」。

卜辭作發語詞，無實義：　(惟其雨)合集三三二七三

□□□□（惟王來征人方）前二·一五·三 語助詞：□□□□

□（疾骨，惟有蚩）英一二二五 惟：亦原因。□□□□（疾其惟禍）

英一二五三 惟：亦即將，將要。□□□□□（茲雹惟降禍）丙五七

口□□□□□□□十□□□（丁丑其有設不吉，其惟甲有設

吉）合集六四八五 設：指某種自然現象，殷人迷信，認為是神祇有意

的安排設置，是一種預兆。惟：假若，惟有之義。禽鳥泛稱：□

□百□八（獲隹百四十八）續三·二四·二 隹：在此音追。

隻（獲）

□甲二六一丁 □鐵一九一、一 □前二·三一·五 □前二·三五·四

象以手持鳥之形，直釋作隻，卜辭用作動辭，即獵獲之獲。

金文周早矢伯卣作□，周中禹鼎作□，戰國哀成叔鼎作□。

《說文》：「隻，鳥一枚也。从又持一隹曰隻，二隹曰雙」。

卜辭地名：□□□（在獲卜）文三九八 用作獲：□□□

（逐鹿獲）合集一〇九五〇 □□□（旨獲羌）英五九四 □□□□□

□（雀弗其獲缶）合集六八三四 缶：方國名。

雇

雀

乙六三一〇　京津二一三四　前八、九、三　京二一三四

从小，从隹，會意字，小鳥也。

《説文》：「雀，依人小鳥也。从小、隹，讀與爵同」。

卜辭人名，商王重臣，（雀入百五十）合集一〇九三七　入，貢納。

（惟雀伐羌）合集二〇四〇三　（呼雀伐望戉）合集六九八三　（雀弗其獲亘）乙四六九三

亘，人名或方國名。（雀受佑）屯四七〇六　（亘其夕征雀）綴一四一

雉

前七、二四、一　後二、六、四　乙八七五一　前二、三一、五　合集三五三四四

从隹，矢聲，或从夷，夷爲矢帶繩繳之形。雉即野雞。

《説文》：「雉，有十四種：盧諸雉、喬雉、鳪雉、鷩雉、秩秩海雉、翟山雉、翰雉、卓雉、伊洛而南曰翬、江淮而南曰搖、南方曰𠷎、東方曰甾、北方曰稀、西方曰蹲，从隹，矢聲。，古文雉从弟」。誤夷爲弟。典籍訓雉爲夷，故雉有傷亡義。《爾雅釋詁》：「雉，陳也」。

卜辭爲名：□□□□二（獲豕五、雉二）合集二四四四六　陳列也：□□□□（戍衛不雉衆）合集二六八八八　□□□□（戍𢦏弗雉王衆）合集二六八七九　□□□吉（其雉衆，吉）合集三五三四五　□□□（不𢦏衆）合集二六八八九　𢦏同雉。

雉衆或釋傷衆，可參。

雞

□京都二一二六　□佚五四七　□前六三六七　□前七三三一

从隹，奚聲，或爲雞之象形。

金文商代雞魚鼎作□。

（鷄）

《說文》：「雞，知時畜也，从隹，奚聲。□，籀文雞从鳥」。

卜辭人名：□□（令雞）甲八〇六　地名：王田于□□□□

（王田于雞，往來無災）佚五四七　田用作畋，畋獵。

雛（鶵）

□乙一〇五二　□同版　从鳥，芻聲。小雞也。

《說文》：「雛，雞子也，从隹，芻聲。□，籀文雛从鳥」。

卜辭作小雞：□□□（呼取生雛）乙一〇二五　生雛指活着的小雞。

離

粹一〇七 前六、四五、五 後上一三、一

象以長柄網捕鳥之形。離之本義為獵獲，典籍訓為遭、罹、當為引申之義。後世多用作脫離、別離等，仍含有初文之義。

《說文》：「離，黃倉庚也，鳴則蠶生，从隹，离聲」。離即後世之鸝，黃倉庚即黃鸝。《玉篇》：「遇也」。《揚子方言》：「羅謂之離」。《前漢楊雄傳反離騷註》：「應邵曰：離猶遭也」。《儀禮大射禮》註：「離猶過也，獵也」。

卜辭作獵獲：（王狩離）合集一〇四〇七 （王逐彔，離）屯六六四 遭遇：（弗其離土方）合集六四五〇。

離

雁（鷹、應、膺）

續三、一、二 後下二〇、二 合集三六九五六

从隹，从人，亦馴雁之義。當為鷹字初文，即《說文》之雁、籀文作鷹，與應國之應、膺受大命之膺同源一字。

金文應公鼎作 ，毛公厝鼎「膺受大命」作 。

《說文》：「雁，鳥也，从隹，瘖省聲，或从人，人亦聲，鷹，籀文雁从鳥」。

卜辭地名：（勾舌方于好雁）合集六一五三 勾：動

雁

詞，吉凶用語，在此有進攻、討伐之義。王廿廿于 匕 （王步于雝，無災）

合集三六九五六

雝

後下三、二 前四、二九、四 天四六 合集六〇五一 屯南二〇七。

从隹，从連環或，象鳥足繫有連環之形。為省文。

（雍 邕）

即《説文》雝字，省作邕，同雍。郐王鼎又假作「用饔賓客」之饔。

金文周早盂鼎作。周中彔毀作，周晚毛公鼎作。

《説文》：「雝，雝𪇰也，从隹，邕聲」。雝𪇰：鳥名。

卜辭人名：（雝目有羽）合集一三四二二 羽用作翳，翳障也。（子雝有出）合集三一二三 （令雝）京二三〇。（呼雝）合集三三〇。呼：命令。

雇

前二、四、八 金四四八 佚七五六 合集一三九二五

从隹，户聲。與《説文》篆文、籀文同。雇即古顧國。

（顧）

《説文》：「雇，九雇，農桑候鳥，扈民不婬者也，从隹，户聲，春雇頒盾，夏雇竊玄，秋雇竊藍，冬雇竊黃，棘雇竊丹，行雇唶唶，宵雇

雝 雇

嘖嘖，桑雇竊脂，老雇鷃也。鶚或从雩，鴈，籀文雇从鳥」。

卜辭地名：□（王征人方在雇）合集三六四八五 □

□□（王步自雇）合集二四三四七 方國名：□□（呼取雇伯）合集一三九二五

□ 後一、九、三 □ 前二、九、六 □ 續三、三、七 —雇伯：雇方伯長。

堆（鴻）

金文周晚散盤作□。

从隹，工聲，釋堆，與鴻雁之鴻古爲一字。《師古》：「堆，古鴻字」。

《說文》：「堆，鳥肥大堆堆也，从隹，工聲，□，堆或从鳥」。

卜辭地名：□□（在堆貞）合集三六五六七 □□□（堆無災）同版

䍜

或釋作羅，可參。

□ 乙五三九五 □ 合集六八二七 □ 甲三一一二

象以網捕鳥之形。釋䍜。

《說文》：「䍜，覆鳥令不飛走也，从网、隹，讀若到」。

卜辭方國名：□□□（旨戋䍜）合集八〇〇 戋：打伐之義。□

□□□□（旨其伐有蠱䍜）合集六〇一六 捕鳥本義：□

堆 䍜

雀與《集韻》之雌字同，文獻中雌為雌之古文。卜辭雀多作地名、方國名，目前尚未見到用作雌雄之義。鳶（雄）：□直釋作鳶或雄，與鳶鳶銘文同。《集韻》釋鳶：「音弋」。《字彙》：「同雄」。卜辭弋戈在偏旁中易混，如述字□亦作□等。

□□□□□□□（呼鳴罹，獲鳳，丙辰獲五）甲三一二二

雀　□乙五三三〇　□庫二五一　□合集四七二六

（　从隹，从止，直釋作雀，《說文》所無。《集韻》釋雌為雌之古文。

）

雌　卜辭地名：□田于□（呼田于雀）合集一〇九八三　田用作畋，畋獵。

雌　□于□（奠于雀）合集一〇九七六　奠：祭奠。　方國名：□□（敦

（　雀）合集六七八五　敦：攻擊、打伐。　□□（雀侯）合集六八三九　雀侯即

　雀國首領。　人名：□□（呼雀）合集四七三〇。

弋隹　□合集五七三九　□存一、七〇五（本从戈，後世訛作弋）

　从隹，弋聲，即《說文》雄字，亦作弋隹、鳶、鳶，或省作弋。

）

雄　金文商代祖辛卣作，商代鳶觚作。

鳶　《說文》：「雄，繳射飛鳥也，从隹，弋聲」。《集韻》釋鳶：「音弋，鳥名，與

鳶　雄通」。《玉篇》釋雄：「今作弋」。《玉篇》釋鳶：「鷗類也」。

弋　卜辭作弋射：□□□□□□□（不其呼多射弋隹獲）合

（　集五七三九　□□□□□（呼多射弋隹，獲）合集五七四〇。

雄

斗隹

□ 合集一〇六〇七 □ 英二五二四 从隹，从斗，《說文》所無。

卜辭人名：乎从□□(呼从斗隹郭)合集八九九六 从：隨同。

□□□于□(將斗隹郭于京)英一一一三 將：養也。 地名：甘

于□(步于斗隹)前二．一九．六 乎□□□：(呼徵取斗隹：)合集一〇六〇七

王□□□□(王征人方，在斗隹)英二五二四

屮隹

□ 合集九七五八 从隹，从屮，《說文》所無。

卜辭地名：□□□(屮隹受年)合集九七五八

口隹

□ 合集八六七六 □ 合集六九四四 从隹，从口，《說文》所無。

卜辭義不明：□□□□□□于□(亘捍不惟我口隹其終于之)合集六九四四

：：□：：于□(：口隹：于方)合集八六七六

八隹

□ 合集五四三九 □ 合集一八八三〇 从八从隹，《說文》所無。

卜辭地名：□□三□□(奠來四，在八隹)合集五四三九 ：：□：：

于□：□：：(：其：于八隹：弜：)合集一八八三〇

隻

□ 合集三八七五 象兩手捧鳥形，疑同□、□□。

卜辭疑同⿳隹示又，以禽奉祭也：□□□（庚貞隻）合集三八七五

⿱隹廾

□ 合集一八一五三 象兩手執隹形。

卜辭疑貞人名：□□（申卜，隻）合集一八一五三

⿱隹亥（亥）

□ 佚八八八 □ 粹五一 □ 掇一、四五五 □ 庫一〇六四

从隹或从鳥，从亥，《說文》所無。卜辭用為亥，為殷先公王亥名之專用字。亥既稱王，又稱高祖，地位崇高，殷人以鳥作圖騰，所以亥字从隹或从鳥。

卜辭⿱隹亥為王亥之專字：□□□□（高祖王⿱隹亥）掇一、四五五 ⿱隹亥亦簡作亥：□□□（高祖亥）南明四七六 □于□□（告于王亥）續二、一八〇。□□于□□（拜年于王亥）京六〇九

翟（鸐）

□ 合集三七四三九 从羽，从隹，為卜辭中罕見之字。後世用姓讀作宅，人名、地名讀笛。（翟應在羽部，補此）

金文周晚史喜鼎作□。

《說文》：「羽隹，山雉尾長者，从羽，从隹」。《集韻》：「音濁，鸐或作翟」。

卜辭[illegible]作……亦作……，可知……同……（癸）。參見二二五頁……（[illegible]）字。

卜辭例句殘損，義不明：……（癸……王卜……翟……）合集三七四三九

隹冉

……合集一三四〇四 ……懷一六四三 ……合集三四一四八

从隹，从冉，隹或作鳥，義同。《説文》所無。

卜辭動詞，義不明：……（其隹冉眾人）屯一三二 地名：……（戊隹冉有災）屯二一八五 祭名：……（告秋，隹冉于高祖夒）合集三三二二七 告秋：將秋收之禾谷告祭于神祖。

⿰隹癸

……懷三一四 ……合集一〇五〇 从隹，癸聲。疑今鷄字，即子規，又名杜鵑。

卜辭疑鳥名：……（獲⿰隹癸）合集一〇五〇一 ……（王往逐⿰隹癸）合集五五五七

⿱⿰隹癸止

……合集三三八三 从隹，从癸，从止。《説文》所無。

卜辭作動詞：……（王其⿱⿰隹癸止十人）合集三三八三

⿰冊鳥

……合集一一九 ……乙二九〇八 ……乙二三 从栅，从隹，直釋作⿰栅隹。古文偏旁冊、栅可通，鳥、隹亦可通，故⿰栅隹即魯宰駟父鬲「魯宰駟父作姬⿰冊鳥媵鬲」之⿰冊鳥字。

卜辭人名：……（貞，勿令⿰冊鳥取雍芻）合集一一九

（⿰栅隹）

鸛：《集韻》釋雚作「水鳥」、「或作鸛」。

萑（雚 觀 鸛）

甲二〇一　甲三五　甲一三六九　合集二二五三八　文七八

甲一八五〇　明藏五四三

象頭有毛角之鴟類猛禽，即貓頭鷹。所从之吅是聲符，从吅或不从吅一字無別。《說文》分為萑、雚二字，从卜辭例句分析，實一字也。萑字从𦫳，與从艸之萑字有別。

金文周早雚女觶作　，周中御尊作　，周中效卣作　。

《說文》：「萑，鴟屬，从隹，从𦫳，有毛角，所鳴其民有旤，讀若和」。旤同禍。釋雚：「雚，小爵也，从萑，吅聲，詩曰：雚鳴于垤」。

卜辭地名：　（雚不受祐）合一六七　田　（婦妌田雚）合集九六〇七　（在衛雚）合集九六〇九　鳥名，即「所鳴其民有禍」之貓頭鷹也：　（王其遘雚）合集三九〇九　用十　（其用七雚）摭續九三　用指祭祀用。用作觀：　（王往觀耤，延往）合集九五〇一　（王其雚日出）屯二三三二　（王其雚耤）合集九五〇。

萑

耤：耕作之義。

（舌方出，王雚）合集六〇九六　祭牲：（酚雚匚于祖辛）

合集一九。　酚、匚均祭名。

舊

前四、一五、四　粹二三二　粹四九四　前二、五、一

从雚，臼聲。　象有角毛之貓頭鷹在巢臼之中，本鳥名，借作新舊之舊。

金文周晚盠駒尊作，周晚兮甲盤作，春秋邾公華鐘作。

《說文》：「舊，鴟舊，舊留也，从雚，臼聲」。

卜辭地名：（在舊貞）英二五六四　（田舊，往來無災）前二、二六、一　田用作畋，畋獵。　用作故舊：（我家舊眠臣無壱我）合集二五二二　壱：神鬼為害。

（惟舊豊用）合集三二五三六　舊豊即舊醴，陳酒也。

（惟舊冊用）合集三二〇七六

（奠，其奏庸，惟舊庸）屯四三四三　庸：大鐘。

舊

蔑

甲八八三　前一、四九、四　佚八二八　續一、五一、四

蔑

从𦣻，从戈，象以戈擊人，所从之□首亦聲符，古文獻或訓為滅，金文銘文中每見蔑歷連用，含勉勵嘉獎功臣之義。

金文周早保卣作□，周早庚嬴卣作□，周中長由盉作□。

《說文》：「蔑，勞目無精也，从苜、人，勞則蔑然从戍」。非初義。

卜辭作舊臣名：㞢于□□㞢于□（侑于黃尹，亦侑于蔑）前一、五二、三 □□□□□（其侑蔑眔伊尹）甲八八三 眔意如暨、及、與。㞢于□（侑于蔑）續一、五一、四 有滅、止之義：□□□（雨其蔑）後下三七、七

羊

□懷五 □甲二三五 □河三八七 □甲二五五四

象羊頭之正面形，以頭代羊。

金文商代羊鼎作□，周早盂鼎作□，周早盂卣作□。

《說文》：「羊，祥也，从𦍌，象頭角足尾之形，孔子曰：牛羊之字以形舉也」。

卜辭人名：□□□□（婦羊示十屯）續六、二四、九 示：整治，屯：

量詞。卜辭羊多作祭牲，□□（乇羊百）屯九一七。乇，剟裂祭牲之祭。□□□（燎白羊）屯二六二七。燎，祭名，亦用牲法，□□□（用黑羊）屯二六二三 □□□（燎山羊）合集二〇九八。地名，□□（羊受年）乙六七五三

羋（咩 咩）

□ 甲二六二 □ 前五、四七、一 □ 京都七六二 為羋、咩、咩之初文。象羊之聲气上出之形。與□牟為牛鳴叫之義同。音滅。

《說文》：「羋，羊鳴也，从羊，象聲气上出，與牟同意」。

卜辭地名，于□（于羋）南明四九三。方國名，𢦏□（伐羋）合集二二五 祭牲，□□□□□（埶兕目羋羊）合集三四二七二 兕，殷先公名，埶兕即向兕進行埶祭；目，祭名；羋羊，當指大公羊。

羊土

□ 英八。□ 合集三三六一四 从羊，从⊥。⊥，勢也，為雄性之標誌。羊土本為从羊，从⊥，後世訛作从土，羊土為公羊之專字。

卜辭牲畜名，為公羊專字，祭牲也，□□□一

羋

二三。

（又上甲，牡十）合集三二三二八　又用作侑，祭名。即：向上甲進行侑祭，用了十頭公羊。（拜生于妣丙，牡、牡、白豕）合集三四〇八一　牡：公牛。（丙午卜扶，出大丁，牡用）合集一九八一七　出用作侑，祭名。

美

乙三四一五　前七·二八　明藏六八四　林二·一八·二

象人有頭飾，亦美好之義。或釋作从羊从大，亦美善之義。

金文周早美爵作，中山王嚳壺作。

《說文》：「美甘也，从羊，从大，羊在六畜主給膳也，美與善同意」。

卜辭人名：子（子美其見）合集三一〇三　見讀現，獻也。子（子美無虫）乙三四一五　虫：神鬼為害。子（子美見氏歲于丁）合集三一〇。　氏：致也。地名：中（在美）乙五三二七

羌

甲三三三八　京一二七五　人一八七六　京三九六六　後下一五、一

从人，羊聲，或从𠂆、𢆶繩从又手从山火，乃隨意異構也。

金文周早羌尊作□，春秋鄭羌伯鬲作□，戰國屬羌鐘作□。

《說文》：「羌，西戎牧羊人也。」

卜辭指羌族人：□□（旨獲羌）英五九四 □□（來羌）懷二九八 □□三（用羌三）懷一五五三 用指用作祭牲。□□（伐羌）懷三四一 伐：討伐。地名：田□（田羌）佚八二七 田指田獵。方國名：□□□□（合□□羌方）合集六六二三 □：動詞，本義為災害，引申作攻擊掃蕩、殺、傷之義。□□（征羌）英五九六 征：征伐。

羌从

□ 乙一九一四 从羊，从从，《說文》所無。

卜辭羌从不明：□□□□□□□□（壬辰卜，乙其藝又羌从三）乙一九一四

𦍩

□ 合集一〇四 从羊，从糸，釋𦍩或祥，疑非吉祥用字。

卜辭疑人名：□□□干□（𦍩氏芻于敦）合集一〇四 氏：帶來或押解致送之義；芻：疑指罪隸，與臣、妾地位相當。

所从之、、示散發出來之膻味。

羴

□ 金六六三 □ 前四、三五、五 □ 合集一三五〇六 □ 合集六九五二

从二羊或多羊，示羊多之義。羊味膻，多則更膻，羴、羶、膻乃同源一字。

（羶）

金文商代羴鼎作□，羴父辛斝作□。均為羴之省。

《說文》：「羴，羊臭也，从三羊。羶，羴或从亶」。

（膻）

卜辭人名：□□□□□（勿令望羴歸）合集一三五〇六 □□□□

（子羴羊不死）合集一七七。膻，羊也：：□□□□□□□：：（：蒸羴羊、

牛，大乙白牛，惟元：）合集二七三三 蒸，祭名。地名：：□□（：戰羴）合集六九九七

靃

□ 前五、三五、五 □ 篋帝一四六 □□ 乙七七四六 从雨，从三隹或一隹，義同。

（霍）

即今之霍字。

金文周中霍鼎作□，周晚叔男父匜作□。

《說文》：「靃，飛聲也，雨而雙飛者，其聲靃然」。

卜辭地名：□□□（在霍貞）合集三五八八七

（雥）

□ 合集二七一五一 从三隹，示隹多，羣鳥也。

《說文》：「雥，羣鳥也，从三隹」。音雜。

羴　靃　雥

卜辭祭名：……五……（唯唐雥……王受有祐）合集二七一五一 唐雥即雥唐，向唐進行雥祭。唐典籍作湯，即商代直系先王大乙，或稱成湯，為開國君主。

⿱雔㴊

甲二八一○ 前六、四六、一 从隹或鳥，泉聲。古文㴊、泉通用，釋⿱雔㴊。

（⿱隹泉）

《說文》：「⿱雔㴊，鳥羣也，从雔，㴊聲」。

卜辭地名：（弜克貝⿱雔㴊南封方）合集二○五七六

雧

粹一五九一 前五、三七、一 象鳥在木上，釋集，即《說文》之雧。

金文商代父癸爵作，商代母乙觶作，周晚毛公鼎作。

（集）

《說文》：「雧，羣鳥在木上也，从雥，从木，集，雧或省」。

卜辭例句殘損，疑作聚集：……（……夢集……鳥……）合集一七四五五 ……（……集冓……）粹一五九一

鳥

後二、一八 前四、四二、五 甲三四七五 明七三八

象鳥形，為鳥類通稱，與隹通。《說文》分作鳥、隹二字。

金文商代鳥毀作，春秋弄鳥尊作，鳥壬俯鼎作。

《說文》：「鳥，長尾禽總名也，象形」。

卜辭人名：（令鳥）甲八〇六　地名：（使人于鳥）合集五五二九　鳥之本義：（鳴鳥）合集一七三六六　（呼取生芻鳥）合集一一六　生芻鳥即活的雛鳥。　星名：（埶鳥星）合集一一五〇〇。　埶：祭名。

鳳（風）

存下七三六　續二、一五、三　後二、四六、二　存下七三六　乙五六九七　合集二七四五九

象有毛冠長尾之鳥形，與孔雀象似。所从之凡　凡為聲符。卜辭鳳、風一字，風字或从雨，大概是認為風雨有關吧！

《說文》：「鳳，神鳥也。天老曰：鳳之象也，鴻前麐後，蛇頸魚尾，鸛顙鴛思，龍文虎背，燕頷雞喙，五色備舉，出于東方君子之國，翺翔四海之外，過崐崘飲砥柱，濯羽弱水，莫宿風穴，則天下大安寧。从鳥，凡聲。，古文鳳，象形。鳳飛，羣鳥從以萬數，故以為朋黨字。亦古文鳳」。皆引申之義。

卜辭人名：入百（鳳入百）合集九二四五　入：貢獻。　鳥名：

鳳

或直釋作雛。

（獲鳳）甲三一用作風：[甲骨文]（夕驟風）英一〇九六 [甲骨文]（立中，無風）合集七三七一 立中：豎旗。[甲骨文]（雨不風）合集一二八〇七 [甲骨文]（今日無大風）甲三九一八

鴚（鵝 鵞）

[甲骨文] 合集一八三四八 从鳥，河聲，可釋鴚，即鵝字或作䳘、𩿡、鵞。《說文》分作鴚、鵝二字，實一字也。

《說文》：「鴚，鴚鵝也，从鳥，可聲」。「鵝，鴚鵝也，从鳥，我聲」。

《正韻》釋鴚：「音歌」。《玉篇》釋鴚：「亦鵝也」。

卜辭例句殘損，疑禽名：[甲骨文]（丁卯卜韋貞鴚）合集一八三四八

[篆文]

鶾（雗 翰）

[甲骨文] 前六、三六、二 从𠃬（𠃬同執）从隹，从乚，隹同鳥。直釋作旐，即《說文》之鶾。

《說文》分作鶾、雗二字，實一字也。今作翰。

《說文》：「鶾，雉肥鶾音者也，从鳥，倝聲」。「雗，雗鷽也」。

卜辭例句殘損，義不明：[甲骨文]……（貞，鶾……）前六、三六、二

[篆文]

鴅

[甲骨文] 合集六〇九〇 从鳥，从肉月，《說文》所無，《管子侈靡篇》：「鴅然，和順貌」。音歡。

卜辭作動辭，疑有侵犯之義：[甲骨文]（舌方來

鵬：□ 周探二坑

从鳥朋聲。卜辭朋作拜，是串貝，貨貝單位名，周甲訊作从二□王。卜辭疑作鳥名：□ □（乙鵬）周探二坑

《玉篇》釋鵬：「大鵬，鳥也」。

鳴

惟鵬，惟我禍）合集六〇九〇。

□ 後下六、一三 □ 前五、四六、五 □ 甲三一一二 □ 甲二四一五 □ 京津四〇三

从鳥，从口，示鳥張口鳴叫，會意字。

金文春秋王孫鐘作□，春秋蔡侯鐘作□。

卜辭人名：□（令鳴）合集四七二一 □（呼鳴）合集四七二二

地名：□□（往鳴）合集八二三八 □□于□（王步于鳴）合集三二八三九

鳴叫：□□□（朕耳鳴）合集三〇九九 朕：商王自稱。□□（有鳴鳥）合集五二二

鳧

□ 合集一四一六一 □ 合集一八三三八 从□隹从□伏作聲。野鴨也。

金文周中爯毁作□，周晚仲鳧父毁作□，春秋鳧叔盨作

（鳧）

《正韻》：「音扶」。《爾雅釋鳥》疏曰：「野曰鳧，家曰鴨」。

卜辭地名：□（于□）□□（王入于鳧，朿值）合集一四一六一 朿值

朿同刺。刺值：刺探，偵察也。

雈

□ 乙四五二九 □ 乙二五〇六 从隹，从日，直釋作䧿或雈，《說文》所無。

卜辭□、□、□實一字也（見三九〇頁𣈆字註）。

卜辭地名：于□北□（于售北對）屯四五二九　疑祭名：□

□：□一（翌日、瞿：豕十）屯二五〇六　義不明：□□□

□（曰：唯不鼎）合集一三〇八　卜辭鼎、貞一字。

畢（畢）

□周探四五與史臤毁之畢字近似。

周早史臤毁作□，周中召卣作□。

《說文》：「畢，田罔也，象畢也」。罔同网、網。

卜辭畢公為周之武、成、康三世重臣：□（畢公）

周探四五

𠀘（禽擒）

□英一三〇二　□屯九四九　□合集三七三六七　□懷一六二六　□

明藏五二。初文象長柄网，似《說文》之華字，《說文》釋華為「箕屬」與禽擒不類。卜辭□金文加聲作□，演變成禽，即擒之本字。禽毁作□，不𡱂毁作□。古文禽、擒通用。

卜辭人名：□入一（□入十）懷五　四五入：貢入。□□□□（早来、

無𡿧）乙六七四。𡿧，災害。地名：（畢受年）乙五六七〇。受，得到。

用作擒：（擒虎）合集二八四〇四（擒有犀）屯二五八九（王往田擒）屯二七四六 田：田獵。

𠤳

英三五一 合集三二〇三五 从畢，从匕，《說文》所無。

卜辭人名，為商代大將：（貞，惟𠤳伐𢀛方）合集六二九八（貞，呼𠤳酻岳）合集一四四六九 呼：命令。酻：酒祭。岳：神祇名。（貞，𠤳氏羌，王于門迎）合集二六一 氏：帶來。羌：羌俘。迎：接迎。（王逆𠤳）合集三二〇三五

𢍏（棄 弃）

合集八四五二 下二二、四 合集九一〇〇 象兩手把箕中之子拋棄。或从，象兩手執繩，示縛子之義。棄、𣪘同。

金文周晚散盤作，戰國中山王嚳鼎作。

《說文》：「棄，捐也，从廾推華棄之，从𠫓。𠫓，逆子也。，古文棄，，籀文棄」。

冉（冄）　爯（稱　偁）

卜辭疑作拋棄本義：：▢▢▢：：▢（：：會尋曰：：褻：：子）合集九一○○。▢：：▢（若棄：：方）合集九一○○

▢（合集八○八八）象魚形之省。卜辭▢冓、遘象二魚遘遇可證。

即冉、冄之初文。

《正韻》釋冉「音染」。《玉篇》釋冉：：「毛冉冉也，行也，進也，侵也」。

《說文》釋冄：：「毛冄冄也，象形」。一假作稱：：▢冊（：：冉冊）合集七四三四

卜辭義不明：：▢：：▢▢：：（：：冉：：冓遘捍：：）合集二八○七八

▢續三·一○·二　▢英五二四　▢屯八六六　▢合集三一七八四　▢合集一○四○五

▢冄

象以手掂魚，示提、舉之義。同稱、偁。

金文周中爯盨作▢，周中仲爯毀作▢，𢦏毀作▢。

《說文》：：「爯，并舉也，从爪，冓省」。

卜辭作動辭，舉獻品物之祭：：▢▢▢▢（王其爯朋于祖乙）合集二三五三七　朋：：量詞，一串貝。▢▢▢（弱爯大示）合集三四八四九

爯冊即稱述冊命：：▢▢▢▢▢▢（沚戠爯冊，王从言、謂之義：：▢▢曰了88▢▢▢▢▢▢▢十▢▢▢▢▢：：（王固曰：：乃茲亦有祟，若偁，甲午王往逐犀：：）合集一○四○五

伐土方）合集六四〇一 冊 乎（爯典呼从）合集七四二二 典象兩手舉冊。

冊 乎（興，爯冊呼歸）合集七四二六 冊象置冊于器。

爯 合集八六四八 合集二一三九五 从𠂤，从冉，《說文》所無。
卜辭人名：（合爯）合集八六四八 地名：（爯受年）合集二〇六五三

𣥺 乙四三七五 林二一五一六 从止，从冉，《說文》所無。
卜辭地名：……于（……于𣥺）林二一五一六

冓 古文冓、遘同字，見八七頁遘字註。

再 合集七六六〇 从二，从魚，引伸作一再、重複之義。
戰國屭羌鐘作，戰國陳璋壺作。
《說文》：「再，一舉而二也，从冓省」。
卜辭殘句，義不明：……（……再，允……）合集七六六〇
允……果然之義。

⿰爯卩 合集三六五二四 从爯，从卩，卩人形。同偁（見三九頁偁字註）。

卜辭午字作8或丨，與8有別。

䜌：動詞，以网捕魚之專字。

幺

8 卜辭同偁、爯，祭名：……栈乙酉：䜌从𢆶：（：我以眞：偁禾受：）合集三六五二四

8 合集三三二七六

8 合集三三二七六 象一根短綫，示小之義。古幺、玄同字。

金文周中吳方彝作 8，春秋吉日壬午劍作 8。

《說文》：「幺，小也，象子初生之形」。子初生之形不確。

（玄）

卜辭作玄，黑色也：……于……三……（拜禾于䲁三玄牛）

合集三三二七六 䲁：先公名。

幼

後下三五、一 續四、四、五 庫一八七。

象臂有一根短絲綫，示幼小無力之義。

金文周中禹鼎作，戰國中山王嚳鼎作。从幽聲。

《說文》：「幼，少也，从幺、从力」。

卜辭人名：……（幼䜌在）合集五二 祭名：工冊

彡（工典其彡幼）英二六〇五 工典即貢獻典冊，彡：祭名。

幽

後下九、五 乙七一二三 粹五四九 象火薰兩根絲綫，示幽黑之義。古文火、山形近，故《說文》誤以幽字从山。

（黝）

金文周中康鼎作，周晚名伯虎殷作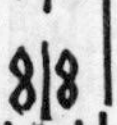。

《說文》：「幽，隱也，从山中丝，丝亦聲」。誤火為山。

卜辭幽同黝，黑色也：（恂黃牛惟幽牛）

合集一四九五一 （幽牛）合集一八二七五 牵：大牟牛，即大公牛。

丝）

 英二三六  戩三二一 象兩根絲綫，應是絲之省，但卜辭

用丝為兹，與此同義。

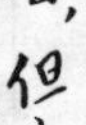

兹（

金文周早大保殷「用作兹彝」作，春秋者汈鐘作。

《說文》：「丝，微也，从二幺」。訓微非初文之義。

卜辭丝用作兹，同此：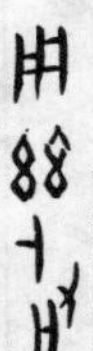（用兹卜，受祐）屯一〇四〇 

（兹戈用）屯二九四 （有禍在兹）懷九六二 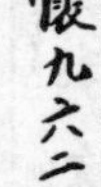

于（方出，至于兹）屯四〇二五

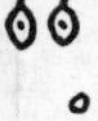

 合集三七一 从林，从幽，《說文》所無。

卜辭疑作地名：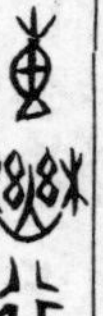（惟行）合集二七九七八 

（戌惟）甲五七四

纊

合集五五一三 从丝，从黄，《說文》所無。

卜辭疑人名：乎 目 （呼纊凡龍圭）合集三七一 義不明：（丙辰卜殼立纊史）合集五五一三

叀（惟 唯 維 隹）

懷一四四 存九 甲一〇八 乙七八〇八

象紡塼形，叀字作，象手轉紡塼之形可證。用作發語詞、助詞等，用與惟、唯、維、隹同。

金文周早何尊作，周中彔伯𣪘作，周晚克鼎作。

《說文》：「叀，專小謹也，从幺省，屮財見也，屮亦聲。，古文叀，亦古文叀」。均非初義。

卜辭作發語詞：（惟王往伐𢀛方）合集六一四

用叀來提前賓語：田（惟田省）明五八五 田省即省視田獵。

（王惟望乘从）懷一六三七 用作語詞，有强調作用義：（勺、歲叀祭遘）粹四二三 勺用作礿，礿、歲均為祭名。遘：遘遇，指與就享神靈之交接。

惠

合集一五七九九　後二、九、七　前四、一二、六　明三〇五

象植物塊根之形。或以與叀卣之、無叀鼎之近似，故釋作叀。但从卜辭例句分析，（或作）（或作、）並非一字，兩字每同句連用，各有所指也。看來，之為叀是無疑的，則權宜作惠，待作定論吧！

金文周中彔伯毁「惠弘天命」作，周中衛盉作。

《說文》：「惠，仁也，从心，从叀，，古文惠从芔」。

卜辭人名：（叀令取射）合集五七五八　叀同惟。

：：（字不叀史令：：）合集二七七三六　疑有和及之義：才才（絴方方作）合集二七九七七：：同（戎）。（南庚父乙王）合集五五三二

蚩，動詞，神鬼為祟，災害之義。

疐

粹一一九六　前二、三〇、一　前二、三〇、六　前二、三九、七

从（、）曾，所从之屮是禾苗，不是來麥之省，止是

肄段作□。今姓氏之覃，多讀音秦。

覃（□）

動符，疑與農事有關。

金文周早𨓜卣作□，周晚井人鐘作□，春秋秦公段作□。

《說文》：「𨓜，礙不行也，从叀，引而止之也。叀者，如叀馬之鼻，从此與牽同意」。甲、金文字均不从叀。

卜辭地名：□□□（王田𨓜）英二五四四 田：田獵。□（在𨓜）合集二九○二二 □□□□□□□□□□（辛酉卜，貞，王𢦔于𨓜，往來亡災）合集三六六五五 𢦔：巡遊。□□□□□□□□□（其霖于𨓜，有大雨）合集三○三一 霖：祭名。

□ 屯二二六六 □ 屯二六二七 □ 英二五四六 从叀在□上，□或省作□，釋覃。卜辭□□、□□同，地名覃師也。

金文周早父乙卣作□，周早父丁爵作□。□乃叀之省。

《廣韻》：「及也，延也」。《韻會》：「音潭」。《說文》：「覃，長味也」。

卜辭地名：□□□□（王其田覃）屯二六四。□□（在覃）林二、二○、一 于□（于覃）合集二八九二○ □□□（在覃師）

[glyph] 綜類二八 為援之繁文。卣文作[glyph]。

爰（援）

合集三六六二。[glyph][glyph][glyph]（在[glyph]師）合集三五八八六 王[glyph]于[glyph]（王过于[glyph]）懷一九〇四 过：巡遊。

[glyph] 簠人八五 [glyph] 甲三九一五 [glyph] 京四八九四 [glyph] 合集一九二三八

象兩人以手各拉一物之兩端，亦援引、援助之義。當是援之初文。金文周中辛伯鼎「寍絲五百爰」作[glyph]，周中郭季子白盤作[glyph]。《說文》：「爰，引也，从𠬪，从于，籀文以為車轅字」。《漢書》注曰：「爰，換也」。

卜辭作援助本義：[glyph][glyph][glyph]（呼爰婦姼乳）合集二二二四七 [glyph][glyph][glyph][glyph][glyph][glyph][glyph]（王族爰多子族立于[glyph]）合集三四一三三 立作蒞臨之蒞。換也，引申作還易：[glyph][glyph][glyph]（爰南單）合集六四七三 [glyph][glyph][glyph]（其爰東室）乙四六九九 祭名：[glyph][glyph]（爰日）南南二七七

受

[glyph] 乙七六六六 [glyph] 乙三三二五 [glyph] 前五、二三、二 [glyph] 戩四七、七

从𠬪，从月盤，亦兩人以手受援承盤、相互受援之義。後來易月為月舟作聲符，會意字成了形聲字了。受援古文皆作受。

[glyph] [glyph]

）金文周早盂鼎作□，周晚毛公鼎作□。

授《說文》：「受，相付也，从受，舟省聲」。

卜辭作受到、得到：□□□□（伐土方受祐）合集六四二

用作授，予也：□□□（帝受我祐）乙三七八七　地名：□

（□□（在受師）後上一五、九

爭□英六三七　□合集一一六　象兩手爭奪一繩索形。

《說文》：「爭，引也，从受厂。臣鉉等曰，厂音曳，受，二手也，而曳

之爭之道也」。

卜辭人名：□□□□（婦井示三十爭）合集一一六　示整

治。爭爲收到者。□□□（甲申卜，爭貞）前七、四三、一

敢□前六、一二、五　□乙五三四九　□乙五六四五　□合集二九三九四　□

）象以手持器刺豕，示勇敢之義。盂鼎作□，象以手捉豕，

不失本義，所从之甘為聲符。

（金文周早盂鼎作□，周晚毛公鼎作□。

《說文》：「敢，進取也，从𠬪，古聲，□，籀文敢，□，古文敢」。

卜辭人名：□□□□□□（勿令敢从我爯冊）合集七四一八 爯冊：稱述冊命。地名：中□□（在敢奠）合集八三二八

□□□□□（步于敢）英二五六五 進取也：□□□□□□□□（今日子商其敢基方缶，𢦏）合集六五七一 缶：地名。𢦏：（與𢦏有嚴格區別）動詞，打擊，傷害。用牲法：□□□□□（又于亞，敢一羌、三牛）摭續九一 又用作侑，祭名。

□

□ 合集二九三三九 □ 合集二九三二六 □ 甲一七〇。从奴，从貝。

《說文》：「□，奴探堅意也，从奴，从貝，貝，堅寶也，讀若概」。

卜辭地名：于□（于□）合集二八一五一 田□□□（田□其雨）合集二九三二九 田□□□□□（田□，公叀有麇）屯五三

□

□□ 屯二四〇八 从占，从井，直釋作□，即《說文》之□。

《說文》：「□，坑也，从奴，从井，井亦聲」。

卜辭地名：中□□□□□（在□北，王利擒）屯二四〇八

□

□

歺 ） 占 歹 列 烈 （ 牀 𣦵

占乙三四二〇 占合集二三二四七 □合集六五八九 □合集一四三一五

象殘骨之形，所从之丶丶是血滴。卜辭歺、列、烈一字。

《說文》：「歺，𣦼骨之殘也，从半冎，讀若櫱岸之櫱。徐鍇曰：冎，剔肉置骨也，歺，殘骨也，故从半冎。臣鉉等曰：不應有中一。」

卜辭作列，陳列供物也：□□□□～□□□□（王御供父乙庚戌列供）合集一九九三三 並列也：□□□□□□□□□（二□二）□□□□□（疑貞，王曰，余其曰多尹，其列二侯：上絲眔□侯）通列二桃山 眔：連詞，同暨。 用作烈，暴也：□□□□（其夜烈雨）合集六五八九 □□□□（馬不烈）合集二三二四七 □□□□□□□（有赤馬，其𠛱不烈）合集二九四一八 𠛱：音利，騗割。

卜辭牀為《說文》葬字。（見三七〇頁囝葬字註）

□合集三六九五九 與占歺形近似。

卜辭地名：□□□□八八□□（癸亥卜，在□𠂤師貞）合集三六九五九

殯韔　合集一○四○六　殯韔　合集一○四○五　从歹、从殯（殯為古孕字）、《說文》所無。

卜辭病名：早凵殯韔不死（子凵殯韔、不死）合集一○四○六

鹵　合集七○七九　鹵　合集七○七八　从歹、从凵，象殘骨在坑坎之中。《說文》所無。

卜辭作地名：岦凵（雀弗入鹵邑）合集七○七

岦弗其鹵鹵邑（雀弗其鹵鹵邑）合集七○七七　戕，動詞，

傷害之義，與戈、戕不同。戕與災義義近似，無戕與無災義同。 岦凵（雀戕鹵）合集七○七六

死　合集一七○六○　死　合集一七○五七　死　英一五七五　象人低頭悼念于朽骨之前，象人在墓坑，兩字異形，均會死義。

金文周早盂鼎作死，周中頌壺作死。

《說文》：「死，澌也，人所離也，从歹、从人」。

卜辭作死亡本義：（貞，雀不死）合集二〇。

不帖（子女不死）合集二八九。卜（不死）合集三四九

屮作不世（屮疾不死）合集一三七九四屮用作有。

八夕不世（目隸八十人不死）合集四二五毓，同育。

姞不団（子母其毓不死）合集五八〇。

（辛丑卜，殼貞，霝妃不死）合集六〇。

死）合集六〇。（婦鼠子不死）齡

四二九（己酉卜，王弜不惟死）

合集七〇五九 弜用如勿。不団（目隸不死）合集五 屮用作

有。（貞，屮疾羌不死）合集五六 屮用作

（貞，羌亡其死，十一月）八合集三三

亡用作無。（貞，呉葬我手有師，骨告不死）合集一七六八我：商王曰

稱。骨，指卜骨。

二五一

剮

《說文》釋剮：「剮，分解也」。

剮別為古今字，公為異文（見四頁公字註）

合集九六六

從刀從丹，以刀剮骨，示別離之意。

（公別）

剮、丹、歺同源字。

丹

卜辭地名：（貞，王往戈戋，至于賓別）合集九六六

粹一三○六

寧一四九五　象有骨節之骨架，即《說文》丹字所本。丹丹、咼。

（歺剐咼）

《說文》：「丹，剮人肉，置其骨也，象形。」《集韻》釋歺：「與咼、剮同」。

卜辭人名或動詞：（令丹）寧一四九五　地名：于丹（于丹死）佚九五。

骨

《說文》：「骨，肉之覈也，從冎有肉」。

卜辭人名：（叀小臣骨立）甲二七八一（骨貞）後上一九二五　用作

本義：（王其疾骨）合集七九（大牛骨）合集三三六一

甲一八三　合集三三三　象骨塊形。

肉

《說文》：「肉，胾肉，象形。」

卜辭作骨肉之肉：（婦盎爵肉子無疾）合集三二四

本義：（有肉其祝）合集三○一二

肉子疑指親生骨肉。（肉子無疾）合集三○一二

衩祭名。（肉來俎）明一九二四 或作，象陳肉于且上，應是一種祭祀活動。肉來俎即用肉來進行祭祀活動。象置肉于且。（呼取肉）合集六五〇七 呼呼命令。

膏

合集七九二七 合集一五〇六二 从夕肉 高聲。

《說文》：「膏，肥也，从肉，高聲」。

卜辭地名：于（自瀼至于膏，無災）合集二八一八八 （王狩膏魚擒）合集一〇九一八

腹

合集五三七三 合集三一七五九 从身，复聲，或从人，義同。

《說文》：「腹，厚也，从肉，复聲」。

卜辭作人之腹：（王腹不安，無延）合集五三七三

假借用作還復之復：（弜復）合集三一七五九 弜用如勿。

臏

合集一三六三三 从夕肉从自，為鼻形，卜辭即疾鼻（合集一一五〇六），夕旁之小點為鼻液。應為从肉，鼻聲之字，可釋臏。《說文》所無，見于《玉篇》，訓作「膍肉」，膍亦作

息，息肉即寄肉也，實今日之鼻炎也。膍肉《揚子方言》稱作䐈膍，鼻瘜名，與卜辭辭例內容恰相吻合。

《集韻》：「音息，寄肉也」。《玉篇》：「膍肉」。《揚子方言》：「䐈膍也」。

卜辭作鼻瘜名，䐈膍也：□□□□□（婦好䐈惟出，疾）合集一三六三三

胾

□ 佚七三九 □ 合集三七四四〇。从夕肉从十戈或从戌戊義同。象以戈、戌割肉之形。即《說文》胾字。

金文周晚寰盤作□，周晚休盤作□，戰國宝鼎作□。

（胾）

《說文》：「胾，大臠也，从肉，𢦒聲」。

卜辭作祭名：王□□□□（王賓胾無尤）佚七三九

刀

□ 粹一一八八 □ 甲三〇九二 象□形之省。

《說文》：「刀，兵也，象形」。

卜辭方國名：□□□□（刀方其出）合集三三〇三二 □□□

(王征刀方)合集三三〇三四 (及刀方)合集三三〇三七 及〻追及、追趕上。地名〻田于(田于刀)屯二三〇一田〻田獵。

利

合集七〇四二 懷一三五。 懷一九〇三 合集一七六〇四 合集二八〇〇八

象以刀割禾，所从之小點為禾穀飛屑，示刀之鋒利。

金文周中師遽方彝作 ，周中利鼎作 ，周晚獸鐘作 。

《說文》：「利，銛也，从刀，和然後利，从和省，易曰：利者，義之和也」。

卜辭人名〻 丁一 (利示十屯)合集三六五一 示〻整治屯〻量詞。地名〻 田 (王往田，从利，擒)屯二二九九 (在利)懷一三五。 田于 (田于利，無災)合集二七一四六 (在利東)懷一三五。吉利本義〻 (無災，利)合集三二四三 (利，無災)合集三一二四四 (不利)合集三六五三六 (其伐濈，利)合集三六五三六～ (乙未利)英二五六七

⿰⿱又禾刂

合集二四五〇六 同版 合集二七七二〇

象以手持穗以刀割之，為會意字，動詞，有割離之

義。或从丄作㓷(直釋作㓷)，丄為雄性標誌，與牡字所从之丄同義，卜辭有「赤馬其㓷不烈」，馬當指乘用之公馬，㓷當為騸割之義，烈者猛烈、暴烈也。粂本古穗字，或據此釋㓷為穗，但與辭例不符。音利，割離，騸割，去勢之專字。

卜辭作騸割之義：其㓷右馬(其㓷右馬)合集二四五〇六 其㓷左馬(其㓷左馬)同版 師貯入赤馬其㓷不歺(師貯入赤馬，其㓷不歺)合集二八一九五 入：貢納、進獻。歺用作烈。辰入駛其㓷(辰入駛，其㓷)合集二八一九六 駛為駃之省，本形容馬行之疾，此指快馬。

初

初 前五、三九、八 初 京津四九〇一 从衣，从刀，會意字，以刀裁衣為初道工序也。

金文周早盂鼎作初，周中靜卣作初，春秋郜公鼎作初。

《說文》：「初，始也，从刀，从衣，裁衣之始也」。

卜辭例句殘損，疑作始也：……詒初(……斷初)合集三一八〇一 ……詒……

初

則：□周探四从刀，从鼎。周中㠯鼎作□，周中段毁作□。《說文》：「則，等畫物也，从刀，从貝。貝，古之物貨也。□，古文則；□，亦古文則；□，籀文則从鼎」。卜辭疑用作側，于王其則即於王之側：□三□□來□于王□□（焚伯迨今秋來斯，于王其則）周探四二坑

剛（□）

□：王□（王改宰王初）前五、三九、八

□京七六五 □存一、七四二 □粹一三二一 □鄴三、四二、四 □合集三六四三五

从刀，从网，會意字，以刀斷网，以示剛強。

金文周早剛爵作□，周中牆盤作□，周晚散盤作□。

《說文》：「剛，彊斷也，从刀，岡聲。□，古文剛如此」。

卜辭人名：□□□□（剛其有疾）合集一三六七五 □□□□（王令剛墾田）屯四九九 地名：□□□（在剛貞）合集三六四三五

用牲法：□□□（惟剛羊）合集二一九五五 □□（剛牛）合集三四三一

祭名：□□于□（其剛于祖乙）屯一〇五〇 □□于□（剛于河）屯四四三

即：向河進行剛祭。□□□（其剛父乙）合集三二七二五

□

剢（□）

□合集一五七八八 □甲三一五三 从刀，从彔，彔或卜作聲，即剢削之剢。

《說文》：「剢，裂也，从刀，从彔。彔，刻割也，彔亦聲。□，剢或从卜」。

卜辭句殘，疑用牲法：□□□□□（戊申貞有剢）合集一五七八八 有用作侑，祭名。

□

刖

□合集五八〇 □合集五八一 □合集六〇〇八 □屯八五七 象以刀或鋸斷人足形，當是刖字初文。另有一□字與《說文》刖字全同，但在卜辭中無刖足之義，特收之待考。

《說文》：「刖，絕也。从刀，月聲。」月讀肉。

卜辭為刖足專字：□□□□（刖隸八十人，不死）合集五八〇

□□□□（刖隸不死）合集五八一

刜

□乙二二六二 □乙四七六 从刀，弗聲。

周早父辛卣作□，春秋晉公盦作□。

《說文》：「刜，擊也，从刀，弗聲。」《廣雅釋詁》：「刜，斷也。」

卜辭人名：□□□□（□刜無不若）合集四八二四 □□□□（夕刜御史受）乙八八九六 用作拂：□□□□□□□□□□□□（□九日辛未，大采各雲自北，雷延，大風自西刜雲，率雨）合集二一〇二一

劓

□鐵二五〇·一 □前四·三二·八 从□刀从□自，□乃□之省，鼻形。象以刀刖

□ □ □

（劓）

鼻形，直釋作劓，或作劓，以臬作聲。古刑名。

金文周早辛鼎作。

《說文》：「劓，刑鼻也，从刀，臬聲。易曰：天且劓，，臬或从鼻」。《集韻》：「與劓同」。

卜辭作削鼻之刑：（貞，呼劓劓）合集五九九五 呼：命令。

用牲法：（亘貞，劓牛爵）合集六二二六

（剢）

寧三·七六 象以刀劃豕形，《說文》所無。或釋作有劃、傷義之剢，可參。

卜辭方國名：（丁卯卜，王伐剢）寧三·七六

（劅）

合集五九九八 合集五九九九 合集五二五 象以刀去陰，即劅或斀字之初文。

（斀）

《玉篇》釋劅：「刑也」。《集韻》釋劅：「音剢」。《說文》釋斀：「斀，去陰之刑也，从攴，蜀聲，周書曰：刖、劓、斀、黥」。《韻會》釋斀：「音琢」。

卜辭疑作去陰之刑：（庚辰卜，王朕劅羌不𦉠死在三）前四·三八·七 ⋯⋯（三劅）合集五九九八

則 □ 合集三〇七 □ 存一、三四七 □ 前六、三七、六 □ 佚八九一 □ 寧一、一七八 从刀、从□俎或且。□象置肉于□。□象以刀割肉于俎上。□或省作□。均與祭祀有關。直釋作劅或則，《說文》釋則為「耕土器」，當是後義。

（劅）

金文周早劅鼎作□。

卜辭祭名：□□ 合集三〇八 □□（其劅祖乙𣪕）合集三二五四七 用牲法：□□

□□（貞：劅百羌）合集三〇八 □□□□□（王其劅𢿌麋）合集二九四〇五

刃 □ 前四、五一、二 从刀上一短豎，指事字，釋刃。

《說文》：「刃，刀堅也，象刀有刃。」

卜辭地名：□□□□□□（王往于刃，不冓雨）前四、五一、二

□ 英三二一 □ 英一七九二 □ 合集五四七 从刀上有〇形，《說文》所無。或釋刃，可參。

卜辭人名：□□□□（刃甾王事）合集五四七五 甾：辦理之義。□□□□（刃弗其甾王事）同版 用作動詞：□□□□（令刃沚戠）英三二一

叨 □ 合集二〇八六 □ 合集六七六 从刀、从口，《說文》所無。

卜辭地名：□□□□□□□□（呼行取龍𢀛友于叨庶氏）合集六五九五

夕（勿）合集三二九 合集二〇五 二 合集一六三三 合集二七六三 均象刀有血滴之形，疑今刎字。卜辭作動詞，刎割祭牲也：（勿牛）屯一五六五 （勿馬）合集二七三二 （貞，勿羊）合集一五四八七 （勿幽牛）合集二九五二 物（物）作 或作 ，為雜色牛，祭牲也：（卯十物，八月）合集三三九 卯：用牲法。

劉

合集八一二三 合集二四三七一 合集八一二三 合集二四三四七 象以刀對剖人牲形，可釋為劉，⿰卯刂之初文。劉古文作鎦。

鎦

《說文》釋鎦：「鎦，殺也」。《集韻》釋⿰卯刂：「音柳，劉也」。

⿰卯刂

卜辭地名：（呼宅⿰卯刂丘）合集八一一九 宅：動詞。（在⿰卯刂）合集八一二三 （王步自⿰卯刂）合集二四三四七

㓞（契）

甲一二七。象以刀刻出刀痕之形，為㓞、契、初文。師同鼎作 。《說文》：「㓞，巧㓞也，从刀，丯聲」。

卜辭作吉兇用語，當為災傷之義：（三卯丁，帝其降禍，其㓞）合集一四一七六 帝：殷人想象中主宰宇宙萬物的、可向人們賜福降災的、至高無上的上帝。

剌

合集二四四六一 合集二四四六。合集二四四五九 象刀割朿形，《說文》所無。

卜辭地名：（王其田于剌，無災）合集二四四五九 （王步剌，無災）前二八、七 （在剌卜）南明三九五

⿰⿱丰木刂

合集八一八八 从刀，从⿱丰木，《說文》所無。

卜辭地名：（庚申，步自剢）合集八一八八

劇

卜辭借歲為劌，見七八頁歲字註。

利

合集二四九五八　合集四二〇五　从禾，从刀，《說文》所無。

卜辭人名：（子利無疾）懷九六五　（呼利）合集四二〇五

呼、命令。田（王令利出田）合集三三五二六　田，田獵。

地名：（王往利）乙一〇五七

耤

前六．一七　合集九五〇三　合集九五〇六　合集一七四〇七　象人持耒耕地之形，金文加昔作音符。象形字變作形聲字了。

金文周早令鼎作，周中弭伯毀作。

《說文》：「耤，帝耤千畝也。古者使民如借，故謂之耤，从耒，昔聲」。後世耤、藉通用，藉有借義。

卜辭作動詞，耕作也：（呼雷耤于明）合集一四（眔作耤不喪）合集八　喪，逃亡。（王往觀耤）合集九五〇一　小耤臣為管理農事之官：（令吳小耤臣）

（	觵	）	觥			解				角

角

前六·一七·六　乙三〇〇五　林二·二二·六　菁二　象獸角形。

金文商戊父鼎作，周晚伯角父盉作，春秋鄀侯鼎作。

《說文》：「角，獸角也，象形，與刀魚相似」。

卜辭人名：（角往來無禍）屯二六八八

（合角婦甾朕事）合集五四九五　甾：辨理。

解

後下二·二五　象雙手解判牛之形。

金文周早解子甗作，周中解子鼎作，戰國中山王方壺作。

《說文》：「解，判也，从刀判牛角，一曰解廌獸也」。

卜辭作解剖之義：⋯⋯（⋯羊解⋯）合集一八三八八

（觥）

粹五三三　後上二·一·三　象角杯之形，即觥、觵之初文。

《說文》：「觵，兕牛角可以飲者也，从角，黃聲，其狀觵觵，故謂之觵，

，俗觵从光」。《詩周南》：「我姑酌彼兕觥」。

（觵）

卜辭作角杯、祭器也：（貞，婦好有觥）續四·三〇·五

□□□□□（貞，將觥壴）粹五三三 □□□□□□□□□
（貞，弜以高祖王亥觥惟尞）後上二一、一三 弜用如勿。尞同燎，祭名。

□
□ 合集四六七一 □ 合集八九四三 象殳擊角形，直釋作□，即後世觳字，
（通作斛。）

觳（斛）
《說文》：「觳，盛觵卮也，一曰射具，从角，殸聲，讀若斛」。《韻會》：「通作斛」。
卜辭人名：□□□□□（其令觳祐商）合集四六七一 □□□
□□□（令觳右奴左牛）合集八九四三

□（捔）
□ 合集六六四九 □ 合集六六五一 □ 合集六六五三 从角，从奴或从又，象捧角或執角形，即《集韻》捔字，音覺，刺取也。
卜辭方國名：□□□□（□各化□□）合集六六四九 □各化：人名。
□□□□□（□□□各化）合集六六五五 □：動詞，傷也。□□
卜□□□□□（辛酉卜，殼貞，□各化□捔）
合集六六五三 □□□□□（貞，□各化弗其□捔）
同版 義不明：□□□□□（貞，从饗□）合集三一〇四六

竹 □□（ミ彝雔鵬）合集六六四九 □

□ 屯二二六 □ 屯四三一七 □ 合集三一八八四 象竹形。或釋冄，形義與卜辭不符。

金文戰國中山王圓壺作□。與□□盟之□同。

《說文》：「竹，冬生草也，象形，下垂者箁箬也」。

卜辭人名：□□（竹入十）合集九〇二 入：貢納。□□□（竹無災）合集三一八八四

□□□□□□干口：（卜竹曰：其侑于丁：）合集二三八〇五 □□□（令竹）合集二〇二三〇

竹之本義：□□□□干□（取竹，芻于丘）合集一〇八 芻：取草。

□□□□□（王用竹，若）合集一五四二 若：順利。□□□□□（惟竹先用）合集三二九三三

箙 □ 象盛矢于器，有備用之義，應為葡、備之初文，後通作箙。《說文》：「箙，弩矢箙也，从竹，服聲」。（見一九六頁葡字註）□

笑 □ 合集三四六八九 □ 合集三四六八七 □ 合集三四六八八 从竹，从夭，《說文》所無。可釋笑，應為从竹，夭聲。《篇海》：「音夭，竹也」，與卜辭之笑相吻合。

卜辭竹名，作動詞：□下□□□□（己亥卜，其笑，若）合集三四六八八 若：順利。

或釋作笄。

〔〕

〔〕合集一八四二九 从皆、从皿生，疑〔〕星之異文。應在日部。

卜辭殘句，義不明：「〔〕」（「〔〕」）合集一八四二九

笸

〔〕合集六〇四六 从竹、从〔〕，形義不明。或釋笸，無據。

卜辭倒句殘損，義不明：「〔〕〔〕」「〔〕〔〕」「〔〕」（「令〔〕」「途」「〔〕」）

合集六〇四六

〔竹勺〕

〔〕英二二九四 〔〕懷一四三八 从竹、从勺，《說文》所無。

卜辭地名：「〔〕王〔〕〔〕〔〕〔〕」（「惟王射〔竹勺〕鹿無災，擒」）

英二二九四「王〔〕田〔〕〔〕〔〕〔〕」（「王其田征延至于〔竹勺〕，無災」）懷一四三八

〔竹异勺〕

〔〕合集三三五三二 从竹、从异、从勺，《說文》所無。

卜辭地名：「〔〕〔〕王〔〕田〔〕〔〕」（「乙巳卜，貞：王其田〔竹异勺〕，無災」）

合集三三五三二

簪

卜辭〔〕為簪，簪、先之初文，見五四八頁先字註。

箕

〔〕英八〇四 〔〕合集三六五一五 〔〕粹一二〇。象箕形，為其、箕之初文。

金文周早盂鼎作〔〕，周中頌鼎作〔〕，周中虢季子白盤作〔〕，戰國欽罍

簪 箕

）作□，戰國子禾子釜作□。

其 丌

《說文》：「箕，簸也，从竹、甘，象形，下其丌也，𠀠，古文箕省，□亦古文箕，□，亦古文箕，□，籀文箕，□，籀文箕」。

（卜辭作發語詞、語氣詞或代詞：□□□（其有禍）合集一六五〇三 □□□□□（其夜烈雨）合集六五八九 □□□□□□□□□□□（自今至于庚戌，不其雨）英一〇二一 □□□（不其得）英七三二

箇

□合集二九六九三 从竹，因聲，《類篇》：「竹名」。疑與茵同，席也。

卜辭作動詞，箇葦為鋪席備葦之義：□□□□□□（其呼箇葦，又正）合集二九六九三 呼：命令；又正即有征，有征伐事，或讀作有足。

□

典

□前七．六．一 □明二〇六 □甲一三七四 □粹七八四 □遺四九五 □人一八七九

象雙手捧册形。

金文商代弜父丁觶作□，周中格伯毁作□，戰國陳侯因𬁽錞作□。

《說文》：「典，五帝之書也，从册在丌上，尊閣之也，莊都說：典，大册也，□，古文典从竹」。

□

卜辭典即典冊，工典即貢典。工□□□（貢典其雚觀）合集三八三一〇。

爯典即稱典，稱述典冊之命。□□□□（稱典呼从）合集七四〇二 □□□□（乎典，伐𢀛方，受祐）合集三三〇二〇 與冊通用。□□□□（惟冊嗣用）合集三〇六九一 祭品。□□□□（拜惟典、豊）合集三〇六六〇。豊，盛玉之豆。

畀

□屯三八九七 □英一二七八 □合集一九四四七 象有鏃頭之矢形。《說文》訛作畀，當是由金文□禹比盨演變而來。音必。

金文周早班毀作□，周晚禹比盨作□，永盂作□。

《說文》：「畀，相付與之，約在閣上也，从丌，由聲」。

卜辭疑作賜給，付與也。□□□□（拜雨，㬎畀雨）合集六三 㬎，高祖名。人或方國名。□□（惟取畀）合集一五九三四 取，攻取之義。□□□（吾畀㲋）合集八三三二 疑祭名。□□□□□□□（王其有勹于大甲畀）合集一四三〇。□□□□（貞，畀婦井）合集二七六六

奠

□遺一六三 □合集一八五五四 象置酒器于地上，所从之□為墊塊，示奠定之義。作為地名，奠地即

後來之鄭，在今日鄭州以西之新鄭。

（鄭）

金文周中□鼎作□，周晚叔向段作□，春秋富奠劍作□。

《說文》：「奠，置祭也，从酋，酋，酒也，下其丌也，禮有奠祭者」。

卜辭人名：□（侯奠）林二·七·三 □（貞，子奠惟令）九八四一七

地名：□（在奠卜）合集二九八一二 □（在奠貞）合集三六七七二

疑為方國名：□（呼取奠女子）合集五三六 祭名：□于

□（奠告于父乙）存二·二一三 官職名：□（令多奠）合集六九四三

禋

□ 屯二三四六 从示，从典，《說文》所無。

卜辭祭名：□（彭，禋，若）合集三〇一七三 □（禋用）屯二三四六

𡆥

□ 陳九二 从典，从口，《說文》所無。

卜辭祭名：□于□（侑𡆥于妣庚其尊秦宗）南坊五·五八

工

□ 人二九八二 □ 前三·二八·五 象斧類工具形。

金文周早矢方彝作□，周中衛鼎作□。

《說文》：「工，巧飾也，象人有規榘也，與巫同意。□，古文工从彡」。

（貢）

卜辭官職名：□工（司工）合集五六二八 指主管工程的官。□工（多工）合集一九四三三 □工（百工）屯四五二五 □工（宗工） □工（帝工）存一、一八三一 指天上上帝之工官。□工（尹工）合集五六二六 □工（北工）合集七二九四 用作貢，貢納：□□□工（戉其有貢）合集四二七六 □□□工（光其貢）合集四四八四 □□□□□（貢典其彡，彡）合集二二六七五 貢典：貢獻典冊，彭、彡皆為祭名。工□□□（貢典其彭，𢆶）英二六○五 工□□□（貢典其𢆶）合集三七八六七 工□□（貢來羌）合集二三○ 疑指勞工：□□工（喪工）合集九七 喪：逃亡。□□工 □□（其喪工，二告）同版 疑指工程勞務：工□（工、芻）合集一二八 芻：取草或放牧。

（塞）

□ 粹九四五 象雙手塞工於室，示杜塞之義。《說文》分作塞、𡫳二字，有誤。

金文春秋䢅父匜作□，春秋寶簋作□。

《說文》：「𡫳，窒也，从㠭从廾，窒宀中，㠭猶齊也」。「塞，隔也，从土，从𡫳」。

（𡫳）

卜辭例句殘損，義不明：中□田□□□□□□（在□田龍□決塞其□）合集二九三六五

（□）（□）

巫

巫 英一九五七 巫 拾一二 形象不明，甲骨文、金文形同。

金文春秋齊巫姜簋作巫。

《說文》：「巫，祝也，女能事無形以舞降神者也，象人兩褎舞形，與工同意，古者巫咸初作巫。」𢍉，古文巫」。

卜辭受祀神祇名：彡伐辛未于巫（彡伐辛未于巫）合集三二二三四 巫寧風（巫寧風）合集三三〇七七 帚祟王惟巫（帚祟王惟巫）英一九五七 四巫（四巫）佚八八四 指四方之巫。小帝東巫（小帝東巫）合集五六六二 小帝北巫（小帝北巫）合集三四一五七 帝用作禘，祭名。

甘

甘 前一、五二、五 甘 後上一二、五 指事字，示口含食物之義。

《說文》：「甘，美也，从口含一，一，道也」。含道之說非本義。

卜辭地名：王往于甘（王往于甘）合集八〇〇一 敗于甘（敗于甘）合集一〇九三六

曰

曰 英一二五六 曰 英五四八 曰 英一九二四 指事字，示口音外出之義。

金文周早盂鼎作曰，周中舀鼎作曰。

《說文》：「曰，詞也，从口，乙聲，亦象口气出也」。

卜辭用其本義，言，說也。……畫告曰三（三畫告曰三）合集一〇七五　王冄曰冊（王貞曰，雨）懷一二六五　王固曰吉（王固曰，吉）合集一四九五一　有叫做、稱謂之義：東方曰析鳳曰劦（東方曰析，風曰劦）掇二、一五八

𣍘

𣍘英一二四〇　𣍘英一九七七　𣍘英一二五六　从冊从口，與告義相因，《說文》从曰義同。《說文》篆作𣍘𣍘，从冊，从曰。

《說文》：「𣍘，告也，从曰，从冊，冊亦聲」。

卜辭作有告詞之簡冊：㞢𣍘于王（有𣍘于王）合集一四九五四　丙爯𣍘（商爯𣍘）合集五五七　用作刪，砍也，用牲法：𣍘十五宰（𣍘十五宰）合集一五三三六

叀𣍘羊百（惟𣍘羊百）合集三〇六　祭名：𣍘于妣己（𣍘于妣己）合集七〇七　𣍘祖辛（𣍘祖辛）合集一七三一　用作討伐之義：沚戓爯冊𣍘𢀛方（沚戓爯冊𣍘𢀛方）合集六一六〇。𣍘盂方（𣍘盂方）合集三六五一二

曹

𣊭珠四一四　𣊭合集六九四二　从㯥从口，或不从口，象置兩橐囊于器上。

金文周中趞曹鼎作𣊭，春秋曹公子戈作𣊭，戰國中山王方壺作𣊭。

《說文》：「曹，獄之兩曹也，在廷東从㯥，治事者从曰」。不合本義。

𣊭

卜辭地名：□□（在曹）前二、五、五 曹即春秋時衛國之曹邑，在今滑縣南

白馬城。

乃 □

□ 英一二五六 □ 合集二一四三三 □ 合集六五五五 疑象奶形，或是奶之初文。義與

迺同。

金文周早盂鼎作□，周晚毛公鼎作□，春秋者沪鐘作□。

《說文》：「乃，曳詞之難也，象气之出難。□，古文乃。□，籀文乃」。

卜辭同迺，副詞：□□□□□□□□□□□□□□（王

曰，侯豹往，余不爾其合氏乃事歸）合集三二九二 □□□□（乃奠于并）後下三六、三

迺 □

□ 合集一八五五三 □ 屯六五八 □ 英七二六 □ 懷一三二○ □ 屯四四四一 □ 合集三二九四六

□ 英三六○ □ 英八三四 □ 英一七五四 象置□或□、□于□，與乃通。

金文周早盂鼎作□，周早矢方彝作□，周中禹鼎作□。

《說文》：「迺，驚聲也，从乃省，西聲。籀文迺不省。或曰，□，往也，讀曰仍。□

古文迺」。

卜辭同乃，副詞：于□□□□（于翌壬迺雨）合集二四九○四 □□于

□□（不雨，于癸延雨）甲三六三八　地名：□□于□（王往于□）合集三三一五九

丂

丂 合集一〇一　丁 合集二三八　形象不明，與散盤、《說文》篆文同。

金文周早散盤作丁，春秋鄀公𣪘作丁，均與甲骨文同。金文老省作丂。

《說文》：「丂，气欲舒出，勹上礙於一也。丂，古文以為亏字，又以為巧字」。

卜辭地名：□（在丂牧）合集三六一六　于丂（于丂）合集一〇一

丂

甹（嗙 謣）

甹 京津二六五一　从由在丂上。班𣪘、番生𣪘有「甹王位」，𤔲盤有「上帝降懿德大甹」，毛公鼎有「嗙朕位」，「甹王位」、「嗙朕位」義同，从言之字，古文多从口。甹、嗙、謣當是同源之字。

金文周早班𣪘作甹，周晚番生𣪘作甹，周晚毛公鼎作甹。

《說文》：「甹，亟詞也，从丂，从由，或曰，甹俠也，三輔謂輕財者為甹」。

《集韻》：「音俜，言也」。

甹

寧

卜辭例句殘損，義不明：于～卝：甹：（于乙卯：甹：）合集一八八四二

寧 英二五二七　寧 合集一三六九六　象室內置器皿之形，示安寧之義，或从心作意符，心安之義。為寧、寍、甯之本字。

寧

甹為寧之省文。AD 五甹（今夕王甹）合集二四九八二 王甹即王安寧。地名：甹 甹（在甹師）合集三六九四九 甹（在甹）合集三〇六

）	寍	甯	甹	（	可					兮		

金文寧女父丁鼎作寧，周早盂鼎作寧，周早寧毁作寧。

《說文》：「寧，願詞也，从丂，寍聲」。《易乾卦》：「首出庶物，萬國咸寧」。

卜辭作安寧：AD 匕 寧（今夕師無禍，寧）英二五二七

88 D 匕 寧（茲夕無禍，寧）英二五二九、……88 D……寧

（…在…商…茲夕…寧）英二五二九

可 合集一八八九二 可 合集一八八九七 可 合集八八九八 可 英一六七七 从口，丂聲。

金文周晚師嫠毁作可，春秋蔡太師鼎作可，𦑣鎛作可。

《說文》：「可，肎也，从口，丂，丂亦聲」。肎乃肯之本字。

卜辭作肯也，可以也：惟可用于宗父甲王受（惟可用于宗父甲王受

祐）英二二六七 不可（不可）合集一八八八八 可享（可享）合集一八八九三 地名：

可至于寧偪（自可至于寧偪）合集二七九九一

兮 屯六二四 兮 英一八〇三 兮 英二四五〇 兮 合集三三六九四 从丁丂上有八或八，與金文

盂爵之兮字同。

金文周早盂卣作兮，周晚兮仲鐘作兮。

可	兮

《說文》：「兮，語所稽也，从丂、八，象气越亏也」。

卜辭地名：□八丁（在兮）合集二四三八一 ：于卄□（：于兮燎）合集三四四八二 神祇名：□□于□丁（拜禾于兮）英二四五。□于卄□（拜于兮，燎）合集三二二一二 郭兮為記時之詞，相當於黃昏之前：□日□□卄□□（中日至郭兮不雨）屯二七二九

⿱旬兮（⿰忄⿱旬兮、⿰忄⿱旬亏）

□屯一六五五 □屯一三〇。□屯一〇八 从兮，旬聲，直釋作⿱旬兮。同⿰忄⿱旬兮、⿰忄⿱旬亏。疑

《說文》：「⿱旬兮，驚辭也，从兮，旬聲，□，⿱旬兮或从心」。——即後來恂字。

卜辭神祖名：□□于□□□（其𩂣于⿱旬兮，有雨）屯一〇八 □□卜□□于 □□（壬午卜，岳來于⿱旬兮，叙）合集三二八三三 ：□□□于□（：酌 拜禾于⿱旬兮）英二四二八 ：□□（：⿱旬兮，燎）屯七五。

⿱旬兮（篆）

乎（呼）

□屯一〇八 □屯八八〇。□英六〇七 从丁丂上有□，為乎、評、呼之初文。

金文周中豆閉毁作□，周中大毁作□，周晚克鼎作□。

《說文》：「乎，語之餘也，从兮，象聲上越揚之形也」。

卜辭作動詞，命令、召喚：□□□□□（其呼王族來）合集六九四六

乎（篆）

亏 于 〉 於 與 〈

亏孚（呼子晝涉）合集六四七七　請求、呼籲。亏

（呼帝降食、受祐）合集二一〇七三　亏（王其呼、尢受有祐）合集二七八八一　疑問語詞，用義如今日之嗎。口卜

亏（丁未卜，扶侑咸戊學戊乎？）粹四二五　亏（土方其敦乎？）合集二〇三九二

乙七六〇二　粹一一六二　乙二〇。　前八、一、五　形象不明，簡繁與金文同。

卜辭于、於同字。假作與。

金文周早令毁作，周早天亡毁作，春秋王子于戈作。

《說文》：「于，於也，象气之舒，亏从丂，从一，一者，其气平之也」。

卜辭作連詞，假借作與。（余其从多田與多伯征盂方伯）甲二四一六　介詞，於也。（于九月有事）合二八一　（于盂無災）合集二八九四七　（拜禾于河）英七八九　（王入于商）前二、一　王田（王田于雞彔）懷一九一五　（旦至于昏不雨，大吉）合集二九二七二

亏　於　與

旨字从人作□，召字从刀作□。

旨
□ 合集一六二四。□ 英五九四 □ 後下一四 从人、从口或从日，簡、繁與金文旨同。
金文周早匽侯旨鼎作□，春秋季良父壺作□，春秋國差𦉜作□。
《說文》：「旨，美也，从甘，匕聲。□，古文旨。」
卜辭人名：□□□（旨無禍）合集五六三七 □□□（旨獲羌）英五九四
方國名：□□□□（王征旨方）寧一．四二四 □□（望旨）合六八 望，瞭望。
獸名，疑是麐大麇之省文或借音：□□□百□三□□一□□
□（擒獲鹿百六十二，□百十四豕，□十旨，一□）合集一〇三〇七
□

喜
□ 乙四五九七 □ 南坊二一 □ 合集二四三三六 象置鼓于口上，示有吉慶喜事。
金文周早天亡𣪘作□，周晚史喜鼎作□。
《說文》：「喜，樂也，从壴，从口。□，古文喜，从欠，與歡同。」
卜辭人名：□□□（喜入五）合集九〇。□□□□□□□□（余步
从侯虎喜征人方）合集三六四八三 貞人名：□□（喜貞）粹一一二 地名：□□
□□□（王在師喜卜）合集二四三三七 喜之本義，喜樂也：□□□（王其
喜）合集一五六七一 □□（不喜）合集二一二〇七
□

壴

壴乙七三七八 壴甲五二八 壴合一六四 象鼓形，屮為飾物，𠙴為虡。鼓之本字。

金文春秋王孫鐘作壴，女壴方彝作壴。

《說文》：「壴，陳樂立而上見也，从屮，从豆」。

卜辭人名：令壴歸（令鼓歸）合集四八四三 壴其㞢禍（鼓其有禍）合集九八二

壴入二（鼓入二）乙四〇六八 貞人名：壴貞（鼓貞）甲二八三九 地名：在壴（在鼓）

甲二八六九 方國名：其征于壴（其征于鼓）合集二〇五〇七 鼓之本義，名詞：其震

壴（其震鼓）屯二三六 其置庸壴于既卯（其置庸、鼓于既卯）合集三〇六九三

庸同鏞，大鐘。 動詞，擊鼓：勿壴（勿鼓）乙七一八一 其壴彡（其鼓彡）

合集三四七五 鼓彡：擊鼓之祭，彡乃祭名。

（鼓）

彭

彭屯一〇八二 彭合集八二八三 彭合集七〇六四 从壴鼓从彡，彡是聲波，示鼓聲也。

金文周早彭史尊作彭，周晚彭姬壺作彭。

《說文》：「彭，鼓聲也，从壴，彡聲」。

卜辭貞人名：乙卯卜彭貞，今夕亡禍（乙卯卜，彭貞，今夕無禍）

甲一一五八 地名：癸丑王卜在彭貞旬亡禍（癸丑，王卜，在彭貞，旬無

彭

禍）前六、一、六 □□……于□□（貞，勿令師般取……于彭龍）合集八二八三 □□□（辛丑卜，亘貞，呼取彭）合集七〇六四

祭名：□□□（甲申其彭）佚五八四

尌（樹、豎、封）

□合集一〇六 □合集九〇九二 从壴 鼓从力，示用力封鼓也，當與从寸之尌同字。

卜辭从力，金文从又，篆書从寸，又、寸皆手也，均會樹立樹藝之意。文獻封、尌、樹一字，與豎、侸、位通用。

金文周晚封仲毁作□。

《說文》：「尌，立也，从壴，从寸持之也，讀若駐」。

卜辭倒句殘損，義不明：……□……□……□（……戊卜……貞……尌）合集一〇六七八

𡔷

□合集二四三九。从壴 鼓从丑，丑為手形，疑與封同字。

卜辭地名：……□□（……在𡔷卜）合集三一六八六 ……□（……在𡔷）合集二四三九。

𡔶

□甲二三九六 从壴 鼓从井，《說文》所無。

卜辭疑作人名：□□□□□□（貞，惟𡔶令見于□）

嘉

甲二三九六 □ 英一八五六 □ 英一二二 □ 合集一四一〇二 从女、从力，《說文》所無。卜辭用妿作嘉。見八〇九頁妿字註。

嘉

鼓

□ 合集二七四九 □ 合集七三五五 □ 合集二五八九四 □ 合集三〇三八八 □ 合集三五三三三

□ 屯六五八 □ 合集一五九八八 象以手執鍾或棒擊鼓形。卜辭壴、鼓一字。

金文商代鼓觶作 □，周晚克鼎作 □，春秋沇兒鐘作 □。

《說文》：「鼓，郭也。春分之音，萬物郭皮甲而出，故謂之鼓。从壴，支，象其手擊之也。周禮六鼓，靁鼓八面，靈鼓六面，路鼓四面，鼖鼓、臯鼓、晉鼓皆兩面。□，籀文鼓，从古聲」。

卜辭人名：□□□□□□（鼓其取宋伯歪）合集二〇〇七五 □□（鼓入）合集二二二八 入：貢入。地名：□□□□（王其省鼓）屯六五八 □□（在鼓）合集八二八九

方國名：□□□□（亘弗戋鼓）合集六九四五 戋：動詞，打擊、傷害之義。

祭名，擊鼓以祭：□□□□□□□□（其鼓彡告于唐，九牛）甲一一六四

□□□□□□（王賓鼓無禍）合集二五二三八 賓：親臨，親自參加。

鼓

鼖

合集一八五九四　合二八三　合集一八五八九　象上有多飾之鼓形。卜辭壴、鼓同字，鼓字作　，亦作　。　當是　之省文，因其多飾，以顯其大，即《說文》之鼖字是也。

《說文》：「鼖，大鼓謂之鼖，鼖八尺而兩面，以鼓軍事，从鼓，賁省聲，鞼鼖或从革，賁不省」。《字彙補》：「音墳，大鼓也」。

卜辭方國名，同鼓：……　（……貞，雀將鼖）合二八三……以壴（……將鼖）合集一八五八九　將，動詞，戕伐之義。

豆

甲一六一三　乙七九七六　合集二四七一三　合集二九三六四　屯二四八四　象食器，所从之短橫為指事符號，示豆中所藏的為食物。與今豆、尗之義不同。

金文商代宰甫毁作　，周中豆閉毁作　，春秋周生豆作　。

《說文》：「豆，古食肉器也，从口，象形，……　，古文豆」。

卜辭地名：　（在豆）合集二四七一三　（惟豆田于之擒）合集二九三六四　田，田獵。　疑人名：　（乙巳卜，惟豆令）屯二四八四

豋

□ 合集二八六九。□ 合集三〇九八八 □ 乙七二五六七 □ 合集三八六九。□ 乙七七六六 □ 合集二三七八

象雙手捧豆進奉米形，與盂鼎之豋同，小篆所从之𠂔乃米之誤。盂鼎从米與甲骨文同。𢍜省文作𢍏，或从示作䄈，義同。卜辭中爲向神祇進奉各種食物之專字，典籍用作蒸祭之蒸烝。

金文周早盂鼎作□或□，周中大師虘豆作□，段簋作□。

《說文》：「豋，豆屬，从豆，𢏚聲」。非本義。

卜辭中□、□、□、□同字，均爲進奉食物之祭：□□□□□□□□□（辛酉卜王賓蒸，亡尤）合集三八六九。□□□□□□□□（旅貞，王賓蒸，亡尤）合集二五七六五 □□□□（王其蒸齋）乙七六二八

齋同穧、稷，古稱五穀之長，今稱小穀子。□□□□□（其蒸齋于宗）合集三〇三〇六 □□□□□□（惟癸蒸齋，王受祐）乙七六一八 □□□（王其蒸米）粹九〇九 □□□□（其蒸新鬯）粹九一〇。鬯：香酒。□□（蒸黍）合集二三五 □□□□□□□（貞，其蒸鬯，其在祖乙）合集二三九二五

𢍏

□甲三九一三 象兩手捧豆，豆有祭品貝之形。與卜辭兩手捧豆進奉米形之□登、烝或《說文》兩手捧豆進奉肉形之𢍏義同。𢍏應為向神祖奉貝之專字。《說文》所無。

卜辭祭名：□□卜□□□□□□□□（壬戌卜，狄貞：亞旋往，𢍏，王受佑）甲三九一三 亞官名；旋人名；往讀禳，亦祭名。

豊（禮、醴）

□合集一四六二五 □屯二一四三 □屯二九二一 □屯三四八 象器中盛玉形，示為禮器之義。卜辭用作醴，甜酒也。

金文周早天亡𣪘作□，周中穆王鄉餐醴長甶盉作□。

《說文》：「豊，行禮之器也，□讀與禮同」。

卜辭作禮、禮器也：用□□（用茲豊禮）屯二九二一 用作醴：□□□（弜作豊醴）屯二二七六 □□□用（惟新豊用）合集三二五三六 □□□用（惟舊豊用）合集三二五三六 地名：王□田于□（王其田于豊）懷一四四四

豊

豐

□合集二七九八 □合集三二八九 □合集一八五九二 象豆中實物，示豐滿之義。或以□、□同字，卜辭中兩者有別。

豐

金文周早豐尊作□，周晚散盤作□。

《說文》：「豐，豆之豐滿者也。从豆，象形」。

卜辭人名：□丁二 □ □（婦豐示二屯 岳）合集一七五一三 示：整治；屯：量詞，一對骨版；岳：簽收人名。地名：□□□□（王在豐貞）後上一〇．九

虍

□合集一〇九四八 □乙八一〇三 象虎頭，音虎。

《說文》：「虍，虎文也，象形」。虎文之說不合本義。

卜辭地名：□□（在虍）乙八〇一三 □干□（勿于虍）合集一〇九四八

虐（□）

□合集一七一九二 □合集一七二二四 象虎傷人形，示暴虐之義。與虐、獻同。

金文周晚𩰫盨作□。

）

《說文》：「虐，殘也。从虍，虎足反爪人也」。當是小篆形義。

虐

卜辭作災禍：□ □ □（今夕其虐）合集一七一九二 □□

獻

（盡虐）合集八八五七 □□□□（王圖其虐）合集一七二二四

（

虘

卜辭虘、𧆞、从虘、从𧆞、摣一字。見一五六頁𧆞字註。

虖

卜辭乎、呼同字，與虖、評通用。見二七六頁乎字註。

⿱虍青

屯一〇二一　合集二九三二一，从虍，从夕或从繁作⿱虍𩏂，《說文》所無。

卜辭地名：（王其田⿱虍青）屯一〇二一、……（……⿱虍青無災）合集二九三二一

⿱虍𢍏

合集二八二二　从虍，从帝，从廾，《說文》所無。

卜辭作動辭：（其方⿱虍𢍏亳土，燎惟牛）合集二八二二

⿱虍燹

屯五。　合集二九三〇三　从⿱虍青，从火或从繁作⿱虍燹。《說文》所無。⿱虍燹、⿱虍青疑為一字。（見本頁⿱虍青字註）

卜辭地名：田⿱虍青（田⿱虍燹，往來無災）合集三七四〇三　田⿱虍青（田⿱虍青，不遘小雨）合集二九二九八

虎

乙二〇九　燕一九八　乙三。　存下二五四　象虎形。

金文周早吳方彝作　，周中師虎簋作　，周晚散盤作

《說文》：「虎，山獸之君，从虍，虎足象人足，象形」。人足之說不確。

卜辭人名：[字]人百（虎入百）合集九二七三入：貢入。方國名：

[字]（今望乘暨與途虎方）

合集六六六七　途用作屠。獸名：[字]（遺有虎）合

集二八三〇。[字]（獲虎）合集一〇九九

金文周中虢季子白盤作[字]。頌鼎作[字]。

《說文》：「虢，虎所攫畫明文也，从虎，寽聲」。

卜辭人名：[字][字]（呼號暨复）合集四五三一

[字]合集一〇二〇六　[字]合集二四五〇。象以戈擊虎形。直釋

作號，即後世之戲、虣、虤。《集韻》虣通作暴。

金文晚期皇邍作[字]，戰國詛楚亞駝作[字]。

卜辭虢侯為號地長官，[字]所[字]（呼从號侯）合集六九七

《說文》：「戲，虐也，急也，从虎，从武」。《類篇》釋虣：「與虣同」。

動詞，獵虎：[字][字]（王往號虎）合集一二四五。

二八七

虩

虩、𤟇 皆執字，見六七九頁執字註。

戲

合集三0九九八 从虎、从攵、象以棒驅虎。《說文》所無。

虩

卜辭疑作動詞： 合集二七八九九 （王其戲鼎三）九九八三。从虎、从田，《說文》所無。

龙三二0七 合集二七八九九 （王其戲鼎三）九九八三 从虎、从田，《說文》

文》所無。

卜辭疑作人名：王田 作 三（王其比虩犬三）合集二七八九九 地名：王田 （王其田虩、擒）合集二九三九

集二七八九九 地名：王田 （王其田虩、擒）合集二九三九

合集二七八八七 从虎、从戈，直釋作戲，同虩，同虣，虎。（見二八七頁虩字註）卜辭人名：小臣 （小臣戲）合集二七八八七

戲

京都三三九 師友一八九 象二虎顛倒相背之形。

金文周早即戲作 。

虤

《說文》：「虤，虎怒也，从二虎」。

卜辭地名：中 （在虤）人三三九 于 （于虤）合集

皿

《續六·二六·三》 《合集一〇九六》 象飲食之器，後為器皿通稱。

《說文》：「皿，飯食之用器也，象形」。

卜辭 地名：田于 （田于皿）《合集一〇九六》 宮名：

（天邑商皿宮）《合集三六五四二》 同音假作猛： 从皿，于聲，器皿名。

《甲三九一九》 《甲二四二六》 《甲三九三九》 （皿雨）《合集二四八九二》

（ 盂 ）

《說文》：「盂，飯器也，从皿，亏聲」。

金文周早盂鼎作 ，春秋鄁公鼎作 。

卜辭地名：王田 （王田盂往來無災）《合集七四三》

方國名：A （令盂方歸）《合集八六九》

錳

《合集一八〇三》 《懷一三六七》 象黍稷外溢之形，戉為 成之

省，聲符。

盛

金文周中史免匜作 ，春秋曾伯匜作 。

《說文》：「盛，黍稷在器中以祀者也，从皿，成聲」。

卜辭 義不明： （貞，于賓户盛典勻）《懷一三六七》

地名之孟後世作邦，故地在今河南沁陽縣西北。

二八九

卜辭盧用作膚，同臚。《說文》釋□膚為「籒文臚」。典籍訓膚有剝離之義，卜辭盧豕即臚豕，剝豕行祭也。

盧（鑪 爐 膚 臚）

□甲二九○二 □乙四九二五 □合集二七○四一 □象鑪形，上為鑪身，下為其足，或从□虍作聲。是盧、鑪、爐之本字。卜辭用作膚，臚。剝也。

金文□次盧作□，伯公父匿作□。

《說文》：「盧，飯器也，从皿，□聲，□，籒文盧」。

卜辭貞人名：□（盧貞）前一·三七·六 方國名：□□（盧方伯）屯六六七 用牲法：□□□□□（侑母癸盧豕）佚三八三 祭名：□□□□□（盧，彡，乇自上甲）粹一○九

盜（謐）

□ 合集三一九三五 □ 屯二三八。□ 英一一二五 从□皿□必聲。□旁所从之小點為□弋之省文，弋乃繫繩而射之矢。盜、或□同字，乃簡、繁之分。

《說文》：「盜，械器也，从皿，必聲」。

卜辭人名：□□（盜娩）合集一三九七三 地名：□□□□□（今日我其狩盜）合集一○九六五 用作謐，安靜也：□□□□□（王其盜）存一·一五九二 □□（戠盜）人一三三九

益（溢）

益 □ 菁五 □ 遺三九三 □ 珠五八九 象皿中水滿外溢，本為溢的本字，引伸為增益、利益用字。

金文周晚畢鮮毀作□，春秋益公鐘作□。

《說文》：「益，饒也，从水、皿，皿益之意也」。

卜辭地名：□□□□卜□□二（有逃芻自益十人有二）菁五 □□干□□□（循于之益，若）合集八二一 用牲法：□二□□三□：：（益二牛，冊三十：）合集二七一八七 祭名：□□□□□（今日益，無尤）合集二六一五六 □□（王益）英二○二九

盡

盡 □ 前一·四四·六 □ 合二四三 □ 合集三四八五 象手執刷帚刷去皿中殘存食物之形，有食盡、刷盡、盡終之義。會意字。

金文戰國中山王方壺作□。

《說文》：「盡，器中空也，从皿，㶳聲」。㶳聲之說非本義。

卜辭人名：□□□□□□干□（今遂从盡于垂）

合集四九一四 于 (侑于盡戊)合集三五一五 盡戊是商代舊臣，盡為私名，戊為官名。

盥

拾一三、一四 京三〇八五 象在皿中洗手之形。音管。

金文春秋齊侯匜作，春秋夆叔匜作。

《說文》：「盥，澡手也，从臼水臨皿。」

卜辭地名：田(弜田盥)屯二一七 (王往盥伐𤠔)英六〇二 田(田盥不雨)合集二九二七八

盧

合集三三〇八六 合集三三〇八六 从皿，从虍，直釋作盧。金文伯公父匿盧作，可見盧、盧同字。(見二九〇頁盧字註)

卜辭方國名：(王其伐盧)屯九九四

[illegible]

遺二六三 从樂在皿上，《說文》所無。

卜辭地名：(在[illegible])遺二六三

[illegible]

人二四〇〇 屯一〇二八 从王，从皿，《說文》所無。

卜辭地名：(在[illegible])人二四〇〇。

⿱氐皿（⿰氵⿱氐皿、⿱艹泜）

□英二五六七　□合集二九二六九　□合集二八三八二　从氐在皿上，直釋作⿱氐皿，應與从水之⿰氵⿱氐皿同字，古文氐、氐亦通用。古文⿰氵⿱氐皿、⿱艹泜同字。

《唐韻》釋⿰氵⿱氐皿：「音馳，與⿱艹泜同」。《說文》：「⿱艹泜，葅也，从艸，泜聲，

⿰氵⿱氐皿，⿱艹泜或从皿，皿器也」。

卜辭地名：□□田□□□（惟⿱氐皿田無災，擒）屯二六一〇

□□□□□□（在⿱氐皿，今日不雨）英二五六七

⿱畾皿（罍、櫑、鑘）

□，甲二八一二　□合集三一三一九　从皿，靁雷聲，即古代酒器之⿱畾皿。

⿱畾皿。古文雷作靁，省作畾，⿱畾皿字所从之畾乃畾之省文。古文

⿱畾皿與櫑、罍、⿱畾缶、鑘、罍同字。

《集韻》釋⿱畾皿：「亦作鑘、罍」。《說文》：「櫑，龜目酒尊，刻

木作雲雷象，象施不窮也，从木，畾聲。罍，櫑或从缶，⿱畾缶，櫑或

从皿；⿱畾缶，籀文櫑」。

卜辭疑作祭器：□□：□□□□□：（癸亥：⿱畾皿耏

雨，今日：）甲二八一二

盥 □ 續三.二三.一 从兩手置酉于皿上，《說文》所無。

卜辭地名：于□□□□（于盥往來無災）續三.二三.一

盅 □ 前二.二四.四 □ 前二.二四.三 从屮在皿中，《說文》所無。

卜辭地名：王□□□□□（王过盅往來無災）前二.二四

虝 □ 合集六八七七 □ 合集六八七九 □ 京七一 从皿、从□、□虎。□

非虎字，□是虎頭，□是人之側面，□是人之正面，疑為人裝扮之假虎也。虝字《說文》所無。

卜辭方國名：□□（伐虝）京七一 □□□（王伐虝）合集六八七九

㿻 □ 合集一一九 象皿中有火之形，《說文》所無。

卜辭疑祭名：□□□□于口（□伯㿻用于丁）合集一一八

盁 □ 粹一三五二 □ 京三四七五 从㫃、从皿，《說文》所無。

卜辭地名：□□□□□□□（今夕亡禍，在盁）粹一三五二

亡用作無。

盖（𦍌）：□ 乙四二九九 □ 前二.三七.八 象羊在皿之中。直釋作盖或𦍌。盖字《說文》所無。《說文》釋𦍌：「羑也，从𦍌，羊聲」。

卜辭地名：中□（在盖）前二.三七.八 于□（于盖）二.三七.六

假作庠，養教也：□□□□□（令卓盖三百射）乙二八三 射：射手。

盜： 合集一〇三五 从次、从皿，《說文》所無。卜辭另有字作、盜、均為地名，疑為簡繁一字（見四一七頁字註）。卜辭地名：……（三辰卜：：雀：：朕中二月于盜）。合集一〇三五

監

懷一七二五　合集三六八〇二　象內人匕在皿中，《說文》所無。

卜辭祭名：王匕（王賓監無尤）合集三八七〇三

尤：災禍。

叟

合集五九〇五　合集四五四二　象手在倒皿之中，疑與盥同（見二九二頁盥字註）。

卜辭人名：（令叟）合集四五四三　（呼叟）合集四五三九

去

京津四六三四　前一、四七、七　前七、九、三　象人離去穴居之處，為會意字。

金文春秋鄲去魯鼎作，戰國中山王圓壺作。

《說文》：「去，人相違也，从大，凵聲」。

卜辭地名：（在去貞）合集三七三九二　方國名：（呼去伯）合集六三五　離開、前往之義：（王勿去）合集五一五六　（王勿去束）合集一六九

退去：（無去其雨）屯三七六。

血

合集三四四三。合集三六七八八 象血滴在皿中，釋血。另有盟字作或，與血有別（見四〇二頁盟字註）。

《說文》：「血，祭所薦牲血也，从皿，一象血」。

卜辭地名：：（在血，从：）合集三四四三。（在血貞，王旬亡禍）甲二六 亡用作無。

疑用其本義，鮮血也：：：：（：：允亡血：：雨，一月）英一〇三七 允：果然之義；亡用作無。

：：：（庚午貞，秋大集于帝五介臣血，在祖乙宗卜）合集三四一四八

甹（學）

屯二七七二 合集三六四六一 存二、七四二 从血，丁聲，即《說文》之甹，同甹，是後世寧、寧、寧、盜、甯之本字。（見二七四頁寧字註）

《說文》：「甹，定息也，从血，甹省聲，讀若亭」。《集韻》：「同甹」。

卜辭地名：（在甹）合集三六九四九 于（于甹）合集八二七三

祭名：（甹岳燎牢）合集三四二二九 定息也：

（寧雨）懷一六〇八 □□（寧風）合集三四一三七 安寧也：□□□

匕□□（今夕師無禍，寧）合集三六四六一 □□□□（今夕王寧）

合集三四九九一

⿱血大

□粹九八六 □寧一、三七六 □前一、九、四 从血，从大，《說文》所無。

卜辭地名：□田□□（惟⿱血大田無災擒）屯二七六一

⿰血隹

□合集八二五二 从血，从隹，《說文》所無。

卜辭地名：……□（……在⿰血隹）合集八二五二

丹

□京津三六四九 □合集二四三三八 从日中有點，與金文同。

金文周早庚嬴卣作□。

《說文》：「丹，巴越之赤石也。象采丹井，一象丹形。」

卜辭地名：□□□（王在丹）合集二四三八六 方國名：□□

□□（呼从丹伯）合集七一六 从：隨同；丹伯：丹方伯長。

井

□英一六〇。象井口之形。

金文周早盂鼎作□，周晚井人鐘作□。

□ □

《說文》：「井，八家一井，象構韓形，・罋之象也」。
卜辭人名：井（婦井毓育）合集三二七 地名：中井（在井）屯二九○七 方國名：井（執井方）合集三三○四四

皀

存下七六四 甲八七八 粹九一七 象豆中有食物之形，旁之小點示食物散發之香味。卜辭即字作，象一人就食之形，可見、食當是一字，僅為繁簡之別。
《說文》：「皀，穀之馨香也，象嘉穀在裹中之形，匕所以扱之，或說皀一粒也，讀若香」。非，初文形意。
卜辭地名：中（在食）遺三八。 用作食：于……（其食于：）合集三四六○二 （弜食）合集三四六○二 弜用如勿。

卽（即）

人九八一 金六七三 象人跪于食物之前就食之形。
金文周早盂鼎作，周中頌鼎作。
《說文》：「即，即食也，从皀，卪聲」。卪聲之說誤。
卜辭貞人名：（即貞）文三一九 祭名：于

□(即于岳，有大雨)屯四四一二 就也，降臨也；□□□□于

□(王亥、上甲即于河)合集三四二九四 接近也；□□□(王即雀)

合集二〇一七四 立即也；□□(即令)懷一四六八

既

□燕二 □乙二〇九三 □佚六九五 象人背向食物，示食完、已經之義。

(既)

金文商代切卣作□，周中智鼎作□。

《說文》：「既，小食也，从皀，旡聲」。非本義。

卜辭作終結、停止、過去之義；□□□□□(庚寅雨，中日既)合集二一三〇二 □□□(雨不既)屯六六五

□□□□□□□□□□(貞，告既出于□于上甲)合集一三〇五 出用作侑，祭名；□殷先公；上甲；殷先王。

□

□合集三六八四五 从三皀，《說文》所無。

卜辭地名；□□□□□(王□于□□)合集三六八四五

□

□後一、二八、三 □京都一二六四 □佚四一〇 象盛酒之容

器，器中小點示酒在器中，鬯也是香酒名。音暢。
金文周早盂鼎作，周早叔卣作。
《說文》：「鬯，以秬釀鬱艸，芬芳攸服，以降神也，从凵，凵，器也，中象米，匕所以扱之」。非本義。
卜辭人名：（王令鬯）合集三二八七四 香酒名：（鬯十卣）英一二九三 卣：酒器。（新鬯）英一二〇九
容量名：（勿用二十鬯）合集三〇九一四 祭名：于（鬯于大乙）屯二五六七

爵

拾三、一五 京津二四六一 前五、五、一 象酒爵形。
金文商代父癸卣作，周早魯侯爵作。
《說文》：「爵，禮器也，象爵之形，中有鬯酒，又持之也」。
卜辭人名：（婦爵肉子無疾）合集二二三二三
地名：（在爵）合集三七四五八 禮器：（其爵用）合集二四五〇六 祭名：于（爵于祖丁）合集二二一八四

齋

食 （皀） 養 （羧）

[glyph][glyph]甲一二八九 [glyph]簋天二 [glyph]合集三四六〇二 [glyph]象豆有食物，[glyph]象蓋。[glyph]食

周早𢻹共殷作[glyph]，周晚仲義昱殷作[glyph]。[glyph]皀本一字。

《說文》：「食，一米也，从皀，亼聲。或說：亼皀也。」

卜辭地名：[glyph][glyph]（在食）粹一四二六　食之本義，吃：[glyph]

[glyph]（勿食）合集一九五〇三　[glyph][glyph]于[glyph]（寧食于商）屯三九六五　[glyph]

[glyph]（食麥）後下一、五　食物：[glyph][glyph]于[glyph]（㞢食于上甲）合集一一六三

㞢用作侑，祭名；上甲：殷先王，即上甲微。　大食為早餐，也是記時之詞：[glyph][glyph][glyph]（大食雨）合集二〇九六一　小食為晚餐，也是記時之詞：[glyph][glyph][glyph]（小食大啓）合七八　啓同啓，晴也。　用作日蝕、月蝕之蝕：[glyph][glyph][glyph]（日有食）合集一一四八〇　[glyph][glyph][glyph]（月有食）合集一一四八三

食，皀同字：[glyph][glyph]（弜皀）即弜食（參見二九八頁皀字註）。

[glyph]乙四〇九　[glyph]乙三九三五　象以手執鞭或棒放養羊形，直釋作羧，與《說文》養之古文羧同。　或釋牧，謂从羊與从牛同，可參。

商代父丁罍作[glyph]，商代父乙觶作[glyph]。

[glyph]　[glyph]

《說文》：「養，供養也，从食，羊聲，□，古文養」。

卜辭作供養、奉養：□□□十□□（辛未貞于大甲告養）誕二 □□□□于□□□□□（戊戌貞，又養于片，伊侯甾旨）掇二、一三二 放養也：□于□□（貞，于南養）合集一一三九五

□

□ 英一五五四 从□夕从□皀。卜辭□月□夕通用，□皀□食□一字，僅為簡繁之別。可釋作□、飧之初文，音孫。

《說文》：「□，餔也，从夕、食」。《周禮·天官宰夫》註：「鄭司農云：飧，夕食也」。

（飧）

卜辭疑作夕食本義：□□□：□：□□□（：不惟□：食不若）英一五五四

□

□ 合集一二七八。从□、从□皀，卜辭□、□食同字。構形不明，權作□。

卜辭義不明：□□：□□：（王固：□夢：）合集一二七八。

飲

[glyph] 合集三三一七。[glyph] 京二四九六 [glyph] 後下七、一三 象人立于食物之前。
金文周早父乙盉作 [glyph]，春秋齊侯毀作 [glyph]。
《說文》：「飲，糧也，从人、食」。
卜辭例句残損，義不明：[glyph] [glyph]……[glyph] [glyph]（王余呼：飲延）
京一〇六二 ……[glyph] [glyph]……[glyph] [glyph] [glyph] [glyph]……早（：傳氏血：飲
聞曰棄：子）後下七、一三 [glyph] 早：（：飲子：）合集三三一七。

饗（鄉、鄉、嚮、享、向）

[glyph] 合集一九八五一 [glyph] 前四、二一、五 [glyph] 屯二四七〇 [glyph] 合集二〇三一三 [glyph] 合集三一〇六九
[glyph] 前一、三六、三 [glyph] 京津一〇五六 象兩人圍着食物相食之形，為鄉、鄉、饗食、饗之本字。古文與享通，享受、享用之義。
金文周早天亡毀作 [glyph]，周晚毛公鼎作 [glyph]。
《說文》：「饗，鄉人飲酒也，从食、从鄉，鄉亦聲」。非初文形義。釋鄉：「鄉，章也，六鄉：天官冢宰、地官司徒、春官宗伯、夏官司馬、秋官司寇、冬官司空，从卯，皀聲」。《字彙補》釋鄉：「與饗通」。《集韻》釋鄉：「與嚮同」。假作向。

飲 饗

⿰食岂（⿰食殳、餖）：[甲骨文] 合集二三二五 从[甲骨文]皀、食，从[甲骨文]攴，直釋作⿰食岂，按辭義分析，可釋作⿰食殳，餖之初文。《集韻》釋⿰食殳：音豆，與餖同。典籍⿰食殳音設，陳飲食也。卜辭作陳設飲食行祭之義：[甲骨文]（乙丑中女⿰食殳五子扣首）合集三三二五 扣同叩，叩首即叩頭。[甲骨文]直釋作頁，頁、首通用。

卜辭作祭名、饗祭：[甲骨文]（舌方出，王自饗，受有祐）英五四三 [甲骨文]于[甲骨文]：（饗于祖：）合集一六四九 用如享，享用也：[甲骨文]（祖乙允饗）合集一九八五一 [甲骨文]（令養饗）合集二〇六九。[甲骨文]（惟多尹饗）合集二七八九四 [甲骨文]于[甲骨文]（饗于廳）屯二二七六 同音假借作向：[甲骨文]（于北方、于南饗）懷一三七九

登

[甲骨文] 明藏一八八 [甲骨文] 乙一二二六 [甲骨文] 簠征四八 象兩手取食之形，卜辭登或省作収，収同共，與供通用。登字或釋作𩜆，可參。

卜辭作徵集招致之義：[甲骨文]（登人三千）英五五八 [甲骨文]（登射三百）合集六九八 徵用之義：[甲骨文]（登羊三百）合集八九五九 [甲骨文]（令登取洛黍）懷四四八 祭名：[甲骨文]（登大甲牛三百）懷九〇四 [甲骨文]（登王亥羌）合集三五八 [甲骨文]（貞，登、伐、燎）合集六四七七 登或省作収：[甲骨文]（収百豕、羊）佚一五八 [甲骨文]（勿収

卜辭□（龠）所从之□乃□（侖）之省，與□（侖）之从冊冂不同。

館	饐	（ 飤 饎 ）	合	侖	（ 論 ）

人伐土）續三、三六·四

館

卜辭用官為館，見九二八頁官字註。

饐（飤 饎）

□合集一七九五四 □合集一八二一。从食，弋聲。可釋為飤、饎，饎之初文。《玉篇》釋飤：「古饎字」。《集韻》釋饎：「或作餢饎」。《說文》釋饎：「飯室也」。

卜辭義不明：片□□：（戊：飤：得：）合集一八二一。

合

□甲二五五五 □金六七。□屯二四七 象器蓋相合之形。

金文周晚召伯毁作□，戰國陳侯因資錞作□。

《說文》：「合，合口也，从亼，从口」。

卜辭人名：□□（合令）合集一九〇七八 配合、結合：□□（不合）合集二一九三五 □□□□□□（王其以眾合右旅）屯二三五。

侖（論）

□合集六四五三 从亼倒口形，从冊，釋侖。金文假作論。

金文戰國中山王䰜鼎作□。孳乳為論。

《說文》：「侖，思也，从亼冊。□，籀文侖」。《集韻》：「音論，敘也」。

館	饐	（ 飤 饎 ）	合	侖

舍（捨）：□周探二坑二五

从亼、口、舌聲。釋舍，典籍假作捨。《說文》：「□，市居曰舍」。卜辭作動詞，居住也：于□□□□（于……舍）商其舍，若）周探二坑二五 □□（于……）若：順心如意。

卜辭義不明：□□□□□□□（□余其征土方□氏□命□）合集六四五三

今

□英二〇三〇 □拾七二 □燕一四三 與金文今字同。

金文周早盂鼎作□，周中師虎毀作□。

《說文》：「今，是時也。从亼、从乛。乛，古文及」。

卜辭是時也：□□□□（王今夕寧）合集三六四八。□□□（今日雨）合集一二〇〇四 □□□□□（今八月有事）合集二二五八六

會

□粹四六六 □合集一八五五三 □合集一八二八 象器中之物加蓋，示會合之義。□之異體作□、□，與《說文》古文□近似。

金文春秋越亥鼎作□，蔡子匜作□，戰國廲羌鐘作□。

《說文》：「會，合也。从亼，从曾省。曾，益也。□，古文會如此」。

卜辭地名：□□□于□（王己步于會）合集二七四三五 會合：□□□□□（有勹伐其會）屯二五一〇。有，勹用作侑，礿。侑、礿，伐均祭名。□□□于□（有來會于向）甲三六六三。

⿱亼⿰糸卩

□粹一三〇三 □佚九五七 从亼、从卯，《說文》所無。

倉

卜辭人名，[字形][字形][字形][字形]⋯⋯（令[字形]从元⋯⋯）粹一三〇三

[字形] 通別二・一〇・七 [字形] 屯三七三一 [字形] 前四・四四・六 从[字形]（合）从[字形]户，與金文倉同。

金文周晚䣄鐘作[字形]，周晚倉父盨作[字形]

《說文》："倉，穀藏也。倉黃取而藏之，故謂之倉，从食省，口象倉形。[字形]，奇字倉。"

卜辭作藏穀之倉，于[字形][字形]（于西倉）屯三七三一 ⋯⋯[字形][字形]⋯⋯[字形][字形]（⋯⋯永⋯⋯倉用）合集一八六六四 方國名，[字形][字形][字形][字形]（勿令倉侯歸）佚四〇。

[字形]：[字形] 合集一三六四 象爿在[字形]中，或曰：爿聲，同倉，可參。卜辭方國名：[字形]、[字形][字形][字形]（令倉侯歸）合集一三六四

入

[字形] 佚二四七 [字形] 戩一四・五 [字形] 佚七二〇 象人低頭，有入內之義。

金文周早盂鼎作[字形]，周中大鼎作[字形]。

《說文》："入，內也，象从上俱下也。"

卜辭作進入，[字形][字形][字形][字形]（今夕王入商）英七一六 [字形][字形][字形]（又出日，入日）懷一五六九 又用作偩，祭名。貢入，貢納，[字形][字形]

内（納）

入□卜□（畫入二百五十）合集九五二　地名：中入（在入）南明二一五

内 乙四六三六　内 前四、二八、三　内 燕二五二　象一人入室之形，示自外入内之義。

甲骨文丙作内，與内（内）易混，區别在于内字从人，丙字从八。内是人名，丙是干支字。古文内、納通用。

金文周早井侯毁作内，周晚散盤作内，戰國子禾子釜作内。

《說文》：「内，入也，从口，自外而入也」。口當是门之誤。《正韻》：「同納」。《孟子》：「若已推而内入溝中」。

卜辭人名：□□□□□□于□（合内以新射于𨽍）合集三三九九六

射：射手。内入丨（内入十）英七七一　入：貢納、入貢。内内（内貞）乙八三四六

用作納，收也：□□□□□□□内（乙未，邑示四屯，岳内納）合集一七五六一　邑：人名；示：整治；岳：收到者；屯：量詞。□内□□（惟内玉用）合集一一三六四

内

缶

□ 鐵一、二　□ 乙七七五一　凵象器皿，个午是聲符，釋缶。

金文周早盂鼎作□，春秋蔡侯缶作□。

□

矢

《說文》：「缶，瓦器，所以盛酒漿，秦人鼓之以節謌，象形」。
卜辭人名：□□□□□（缶其來見王）合集一〇二七　地名：□□
□（在缶貞）合集三六五五三　方國名：□□□□干□（王敦缶于蜀）合集六八六）敦：攻打。□□（望缶）合集七九七九　望：瞭望。器物名：
□□□（缶惟用）合集三〇六一

□綴一二〇四　□前四、四九一　□河三三六　□甲三一一七　象矢（即箭）形。
金文周早小盂鼎作□，周中趞曹鼎作□。
《說文》：「矢，弓弩矢也，象鏑栝羽之形」。《爾雅釋詁》：「陳也」。
卜辭地名：□□□（在師矢）合集二四二七九　方國名：□□□（徝矢方）續五、九、三　矢本義：箭也：□□（五十矢）合集三六四八一　神祇名：小口□□□□□（小丁歲暨矢歲酌）文三三六　□之省文，與雉通，陳列、集中：□□□□□□（多射不矢眾）合集六九　□□（弜矢）屯三一三　弜用如勿。疑為祭名：□□□□□□□（□我以方矢于宗）屯三一三

□

射（䠶）矦（侯、矦、候）

射 甲二二六七 甲二八二七 象張弓搭箭，以示射義。

金文商代射爵作，周中靜毀作。

《說文》：「䠶，弓弩發於身而中於遠也，从矢，从身」。从身之說非本義。

卜辭地名：（王迍于射，往來無災）前二八三

職官名：（王令多射）懷一六五二 射擊：

（呼射鹿，獲）合集一〇二七六 （王其射狐）屯四五六一

佚九三 寧滬一・四三〇 象張布着矢之形。釋矦，同侯、矦。

金文周早盂鼎作，周中適簋作。

《說文》：「矦，春饗所䠶矦也，从人，从厂，象張布，矢在其下。天子䠶熊、虎、豹，服猛也。諸矦䠶熊、豕、虎。大夫䠶麋，麋惑也。士䠶鹿、豕，為田除害也。其祝曰：毋若不寧，矦不朝于王所，故伉而䠶汝也。，古文矦」。

卜辭作伯侯之侯，地方長官：（見畣侯）英一八四 （令畣侯歸）合集三二九四 （王曰：侯

或曰黍侯應為侯名。可參。

⿰矢子（⿰矢傷 ⿰矢昜 傷）

豹毋歸）合集三二九七 用作時候之候：（十啓侯）掇二、四〇六 即甲日天晴時候。（王于黍侯受黍年）合集九九三四 即王在黍子熟的時候獲得黍子豐收。

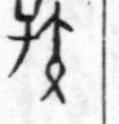合集一四二二一 合集八九一 象以矢射子，示射傷之義。从卜辭辭句分析，⿰矢子應是《說文》⿰矢昜、傷二字之初文。

《說文》釋⿰矢昜：「傷也，从矢，昜聲式陽切」。釋傷：「創也，从人，⿰矢昜省聲少羊切」。兩者讀音、釋義全同，且傷字所从之⿰矢昜又為⿰矢傷之省，另外，⿰矢傷、傷所从之人與⿰矢子字所从之子義同，可見⿰矢子是⿰矢昜、⿰矢傷、傷之初文本字。

卜辭作動辭，傷害也：（帝⿰矢子茲邑）合集一四二二 帝：是殷人想象中能主宰萬物之神。茲同此。邑指城邑。（惟⿰矢子人）合集一〇一八 （惟帝、岳⿰矢子）合集八三三。帝、岳皆神祇名。

𥎦 合集六四六一 合集二六八八九 从二矢，《說文》所無。所从之小點是矢之省，亦多矢之義也。卜辭中𥎦或省作矢，與雉通用。

雉 《爾雅釋詁》釋矢：「陳也」。

雉 卜辭𥎦、矢、雉通用。𥎦眾即陳兵聚眾也。

矢 （不𥎦眾）合集三六八八九 （其𥎦）合集三一八〇九

（ （多射不矢眾）合集六九 （不雉王眾）合集二六八八四 （其雉眾吉）合集三五三四七 雉、雉當是借音字。

𥎦亦作人名。（𥎦骨凡有疾）合集一三八八三

罒矦 罒矦為罒矢之繁體，見二〇二頁罒矢字註。

眉𥎦 合集一三三九九 从眉，从三矢，《說文》所無。疑同罒矦。

卜辭疑作自然天象。

（三雨，庚子酌，三嗇雲眉𥎦，其既祝啓）合集一三三九九

八矢 屯二八四五 合集三三一四五 从八，从矢，《說文》所無。

[矢卒]	[矢去]	高

卜辭地名：□□□□□（旬無禍，在[矢卒]旬）合集三三一四五

□（在[矢卒]）合集八二九六

□合集一三八八八　从矢，从卒，《說文》所無。

卜辭人名：□□□□（[矢卒]骨風有疾）合集一三八八八

骨風：骨頭受風。

□英二五六三　从□矢从□。□象人出所居之口，當與□、

□去之義同。可釋□為𥎿之初文。《廣韻》：「矢貌」。音法。

卜辭地名：□□□□□□□□□□

□（在□貞，其至于𥎿，觀祖乙師，往來無災）英二五六三

□京津三九一七　□林二、二五、六　□存一七、一七九五　象屋在高臺之上。

金文商代𠂤祖丁卣作□，春秋秦公𣪘作□。

《說文》：「高，崇也，象臺觀高之形，从冂、口，與倉、舍同意」。

卜辭地名：□□（在高貞）合集三六七五三　王田□□

□（王田高，往來無災）合集三七四九四　田：田獵。高遠也：□

亳

□于□自（拜禾于高祖）屯二一〇三 高祖：殷先王。

□無想四。□佚九六八 □後一、六四 □象高屋有支柱形，□

金文商代亳觚作□，周早亳父乙鼎作□。——以乇作聲。

《說文》：「亳，京兆杜陵亭也，从高省，乇聲」。

卜辭人名：□（令亳）掇二、五九 地名：中□（在亳）金五八四 又于□□（又歲于亳土）京三九五。又用作偩，祭名。 亳土即亳社。

□

□ 合集二八一三二 从高从林，《說文》所無。卜辭从林林或屮屮多無別，且多少無定，如蒿字作□亦作□或□；甚至上下左右無別，如春字作□亦作□或□等。看來□、□當是一字。（參見三五頁蒿字註）

卜辭文句殘損，義不明：貞□□：王□酒（貞，□宕：王其酌）合集二八一三二 酌：祭名。

嫱

□ 合集二四三七九 从亯，从酉，从女，《說文》所無。

央

卜辭地名：中（在嫱）合集二四三七九

合集三三二〇 合集一〇三九 合集三〇二三 或曰：象一人肩挑扁擔，以示頭在中央。

金文周中虢季子白盤作。

《說文》：「央，中央也，从大在冂之內，大人也」。

卜辭人名：（子央示二屯，岳）合集一一七一

示：整治，屯：量詞，岳：收到者名。三：（三：央疾）合集一三七二九

𦎫（郭 墉）

屯二二一 英一二三 合集二九八〇〇 前八一〇一 象城

垣有望亭形。直釋作𩫖，即後來之郭。古文郭、墉通用，墉之古文

作𦎫，篆作，與甲骨文同。郭、墉、鄘乃同源之字。

金文周晚毛公鼎作，春秋國差𦉜作。

《說文》：「𦎫，度也，民所度居也，从回，象城𦎫之重，兩亭相對也，或但从口。音韋 凡𦎫之屬皆从𦎫 古博切」。古博切音即郭。「墉，城垣也，从土，庸聲，，古文墉」。《玉篇》釋𦎫：「今作郭」。

卜辭人名：（令郭）懷一六五。田

（郭以眾田有戋）合集三八九七。□□□（郭無疾）合集一三七三一

城垣名：□□□□□（基方作郭）合集一三五一四 作用為作。郭

兮（或省作郭）為記時之詞：□□□□□（郭兮至昏不雨）

合集二九七九四 □□□□□□□（中日至郭兮啓）合集三○一九八

啓；晴天。□□□□□□（昃至郭不雨）合集二九七九三 昃：中午

以後，日頭西斜後一段時間。

京

□ 屯一○八 □ 屯一二四九 □ 合集八○七九 象建築物在高丘之上。

金文周早矢方彝作□，春秋莒公鬲作□。

《說文》：「京，人所為絕高丘也，从高省，丨象高形」。

卜辭地名：□□（于京）懷一六五。□□□□□□（王令墾田于京）人二三六三 □□□□□□□□□（呼婦姘宜于殸京）餘七．一 宜，祭名。□□□□□□（京受黍年）合集九九八。

亯

□ 英二五六一 □ 合集三七五九四 从亯，从京，《說文》所無。□象宗廟形，就字籀文作□，所从與亯同。

邵鐘銘文：
「余不敢為
喬(驕)」。

⿱羲京			⿱艹京		喬 (驕蹺蹻嶠)
金文商代子𩫖鼎作□，周晚師克𣪘作□。 卜辭人名：子□㞢□(子𩫖有疾)合集一三七三二 地名： □□□□□□(王田𩫖往來無災)英二五四七 田：狩獵。 □□□□□□(王𢓊𩫖往來無災)英二五五七 𢓊：巡 遊。	□ 前六、二、三 □ 粹四〇三 从義，从京，《說文》所無。 卜辭地名：□于□□□□□(俎于羲京，羌三人， 卯十牛)續一、五二、二 俎：祭名。羌：羌俘，祭牲。卯：用牲法。		□ 合集八〇六九 □ 人二三七三 从京，从木或从屮，義同。《說文》所無。 卜辭地名：□□□□□(在⿱艹京，今日雨)人二三七三		□ 鄴三四五三 □ 合集一一二四 从□企或止，凡在□、□京上，有舉足行 高之義。為喬、嶠、蹻、蹺、驕之初文。古文京字有高大義，所以在偏旁中京、高 通用。金文喬字从止在高上，止本足形，从止與从企同義。 春秋邵鐘作□，恆𣪘作□，喬君鉦作□，酓忎鼎作□。

《說文》：「喬，高而曲也，从夭，从高省。詩曰：南有喬木」。《字彙》釋崎：「與蹻同」。《說文》：「蹻，舉足行高也」。《正韻》釋蹻：「同蹺」。

卜辭地名：□□于□□（烄、燎于喬，雨）鄴三．四五．三　烄、燎均祭名。于□□□□□□□（于右邑喬有雨吉）合集五○一七四

某京

□合集七三五七　□合集八○四三　□合集四七二三　□鄴三．四五．三　□乙五三九　从京、从某多少無別。

卜辭地名：□□（在某京）合集八○四三　于□（于某京）合集四七二三

于□（在某京）合集三三三三五。
：：□（：：某京）合集八○五七
：：□（：：貞某京）合集八○五五

亯（享、亨、亰）

□京津一○四六　□鐵一五二．三　象宗廟形，直釋作亯，即後世之享。

金文周早盂鼎作□，周晚虢文公鼎作□。

古文享、亨、亰通用

《說文》：「亯，獻也，从高省，曰象進孰物形，孝經曰：祭則鬼亯之」，□，篆文亯」。

卜辭地名：□□□（星在亯）英七二九　□□□于□（王勿往于亯）合集四六三二　人名：□□□□（惟亯令）合集二六九九三

祭名，獻亯祖先：□□□（亯妣己）合集三二二二七　妣己：殷先王之

亯

配偶，妣為去世祖母輩之統稱，與後世指去世母親之義不同。

𩫏（敦）

佚八九。珠一七四 前二·四三·一 从亯，从羊。形義似是羊在宗廟之前以饗食祀祖宗，但卜辭中用作打伐之義，其用如敦。

金文周中不𡢁毁作，戰國陳侯午敦作。

《說文》：「𩫏，孰也，从亯，从羊，讀若純，一曰鬻也」。

卜辭疑作人名：……（……从敦）合集四九一二 地名：（王田敦無災）屯六六〇。田用作畋，狩獵。（敦受年）合集九七八二 打伐之義：（王族其敦人方）屯二〇六四 （王敦通，今十月受祐）屯四五一六 （依敦郭）合集七〇四七

亯亯

合集三〇四〇。合集三七六六二 从二亯，《說文》所無。

卜辭地名：王田（王田亯亯，往來無災）合集三七六六二 于（于亯亯彡、□）合集一五六九。象神龕側面，為

報字初文，囗、彭均祭名。

亯丙

□合集八一八一　□合集一八六三四　从亯，从丙，《說文》所無。

卜辭人名：□□□（呼亯丙取）合集八八四六　□□□□□□（令亯丙易□食，乃令西史）合集九五六。易用作錫賜，賞也。□□□□出田（令亯丙𠬝有田）合集九五七六　地名：三田□□□（三田亯丙，受年）合集九七八四　田用作畋，畋獵。

亯殳

□庫二　从亯，从𠬪，《說文》所無。

卜辭義不明：□□（勿□亯殳……）庫二

秝亯

□合集一八六三三　从秝，从亯，疑與□亯同，見三五頁亯字註。

㫗

□後下三六、二　□南坊四、二八三　象容酒器。與㫗父丁鼎之□同，音厚。

《說文》：「㫗，厚也，从反亯」。當是訛變後之形義。

卜辭文句殘損，義不明：……卜……□……（……卜……㫗……）後下三六、一一

㫗

厚

□合集三四一二四　象置酒器于山崖之下，示酒味之醇厚。

金文周中𤕤盤作□，周晚井人鐘作□。

厚

《說文》：「厚，山陵之厚也，从㫗，从厂。垕，古文厚从后、土」。

卜辭人名：□□□□□（王令厚示斧：）合集三四一二四

□：□□□□□：□：（辛：王令厚示斧：又：）合集三四一二三

⿱亯隹

□ 合集八〇七一 从亯，从隹，《說文》所無。

卜辭義不明：□（⿱亯隹）合集八〇七一

□

□ 合集二〇〇六 □ 合集三三〇八五 □ 合集一八五四六 疑為 □（亦作 □、□）吉之省文。

卜辭疑用作吉，吉利之義：□□□□□□□□（丙戌卜，㱿

貞，燎于王亥，□）合集二〇〇六 祭名：□□□□□□（王于來丁吉祖丁）屯一四

畐

卜辭畐、福同字，見一四頁福字註。

良

□ 乙三三三四 □ 乙二五一〇 □ 南南二·四 象穴居前後有道，示 □

良好之義。

金文周中格伯毀作 □，春秋季良父壺作 □。

《說文》：「良，善也，从畐省，亡聲。□，古文良。□ 亦文良。□，

亦古文良」。初文非形聲字，亦無畐之迹象。

卜辭人名：[glyph][glyph][glyph][glyph]（婦良有子）合集一三九三六 [glyph]
[glyph]（令良取荷）合集四九五四 地名：[glyph][glyph][glyph]（王步于良）
合集二四七二 良好：[glyph][glyph][glyph][glyph]（王良嘉）懷四九五

亩（廩）

[glyph] 英六七五 [glyph] 英一八二三 [glyph] 合集二七九七八 [glyph] 屯一八〇。象穀堆形。釋
亩，即後世之廩。音林。
《說文》：「亩，穀所振入，宗廟粢盛，倉黃亩而取之，故謂之亩。从
入，回，象屋形，中有戶牖。廩，亩或从广，从禾。」
卜辭人名：[glyph][glyph][glyph][glyph][glyph][glyph]（令王族比廩蜀甾
王事）懷七一 ：[glyph][glyph][glyph]（：往从廩）英六七五 糧倉也：[glyph][glyph]
[glyph][glyph]（惟並令省廩）屯五三九 省：省察、視察。[glyph][glyph]三（焚廩三）
合集五八四 焚：燃燒、焚燬。南廩為南方糧倉或藏糧之地：[glyph]
[glyph][glyph][glyph]（勿省在南廩）合集五七〇八 廩北指糧倉之北方：
[glyph][glyph]于[glyph][glyph]（呼耤于廩北）合集九五〇九 耤：耕作。

啚

[glyph] 英二五二五 [glyph] 合集七八七三 [glyph] 合集八九八九 从口，从亩，亩，口是人

之聚居之地，與□、□（郭）所从之口義同。□亩、廩是穀堆，即後世

（鄙）

之廩，也可釋作糧倉。啚之本義是有人有廩之所在。

金文周早康侯簋作□，周晚雍伯啚鼎作□，春秋齊侯鎛作□。

《說文》「啚，嗇也，从口、亩，亩，受也。□，古文啚如此」。

卜辭作邊鄙之地：「……東□□二□（……東鄙戋二邑）」合集六〇五七

□□□□（侵我西鄙）合集六〇五九　□□于□□□□□（中養于義，攸侯啚鄙）合集三二九八二　攸侯：攸地首領、長官。啚：協助、辦理。

亩口

□懷一六四〇。□合集二一七二七　□懷八九五　从亩、从口，直釋作亩口。或視與□啚為一字，但啚字之口作口，且均在亩下，亩口字之口作凵，又均在亩下，兩字用意亦不同。啚、亩口疑非一字。（參見上頁啚字註）

卜辭人名：□□□（亩口亡疾）合集一三七五七　亡用作無。□□□□（婦受子曰亩口）合集二一七二七　□□□（王令亩口）合集四八六九

地名：□□□□（亩口不其受年）合集九八一〇。□□□（亩口受年）同版

嗇 □ 人三一一九 □ 鐵二四二·三 □ 拾一二·二 □ 餘一六·一 □ 後下七·二 从𣏟來或

（穡） 从𣏟禾，从㐭或从田。來、禾乃麥、黍，㐭乃穀堆或倉㐭廩，从㐭示藏之倉㐭，从田示在田可斂也。古文嗇、穡一字。

金文周早沈子𣪕作□，周中𠑇匜作□，周中牆盤作□。

《說文》：「嗇，愛濇也，从來，从㐭，來者㐭而藏之，故田夫謂之嗇夫，□古文嗇从田」。釋穡：「穡，穀可收曰穡，从禾，嗇聲」。

卜辭人名：「□□（呼嗇）」合集四八七四 「□□（小臣嗇）」合集二七八八六

地名：「□出□（嗇有鹿）」合集八九三 「□□□□□（呼逐在嗇，鹿獲）」合集一〇九三五 同音假借作色：「□□□□□（庚子，彡三色雲）」合集一三三九九 彡：酒祭也。

牆 □ 合集三七八八八 从嗇，从爿，與牆盤銘文同。卜辭嗇、牆可通。

金文周中牆盤作□，周晚師寰𣪕作□。

《說文》：「牆，垣蔽也，从嗇，爿聲。□，古文从二禾，□，籀文亦从二來」。

《玉篇》釋徠：「古文來字」。

⿷匚嗇

卜辭人名。（惟小臣𤗽令呼从王受祐）合集二七八八八 （小臣𤗽从伐擒危美人二十人四）合集三六四八一 （小臣𤗽得）合集五六〇。小臣𤗽

來告（小臣嗇又來告）合集二七八八六

合集二〇七六八 合集二〇九八八 从嗇、从匚。《說文》所無。

卜辭人名。（令⿷匚嗇）合集二〇七六八 （⿷匚嗇弗疾）合集二一〇五〇

來（徠）

屯四二七 英三五三 合集三七五一七 、、象麥形，或从彳作動符。

金文周早康侯毁作，周中舀鼎作 周中長甶盉作。

《說文》：「來，周所受瑞麥來麰，一來二縫，象芒朿之形，天所來也，故為行來之來。詩曰：詒我來麰」。《詩周頌》：「貽我來牟」。詒同貽，麰通牟。

卜辭作來往之來：（王來）合集二四九 （來見王）合集一九四〇二 （無來禍）屯二〇五八 （王其田，往來無災）京四五三。將至：（來歲，大邑受禾）鄴三、三九五

貢納、（畫來二十）合集一四〇三 㞢（㞢來馬）合集九四五

地名、中（在來）合集二〇九〇七 田于（田于來）英二〇四一 田用作畋、狩獵。

來利 前二、一二、三 从來、从利、《說文》所無。……田徠……（……田徠……）合集三七五一七

卜辭地名、中（在來利貞）前二、一二、三

合集二〇〇七六 懷一四六〇 合集一〇〇三九 均象麥禾長穗之形。

卜辭用作來、㞢告（有告來豕、呼逐）合集一〇二三九

……（……其來……）合集二〇〇七六 疑用作麥、（耤麥）合集二八二〇〇

麥 屯二三九五 合集三六六一三 从來、麥禾形、从倒止、釋麥。

卜辭麥作穀類之麥、來作來往之來、為後世所本。

金文周早麥鼎作、周早麥盉作。

《說文》：「麥、芒穀、秋穜厚薶、故謂之麥、麥、金也、金王而生、火王而死、从來、有穗者、从夊」。穜即種、王同旺。

卜辭用作來、㞢（呼麥豕从北）合集六〇一六 地名、中（在麥）合集三六八〇九 王田于（王田于麥）合集二四四〇 田用作畋、畋獵。

麥

穀名，麥之本義：（食麥）合集二四四〇。出（允有告麥）合集九六二〇。允：果然。告麥：報告麥子成熟。

夊

乙二一一〇。後二·一八·四 象倒足形，即止，趾字倒刻。音吹。

《說文》：「夊，行遲曳夊夊，象人兩脛有所躧也」。

卜辭人名：入二（夊入二）丙一三 入：入貢。 疑作祭品，動物足掌，如今日言曰熊掌、鵝掌等趾掌之類：于㞢一（御石于安豭有十夊）乙六六六九。御用作禦，祭名。豭：公豬。

复

卜辭复用作復，見九六頁復字註。

夒

合集二四九六〇 屯五八二 懷一五七一 象猴子形。殷高祖名。

金文商代夒卣作，周晚毛公鼎作。

《說文》：「夒，貪獸也，一曰母猴，似人，从頁巳，止、夊其手足」。母猴非公母之母，當是沐猴、獮猴之轉音。

卜辭高祖名：（高祖夒，燎二十牛）屯四五二八

燎：祭名，求雨之祭。全句大意：向高祖夒進行燎祭，用了二十頭牛。

□屮□□（夒乇王）屯二三六九　乇：動詞，神鬼為祟。□□干□屮（拜年于夒）合集二八二五一　□屮□□（夒即宗）合集二八二〇七　即宗：降臨于宗廟。

夰

□合集一一〇一八　从夂、从大。《說文》所無。

卜辭人名：□□□□（令夰取大氏）合集一一〇一八

𢦏

□乙四五二　从夂、从戈。《說文》所無。

卜辭疑作祭名：屮□□□（屮歲羊𢦏）乙四五二　屮用作侑，祭名。

䕭

□卜六二一　从奠、从夂。《說文》所無。

卜辭祭名：□□□□（䕭先氏歲）卜六二一

𡕓

□合集一〇九三〇　从豆、从夂。《說文》所無。

卜辭祭名：□□干十□□（𡕓，翌于甲寅彡）合集五五五七　翌：次日或某日；彡：祭名。□□□（勿𡕓，彡）合集五五五七

𡕒

□合集二〇一三四　《說文》所無。

卜辭疑作祭名：□□□□（王呼�𡕒）合集二〇一九二

条 □ 合集三六五八七 从夂、从禾，《說文》所無。

卜辭地名：□□□□□□（王步于条，亡災）合集三六五八七

亡用作無。

夌 □ 合集二○一九六 □ 合集二七○○五 从王，从夂倒止，《說文》所無。

卜辭義不明：□□□□□□□□（甲戌卜扶，夌其啚卜尸）合集二○一九六 ：：□：：□□□：：□□

□□□□□（：：歲迺玖：：大丁勺伐王□又又）合集二七○○五 廾用作祈，勺用作礿，祈、歲、礿、伐均祭名，又又即有祐。

夆 □ 合集一○三七 从夂、从羊，《說文》所無。

卜辭疑牲畜名：□□□：：（貞，馬夆：：）合集一○三七

豙 □ 合集一四五○ 从夂、从豕，《說文》所無。

卜辭地名：：：□□□□□□□□□（：：吾方其至于豙

□□□□□于□□□(言)方其至乎象□)合集六三八

義不明。□□□□(貞,□□其條有禍)合集四一九四

畚

□土,亡敗)合集一四五。亡用作無。

□合集一九〇八六 □合集三六五〇七 从攵、从□禍,《說文》所無。

卜辭吉凶用語:□□□□□□□□□□□□□□□□(在師貞,今禍巫九畚,王于□侯缶師,王其在□□正)合集三六五二五 □□□九□□□□□□□田□(今禍巫九畚余其从多田□)合集三六五一一

条

□合二四 □合集三六八 □合集三五三三九 □合集四一九四 造形各異,或釋作条、條,權从之。

《說文》:「條,小枝也,从木,攸聲」。

卜辭疑地名:□□于□□(勿帝于条)合集三六八 帝用作禘,祭名。□□□□(□王往条)合集七九〇二

(條)

舞

□懷五七一 □合集二一四七三 □同版 □屯八二五 □合集三〇〇三〇。象一人執物而舞,即舞蹈跳舞之舞。小篆增舛以突出兩足,分作無舞二字。無作有無之無,舞作舞蹈之專字。卜辭舞爲祭名,乃求雨之祭。

舞或从雨，求雨而舞之義更顯。金文多不从舛，余義鐘从辵，義與舛近。

金文周早井侯毁作□，春秋秦公毁作□，春秋余義鐘作□。

《說文》：「舞，樂也，用足相背，从舛，無聲。□，古文舞从羽、亡」。

卜辭祭名，以舞求雨之祭：□□（我舞雨）合集一四二〇。□

□□□□（今日奏舞，有从雨）合集一二八二八 奏舞：一邊演奏音樂，一邊跳舞。从用作縱，縱雨即大暴雨。□□（舞岳，雨）合集三四二二四 □□（霝大雨）合集三〇〇三〇 □□□□（霝舞，盂田又雨）合集二八一八〇 又用作有。

□□（万舞）合集二八四六一 □（勿舞）合集九一七七 □□□□（勿奏舞，今夕）合集一六〇三七

官職名：□□（舞臣）乙二三七三

舞犴

□ 人一九三〇 从舞，从犴，《說文》所無。

卜辭疑作祭名：□□□□□□□（惟祖丁林舞犴用，又正）人一九三〇 又正用作祐征，或作有足，卜辭正、征足一字。

韋

卜辭韋、衛一字，見一〇五頁衛字註。

弟（第）

合集二二二五八　合集三一八一○　英二六七三　象弋上繞繩之形。繩索繞弋，次第分明，故作次第之第字，借音作兄弟之弟。

金文周早沈子毀作，春秋季良父壺作，與甲骨文全同。

卜辭作兄弟之弟：（弟曰啓）英二六七四

《說文》：「弟，韋束之次弟也。」

（庚子卜，多母弟暨酉帝廾）英二二七四

多母：諸多母輩之通稱。（惟有弟令司父，十一月）合集一九二○七

夆

合集三七五○七　从夊，丰聲。與金文、秦篆全同。

金文商代邙卣作，周中夆伯甗作，周晚夆叔匜作。

《說文》：「夆，相遮要害也，从夊，丰聲，南陽新野有夆亭」。

卜辭地名：（在夆）合集三七五○七

乘

英九二六　懷一六三七　屯一三五　象人在木頂，示升、登之義。

金文周中格伯毀作，周晚克鐘作，春秋匽公匜作。

《說文》：「椉，覆也，从入、桀，桀，黠也，軍法曰乘。，古文乘从几」。

卜辭人名：□□□（令望乘）合集一七二　□□□□
□（令戴王从望乘）英六七二　从：隨同。□□□□□中□（望乘
有保在啓）英一五五五

木

□ 合集三六七五。□ 屯一〇五。象樹木形，枝幹、根可見。
金文周早父丁爵作□，周中舀鼎作□。
《說文》：「木，冒也，冒地而生，東方之行，从屮，下象其根」。
卜辭人名：□□□（王令木）合集三三一九三　□□□（呼木射）
英五三〇。地名：□□□□（王在師木）合集二四二七一　□□（木雨）
屯二四九　祭名：□□□□□□（木于父丁，三十牛）南明六一九　□疑
為□燎之省。方國名：□□□□□（王令木方止）合集三三一九三

杏

□ 合集一七五二四　从木、从口，與《說文》小篆杏同。音恆。
《說文》：「杏，果也，从木，可省聲」。
卜辭人名：……□□……三□（…婦杏…三屯）合集一七五二四　屯：一對骨
版。全句應是：…婦杏示三屯。示：整治。

李

□ 英一〇一三 从木，从子，示木上結子，果也。即紫紅色味酸甜之李。

《說文》：「李，果也，从木，子聲，□，古文」。

卜辭人名：「□于□□□（李于宮，亡災）」英一〇一三 亡用作無。

杜

□ 七集六七 从木，土聲。本為甘棠，後用作杜塞。

金文周中師虎毀作□，周晚杜伯鬲作□。

《說文》：「杜，甘棠也，从木，土聲」。

卜辭一見，辭句殘損：「□（杜）」七集六七

椃（虓）

□ 前四四五、三 □ 先周用甲二三 □ 後上一〇、八 □ 合集八二〇三 □ 合集一八四六〇。从虎，从木或屮，卜辭木、屮可通。釋椃，同虓。音號。

金文商代宰椃角作□，周晚伯椃毀作□。

《說文》：「椃，木也，从木，號省聲」。

卜辭地名：「□□（在椃）」鄴三、四九、一三 「□□于□（王步于椃）」後上一〇、八

疑方國名：「□□□于□□（呼征取椃于養啚）」續五、七、九

「□□□□□（己卯卜，戠椃）」合集八二〇三 戠同剛刚，殺伐。

栁

□ 屯八八 从木，丣聲。釋柳。後世之留、劉等均从丣作聲。

金文周中柳鼎作□，周晚散盤作□。

《說文》：「栁，小楊也，从木，丣聲，丣，古文酉」。古文酉之說不確。

（柳）

卜辭地名：□□□□□□□□□（其于十月射柳麋，無災，擒）英二五六六 □□□□□（其敦：柳邑）合集三六五二六

敦：打伐。邑：城邑。

杞

□ 合集三六七五一 □ 合集二四四七三 从木或屮，己聲。卜辭从木、从屮無別，上下左右無別。杞伯㲃與甲骨文同，杞婦卣、秦篆則左右並列。

金文周中杞婦卣作□，春秋杞伯㲃作□。

《說文》：「杞，枸杞也，从木，己聲」。

卜辭地名：□□（在杞）合集三六七五一 □□□□□（壬其步自杞）合集二四四七三 步：步行。□□（杞侯）合集一三八九〇 杞地長官。

梌

□ 合集二八九三六 □ 英二五四八 □ 懷一四三三 □ 屯六〇七 从木，余聲。《說文》所無。與商卣同。直釋作梌，或釋作榆，可參。

金文商代切其卣作□。

榆（渝）

《廣韻》：「音徒，木名」。《類篇》：「楸也」。

卜辭地名：□□□□□□□（王田于榆，往來無災）英二五四七

田用作畋獵。人名：□□□□（从榆，無災）合集二〇九四五 从：隨同。

用作渝，動詞，變化也：「□□□□（小羽無榆）」合集三三七二 □□

□□□□□□（物見，其有榆，無匄）南明七六二 見用作現，匄：災

害。全句大意是：雲氣色彩出現，有變化，無災害。

柏

□□ 佚一九五 □□ 合集三一八〇 □□ 合集二九二五五 从木或从林，義同，白聲。

《說文》：「柏，鞠也，从木，白聲」。

卜辭地名：□□□（在柏）佚一九五 □□□□于□（王其

省杈于柏）合集二七七八一 □□□□□□□（惟柏省田無災）

合集二九二五五 田：田獵。

柏

樹

卜辭尌即樹，豎之初文，見二八〇頁封字註。

朱

□ 合集三九七四三 □ 後上一二八 从木、•珠聲，由于契刻不便，•或省作

□

一橫，古人重赤，故朱有赤義。或釋朱為珠、株之初文，可參。

金文周早吳方彝作，周中頌鼎作，周晚毛公鼎作。

《説文》：「朱，赤心木，松柏屬，从木，一在其中」。

卜辭地名：（在朱）合集三六七四三 （王田朱，往來無災）合集三七三六四 田用作畋，畋獵。

果

懷四三三 屯二六九一 象枝頭結果之形。

金文周中果毀作，春秋蔡公子果戈作。

《説文》：「果，木實，从木，象果形在之上」。

卜辭人名：（婦果）懷四三三 地名：（在果）屯二六九一

果然、結果之義：（貞，亘其果惟執）乙五三〇三

果斷之義：（乙酉卜，王果合）寧一、五〇六

枚

合集一九〇七八 屯二二〇 合集三三六九〇 从攴，从木或从屮義同。

金文周早父乙鼎作，周中枚家卣作。

《説文》：「枚，榦也，可為杖，从木，从攴。詩曰：施于條枚」。

卜辭作動詞，枚舟即撑舟或操舟：（复枚舟）合集三三六九〇。复同復。（弜比枚舟）合集二三五五五 弜用如勿，比：偕同。

杕

合集三三九六〇 从木，大聲。

金文戰國杕氏壺作。

《說文》：「杕，樹皃，从木，大聲。詩曰：有杕之社」。

卜辭罕見之句，義不明：于田（王杕于田）合集三三九五八

柴

卜辭柴，柴同字，見一七頁柴字註。

杲

合集二〇五九二 从日在木上。音高。

《說文》：「杲，明也，从日在木上」。《玉篇》：「高也」。

卜辭人名：（王令杲虫臣于兒，六月）佚一一 ……（……杲……侯……六月）合集二〇五九二

桷

佚四三〇。从木，角聲。

《說文》：「桷，榱也，椽方曰桷，从木，角聲，春秋傳曰：刻桓宮之桷」。

杗

前二·一九·五　乙一四八二　从木，亡聲。

卜辭地名：于（于杗）佚四三○。

《說文》：「杗，棟也，从木，亡聲，爾雅曰：杗廇謂之梁」。

卜辭疑作地名：……王……（……王步……杗……災）前二·一九·五

柵

後下二九·一三　乙三○二五　合集六六四七　象編豎木成柵之形。

《說文》：「柵，編樹木也，从木，从冊，冊亦聲」。樹用意如豎。

卜辭方國名：（柵方匄射，惟我禍，五月）合集六六四七　匄：災害。（柵方匄射，不惟我禍）同版

牀（爿）

屯二九四　象牀形，釋爿，古牀字。卜辭疾字作，象人有疾臥牀上。

《說文》：「牀，安身之坐者，从木，爿聲」。

卜辭地名：（在爿牧）屯二三二○　于（于爿）合集三二九八二

祭名：（爿母庚）合集二二二三八

茉

合集九七九二　懷六○　合集一三五八二　从从，从木，與《說文》

小篆近似，音華。

《説文》：「𠌶，兩刃臿也，从木丫，象形，宋魏曰：𠌶也，釫，或从金，从于」。

卜辭地名：（𠌶受年）合集九七九二 疑作祭名：

口（惟丁家𠌶）合集一三五八二 （貞，不其𠌶）合集六四〇五

……（…𠌶石，有从雨）合集九五五二 𠌶用作縱，本作放縱，引申作大、暴，縱雨即大暴雨。

柏（椎 槌）

合集二四三八九 合集一三三五九 从木，从白或隹作聲。為柏椎、槌初文。

《廣韻》：「與槌同」。《集韻》釋椎：「音追，通作槌，俗作柏」。

卜辭地名：王（王在柏）合集二四三八九 義不明：……

……………（…勿啟 放 其… 椎…椎…）合集一三一五九

櫑

古文櫑、罍、罍、鑘一字（見二九三頁罍字註）。

柄

乙七三七七 从木，丙聲。

柏 柄

《說文》：「柄，柯也，从木，丙聲。棅，或从秉」。

卜辭地名：于（于柄）乙七三七七

棊（棋）

合集八一八九 从木，其聲。即《說文》之棊，今作棋。

《說文》：「棊，博棊，从木，其聲」。

卜辭地名：（在棊）合集八一八九

臬

合集六三三三 从木，臬省聲。音孽。

《說文》：「臬，射準的也，从木，从自」。

卜辭人名：（往复从臬幸舌方）

合集六三三三 复同復。从：隨同。幸用作執。

樂

合集三六九〇五　英二五六五 象張絲絃于木，琴瑟之象也。音越。

金文周晚樂鼎作，周晚名樂父匜作。

《說文》：「樂，五聲八音總名，象鼓鞞木虡也」。

卜辭地名：于（今日步于樂）合集三六五〇一

（在樂）合集三三一五三

棊　臬　樂

櫟

合集三六七四六 从木，樂聲。音栗。

金文四年相邦戟作。

《說文》：「櫟，木也，从木，樂聲」。

卜辭地名：中（在櫟）合集三六七四六

校

合集二九一四九 从木，交聲。釋校，後世用作學校、校音教正，校對等。卜辭用義與今不同。古代「遮木以闌禽獸曰校」。

《說文》：「校，木囚也，从木，交聲」。

卜辭作動詞，疑有囚禁人畜之義：（其校，吉）合集二九一四九

采（採、彩）

屯四四三二 合集一二八一三 象以手採果之形。古采、採、彩一字。

金文周早趞卣作，周早趞尊作。

《說文》：「采，捋取也，从木，从爪」。《集韻》釋彩：「通作采」。

卜辭作紀時之詞，大采指日出之時，小采指日沒之時：大（大采，雨）合集一二八一〇 小（小采，雨）合集二一〇一三

㫺：□周探一三一 □周探一七二 □周探一八八 □周探一〇八 从人依木，或从日、㫺。从辭義分析，休、㫺（或釋指）一字也。

㫺同休，自不休為周人成語，猶今日自強不息之義：□□（自不㫺）周探三一 □□□（自不休）周探一七二

析

□ 合集二一八六四 □ 合集一四二九四 象以斤伐木之形。斤象曲柄斧。

金文周中格伯𣪘作□，戰國中山王鼎作□。

《說文》：「析，破木也，一曰折也，从木，从斤」。

卜辭地名：王𠂇□（王在析）合集二四三五九 于□（于析）合集二四二六三

東方專用名詞：□□□□□□（東方曰析，風曰劦）合集一四二九四 本義為破開，引申作分離、解開：□□□（令析舟）鄴三三九.三 大意是：命令解開纜舟之繩，準備放舟開船。

□

休（麻）

□ 合集三二九六一 □ 英三三四 象人依樹休息之形，引申作美、好、善之義。

金文周早令𣪘作□，周中靜𣪘作□，周中縣改𣪘作□。

《說文》：「休，息止也，从人依木。麻，休或从广」。

卜辭地名：王□（王往休）合集八一六〇 于□（于休）合集八一七〇。

美善之義：王□（王休）合集三二九六一 □□□（不□其休）英三五三 休息也：□□□（自不休）周探一一坑一.八

□

柜

□ 懷二五七 □ 合集一八四〇三 从木，臣聲，同柩。《說文》所無。

金文商代柜父乙壺作□。

柩

《韻會》：「柩，或作柜」。《廣韻》釋柩：「兩楹間」。

卜辭人名：□□丁二□□（婦柜示二屯岳）合集五五四五示：

整治。屯：量詞，一對骨版。岳：人名。大意是：婦柜整治二對骨

版，岳收到。字與相同（一般說：卜辭橫目□為目，豎目□為臣，但常有

目、臣不分之象，參見二〇一頁相字註）疑天象用語，□□□十□日

□□□……一□（王貞，翌甲辰日柜啓，允：十一月）合集九八一六……

□日□……（……柜日，今……）合集三八一五八

亲

□ 合集三〇七五七 从木，辛聲。果樹名。

金文周晚中伯壺作□，周晚中伯毁作□。

亲

《說文》：「亲，果實如小栗，从木，辛聲，春秋傳曰：女摯不過亲栗」。

卜辭動詞，採亲果也：□□□□□（狄貞，王其亲）合集三〇七五七

机

□ 合集一〇一九六 从木，凡聲，釋机。《說文》所無。

亲 □　机 □

《玉篇》：「音凡，木名，俗呼此木皮曰：水桴木」。
卜辭地名：……□□□□（……狩杋，允獲虎）合集一〇一九六
狩：打獵。允：果然。

杉
□ 合集八〇二七 □ 合集八一七二 从木，从彡，即《說文》之檆，省作杉。
為常綠喬木，高數丈，木理通直，為好建材。

（檆）
《正韻》釋杉：「音杉」。《說文》：「檆，木也，从木，煔聲」。
卜辭地名：于□（于杉）合集八一七二

杉

杞（耛耙梠耜）
□ 合集一七五二六 □ 合集一〇一七二 □ 合集二七九四 从□木或
从□林義同，巳為聲符。《說文》今本所無，唐寫本木部殘卷
有此字。典籍杞、耙、耜、梠、耟、梩、枱一字通用。
卜辭人名：□□丅十□□一乚□（婦杞示七屯又一乚
賓）合集一七五二五 示：整治。屯：量詞，一對骨版。乚：單位，片、件、
個之義。賓：人名。大意是：婦杞整治七對又一片骨版，賓收
到。……□□……（……婦杞……）合集二七九四

杞

周早禽毀作□，諫毀作□。《說文》：「□，酸果也，从木，从甘，闕。槑，古文某从口」。或釋：□、□為主，可參。

枂　□ 合集三三〇一五　□ 合集二〇一四三　□ 合集二〇一四五　从木、从月，《說文》所無。《集韻》：「音月，鞍瓦」。《類篇》：「木陰樠曰枂」。木皮曰樠。

卜辭地名：于□（于枂）合集三三〇一五

某（梅、槑）　□ 合集二四七三　□ 合集一五五八六　从口或口在木上，《說文》所無。疑即某之初文。□乃□之省文，□乃从木、□省聲之字。某梅、槑一字。

卜辭地名：田于□（田于某）合集二四五八　□（在某）合集一〇九五。□于□（今日往于某）合集八〇六三　□□（敦某）合集三三三　□ 為後世某、槑、梅所本。初文□同□等，演變作𣏰（見六四八頁𣏰字註）。

⿱果口　□ 合集一四六四一　从果、从口，《說文》所無。

卜辭義不明：……□……（……勿⿱果口……）合集一四六四一

⿰果丂　□ 合集三三一〇一　从果、从丂，《說文》所無。

卜辭地名：于□（于⿰果丂師）合集三三一〇一

楓　□ 合集一八四一六　从木、鳳聲，卜辭鳳、風一字，卜辭□□（今日不風 合集一三三四八）之□與□字所从之□同。可釋楓。

榜（檳）：□ 合集二〇四八二 从木、从旁，直釋作榜，即今檳字。《集韻》釋檳：「音賓，檳榔，木名」。檳同檳。卜辭義不明：□□□……（辛酉卜，王貞，余檳……）合集二〇四八二

《說文》：「楓，木也，厚葉弱枝，善搖，一名欇，从木，風聲」。

卜辭句殘，義不明：……□：（……楓……）合集一八四一六

槀

□ 懷八二四 从木、高聲。古文槁、槀一字。

《說文》：「槀，木枯也，从木，高聲」。《正字通》釋槁：「同槀」。

卜辭句殘，義不明：……□……（……槁……）懷八二四

櫖

□ 合集三七三六三 象鷹在草木之前，《說文》所無。

卜辭地名：田□□□□（田櫖，往來無災）合集三七三六三

田用作畋，打獵。

檀（檁）

□ 粹一二七六 从木、从亩，疑即後來《集韻》之檁，音稟，屋上橫木。

卜辭地名：□□□□□（惟檁彔先擒）粹一二七六

柁（舵）

□ 人二九七九 从木、它聲，《說文》所無。

《玉篇》：「正船木也，設于船尾，與舵同，一作柂」。

卜辭柁同它，柁示即它示，指旁系先王：酒□□一□□□□一□□□□

干一□□干一□（彭自上甲一牛，至于癸一牛，自大乙九示一宰，柁示一牛）人二九七九 彭祭名。

東

菁四·一 明藏七三二 燕八八 象兩端無底以繩束之之橐形，借作東西之東。或視東、橐一字，可信。

金文周早保卣作，周晚散盤作。

《說文》六：「東，動也，从木，官溥說：从日在木中」，非初義。

卜辭地名：（涉于東兆）合集八三四六 神祇名：（㞢于東母）合集一四七六一 㞢用作侑，祭名。……（……帝東巫）合集五六六二

帝用作禘，祭名。（燎于東）屯三八四一 燎：祭名，焚柴祈雨之祭。

方位名：（東土受年）合集三六九七五 ……（令収東土人）合集七三〇八 収為𤼷省文，徵召之義。（東方）屯一一二六 東寢，宮名，住處也：（今二月，宅東寢）合集一三五六九 于（于東寢）合集三四〇六七 東室，祭祀之處，為宗廟中祭祀之室：……（……東室……）合集一三五五六 東單，臺名：（惟東單用）合集二八一一五 東室、東單之東均方位名。

棘

合集六九四二 从二東。音遭。疑同𣠮曹（見二七二頁曹字註）。

金文周早父癸爵作棘。

《說文》：「棘，二東，曹从此，闕」。《字彙補》：「音遭」。

卜辭方國名：貞婦井棘叀井（貞，𢦏伐棘，其𢦏）合集六九四二

林

林 合集三一〇三三 林 英二五六 从二木，孤樹不成林，會意字。

金文周中衛鼎乙作林，周晚卓林父𣪕作林。

《說文》：「林，平土有叢木曰林，从二木」。

卜辭人名：叀林令（惟林令）人三九八 地名：于林夕彡（于林夕彡）合集三四五四四 彡：祭名。乎取女于林（呼取女于林）合集九四七一 方國名：王𢦏林才（王𢦏林方）合集三六九六八 𢦏同𢦏，動詞，打伐。

無

卜辭亡用為無，見八六七頁亡字註。

楚

楚 合集三二九八六 楚 合集二九九八四 楚 合集三四二二〇 楚 合集三一一三九 从林从足（正），或从林。

从正，卜辭木、屮無別，多少無別。

金文周早令鼎作楚，春秋邻王義楚耑作楚。

《說文》：「楚，叢木，一名荊也，从林，疋聲」。疋乃正之訛變。

林 楚

卜辭地名：于[illegible]（于楚又雨）合集二九九八四 [illegible]于[illegible]（剛于楚）合集三一一三九 剛，祭名。[illegible]于[illegible]（岳于楚）合集三四二二〇。

[illegible] 合集三〇二六八 [illegible] 甲三五七 [illegible] 合集二九四〇九 [illegible]、懷一三八四 从林或从艸，義同。鹿、彔為聲符，或以彔為麓。

金文周中麓伯毁作[illegible]。

麓

《說文》：「麓，守山林吏也，从林，鹿聲，一曰林屬，於山為麓，春秋傳曰：沙麓崩。[illegible]，古文从彔」。古文與甲骨文、金文同。《玉篇》釋禁：「古文麓字」。

（禁）

卜辭山麓：[illegible]（北麓，擒）合集二九四〇九 [illegible]于[illegible]（今日至于中麓）屯二五二九 王田于[illegible]（王田于雞麓）懷一九一五 田用作畋，打獵。[illegible]（王其宛麓，禽弗悔）合集三〇二六八

森

[illegible] 合集一三三三三 [illegible] 英一二八八 三木作森，林之森，會意字。

《說文》：「森，木多皃，从林，从木，讀若曾參之參」。

卜辭中罕見，義不明：[illegible]于[illegible]八[illegible]八[illegible]……（三出日于森，王戠于之，八犬，八豕……）英一三八八 三[illegible]（三牢森）後下三三

蔍　森

⿲木必木（柲鉍）　⿱林廾　⿲木交木　⿸庚林

⿲木必木 □ 屯二一七。从林、从必，上弋為弋射之弋，旁之小點是弋之省。可

釋⿲木必木，即《說文》之柲。同鉍，古代兵器之柄把也。

《說文》：「柲，欑也，从木，必聲」。《廣韻》：「戟柄」。《周禮冬

官考工記》：「戈柲，六尺有六寸」。《正韻》：「或作鉍」。《廣韻》釋鉍：

「同柲」。《玉篇》釋鉍：「矛柄也」。

卜辭地名：于□□□（于⿱林廾柲擒）屯二一七。

⿱林廾 □ 屯二一七。象兩手執辛于林中，《說文》所無。

卜辭地名：于□□□（于⿱林廾柲擒）屯二一七。

⿲木交木 □ 乙四一五七　从林、从交，《說文》所無。應為从林交聲之字，疑與

□ 校同。（參見三四二頁校字註）

卜辭地名：□□于□（呼豕往于⿲木交木）乙四五一七

⿸庚林 □ 續六、一七　从庚、从林，《說文》所無。

卜辭地名：□□□□□□□（王卜貞，旬無禍，在

⿸庚林）續六、一、七

柲

⿲木大木

⿲木大木 合集六九四六 从林从大，《說文》所無。應為从林、大聲之字。疑與杕一字。（見三三八頁杕字註）

卜辭地名：乎雀㞢于⿲木大木（呼雀往于⿲木大木）合集六九四六

⿲木乃木

⿲木乃木 合集五四二六 从林，从乃，《說文》所無。疑與艿一字。（參見三五頁艿字註）

卜辭地名：令㞢⿲木乃木（令往⿲木乃木）合集八一八二

⿱林人

卜辭⿱林人 ⿱林人即《集韻》之⿱宀林。（見三五二頁⿱宀林字註）

埜

卜辭⿲木土木 埜即《說文》之野。（見九〇六頁野字註）

⿱林口

⿱林口 合集一八二一九 ⿱林口 合集二三六八。从林，从口，直釋作⿱林口，《說文》所無。應是从口，婪省聲之字。古文⿱林口、啉一字。（應在口部）

（啉）

《集韻》釋啉：「飲畢曰啉」，又「貪也」。《廣韻》釋啉：「亦書作⿱林口」。《集韻》：「音婪」。

卜辭疑作人名：⿰矢貞⿱林口㞢曰王⺀（矢貞，⿱林口之曰：王⺀）合集二三六八。王⿱林口⿰允來即⿰（王⿱林口允來即⿰）合集四三一八

棥

□ 合集三六八 从林、从厶，《說文》所無。

卜辭地名：□□（呼□往于□）合集三六八 呼：命令。

□（从巳从林）

□ 合集七九〇六 从巳、从林，《說文》所無。疑同□（見四〇頁芭字註）

卜辭義不明：……□□□：（：□惟□：）合集七九〇六

才（在）

□ 懷一八九四 □ 屯一七九 □ 屯二六九一 □ 乙三四三一 象□在地下才出地上之形。卜辭中才、在一字。

金文周早盂鼎作□，周中舀鼎作□，周晚散盤作□。

《說文》：「才，艸木之初也，从丨上貫一，將生枝葉，一，地也。」

卜辭用作在：□□□（在十月）英二五〇八 □□□（王在夾卜）合集二四二四三 □□□王□□□（在樂貞，王旬無禍）合集三六九〇四

用作才，連詞，表示因果：□□□□□□□□□□□□□□□（甲子卜，賓貞，□酒才疾，不从王古）甲二一二一 □：人名。酒：動詞，飲酒。从：隨从。古用作故，辦事。大意是：□唱了酒才有疾病，所以不能隨从商王辦事。假作□□，當是省文：

田于之的之字亦可作指示代詞。

□□□□屮（王其狩，無戈）屯一一二八 戈用如災。

桑

□合集二九三六二 □合集六九五九 象桑樹形。

《說文》：「桑，蠶所食葉木，从叒、木」。

卜辭地名：□□（在桑貞）合集三七五六二 ……田□

□□（……田桑，往來無災）合集三七四九四 田用作畋，畋獵。方國名：□□□□（呼雀𦎫桑）合集六九五九 𦎫用作敦，打伐。

之

□ 英七七五 □ 英九二 从止，从一，止是人足，一是地，會往前之意。

金文善夫克鼎作□，秦公毀作□，鄦子匠作□。

《說文》：「之，出也，象艸，過屮，枝莖益大有所之，一者地也」。

卜辭地名：田于□□□（田于之，擒）甲一六三 田用作畋，畋獵。 指示代詞，用如彼、那一之義：□□□□□□□□□（翌壬戌不雨，之日夕雨）合集一二九七三 翌：第二天或某一天。 作助詞，猶如今日之的：屮一□□

□□□□（在一月之乙酉，彡于祖乙）英二〇四一 彡：祭名。

□ □

逃避也。三 □□□□ □□□□ □□□□ □□□□（三）庚豹逃，余不爾其合氏乃使歸）合集三二九八 免除。逃免也。□ 于□十□ □□□（貞，于羌甲禦，克逃疾）合集六四一

幸（坴 逃）

□ 合集五六八 □ 合集五九二五 □ 合集一三一 □ 合集六三三 □ 合集八五五 从□止从□

幸、梏、鋯或从□土作聲。□、□為形聲兼會意，□、□則為形聲字。□即睪、罪，音告，所从之聲符幸，□本足形，卜辭偏旁中□止 彳彳□辵、辵通用。所舉五形直釋作坴或坴，从形義和辭例分析，當是逃字。或釋䞿，可參。

《說文》：「逃，亡也，从辵，兆聲」。

卜辭作逃亡本義：□□□□（貞，逃羌得）合集五一〇 □□□□ □□□□（貞，逃羌不其得）合集五〇五 □□□□（貞，逃隸見）合集五六八 指逃亡者：□□□□□□□（州臣有逃自寬得）合集八四九 州臣：受殷人奴役之州地人。□□□□□□（貞，逃自林圍得）英五四四 ……□□□□□□□□（三）龜、□、逃自交羍六人）合集一三九 □□（刖逃）合集八六一 刖：去足之刑。□□（羍逃）合集八四八 羍：執省文。

帀

□ 英三三七 □ 甲七五二 象倒□形，釋帀，古文同師，與匝通。

周晚師寰毀作□，春秋蔡大師鼎作□。

□

《說文》：「帀，周也。从反之而帀也」。《韻會》：「通作匝」。《前漢高祖紀》：「圍宛城三匝」。从反之說非初文之義。

（匝）

卜辭句殘，義不明：……三（戊午卜，賓貞，惟永帀三）英三三七

師

英二五二八　懷四四三　周甲探四六　商代師旅之師作𠂤，西周甲骨文始發現作師，帀周金𠂤、師皆作師。《說文》分作兩個不同之字。

金文周早令鼎作，周晚毛公鼎作，周晚師寰毀作帀、師。

《說文》：「師，二千五百人為師，从帀，从𠂤。𠂤四帀，眾意也」。

卜辭人名：（呼見師般）合集四二二一　（令師般）合集二五三七

泛指師旅、部隊：（師獲羌）合集一七八　（今夕師不震）英二五二八　震：震驚。（今夕師無禍，寧）英二五二七　寧：安寧。

師旅建制：（王作三師右中左）合集三三〇〇六

地名：（在師喜卜）合集二四二三八

出

合集六〇九三　甲二四一　合集二九〇七六　象人足出自坎口，或从行作動符。

金文周中頌壺作，周晚毛公鼎作。

《說文》：「出，進也，象屮木益滋上出，達也」。非本義。

卜辭貞人名：（出貞）遺三四九 出現：（王其雚日出）屯二二三二 雚：同觀。出去：（王出）合集六六四七 出來：（舌方出）合集六〇九三 派出：（勿出兵）合集七二〇五 升起：（又出日、入日）懷一五六九 又用作侑，祭名。

索

合集三四五八〇 懷一五七七 合集三二一五。 合集三七一三三 英二四〇二 象雙手或單手執繩形。即繩索，求索之索。

金文商代索角作。

《說文》：「索，艸木有莖葉可作繩索，从米糸，杜林說：米亦朱木字」。

卜辭祭名，索求鬼神也：（來丁未，索于祖乙）合集三二五五。（于丁卯索）懷一五七七（丁巳其索）合集三二八〇四 搜索，討伐之義：「（惟舌方索伐戋）續三、七、九

1

纆（纆、纆）

□ 合集二八一七一 从□（索）从□（黑）。卜辭□、□（索）、□、□絲分別不嚴，如給字作□亦作□、□紟等，給、紟、紟均从今聲，實為同源一字。據此，可釋□為纆、纆之初文。　纆

《說文》：「纆，索也，从糸，黑聲」，「索也」之訓恰與卜辭所从之索相吻合。《類篇》：「或从墨作纆」。《博雅》釋纆：「繩索也」。《字林》：「三合繩」。《正韻》：「音墨」。《說文》：「三股曰徽，兩股曰纆」。

卜辭地名：于□（于纆纆）合集二八一七一

南

□ 合集一七七 □ 合集三三〇八六 卜辭□𣪊、殸字，象以鐘擊鐘，□所从之□即方位之南。南本倒懸之鐘也。　□

金文周早盂鼎作□，春秋射南匜作□，春秋南疆鉦作□。

《說文》：「南，艸木至南方有枝任也，从宋，羊聲」。非本義。

卜辭方位名：□□（南門）屯三一八七 □□（南方）屯一一二六 □□（南

卜辭豰或省作□，即□，祭牲也。《說文》釋豰為小豚。二南即二豰也。

室）合集八〇六 室，宗廟中祭祀之室。 地名：□□□（在南奠）合集七八八五 于□□（于南單）屯四三六二 于□□（于南洮）合集九五一八 □□□□□□（合省在南㐭）合集九六三七 于□□（于南宣）掇一·四五九 南方神祇名：□于□（御于南）合集一四三三一 御用作禦，祭名。 □于□（燎于南）合集一五五九一 燎，燎木求雨之祭。 □于□（𢦔于南）合集一四三九五 𢦔：祭名。 南庚為商代旁系先王：□于□□（㞢于南庚）合集一七二七 㞢用作侑，祭名。 □□□□（南庚𣥚王）合集一八二三 𣥚：神鬼為祟。 南用作豰，幼小牲畜，即小豚：□于□□□□□（燎于王亥，五牛，新豰）英一一七五 □二□（燎二豰）英一二五八 □于□□□□□□□（燎于東西㞢伐卯南、黄牛）合集一四三一五 □字所从之小點為小，小牛之義，或曰指水牛，可參。

生

□合集五一六一 □英二四一四 □粹二三一 象屮生地上或土上。

金文周早臣辰卣作□，周中趞曹鼎作□，周晚師嫠毁作□。

《說文》：「生，進也，象艸木生出土上」。

卜辭人名：□□□（令生）英二四一四 活着的，活鮮也：□□□□（呼

□

丰（封）

取生雞）合集一一六　雞〻小雞。　（生豕）合集一五〇六八　（生

鹿）合集一〇二七〇。生育〻　（拜生于高妣）屯一〇八九

（婦好㞢受生）合集一三九二五　㞢用作有。生月即來月〻

（生十二月不其雨）英一〇二　（生月雨）屯二七七二　祭名〻

（王其生鑑）合集三一一二七　生鑑〻取活祭牲之血進行祭祀，即血祭。

（祖乙其生㪔）合集三一五四五　生㪔〻疑用活禽祭祀。

屯二九六四　合集二〇五七六　合集三三二八七　象封土成堆，植樹其上

作為經界，示封疆之義。與金文同，與《說文》封之古文近似。丰、封為

古今字。

金文周早康侯丰鼎作　。

《說文》〻「丰，艸盛，丯丯也，从生，上下達也」。《說文》〻「封，爵諸侯之土

也，从之，从土，从寸，守其制度也，公侯百里，伯七十里，子男五十里。　，古文

封省，　，籀文从丯」。

卜辭人名〻　〻　〻（〻王易宰丰寢〻〻）佚五一八

易用作賜，償賜。方國名：□□□□□（王其𦎫羊方）存二三七九

𦎫用作敦，打伐，追擊之義。□三□□于□口（執三羊伯于父丁）合集三二八七

執：動詞，捉捕之義。□□三□□（余正三羊方）合集三六五三〇。正用作征。

地名：□□□（在羊卜）佚二七一

毛

□ 乇九〇 □ 乇四二九五 □ 鄴三下四六五 □ 寧一一九五 □ 象一種刀具，即□宅字所从之聲符乇。由于乇多用作祭祀字，故或从口从示。後來乇字繁作形聲字，即今日磔猪、磔羊之磔砫也。

《說文》：「乇，艸葉也，从垂穗，上貫一，下有根，象形」。全非本義。

文 □

磔（砫）

卜辭乇同磔，用牲法，割裂祭牲也：□二□（乇二牛）乇二〇〇 □□獻裂牲謂之磔，省作砫。

□□（乇羊百、犬百）乇九一七 □□□□□一□（其告乇于父丁，一牛）鄴三下四六五 告：祭名，上告于神靈。□二□（祏二宰）甲一五九六 二宰指二頭圈養的、專供祭祀用牛。 □□一□□□（乇十人又五）京都一八八七

垂

□ 合集五〇五 □ 合集七一六 □ 合集八一八 象果木低垂倒掛之形。

文 □

（陲乑）

卜辭中及及垂連用者多見，及象被抓捕之人，祭祀時常用作人牲，應是降服之服字初文。據此，垂應為會意字，即垂頭聽命的人，即人牲也，其地位與牛羊同。垂即《說文》之𡍮（垂），垂變作乑，則訛變作土。垂或去果作垂，即《說文》之乑。乑、垂實一字也。

《說文》："垂，遠邊也，从土，乑聲。"今日邊垂之垂作陲。《說文》："乑，艸木華葉乑，象形。"華（花）葉垂之說至確。《康熙字典》垂字古文作乑。

卜辭地名：三周取巫于垂（三周取巫于垂）合集八一二五　垂侯（垂侯）屯七八一：侯地方首領。乎取垂臣（呼取垂臣）合集九三八　呼：命令。

祭祀用人牲：壬辰卜殼貞乎子賓御㞢母于父乙𠀠宰冊及三垂五宰（壬辰卜，殼貞，呼子賓御㞢母于父乙，𠀠宰，冊及，三垂，五宰）合集九二四　呼：命令。賓：親自參加。御用作禦，祭名。㞢用作侑，祭名。𠀠同𠨙、𠜱、劉，音琢，砍削之義，用牲法；冊用作刪，刊，砍也，用牲法，宰：宰養之羊，專供祭祀用。全句大意是：命令子親自參加對母與父乙所進行的禦祭侑祭，殺了及、三個垂、五頭圈養之羊。㞢于匕己及垂（侑于妣己，及、垂）合集九〇四

華（𠌶、夸、花）

《詩小雅》：「彼爾維何，維常之華」。註曰：「爾，華盛貌」。卜辭華爾連用，其義可知。《左傳》：「中國有禮儀之大故稱夏，有服章之美故稱華」。

㞢于匕十垂及卯宰（侑于妣甲、垂、及、卯宰）合集七八七

卯，對剖，用牲法；宰，圈養的，專供祭祀用羊。貞[?]于高匕己㞢[?]冊三及卯宰（貞，燎于高妣己有豰，冊三及、垂，卯宰）合集七一〇。燎用作祿，祭名；豰，小豕，省作南、冂；冊用作刪，砍也，用牲法。

㞢羊冊及垂（㞢羊，冊及、垂）合集七一六

貞迎御匕庚冊五垂（貞，迎御妣庚，冊五垂）合集七七三 迎、御，御均祭名；冊同冊，用作刪，砍也，用牲法。

華 合集一〇五八 華 合集七三一 華 合集三一二一 象一株盛開之華（花）形，或从口、口、日、口為華壇或盆，壇、盆有無皆華也。即《說文》之𠌶，𠌶或𦻏，華字，華、𠌶、夸、花為同源之字也。

周中命簋作華，周晚克鼎作華，春秋邾公華鐘作華。

《說文》：「𠌶，艸木華」。《說文》：「華，榮也」。

卜辭人名：貞子華不死（貞，子華不死）合集一七〇七一 ……[?]子華……（三呼子華三）合集三一二一

華爾為華盛之義：丙寅卜……華爾……（丙寅卜：華爾）合集一〇五八

巢：□周探一〇與周早班毀□巢字同。《說文》：「□鳥在木上曰巢，在穴曰窠，从木，象形」。卜辭方國名：伐□（征巢）周探二。

束

□合集二二〇四四 □甲四三〇 □合集二七八一、□合集三〇四五四 □合集二七六〇二

从木，从○，象以繩索束木形，或从又，又象手，以手束木，義同。

金文周早盂鼎作□，周中大毀作□，周晚召伯毀作□。

《說文》：「束，縛也，从口木」。

卜辭作束之本義，縛也：□□□□（辛亥卜，束羊）合集二〇四四

祭名：□□□□□□（癸酉卜，其束三示）遺四〇二

示：神祖牌位也；三示指三位先王。□□□□□（其叔妣庚在白）合集二七五二九

白：地名。□□□□□（其叔二山又大雨）合集三〇四五四

二山疑□岳之殘文，岳乃司雨之神。又用作有。

□

（敕）

□□□□（其敕岳又雨）合集三〇四一五

刺

□合集二七八八四 从束从刀，刀、刂，□與□束有別，但寧鼎之□

刺字與卜辭之□全同，又父毀束字亦作□，釋刺無誤。

金文周中師大王父鼎作□，春秋秦公毀作□，寧鼎作□。

《說文》：「刺，戾也，从束，从刀，刀者刺也」。

□

朿口

卜辭人名：小臣刺（小臣刺）合集二七八八四 小臣：官職名。

□ 粹一一三。从朿，从口，疑為嗽之初文，《說文》所無。《集韻》釋嗽：「本作欶，或作嗽、喇」。

卜辭疑作人名：□（王固曰：其有來艱，乞來）粹一一三。

橐

卜辭橐、東一字。（見三四八頁東字註）

囿

□ 合集九四九一 □ 合集九四八八 象垣內有草木之形，示苑囿之義。

金文春秋秦公毀作□。春秋石鼓文作□，《說文》籀文作□。

《說文》：「囿，苑有垣也，从囗，有聲，一曰禽獸曰囿，□，籀文囿」。

卜辭人名：□（呼囿惟之）合集九四八九 呼：命令。

地名：□（乙未卜，貞，黍在龍囿夌受㞢年）合集九五五二 㞢用作有。

苑囿：□（王往囿）合集九四九九。

因

□ 合集二一三七四 □ 乙一〇八二 象人就臥于茵席之上。

金文陳侯因資敦作[glyph]，中山王譽壺作[glyph]，𠧧鼎作[glyph]。

《說文》：「因，就也，从口、从大」。

卜辭義不明：[glyph][glyph][glyph][glyph]（今、翌啓，因）合集二五七九　翌：第二天，明天；啓同啓，晴。[glyph][glyph][glyph][glyph]：：（今保考因）屯一〇八二　[glyph][glyph]（哉不因）合集二七八二　哉同食蝕，啓因、哉不因之因疑為陰之借音字。

囡（囡、囝、妞）

[glyph] 存四四九 [glyph] 合集三三九三　从女在口中，當是會義字，或从又作聲。典籍囡、囡、囝同字，古音聶，今音南，今上海一帶呼小女孩曰小囡。閩浙一帶呼小男孩曰小囝（音宰）。疑即後來之妞字，中原呼女孩為小妞。《說文》：「囡，下取物縮藏之，从口、从又，讀若聶」。《集韻》釋囝：「與囡同」。《集韻》釋囝：「與囡同」。

卜辭疑作人牲，幼小女子也：：：[glyph]：：（：：省囡：：）存四四九　省，祭名，古代四時有祭，所謂夏礿、秋嘗、冬烝，春社，秋省是也（見《禮明堂位》）。

𡆸

[glyph][glyph]卜[glyph]中[glyph][glyph][glyph][glyph]：：：（癸未卜，因在我用，惟祖乙：：：）合集二二一七三

[glyph] 合集一八六四四　疑為[glyph]因之異文。

卜辭義不明：「……曰⿴囗㐅……」（「曰⿴囗㐅」）合集一八六四四

⿴囗中

⿴囗中 合集二〇一三五 象盾形，與重捍字所从之⿴囗中形同。

卜辭義不明：「……[glyph]……⿴囗中……」（「……扶……⿴囗中……」）合集二〇一三五

圍

[glyph] 合集三三九八 从[glyph]，从[glyph]，[glyph]象雙足在口內，示被圍困不得出也，口外之[glyph]，足指向口，示為圍人之人也。結合卜辭文句分析，拙意當作圍字初文。鼎文作[glyph]，壺文作[glyph]。

金文春秋庚壺作[glyph]。

《說文》：「圍，守也，从口，韋聲」。《春秋提要註》：「環其城邑曰圍」。釋的確切。

卜辭用作圍，包圍也：「于[glyph][glyph][glyph]」（于旟游、游圍擒）

合集三三三九九 [glyph][glyph][glyph][glyph][glyph]（惟今日辛，圍擒）合集三三三九八

于[glyph]日壬[glyph][glyph]（于翌日壬圍擒）同版 翌日，次日或某一日。

困

⿴囗木 合集三四二三五 [glyph] 屯八八五 象木在口中，會意字。卜辭[glyph]（桒）與

困之古文[glyph]近似，或為困之異體（見七四頁桒字註）。

[glyph]

⿴囗木

《說文》：「困，故廬也，从木在口中。古文困」。卜辭祭名：（弜困大庚）屯八八五　弜用如勿，否定詞。大庚：殷直系先王，史稱太庚。于（其困于上甲雨）合集三四二三五　困或作，為上甲之專用字，為殷直系先王。

圂

合集八五一　合集一二七五　象豕在口中，亦豢養之義。為圂，豢之初文。

金文囿中癲鐘作，周晚毛公鼎作。音混。

《說文》：「圂，廁也，从口，象豕在口中也，會意」。家養之豕，至今我國農村中仍有圂養在廁的。《集韻》釋圂：「與豢同」。

（豢）

卜辭作豬圈：于（呼作圂于專）合集一一三七四　于（勿作圂于專）同版　地名：于（貞于圂）合集一一一七六

圉

英五四〇　合集五九七六　京一四〇二　文六三一　繁文象雙手戴銬于獄中，或口中只有一銬，省文也。《說文》在幸部。古文與圄通，

（圄）

圄圉監獄也。音語。

林圉應為地名。

⿴囗隹 （⿴囗鳥 囮）

金文周中㽙盤作□。圉甗作□。《說文》：「圉，囹圄，所以拘罪人，从㚔，从囗，一曰：圉，垂也，一曰：圉人，掌馬者」。垂在卜辭中常㞋(服)垂連用，㞋、垂皆為祭祀用之人牲也。

卜辭作□□，監獄也：□□□□□（壬辰卜貞，執于圉）合集五九七三 執于圉：捕捉後戴銬投入監獄也。……□（……六圉）合集二二三三三 動詞，監禁之義：……□□□（……其亡圉）合集三六四一九 亡用作無。□二□（圉二人）京一四〇二 □□□□（旁方其圉）文六三一 □□□□□（自林圉得）英五四〇。□□（圉羌）合集五二二 □□（圉戉）續五、三六、六

□合集一九二二五 □合集六六五三 象隹在囗中，隹為禽類泛形，泛稱。⿴囗隹字《說文》所無，應與从鳥之⿴囗鳥同，即囮字初文。《說文》：「囮，譯也，从囗化，率鳥者，繫生鳥以來之，名曰囮，讀若譌，圝，囮或从繇」。《說文先訓》釋⿴囗鳥：「與囮同」。

卜辭人名：□□□□……（惟⿴囗隹令……）合集六六五三

囚 英一一五 囚 合集六九四三 囚 英二三五一 囚 合集一七一七三 囚 屯二七七三

）

[甲骨文] 屯四五一四 繁文象人在墓穴之中，爿為聲符，卢為朽骨，小點則為封埋之土。當釋葬。死葬是人之大事，所以異體字較多，卜辭福字造形有一百多種，就是這個道理。[甲骨文] 㸤為葬之省文，與金文全同。《説文》葬在茻部。

金文中山王譻昔兆域圖葬字作 [金文] 从卢，爿聲（見金文編卷一第四一頁）

葬

《説文》：「葬，藏也，从死在茻中，一其中，所以薦之，易曰：古之葬者厚，衣之以薪」。當是以小篆論形義，全非初文之義。

卜辭作葬之本義，葬埋也：「㞢囚[甲骨文][甲骨文]（乎囚垂侯）合集六九四三 乎用作呼，命令。垂：地名；侯：伯侯之侯，地方首領。

「[甲骨文]㞢囚[甲骨文][甲骨文]（勿呼囚垂侯）同版 干[甲骨文]囚（于孟囚）英三六六 [甲骨文][甲骨文]囚[甲骨文]于㞢[甲骨文][甲骨文][甲骨文][甲骨文]囚（令[甲骨文]囚我于㞢師，骨告不死）合集一七一六八 [甲骨文]：象爬蟲類，人名；㞢

用作有，有師，地名；骨告：卜骨徵兆告訴人。[甲骨字][甲骨字][甲骨字]

廾（王惟吴令囚我）合集三三八二九 [甲骨字]或作[甲骨字]。[甲骨字][甲骨字]

[甲骨字][甲骨字][甲骨字]囚廾（王惟令[甲骨字]囚我）屯二二七三

囮 [甲骨字] 合集二二四三八 从足在口中，會意字，《說文》所無。疑同[甲骨字]（囮）。

卜辭句殘，義不明：[甲骨字][甲骨字]卜[甲骨字]……[甲骨字]……（癸酉卜，延……囮……）合集二二四三八

圁 [甲骨字] 合集七〇二〇 象臣在口中，似為會意字。《說文》所無。

《字彙補》：「音真，宋時取士編號之字也」。《名臣奏議》：「司馬光論圁、毡兩號，所對策辭理俱高」。

卜辭方國名：[甲骨字][甲骨字]（伐圁）合集七〇二〇

圓 卜辭圓即後世之員，圓、員同源一字。（見三七二頁員字註）

⿴囗甲 [甲骨字] 合集一二〇 上甲之專用字，口為盛神主器；十即干支甲字，為上甲之名。

卜辭田即上甲微，殷先王，為祭祀對象：[甲骨字][甲骨字][甲骨字][甲骨字][甲骨字][甲骨字]（合辛亥出于上甲）合集七〇七六 出用作侑，祭名。

員（圓）

英一七八四　合集二○七九　象鼎口有圓形，示鼎口為圓狀，應是圓之初文，卜辭、金文皆从鼎，小篆从貝，當是鼎之訛變。圓本為方圓字，後世作員。圓、員同源一字也。

金文周早員父尊作，周中員鼎作。

《說文》：「員，物數也，从貝，口聲。，籀文从鼎」。

卜辭作方圓之圓：（弗圓）合集二○七九　弗：否定詞，其義如不，弗圓即不圓。地名：于（于員）英一七八二　田于（田于員）合集一○九七八　田用作畋，打獵。義不明：（王貞，余[illegible]立員字事暨見奠終夕印）英一七八四

貝

懷四四七　合集一一四二八　象貝形，商代用海貝作貨幣。

金文商代切卣作，周早睘卣作，周晚召伯毀作。

《說文》：「貝，海介蟲也，居陸名猋，在水名蛹，象形，古者貨貝而寶龜，周而有泉，至秦廢貝行錢」。

化貝：□周探九三从貝，化聲。戰國布貨東亞上四作□。《說文》：「□，財也，从貝，化聲」。卜辭殘句，但一字至為重要，反映了當時商業貿易情況：□周探九三

卜辭作貝之本義：□□（貝得）合集八九〇三 倒裝句，貝得即得貝。□□（貝朋）合集二九六九四 朋：量詞。□□□（易貝二朋）南坊三、八一 易同賜。祭品：□□□□□（□貝于婦用，若）合集五六四八 □：祭名。婦指殷先王某一配偶，如婦好等。若：順利。隨葬品：……□□□……（……其死貝……）合集一一四二六 疑地名：……□□……（……陟貝……）合集一一四二八

貢

卜辭工借作貢（見二六九頁工字註）。

賢

古臤、賢同字（見一七〇頁臤字註）。

貣（貸、忒）

□合集一八三七九 从貝，弋聲。即《說文》之貣。金文或从戈作□，卜辭□戈、戈每無別，如弋字作□亦作□。音特。經典貣、貸、忒通用。

金文春秋部大叔斧作□、□，春秋蔡侯鐘作□、□。

《說文》：「貣，从人求物也，从貝，弋聲」。

卜辭句殘，義不明：……□（……貣）合集一八三七九

賜

卜辭易用作賜（見六〇六頁易字註）。

貯（賭　褚）

□ 合集四七〇〇　□ 合集四七〇五　□ 合集二八一九五　象貯貝于□中，示貯積、貯藏之義。典籍貯、賭、褚通用。

金文商代貯爵作□，周早沈子段作□，周中頌鼎作□。

《說文》：「貯，積也。从貝，宁聲」。

卜辭人名、□□□□（合貯从侯告）合集二〇〇六。从：隨同。侯告：人名。□□□□（貯步、若）合集四七〇五　步：步行。若：順利。□入十（貯入七十）合集六七一　入：貢入。□□□□□□□（師貯入赤馬，其剢不歹）合集二八一九五　剢：騸也；歹用作烈。地名：□□（貯受又）合集四六九二　又作祐，保祐佑。用作貯之本義，積、藏：□□（貯骨）合集六五七一　骨指骨版。□□□□（乎共貯𠂤）合集七七七　乎即呼，命令；共同供，供給；𠂤：从𠂤師从一，一地也，師所次也，即部隊駐紮也，動詞；卜辭師之所次為𠂤或𠂤，師所次之地為□師。

貯

賓

□ 合集一四二〇　□ 合集一四〇二　□ 屯二七一〇　□ 英一一五二　繁文象人在屋中，所从之□止為足形，足指向屋，示屋中人為外來之賓客。後世从貝，乃來賓重

賔

禮，帶有財物也。
金文周早保卣作[古文字]，春秋虘鐘作[古文字]，春秋於賜鐘作[古文字]。
《說文》：「賓，所敬也，从貝，㝉聲，[古文字]，古文」。
卜辭人名：[古文字]（貞，
御子賓于兄丁，𠷎羊，𠕁小宰，今日彡）合集三一六九 御用作禦，祭名；
𠷎同䀀𠷎，𠕁用作冊，砍也，𠷎、𠕁均用牲法；彡：祭名。 [古文字]
[古文字]（子宓不延出疾）合集一三八九。宓、賓疑為一字，子宓即子賓。 祭
名：[古文字]（王賓日不雨）合集二三五 [古文字]
（我宅茲邑，大賓，帝若）合集一四二〇六 宅：動詞，住于宅也；邑：城邑；帝：上帝；
若：順利。 動詞，配享，陪享也：[古文字]（癸丑卜，上甲歲，
伊賓）南明五一三 上甲：殷直系先王；歲：祭名；伊：伊尹之簡稱，人名。
全句之意是：祭祀上甲時，伊尹配享。 用作儐，親臨也：[古文字]于中
己王[古文字]（其又歲于中己，王賓）南明六〇四 又用作侑，祭名；歲亦祭名。
全句之意是：向中己進行侑祭和歲祭，王親自參加。 降臨、入位之義：[古文字]

于小乙□□□□□（御于小乙奭妣庚，其鄉食）合集二七四五六　御用作禦，祭名；奭：配偶。大意是：向大乙妻妣庚進行禦祭，她該會降臨吧！賓客也：□□□□（我勿作賓）合集一五一九一　□□□□（我勿為賓）南明一四五

責

□合集二二二三六　从貝，朿聲，為責，賚本字，與債通用。

金文周早父戊鼎作□，周晚兮甲盤作□。

《說文》：「責，求也，从貝，朿聲」。《正韻》：「與債同」。

卜辭地名：□□□□□（丙午卜克責）合集二一二五四　克：攻克，克復。義不明：□□□□（卤从糸責）合集二一三〇六　誅也，問罪責也：□□□□□（今夕共責杞）合集二二三一四　杞：古國名，地在今河南杞縣一帶。義不明：□□□（延責隻）合集二二三二六　隻：今獲字。用作動詞，義不明：□□□（司責豕）合集二二三二六

賫

（賚　債）

買

□合集一一四三三　□　合集二一一八五　象以網网取貝之形。貝為商代貨幣。

金文商代買車卣作□，周早買王卣作□，春秋吳買鼎作□。

買

買

《說文》：「買，市也。从网貝。孟子曰：登壟斷而网市利」。

卜辭作買之本義，購買也：（呼雀買）合集一〇九七六 （弗買）合集二〇七七六 弗：否定詞，不也。

賏

从典籍釋文分析，量詞之朋當是賏之訛省。朋象串貝之形，既是貨幣又可用作頸飾。《說文》：「賏，頸飾也。从二貝」。《篇海》：「連貝飾頸曰賏，女子飾也」。（見三九九頁朋字註）

䝤

懷八四三 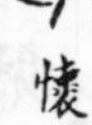懷四一〇 从貝，勹聲，疑即《玉篇》䝤字。句同勾，勾殘亦作句殘。䝤字《說文》所無。音構。或直釋作負。

（負）

戰國陶作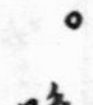。晚周陶文作，从貝从勹，不从口。璽印文作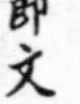。

《玉篇》：「稟給也」。《篇海》：「洽也」。

卜辭人名：（䝤示四屯小㱿）英四二九 示：整治。屯：量詞，一對骨版。小㱿：人名，簽收者。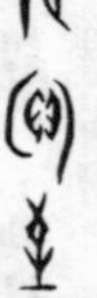（今十二月䝤至）合集四六七九

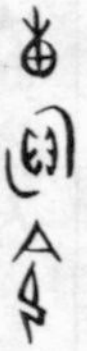（惟䝤令）合集四六七七 

（辛酉卜，亘貞，生十月䝤不其至）合集四六七八 生：來也。

工□□三□三□（壬辰，矣乞骨三，眴）合集三五一七四眴，
簽收人。

⿰貝鬼
□□屯二四四二□□合集二九七一三从□見□鬼聲，直釋作⿰貝鬼。从卜辭辭

）
意分析，當釋⿰貝鬼為⿰貝貴、⿰貝遺、遺音胃之初文本字。

⿰貝貴
金文遺字周中曶鼎作□。遺卣作□，王孫遺者鐘作□。

遺
《說文》云「遺，亡也，从辵，貴聲」。亡指遺音疑失。《韻會》釋遺云「投贈也，

⿰貝遺
餽也」。《篇海》釋⿰貝貴云「音維，正作遺」。《集韻》釋⿰貝遺云「遺或作⿰貝遺」。

（
《類篇》釋⿰貝遺云「贈也」。卜辭□日即賜日，與⿰貝鬼日義同。

卜辭⿰貝鬼日即⿰貝貴日，贈日也（殷人迷信，認為天象是由神靈支配的，如「賜日」、「帝令風」之詞常見。⿰貝貴日、賜日義同）云：□□□□□（其遘⿰貝貴日）屯二四四二 遘云遇。□□□□□□（不遘⿰貝貴日吉）合集二九七一二□□（五□□□新□□□□□□□（今日乙，王其迖新庸羌，不遘⿰貝貴日）合集二九七一二 迖云巡遊。

梖
□合集二八一九七 从貝，从屮。卜辭从屮屮从木木每無別，

如裝字作[glyph]亦作[glyph]，故疑[glyph]為《集韻》之椇字。

《酉陽雜俎》：「椇多木，出摩伽陀國，長六七丈，經冬不彫，取其皮書之，本作貝，俗作椇」。《集韻》：「音貝」。

卜辭義不明：：[glyph][glyph][glyph][glyph]：：（：：椇羽取豕：：）（合集二八九七）

邑

口[glyph]屯二五一〇。口[glyph]英一〇九。口象城郭，[glyph]象下蹲之人，示城郭為人[glyph]安息之地。

金文周早矢毁作[glyph]，周晚散盤作[glyph]，春秋齊侯盤作[glyph]。

《說文》：「邑，國也，从口，先王之制，尊卑有大小，从卪」。

卜辭人名：工[glyph][glyph]丁三[glyph]小[glyph]（壬申，邑示三屯，小㱿）英四二六 示：整治；屯：量詞，指一對骨版。小㱿：人名，簽收者。[glyph][glyph][glyph]（邑其來告）合集二八九五 城邑：[glyph][glyph]于[glyph][glyph]（作大邑于唐土）英一一〇五 [glyph][glyph]（唐邑）合集一四二〇八 [glyph][glyph][glyph]（其章邑）合集七〇七。章用作敦，動詞，攻打。于[glyph][glyph]（于西邑）合集七八六三 [glyph][glyph][glyph]（天邑商）英二五二九 天邑商亦名大邑商，殷代之王都也。[glyph][glyph]（四邑）合集七八六六 即四個城邑。

邦

𡴀 合集三三九三 象樹木于田界。《說文》邦之古文𡴀，應是𡴀之變異。

金文周早邦𣪘作[glyph]，周晚毛公鼎作[glyph]，春秋蔡侯鐘作[glyph]。

《說文》：「邦，國也，从邑，丰聲，𡴀，古文」。

卜辭疑作人名：……𡴀于北[glyph][glyph]……（……邦于北土歸……）合集二三三〇五 地名：[glyph]

[glyph]于𡴀[glyph]（勿拜年于邦土）合集八四六 土用作社。 義不明：[glyph]

[glyph]于[glyph]八人𡴀五人（亘貞，祟禍不于[glyph]，由八人，邦五人）合集五九五

鄙

卜辭啚用作鄙。（見三三一頁啚字註）

鄭

卜辭奠用作鄭。（見二六八頁奠字註）

䣜

卜辭虘、𠭯即《說文》地名之䣜。（見一五六頁𠭯字註）

鄉

卜辭鄉、卿即饗食之初文。（見三〇三頁饗食字註）

𨛜

[glyph] 合集二〇六九 象二人張口相對，為𨛜、鄉之初文。

《說文》：「𨛜，鄰道也，从邑，从𨛜」。

卜辭用作饗，祭名：[glyph]（癸巳卜，令養饗）合集二一〇六九

郭

卜辭𩫖為郭之初文（見三一五頁𩫖字註）。

郫 合集三六七七五 从章、卑聲，直釋作鞞埤，即後世之郫。
《說文》：「郫，蜀縣名，从邑，卑聲」。《玉篇》：「蜀郡有郫縣」。
卜辭地名：（在郫貞）合集三六七七五 （王
步于郫）合集三六九六二 步：徒步行走。

郕 周探三七 二坑 周探二六 二坑 从宀，成聲，為宬、郕之初文。
《說文》：「宬，屋所容受也，从宀，成聲」。《說文》：「郕，魯孟氏邑，从
邑成聲。

）宬（
卜辭宬即郕，國族名；郕叔為文王子、武王弟：（宬
叔：用）周探三七 （宬叔族）周探一一六 族：軍事組織。

日

日 ⊙ 乙四五八二 ㊀ 懷八七 ⊡ 英二五九一 象日形，因便于契刻，故或作方形。

金文商代𦙶尊作⊖，春秋邾諧鉦作⊟。

《說文》：「日，實也，太陽之精不虧，从囗一，象形」。

卜辭作日之本義，天體名，即日月之日：⊙㞢□（日㞢食）合集一一四八〇 㞢用作有。□⊙（各日）乙二四八三 各日即落日。 日神，即太陽神：□□⊙（下乙）⊙ 不□（王賓日，不雨）合集二二五三九 賓：祭名。 □⊙（帝日）庫九八五 帝用作禘，祭名。□□⊙□□（御各日，王受又）合集二九八〇二 御用作禦，祭名。又用作祐、保祐佑。 易日即賜日（殷人迷信，認為一切自然現象如風雨陰晴等，都是由神靈支配的，所以「賸日」、「帝令風」等詞在卜辭中屢見）：□口□□⊙（翌丁卯，易日）合集二四九三一 翌：次日。 䝕日即賸日（與賸日義同）：□□□⊙（其遘賸日）乙二四四二 遘：遇也。不□□⊙（不遘賸日）合集二九七一二 湄日即彌日，終日，全天：□□□□⊙□□（王其田，湄日亡𢦏）乙三九四 亡用作無。𢦏同災。 中日即中午：□⊙□□（中日，大啓）甲一五六一 啓：晴。 昃 指中午之後，太陽西斜，人影傾倒之時，昃日

⊟

即昃時出太陽：于□□（于昃日）合集一七二八 昔日即中日，晌午也：□□

□□□□□（昔日大啓，昃亦雨）合集二〇九五七 祭名：日干□□

□□□（日于父甲羌王受又）合集二七四六三 又用作祐佑。日干□□

□□□□（日于妣癸，其乇，王受祐）合集二七五七五 乇或作乇、祏，即後世之磔、矺，裂牲也，在此為用牲法。

晉

□ 合集一九五六九 象二矢插入器中，故晉有進義。古文𣈆、晉一字。

金文周中姬毁作□，春秋晉公盦作□。

（𣈆）

《說文》：「晉，進也，日出萬物進，从日，从臸，易曰：明出地上𣈆」。

卜辭句殘，義不明：……□□……（……晉將……）合集一九五六九

晉（篆）

昧

卜辭湄借作昧。（見七一二頁湄字註）

啓

□ 屯四三〇一 □ 屯二五三三 □ 合集三〇一九。象以手開戶之形，或从日从口，會雲開見日之形。《說文》：「啓，雨而晝晴也，从日，启省聲」。卜辭□與今日之啓全同，可見啓、启同源一字（見一八一頁啓字註）。

啓（篆）

昃

□ 合集一二八〇九 □ 合集一二八〇八 象太陽西斜人影傾斜之形。

昃（篆）

金文戰國滕侯昃戟作 。
《說文》：「昃，日在西方時，側也，从日，仄聲。易曰：日昃之離」。
卜辭人名：（合昃）合集四四一五 時詞，約在中午以後，未時或十四點上下：（昃有各雨）合集三三九一八 各用作落。（中日至昃不雨）屯四二 中日：日在正南，中午也。（惟昃彡）合集三〇八三五 彡：祭名。昃日即昃時日出：于 （于昃日）合集二七三八 合集二九三八 合集二九〇九二 象日至人下，示日昃，日暮之義。金文毛公旅鼎昏作婚 婚姻之婚，《說文》婚字籀文與鼎文婚字同。

昏

金文毛公旅鼎作 。
《說文》：「昏，日冥也，从日，氐省，氐者下也，一曰民聲」。段注：「『一曰，民聲』四字蓋淺人所增，非許本書」。或以「从日民聲，因唐諱改民為氐，又與婚為一字」。唐諱當指唐太宗李世民之民也。从民之說與初文不符。
卜辭昏指日暮後一段時間：于 （旦至于昏，不雨）合集二九二七二 旦：太陽剛出之時，早晨。（湄日至昏）合集二九九〇七 湄用作昧，

黎明前一段時間。□（郭兮至昏不雨）合集二九八〇一

郭兮：指黃昏前一段時間。

晦 □

卜辭每借作晦（見三〇頁每字註）。

昱

昱、翌、翊為同源一字（見二一四頁翊字註）。

昔 □

□合集一四三九 □合集一六九三。从日，巛聲。□是災字，示不忘昔日洪水橫流之災之義。

金文周中昌鼎作□，周晚師嫠毀作□，春秋徐王鼎作□。

《說文》：「昔，乾肉也，从殘肉，日以晞之，與俎同意。□，籀文从肉」。

卜辭作往日：□十□（昔甲辰）合集一三七 □乙□（昔乙酉）合集三〇二

祭名：□□□：□□□□（貞，昔祖丁：黍，唯南庚蚩）合集一七七二 南庚：殷之旁系先王。蚩：神鬼為害。

昕 □

□合集一八七〇 □合集一八七一三 从冏，斤聲。从冏與从日同，如□明字亦作□。音欣。

《說文》：「昕，旦明，日將出也，从日，斤聲，讀若希」。

暈

卜辭地名：（在昕東北獲）合集二〇七七九

合集二〇九八六　合集一三〇四七　合集二〇九八七　象雲氣蔽日之形。

《說文》：「暈，日月气也，从日，軍聲」。《正韻》：「音運，日旁氣也」。

卜辭作雲氣蔽日，天氣反常現象：（丁卯暈）合集九七四

（酉暈，延雨）合集一三〇四九　延：連綿不斷。（今其有禍，甲午暈）粹二　㞢用作有。

晲

合集一〇九六四　从日，从兄，《說文》所無。應為从日，况省聲之字，可釋晲。《集韻》：「音誑，明也」。

卜辭作明也，天晴之義：（王固曰：今夕其有至艱女，其于生一月晲）合集一〇九六四　生：來也，生一月即到來之下月。

㬎

合集四五一〇　从日，从爰，象雙手持絲于日下，會日中視絲明顯之義。可釋為《說文》之㬎和顯。古文㬎、顯一字。

（顯）

金文周早盂鼎作，天亡毁作。公臣毁作。戰國盟書作。

⿰日頁

《説文》：「㬎，眾微杪也，从日中視絲，古文以為顯字，或曰：眾口皃，讀若唫唫，或以為繭，繭者，絮中往往有小繭也」。《説文》：「顯，頭明飾也，从頁，㬎聲」，臣鉉等曰：「㬎，古以為顯字」。

卜辭用作人名：……令……（……貞，令顯……）合集四五一〇 ……（貞，勿令顯从……弗其受……）合集四五〇九

後下三三·一 菁一〇·一六 从日，从頁，《説文》所無。此字或釋作晛、顯，據不足。疑當是《玉篇》之⿰日頁字，頁本人形，日在人上，會光明之義。

《玉篇》：「音府，明也」。

卜辭貞人名：（壬寅卜，⿰日頁貞）後下三三·一 （癸巳卜，⿰日頁貞）粹三三 （己酉卜，⿰日頁貞，翌日父甲旦，其十牛）京四〇四八 翌日指次日或他日，即某一天。旦：祭名，父甲旦為倒裝句，即向父甲進行旦祭。

⿰日帚（晭）

合集二一五一五 从日，帚聲，《説文》所無，即《集韻》之⿰日帚。同晭。

《集韻》：「音帚，明也，或作晭」。《玉篇》釋晭：「日光也」。

	卜辭句殘，義不明：……□□……□（……晞庚……月）合集二二五一五
昃	□ 合集二三〇五 □ 合集二〇二二三 □ 合集一八七一九 □ 合集七三四五 □
）	合集一八七四九 □ 合集一八七五〇 从日，从人或从千、从自、師，會一人或師眾向日進
昕	行祭祀之義。每字雖簡繁有別，但人總是向日的。昃、昕、晧、□、□
晧	在卜辭中皆作祭名，並且多與王字連用，可見為繁簡一字也。《說
□	文》所無。
□	卜辭疑祭名：□□□□（扶貞，王昃）合集二〇二二三 □□（勿昕）
（	合集一八七二三 □□（□昕）合集二二四〇五 □□□□□……（□貞，王
	晧，逆……）合集一七五三七 □□□□□□（貞，其宿其□，亡災）
	合集三一二三三 亡用作無。 □□□□□□（賓貞，羌舟啓，
	王□）合集七三四五 啓：開。
□何	□ 合集九八一七 □ 英八二四 象人荷戈日下之形。从日，从何，《說文》所無。
	卜辭人名：□□□□□（在□，□來告）合集三三二二五 □□
	□□□□□（貞，王□何令六月入）合集一五〇六

智（𣉻、𥏼、䎞、知）：□卜辭鹿骨刻辭 从大从子从甘，後來大訛作矢，子訛作于、亏、丂，甘訛作曰、白。典籍智、𣉻、䎞一字，又與知通。金文周早毋室鼎作□，周晚毛公鼎作□，戰國魚鼎匕作□。篆作□。

卜辭疑人名：□□王田□ □□□王□ 八□□十 祀□□（壬午王田於麥麓，獲商戠兕，王易宰丰寢小𠤎兄，在五月，惟王六祀肜日）卜辭鹿骨刻辭

⿰日卩

□ 合集五九九五 □ 鄴三、三九、三 从日，从卩，《說文》所無。

卜辭義不明：……出于□□……□（……古子卩 迺复徃……）合集五九九五

□□□（惟阜卩析舟）鄴三、三九、三 析：開也。

⿰日鬼

□ 合集二〇七七二 从日，从鬼，《說文》所無。

卜辭罕見之字，用義不明： 口□卜今日□□□□□

□□……（丁丑卜，今日今□□不□⿰日鬼，允不□十……）合集二〇七七二

⿱鼓日

□ 合集三五九九 □ 合集三〇七六七 □ 合集三一一二五 □、合集三〇八九三

此字變化較大，从槃直釋作⿱鼓日。今或釋作叔、督等，皆論據不足。或曰本義是立木為表測度日影以定時辰，釋作晢，為□書之異文，可參。

卜辭疑作時詞：□□□□（拜惟⿱鼓日、酌）合集三五九九

□□□（惟⿱鼓日酌）合集三〇八九三：□□□□（……⿱鼓日，王

受祐）合集三一一二五

⿰日亩

□ 英一七八二 从日，从卣，《說文》所無。

卜辭疑作地名：《□□□□（令迺取⿰日亩）英一七八二

𩫖旦之旦假作壇。

曣

▢ 合集一〇六一三 从日，燕聲。即《說文》曣字。

《說文》：「曣，星無雲也，从日，燕聲」。《博雅》：「㬪也」。㬪同暖、煖。

卜辭疑作祭名：……▢▢……（…祖乙曣…）合集一〇六一三

晒

▢ 佚八三六 从日，从▢。卜辭廼作▢亦作▢，據此，權釋▢為晒。

卜辭疑人名：▢▢▢▢▢▢▢▢▢……（戊戌卜貞，曰：弜其从晒亡…）佚八三六 弜用如勿；亡用作無。

旦

▢ 合集二九七七七 ▢ 屯六〇 象太陽剛出地面之形。假作壇臺之壇。

金文同早吳方彝作▢，周中揚𣪘作▢，周晚克鼎作▢。

《說文》：「旦，明也，从日見一上，一地也」。見同現。

（壇）

卜辭地名：▢▢▢▢▢▢（𢀛方氏辰禽方𩫖旦）京一二三。氏：帶領；𩫖用作敦，動詞，打伐之義。▢▢于旦（貞，燎于旦）英一二八二

天將明，早晨：▢▢▢（旦不雨）合集二九七七六 ▢▢▢▢▢▢（旦至于昏不雨）合集二九二七二 昏：日暮以後。祭名：▢▢▢▢▢▢（翌日，父甲旦，其十牛）合集二七四四六 翌日：次日或某一天。于▢▢▢（于祖丁旦、

昌：昌南明四四七 象二星上下交輝，或釋昌，可參。《說文》：「昌，美言也，从日从曰。一曰日光也。詩曰：東方昌矣」。卜辭疑日出光明之義：□□ 卜□□ 昌□□□（子卯卜，戊辰，負復昌）南明四四七 另合集三四六〇同一卜辭作□□昌（自及昌），兩據不同，存疑待考。

迎）屯六〇 迎：祭名。于□門昌（于南門旦）合集三四七一 于□□□（于廳旦迎）屯六〇

暨 卜辭眔用作暨（見一九九頁眔字註）。

朝 □ 合集二三一四八 □ 合集三三一三〇 象日月同在草木之中，月未落下日已出來，會意字，即朝暮之朝，早晨也」。

金文周早盂鼎作□，周晚克盨作□，戰國右庫戈朝訶作□。

（翰） 《說文》：「翰，旦也，从倝，舟聲」。从倝舟聲，乃秦篆之形義。

卜辭地名：□（在朝）合集三三一三〇。與暮對稱，早晨也：□□（朝又雨）佚二九二 又用作有。□□□□酒（毓祖乙，歲朝酌）合集二三一四八 毓祖乙即后祖乙，殷先王名。歲、酌均祭名。

㫃 □ 合集一八五二〇 □ 合集二五〇一五 象旗在竿上飄游之形。古文㫃、偃通用。

金文商㫃爵作□，周晚休盤作□。

（偃） 《說文》：「㫃，旌旗之游，㫃蹇之皃。从屮曲而下，垂㫃，相出入也，讀若偃。古人名㫃字子游。□，古文㫃字，象形及象旌旗之游」。《說文》：「偃，僵

也，从人，匽聲」。《類篇》釋㫃：「音匽，與偃同」。《詩小雅》：「或息偃在牀」。

旗

卜辭人名：（乎㫃）合集七三三五　乎用作呼，命令之義。用為旗之本字：（立㫃）合集二〇二〇七　三　三（三斿㫃三）合集三〇三　（王夢㫃隹又）合集六九四八　隹即，用作唯、惟、維等；又用作祐，保祐也。　用如偃（偃旗息鼓之偃），羅㫃即倒羅，放羅网也：于（于㠯羅㫃）合集三一三六　㠯：地名。（其羅㫃在宰）合集三一三六

游（斿　遊）

合集三九四二　屯二二九九　从子在旗下，釋斿，同游、遊。

金文商斿卣作

，周早斿父鼎作，春秋中子遊父鼎作。

《說文》：「游，旌旗之流也，从㫃，汓聲，，古文游」。《玉篇》釋斿：「旌旗之末垂，或作游」。

卜辭人名：（貞，惟斿令，八月）合集二三七〇一　（从斿擒）屯二二九九　从：隨同。　地名：

[glyph]為設阱捕麋之專字。

旋

（壬其田斿，亡災）屯二三三五　亡用作無。[glyph][glyph]于[glyph]（[glyph]麋于斿）合集五五七九　于[glyph][glyph][glyph]（于斿圍擒）三三三九九　[glyph][glyph][glyph][glyph]（弜射斿鹿）合集二八三四七　弜用如勿。

[glyph]合集三四〇七六　[glyph]合集六五四四　象人足周旋于旗下。

金文周早麥盉作[glyph]，周中名卣作[glyph]。

《說文》：「旋，周旋旌旗之指麾也，从㫃，从疋，疋，足也」。

卜辭人名：[glyph]（旋亡疾）合集一三七六四　亡用作無。[glyph]（乎旋）合集二六九九三　乎用作呼。動詞：[glyph][glyph][glyph][glyph][glyph]于[glyph]（王貞，余丙丁旋于[glyph]）合集二一四八二

[glyph]

旅

[glyph]屯二〇六四　[glyph]合集五四七六　[glyph]合集二七八七五　[glyph]合集三三〇八七　象人執旗，亦為軍旅。

金文商父辛卣作[glyph]，周早明公毀作[glyph]，周中免毀作[glyph]。

《說文》：「旅，軍之五百人為旅，从㫃，从从，从，俱也，[glyph]，古文旅，古文以為魯衞之魯」。旅五百人非商之單隊建制。

卜辭貞人名：[glyph][glyph][glyph][glyph]……（己酉卜，旅貞……）存一、五一一　部隊建制：

族（鏃 嗾）

□□□□□□□□□□□（王其令右旅暨左旅𢀛見方）屯二三二八　單旅：□□□□□（今日其遙旅）合集三六四七五　遙：迎。

地名：□□□（自旅）合集八二七三　于□□（于旅邑）合集三〇二六七

□屯一三三　□合集三三〇一七　□合集一四九三　从旗从矢或鏃同，从旗用以標眾，从矢用以殺敵。是家族、氏族的單旅組織。古文族、鏃、嗾通用。

金文周早明公殷作□，周晚師酉殷作□，周晚毛公鼎作□。

《說文》：「族，矢鋒也，束之族族也，从㫃从矢」。矢鋒即鏃。《集韻》：「音鏃，義同」。《類篇》：「嗾，或作族，使犬聲」。嗾：嗾使。

卜辭作家族、氏族之戰鬥組織：□□□□□□□（令王族追召方）合集三三〇一七　□□□□（乎子族先）合集一四九二三　乎用作呼，命令。□□□□（令多子族）合集六八一三　□□□（令三族）合集六四三八　□□□（令五族）合集二八〇五三　□□□□（令犬延族）合集九四七九　□□□□□□□□（在攸貞，大左族又擒）懷一九〇二

又用作有。

□

旃（旜 旋）

合集四三七九　合集四三八三　英五九三　合集六〇四九　合集三二八八五

屯七七六　从旗　从人　或从冉　从師　从止等，似與軍旅有關。

或釋作《說文》之旃，言冉丹形相近，殆傳寫失之。但初文形體複雜，釋旃論據不足。

卜辭人名：（旃暨㱿其出禍）合集五四四七　出用作有。（令旃）合集六〇四九　（惟旃令）合集三二八八五　（旃其先遘戰）英五九三　方國名：（夼旋方）屯七七六　夼：動詞，打伐。　己卜（己酉卜，旃出）合集四三七九

旌

合集一八五二一　从旗，从土，《說文》所無。

卜辭疑作人名：于（㱿貞，旌于三）合集一八五二一

放

合集八二九九　从㫃，从攴，《說文》所無。

卜辭地名：于（立于放）合集八二九九

⿸㫃高

合集三九四一九　从旗，从高，《說文》所無。

卜辭僅見一單字，義不明：（⿸㫃高）合集三九四一九

旐：

合集三○三 从㫃，从収，象兩手張旗形，《說文》所無。卜辭動詞：……三……（𢼄羌百，旐三旃㫃三）合集三三

旃𢆶：

合集九○八六 从旃，从二幺，構義不明。卜辭義不明：……（旃𢆶氏）合集九○八六

旃			旂	⿸㫃隹	族	⿸㫃大	⿸㫃犬
合集三七七九七　合集八一四五　合集二四三六三　懷三七七 象立旗于臺座上。疑同㫃，讀作偃，地名，即今河南偃師縣。	卜辭地名：……（在旃貞）合集三七七九七 ……（在旃卜）合集二四三六。	……（其來自旃）合集八一四三	合集一三五一六 从㫃，从户，《說文》所無。卜辭婦旂疑人名：……（辛酉卜，婦旂𩫏……）合集一三五一六	合集一八三二七 从㫃，从人，从隹。《說文》所無。卜辭義不明：……（貞，⿸㫃隹……）合集一八三二七	合集一八五一八 从㫃，从矢，直釋作族。卜辭義不明：……（庚……貞……族……）合集一八五一八	合集三二五九一 从㫃，从大，《說文》所無。卜辭祭祀用語：……（……午卜……羌甲肜……毓族）合集三二五九一 肜，祭名。	合集五八八 从㫃，从艸，从口，从犬，《說文》所無。卜辭義不明：……（貞，⿸㫃犬母隸）合集五八八

旋：□屯六五 从㫃，从叀，與金文旋字同。《說文》所無。元年師旋毁作□，五年師旋毁作□。卜辭疑軍旅用語，□：：□田干 ：：五□余 □（：：王弜令□：：旋：：用王田于章）屯六五。弜用如勿，用王：即旃王，令□王字。

旌

□屯三七六 从㫃，从立，《說文》所無。

卜辭動詞，疑祭名：□□□□□□□□□□：：（丁卯卜，王令取彡羌，祭旌在祖丁宗）屯三七六四

晶

卜辭晶、曐、星一字，均用作星（見本頁星字註）。

星

□合集一一五〇四 □合集一一五〇五 □合集一一五〇三 □合集一一四九〇 □合集一一五〇一

象眾星羅列之形，生作聲符。日在此非日月之日，乃星形。

（　）

金文周中星父毁作□。

《說文》：「曐，萬物之晶上為列星，从晶，生聲。一曰象形，从口，古口復注中，故與日同。□，古文星，星，曐或省。」

曐

（

卜辭作星之本義，：：□□□（大星出）合集一一五〇四 □□□

□□□（出新大星並火）合集一一五〇三 出用作有，並：並列，火指火星。

鳥星為星名，：□□（鳥星）合集一一五〇〇 假作晴：□□□（庚辰星）合集一一五六二五 □□□□□□（今夕，其星在亯）金四〇七 □□

□

月

□□□□（翌戊申毋其星）合集一一四九六 翌：次日或某日；毋：不也。

□英一五四八 □英五六四 □前二、三六、七 象半月形。卜辭月多作□，夕多作□，有時日月混同，可从文義中區別開來。

金文商切卣作□，周早盂鼎作□。

《說文》：「月，闕也，大陰之精，象形」。

卜辭作月亮之月：□□□□□（之夕月㞢食）丙五六 㞢用作有。

紀時之詞：□□□□（今十三月，雨）合集一二六四八 □□□□□□（今夕亡禍，十三月）合集一六五五四 亡用作無。□□□□□□□□（王賓大戊，戠，亡禍，在十四月）賓：親臨，戠：同職，用牲法。

霸

□屯八七三 从月，䨣聲，與作冊大鼎銘文霸字所从近似。

金文周早作冊大鼎作□，周早令段作□，周中智鼎作□。

《說文》：「霸，月始生霸然也，承大月二日，承小月三日，从月，䨣聲。周書曰：哉生霸。□，古文霸」。

卜辭地名，田霸即田獵于霸：□□□□□□□□□

□ □

朋：

□ 合集二〇四三八
□ 合集二〇四四〇
□ 屯二六二一
均象以綫或繩穿貝成串之形，即量詞之朋字。《詩小雅》：「錫我百朋」。卜辭作量詞，一串貝也：：□□□□ □□□ □（：貞，易多女有貝朋）合集二〇四六三 易同賜。□□□ □□□（車不其氐十朋）合集一一四四二 氐：送來。朋後來假作朋（篆作□）友之朋。

朗（朤、朙朙）

□（：于：田霸伐：方擒，戋，不雉眾）屯八七三　戋同災，雉：同㹠，陳列，雉眾即陳列或部署部眾。

□ 合集二〇九五七 □ 同版　象兩個月亮，會明朗之義，可釋朗。朗之古文作朤、朙朙。朤即兩月——□也，朙朙从四月，皆會明朗之義。　漢字有从兩日之明（音喧，明也），有从日、月之明，从兩月之字就勢在必有了。可能是為了避諱明黨，量詞之朋，所以形聲字朗就應運而生了。另外金文未見朗字，可見它出生的很晚。

《說文》：「朗，明也，从月，良聲」。《玉篇》：釋朤：「古文朗字」。《字彙補》：釋朙：「音義與朗同，出西江賦」。

卜辭作晴朗，：：□□□□□（：于辛雨，庚朗：）合集二〇九五七 大意是：辛：干支字，時詞，大約在現在下午六時，：庚：大約在下午四時。庚時天氣晴朗，在辛時下了雨（原句為倒裝句子）。　□□□□□□□□：：：（己亥卜，庚又雨，其朗，允雨：：：）同版　又用作有，：允：果然。　大意是：庚時有雨，該會晴朗吧：結果仍是下雨。

明

合集一九四二 从月、从目。目、囧、日均示明亮之義，所以卜辭明字作亦作、。明當是明之異文。《正字通》釋明為明。

卜辭疑用作明：：（貞，明：）合集一八七二六

滕

合集二〇九六四 合集一四〇三 合集一八五一五 从月，从条，《說文》所無。

卜辭句殘，義不明：…………四……（…惟…中滕…各…妨…）合集一四〇三 妨用作嘉。…………（…貞，滕…）合集一九七五三

有（㞢、又）

乙六六六五 英一二九四 英八六 懷一九 乙九〇五四 佚三八三 粹一三

卜辭用㞢、又為有。㞢象牛字之省，又象右手，當是同音假借。有字金文象手持肉之形，會有之義，又亦是聲符。金文周早盂鼎作，周晚散盤作，春秋者沪鐘作。《說文》：「有，不宜有也。春秋傳曰：日月有食之，从月，又聲。」

卜辭用㞢作有無之有：㞢（有疾）合集二三五三二 㞢（王

有祟）英六六　祟：神鬼為害、災禍。用又作有：□九□中□
（于九月有事）合集二一五八六　□（茲夕有大雨）合集三八一六七　茲
同茲、此。用㞢作侑、祭名：㞢于□（侑于祖辛）懷五四　即向祖辛
進行侑祭。用㞢作又：□（惟幽牛又黃牛）丙一二九
有：在此有和、及、同之義。用又作侑、祭名：又于□（侑于岳）寧一七六
岳：司雨之神。

明

□ 合集一九六〇七　□ 合集二〇三七　□ 合集一五四七五　从日、从月，會天才明時日才出月尚未落之義。所从之□囧象窗子，會天亮窗明之義。

（朙）

周早盂鼎作□，周晚毛公鼎作□，戰國厵羌鐘作□。
《說文》：「朙，照也，从月，从囧，□，古文明从日。」
卜辭地名：□于□（爭雷耤于明）合集一四　爭用作呼、命令；耤：耕作。時詞，天剛亮時：□（明雨）合集六〇三七
視力也，喪明即喪失眼之視力也：□（喪明）合集三一〇三七

囧

□ 合集六九五　□ 合集一〇　□ 屯九三六　象窗牖中有交叉之形。

金文商代父乙卣作□。

《說文》：「囧，窻牖麗廔闓明，象形，讀若獷。賈侍中說：讀與明同」。

卜辭地名：□□□□□，于□（王往，氐眾，黍于囧）合集一〇。氐：率領；黍：動詞，種黍或收黍。□□（在囧）合集三三二二五

盟

□ 合集二八五七 □ 英二一七七 □ 合集二四九四四 □ 屯二七〇七 □ 屯九五八 □

从皿，从囧，囧或省作口。魯侯爵、小篆从血，會盟誓時殺牲歃血之義。

（盟）

金文周早井侯毁作□，周早魯侯爵作□，周早盟弘卣作□。

《說文》：「盟，周禮曰：國有疑則盟，諸侯再相與會，十二歲一盟，北面詔天之司慎司命。盟，殺牲歃血，朱盤玉敦，以立牛耳。从囧，从血，□，篆文𥃰，□，古文从明」。

卜辭盟室為盟誓歃血處：㞢于□□（㞢于盟室）英二一一九 㞢用作侑，祭名。用牲法：□□百□□三□（酘，御百宰，盟三宰）合集二二二四七 酘：祭名；御用作禦，祭名；宰：圈養之羊，專作祭牲用，三宰即三頭圈養之羊。□□□□□□（盟用白豭九）合集三四一〇三 □□□

夜：□周探五六 从夕，亦聲。周中效卣作□，周晚師嫠簋作□。《說文》：「夜，舍也，天下休舍也，从夕，亦省聲」。卜辭作夜：晚本義：□□（夜享）周探二坑五六 享：獻享之祭。卜辭或□或省作□亦。

夕

□□□□□（王告父辛、大甲、盟、酌）合集一九九二三 酌：祭名。

□英八八五 □英一七八四 象半月形。卜辭月、夕同字。夕之早文多作□、指整個夜晚，後期多作□。夕字無形可象，只得在與夕有關之□中加一短豎，以便視作月、夕之別。

金文周早盂鼎作□，周晚克鼎作□，周晚毛公鼎作□。

《說文》：「夕，莫也，从月半見」。莫為暮之早文。

卜辭作夜晚：□□□（今夕雨）合集一二四七。□□□□□（今夕師亡禍，寧）英二五二七 亡用作無。□□□（終夕雨）合集一二九九八

祭名：□□□□（其夕父丁，三宰）遺七二五 宰：圈養之羊，專作祭牲，三宰即三頭圈養之羊。□□□□□□□（甲辰卜貞，王賓夕，亡尤）合集三八七四四 賓：親自參加祭祀；亡用作無；尤：災禍。□□□□□□□□□□（甲戌卜，尹貞，王賓大乙彡夕，亡禍）合集二二七二七 亡用作無。

□

外

合集三五六四二　合集二〇四九　卜辭以卜代外。大概是殷人迷信，每事必卜，外出乃大事，非卜不可，所以以卜代外。後來外字从夕从卜，乃外出之夕必須進行占卜之義。

金文周中靜毁作　，周晚毛公鼎作　，戰中山王方壺作　。

《說文》：「外，遠也，卜尚平旦，今夕卜於事外矣。　，古文外」。

卜辭卜用作外：出于　四（出于外丙）合集九〇四。出用作侑，祭名；外丙：商代旁系先王，非直系的，故稱外。全句大意是：向外丙進行侑祭。

（王賓外壬，彡日亡尤）合集三五六四〇。賓：親臨，親自參加之義；　為外壬合文；彡：祭名；尤：災禍，亡尤即無災禍。

（御外戊，艮服）合集二二〇四九。御用作禦，祭名；艮：人牲。

𡖊（夙）

合集二〇三四六　合集九八〇五　象拜月之形，即𡖊，夙之初文。

金文周早盂鼎作　，周中師望鼎作　。

《說文》：「𡖊，早敬也，从丮持事，雖夕不休，早敬者也。　，古文夙从人㐁，佰亦古文夙，从人西，宿从此」。佰同夙之說有疑。

卜辭疑官名：三小□□三（三小⿰歹凡臣三）合集二三八六 地名：三□□□（三⿰歹凡受年）合集九八〇四 田□（田⿰歹凡）屯三七一 田用作畋，狩獵。祭名：□□□□（惟餗，惟⿰歹凡）明七〇一 餗：祭名。□□□□□（在盆羌 其⿰歹凡）合集五二九

多

□屯一八〇 □英九〇二 □合集三〇九八九 象重夕之形，會多之義，卜辭之□□與舀鼎之□□恰同。人名婦㚼亦省作婦多。

金文周早麥鼎作□，周中舀鼎作□。

《說文》：「多，重也，从重夕，夕者相繹也，故為多。重夕為多，重日為曡。□，古文多」。

卜辭人名：□□□（婦多，嘉）合集二二二四七 嘉：好也，生男孩曰嘉，生女孩曰不嘉，可見商代亦有重男輕女現象。眾多或諸多之省稱：□□□□（多祖無㞢我）合集二〇九五 多祖指諸多祖輩先王，㞢神鬼為害，災害之義；我：商王自稱。□□（多父）英九六 即諸多父輩。□□（多母）英一一三 □□（多兄）掇續四一 □□（多子）丙四一七

多田亦可讀作多甸，多甸、多侯、多伯等，約畧相當於後世之諸侯。

子指子侄輩，男女不分。（多妣）合集一三九五 妣為祖母輩之通稱，與後世考妣之妣（指母親）用義不同。（多介）合集一二六六四 多介為對諸多死亡武士之敬稱，即披甲戴胄，戰功赫赫之人也。（多亞）合集二〇三四九 亞為武官。（多馬）屯六九三 馬為司馬官。（多射）屯五〇二 射為司射官。（多紳）合集八〇 紳為武官。（多尹）合集三二三〇九 尹為文官。（多君）合集二四一三二 君為文官，尹、君疑為一字。（多臣）英二五一 臣指各級官員。（多亞）京一四八一 亞為武官。（多隸）合集五四〇 隸指主管奴隸之官。（多犬）合集五六六五 犬，指主管防衛、狩獵官員。（多羌）合集一五七 羌，疑指主管羌俘之官員；多羌也可視作眾多之羌俘，卜辭有「呼多羌逐兔獲」、「王令多羌墾田」等。（多奠）屯二九三 奠，職官名；卜辭有「令多奠三」、「呼奴牛多奠」等。（多田）屯一四六〇 田，指主管農墾之官員；卜辭有「多田無災」、「从多田三」等。

毌、貫一字，《說文》："貫，錢貝之貫。"典籍毌與貫通用。

毌（貫）

英四五　合集一〇五二四　英三七九　象一貫回或貝，以便持之。

《說文》："毌，穿物持之也，从一橫貫，象寶貨之形，讀若冠。"

卜辭人名：（毌其取方）合集七七五四

雀：（毌弗𢦏雀）合集六九七一　（毌稱冊）合集七四二七

圅（㘝）

合集一八四六九　合集一〇二四　合集二八三七二　象盛矢于囊袋中。

金文周晚毛公鼎作，春秋圅交仲匜作。

《說文》："圅，舌也，象形，舌體马，马从马，马亦聲。，俗圅，从肉今。"

不符初文形義，所从之羊，實為矢形之異構。

卜辭器物名：（圅五十）合集三六四八一　地名：（在圅）屯二三九八　田（田圅）合集三七五四五　田用作畋，打獵。

康

合集一四二九四　从木，从彡，釋康。音含。疑與、（害）通用。

金文戰國𨟭料盆作。（參見四四五頁害字註）

《說文》："康，木垂華實，从木马，马亦聲。"

卜辭方位名，指西方：（西方曰康，風

曰彝）合集一四二九四

卜辭中，另一辭例其義與上一辭義相反：□□□□□□□□（貞，帝于西方曰彝，風曰□）合集一四二九五

胡厚宣先生曰：「西方曰彝，鳳（風）曰□（康）」為是。所言至確。

⿰韋康

□ 合集六八五五 □ 合集四二四一 □ 懷九六二 □ 合集三〇三九三 从康韋聲。

《說文》：「⿰韋康，束也，从康，韋聲」。

卜辭人名：□□□□（惟⿰韋康呼往）合集四二四〇。呼：命令。□□□□□（惟⿰韋康令，旋畀徵）合集六八五六 旋：還；畀徵：地名。

疑作祭名：□□□□□□（⿰韋康風惟豚又大雨）合集三〇三九三 又用作有。

⿰酉康

□ 合集八二六九 从酉，从康，《說文》所無。

卜辭地名：于□□（于⿰酉康彔）合集五九七六 彔用作麓。

字	釋
卣	合集二一三〇六　屯二三九二　前六、一五、五　戩二五、九　象酒器卣形，或卣在皿中，義同，即今卣字。 金文周早盂鼎作、周晚毛公鼎作。 《玉篇》：「中尊器也」。《爾雅・釋器》註：「盛酒尊」。 卜辭人名：（手卣从亯）合集一四一二八　从：隨同，亯：人名。　地名：（自卣）合集一七八三九　酒器名：三（鬯三卣）合集一〇六九　鬯：香酒。　卣讀作脩（修），長也，引申作連緜之義：（不卣雨）合集三三二九二　即不會有連緜雨。　貞人名：（卣貞）後下一六、一六
卣卣卣	合集一三六三　合集二一〇三　象三卣並列或交錯放置之形，疑與二卣並列之卣卣同。 卜辭人名：（卣卣出京）合集二一七〇三　地名： （勿呼宅卣卣）合集一三六六三　呼：命令。宅：動詞，建宅或宅居。
卣卣	合集二八三三　合集二二七八七　象二卣並列，《說文》所無。 卜辭罕見之字，貞人名：（癸酉卜卣卣）合集二二七八七　義不明：（⋯⋯

栗（㮚）

若，𠧪）合集二八三三 ……（……貞，𠧪……）合集二九二

合集三六七四五 後下一六、一三 象栗樹結果。為之省，非从卤。

春秋石鼓文作，戰國印作。

《說文》：「㮚，木也，其實下垂，故从卤。，古文㮚从西，从二卤。」徐巡說：「木至西方戰㮚」。後世之栗字从西，是由（西）承襲而來。

卜辭人名：……（……从栗）合集三六七四五 从：偕同。地名：于（于栗）前二、一九、三（狩栗）後下一六、一三 狩：打獵，即打獵于栗地。

⿰⿱卤㐭又（刈）

合集二七三三四 象以手取穀實形，从卜辭例句分析，⿰⿱卤㐭又為收穫用字。或釋為刈，刈禾，收割之義，可參。

卜辭作動詞，收穫之義：（其⿰⿱卤㐭又穧）屯七九四（惟王⿰⿱卤㐭又南囧黍）合集九五四七（莫出⿰⿱卤㐭又）屯三四五 莫同暮。……（呼婦妌⿰⿱卤㐭又）合集二七三四 呼：命令。（及丝夕出⿰⿱卤㐭又）屯三四五 及：到；丝同茲、此。

		齊		（	女卣		）	卣婁				□	
《說文》：「齊，禾麥吐穗上平也」。	□，戰國陳侯午𣪘作□。	金文周早祖辛爵作□，春秋齊巫姜𣪘作□，春秋陳曼𠤳作	□ 懷一八八六 象禾麥吐穗，高低相同，會平齊之義。	□）合集三三○九二 □用作敦，打伐。	往為倒裝詞，女卣往即往女卣；又用作有。 方國名：□□（□	卜辭地名：□□□□□（女卣往其又禍）合集三一三○六 女卣	女或作母，卜辭女、母可通。卣婁字《說文》所無。	□ 合集三三○九二 □ 合集三三二五 □ 合集三三○六 金文从卣，从女，	國名。 ……□……□……（……即……侯……□……）合集二○○七	合集二三五六。余：商王自稱；多尹：文官名；侯：地方首領；周：方	□……□（王曰：余其曰多尹，其令二侯上絲暨□侯，其□周）	卜辭地名：□□□□□□□二□二）□□□□	□ 合集二三五六。□ 合集二○七一 象卣在器中，《說文》所無。
		□											

卜辭地名：（在齊師）懷一八八六

屯四一七七　合集二四九五一　象穀類之穗形，疑為齊之省文。

卜辭人名：（惟齊合从卜甫）合集一三四九〇。

亩、打伐。

疑用作齊，整齊之義：三三

（三三婦宅新寢，齊宅，十月）合集二四九五一

合集二三五　从竹，从攴，《說文》所無。

卜辭疑作地名：（來羌）合集二三五　來：動詞，送來、貢來之義。

櫅

合集六九四七　从木，齊聲，即《說文》木部之櫅。

金文周中櫅盤作，周中㾜鐘作。

《說文》：「櫅，木也，可以為大車軸，从木齊聲」。

卜辭用作齊：（貞亘其櫅惟執）合集六九四七

（貞亘不櫅惟執）同版　櫅用作齊，同劑，動詞，本義為劑截，引申為打伐之義；執：抓捕之義。

櫅

朿（刺）

朿 英二四一五 屯二一二六 合集二二三六 英七八○ 合集一四九二

合集三三○七四 均象多鋒之兵器形。為朿、刺之初文。

金文周早作冊大鼎作，周中朿卣作、。

《說文》：「朿，木芒也。象形。讀若刺。」

卜辭人名：甲卜（子朿亡疾）合集一三七二六 亡用作無。偵伺也：（王入于，朿徝）合集一四一六一 徝：省察。朿殺本義：（朿魚）合集二二三三六 （先後朿）合集二二八五 （朿羊）合集七七七三

爿

卜辭爿字作，亦作，反、正無別。後世分作片、爿兩個不同之字：片音騙，《說文》釋作「判木也，从半木」；爿則大多用為聲符，如牆、將、戕等从之，這是文字由少趨多所必然的。

卜辭爿牀也可用作牆之省文，小臣牆之合文作（見三三四頁牆字註、三三九頁牀字註）。

爿片

爿片 籀文四三 象二爿相背，《說文》所無，即《字彙補》之爿片字。

《字彙補》釋非：「古文卯字」。卜辭卯作[甲骨文]，象剖物為二，與非之形義有些吻合。可備一說。

卜辭句殘，義不明：……非……[甲骨文]……（……非……龍……）簠文四三

⿰舟口

[甲骨文] 合集二〇三三八　[甲骨文] 合集一五五二一　从片，从口，《說文》所無。

卜辭人名：[甲骨文]入（⿰舟口入）合集九三七七　入：貢入。[甲骨文][甲骨文]（呼⿰舟口）合集二六四一　呼：命令。[甲骨文][甲骨文][甲骨文]（侯⿰舟口來）合集二〇〇二四　侯：地方首領。　地名：于[甲骨文]（于⿰舟口）合集一五五二一

⿰舟句

[甲骨文] 合集九三七八　从片，从句，《說文》所無。

卜辭句殘，義不明：……[甲骨文]……（……⿰舟句……）合集九三七八

舸

[甲骨文] 合集二〇九六四　从片，可聲，即《廣韻》之舸。古郡名。《廣韻》：「所以繫舟」。《集韻》：「音歌」。

卜辭地名：[甲骨文][甲骨文][甲骨文][甲骨文][甲骨文][甲骨文][甲骨文]（庚申，舸人雨自西，夕既）合集二〇九六四、既：既過去、已經終止之義。

⿰舟步

卜辭⿰舟步、⿴囗⿰片日、固、⿴囗幽均為葬字（見三七〇頁固字註）。

[爿子]

□ 存一三三四 从爿、从子，《說文》所無。

卜辭疑作人名：……□[爿子]……□□……（……子[爿子]……自至……）存一、一三三四

[爿子攴]

□ 合集五二七 □ 合集八八六 □ 乙八六〇五 从爿、从子、从攴，《說文》所無。

卜辭人名：□□□□（貞，[爿子攴]其得）合集八八六

[爿見]

□ 佚三九六 从覞、从爿，《說文》所無。

卜辭地名：于屮日□（于屮[爿見]）前六、九、六 屮用作有。義不明：□于□（[爿見]于若）佚三九六

牆

《說文》牆在嗇部（見三三四頁牆字註）。合文牆字或作爿：□□（貞小臣牆得）合集五六〇。

[爿免]

□ 綜類四五〇。象一人戴帽或蒙頭於牀，權作[爿免]。

卜辭疑作動詞：□□□……（貞王[爿免]……）綜類四五。

[疒引]

□ 合集一三六八 从□疾从□引，構義不明，从辭義分析，似為某種病名。（應在疒部）

卜辭疑病名：……□□□（……惟[疒引]止趾）合集一三六九一

鼎

合集三一〇〇〇 象有耳有腹有足之鼎形。合集一三五〇 京三一三一

為當時炊器和祭器，卜辭中多用作貞。

金文商代卣鼎作，周早盂鼎作，周中頌鼎作。

《說文》：「鼎，三足兩耳，和五味之寶器也，昔禹收九牧之金，鑄鼎荊山之下，入山林川澤，螭魅蝄蜽莫能逢之，以協承天休。易卦：巽木於下者為鼎。象析木以炊也。籀文以鼎為貞字」。鼎下象析木以炊之說不確。

卜辭器名：（新異鼎）合集三一〇〇〇 異：優異，即新鑄的、優異的鼎。

借音作正，有當、該義：（㱿貞，王鼎从望乘）合集七一（其雨，之日鼎雨）英一二三六（鼎㞢龍）合集三一七一 㞢用作有，龍用作寵，即：現在正有先祖神靈之寵祐。（鼎龍）合集六四八五 即正受先祖神靈之寵祐。

用作貞：…（丙午貞，多婦無疾）乙八八乙六

祭器：（㞢母庚

⿱兹鼎（⿱兹鼎）：□合集八二九四 从鼎，兹聲。《說文》所無。疑即鄭戚句父鼎之⿱兹鼎字。卜辭另一字作□合集一〇〇三五 从⿰氵兹，从皿，權作盜。⿱兹鼎、盜均為地名，疑為繁簡字（見一九五頁盜字註）。卜辭地名：……□于□（……友于⿱兹鼎）合集八二九四

⿱⿰爿夕鼎

豕、鼎用）合集一九九六二 㞢用作侑，祭名。 祭名：□□□（其鼎又正）合集三〇九九六 又正可作祐征，或作有足。 ……□□……酌（……鼎暨酌）屯三六六 暨同及，連詞；酌亦祭名。

□屯二五六二 □合集三八二四三 □合集二七一〇 □合集一五八八〇 □屯二三四五 从鼎，从夕（肉）或匕，爿聲。置肉匕與鼎，會意字，進鼎肉以祭也。《說文》所無。

金文商宰甫毁作□，周晚克鼎作□。

《玉篇》：「煑也，亦作鬺」。《集韻》：「音商」。

卜辭祭名，進奉鼎肉之祭：□□□□□□（升歲、將鼎、障王受又）合集二〇七二八 升用作⿰礻升，又用作祐佑，⿰礻升、歲、將鼎、障均祭名。 □□□□（惟兹祖丁將鼎）合集二七二八八 兹同兹、此。此句為倒裝句，即將鼎此祖丁。 □□□□□王□又（祭祖乙又將鼎，王受又）合集二七二二六 又字上用作有，下則用作祐。 □□□□□（叔妣庚，其將鼎）合集二七五二九

或釋為正，用作征。

克

(弜將鼎) 存一四七四 弜用同勿。

合集二二五四 合集一三七〇九 英三二六 象躬腰扶膝頭上戴冑之武士形，會克服、能夠克敵致勝之義。

金文周早令毁作，周晚克鼎作，戰國公克敦作。

《說文》：「克，肩也，象屋下刻木之形」。惟「肩也」稍有本義。

卜辭人名：(克呼) 合集一六二四七 呼：呼喚、命令。(貞，克亡禍) 合集四五二九 亡用作無。(克不其至) 京二一七二 動詞，克敵致勝之義：(東克巡獨) 合集二二五二六 (子商徒基方，克) 合集六五七三 子商：人名；徒：徒步行走。能夠之義：(雀弗其克入) 合集七〇七六 合集二〇五〇八

彔

存七六二 懷四一九 象汲水之轆轤形，象桔槔，象汲水之具，象水滴。卜辭彔借用作麓，彔、禁、麓混用。

金文周中大保毁作，周中彔卣作，周中頌鼎作。

⿸虍彔

《說文》：「彔，刻木彔彔也，象形」。彔彔即轆轤。

卜辭地名，同麓，為山麓之地：□□□□□□（其狩𢿨彔，弗擒）合集一○九七。□□□□□：□□（王其田斿彔無災）合集二九四一二　田用作畋，狩獵。□□□□□□（今日至于中彔）屯二五二九　王田□□□：（王田于雞彔）懷一九一五　：：□□□□（：：北⿱林彔擒）合集二九四○九　：：□□□□□□（：：于白⿱林彔盾宰丰）合集三五五○一　王田于□□□：（王田于妞麓：）合集三七四八五　□□□□□：（弜藝濜彔）屯七六二　弜用如勿。藝：焚林木逐獸出來，以便於獵擒。

□合集三六四九二　从彔，从虍，《說文》所無。

卜辭疑人名：□□□□□□□□：□□□□□：□□□□□：（丙午卜，在攸貞，王其乎：延執冑人方⿸虍彔焚：弗悔，在正月：）合集三六四九二

乎用作呼，命令。人方⿸虍彔焚：將人方首領⿸虍彔燒死。

禾

屯三九四　屯二二二四　象穀禾形，穗、葉、莖、根可見。

金文周中曶鼎作　，春秋郳公䤣鐘作　，春秋於賜鐘作　。

《說文》：「禾，嘉穀也，二月始生，八月而孰，得時之中，故謂之禾。禾，木也，木王而生，金王而死。从木，从𠂹省，𠂹象其穗」。

卜辭禾是泛指名詞，指稱一切穀類：　（今秋禾不冓大水）合集三三三五一　冓同遘，遇也。　（禾無蚩）合集三三三四一　蚩：災害。　（今歲受禾）屯二一二四　卜辭受禾、受年義同。　（拜禾于上甲）屯二〇　地名：　（于禾）合集二三五四二　（在禾貞）前六、二一、二　（今上絲暨禾侯）後下八、六　侯：地方長官。

穆

合集二八四〇二　屯四四五一　象有芒之成熟禾穗下垂之形。

金文周中曶鼎作　，周晚克鼎作　，周晚邢人鐘作　。

《說文》：「穆，禾也，从禾，㣎聲」。

𪗉（穧 稷）

卜辭地名：□□□□□（王其射穆犀）合集三三三七三 □

□□□（惟穆田亡𢦏）屯四四五一 穆田為倒裝詞，田用作畋，畋獵也；亡用作無；𢦏同災。即畋獵于穆這個地方，沒有什麼災害。□□□□□（侃于穆衛，一月）合集七五六三

□ 合集三〇三〇五 □ 屯二九四三 象禾穀四周有籽實形。𪗉即現在的小穀子。或釋作粟，粟是子實，本非莊稼名，俗語「滄海之一粟」，一粟指一粒小穀子，即微小之物也。《說文》之𪗉、穧、稷三字實為同音一字也。

金文戰國中山王鼎稷字作□。

《說文》：「𪗉，稷也，从禾，齊聲。□，𪗉或从次」。《說文》：「稷，𪗉也，五穀之長，从禾，畟聲。□，古文稷省」。𪗉、稷皆从禾，齊、畟為聲符，與麓（𣝓）字从鹿或从彔作聲之義相同。

卜辭穀物名：□□□□□□（𪗉年㞢足雨）英八一八 㞢用有。□□□□（我受𪗉年）合集一〇〇二六 用作祭品：玉

□□□二□（王其蒸，齋二升）屯二一八 蒸，祭名；齋本為一種

莊稼名，此指齋之子實栗。□□于□（其蒸齋于宗）

合集三〇三〇六 宗，祖廟。

稻

□ 合集二四二五四 □ 英八二二 象米在容器中，从卜辭中分析，

當是一種穀物名。直釋如《說文》之形聲字穛，穛與稻之

或體道禾音近，所以有人釋作稻，權从之。

金文周中即毁作□，春秋陳公子甗作□，春秋曾子匿作□。

《說文》：「稻，稌也，从禾，舀聲」。

卜辭疑作動詞；□□于三（貞，稻于三）合集九五五一 地

名：□□□于□（今日步于稻）英二五六三 □□□□

□□（王在師稻，奔）合集二四二五五 穀名；□□□（受稻年）遺四五六

□

秜

□ 合集一三五〇五 从禾，尼聲。野生稻也。

《說文》：「秜，稻今年落來年生謂之秜，从禾，尼聲」。

卜辭動詞，亦穀名：□□□于□□□□（呼甫

□

秜于姷，受㞢年）合集一三五○五 㞢用作有。即命令甫在姷

地種秜，會得到豐收之年。

□

□合集一五三三五 从禾，从冊，《說文》所無。

卜辭疑祭名：□□□干□□（□勿□□元于□豕）合集一五五三五

穅

□合集三六二九○。从米，从庚，為康字初文。《說文》釋

作穅之省文，穅又作糠。看來，康、穅、糠乃同源之

（糠）

字。

康

金文周早矢方彝作□，周晚毛公鼎作□，戰國令瓜君壺作□

《說文》：「穅，穀皮也，从禾，从米，庚聲。□，穅或省」。

卜辭人名：□□又□A介）（婦康又子，今六月）乙八一七又用

作有。殷先王名：□□（康祖丁）英二五一五 康祖丁或簡稱

康丁，為殷代直系先王。□□□□（康丁奭妣辛）合集三六二九。

奭指配偶，即妻子。

年

□英七九四 □屯二四二三 象人負禾，會穀熟豐登之義。

蝗蟲為群居害蟲，在其未長翅時，群眾將其圍趕到低下之處，以火燒之。蝗災在秋季，故秋字从蝗形，从火，當是會意字。

秋（龝）

金文周中召卣作□，周中多鼎作□，春秋曾姬無卹壺作□。

《說文》：「秊，穀孰也，从禾，千聲，春秋傳曰：大有年」。千乃人之訛變。

卜辭指全年收成：□□□（余受年）合集二一七四七 □□□（今歲受年）懷一二六二 受年即得到了全年的穀類豐收。□□□□（西土受年）合集三六九七五 □□□干□（御年于上甲）英七八八 御用作禦，祭名。□□□□□（拜年，又大雨）合集二八二九五 又用作有；拜年即祈年，今北京天壇之祈年殿即祈穀祭祀之設置。

□ 合集三三二三 □ 懷二二 □□ 合集三三二六六 象蝗蟲形，所从之□火為焚蝗保收之義。《說文》籀文秋字从龜，當是蝗形之誤，後世省龜作秋或烁，是中國文字由繁就簡的必然現象。

《說文》：「秋，禾穀孰也，从禾，龜省聲。□，籀文不省」。

卜辭指收穫季節：□□□□（今秋多雨）合集二九九〇八 □□□□□□□（今秋禾不遘大水）合集三三三五一 遘：遇。

烁

秦（秦）

□□□□□（今秋受年，吉秭）屯六二○ 受年：得到了穀類豐收年成；秭：收穫，吉秭即收穫大吉。告秋、帝秋、寧秋皆為秋收前之祭祀活動：□□于□（告秋于上甲）屯一○九五 □□于□于□（帝秋于𡍬于土）合集一四七七三 帝用作禘，祭名；𡍬、土疑神祇名。□□于□（寧秋于帝）屯九三○ 帝指上天之帝。疑指蝗蟲：□□□□□□（今歲秋不至茲商）合集二四二二五 茲同茲，此也。

□ 合集二九九 □ 屯三三一。□ 合集三四○六四 象兩手執杵舂禾形。

金文周中史秦鬲作□，春秋秦公毀作□。

《說文》：「秦，伯益之後所封國，地宜禾，从禾，舂省，一曰秦禾名，□，籀文秦从秝」。

卜辭疑作祭名：□□□于□□（弜秦宗于妣庚）合集三二七四二 弜用如勿。□□□于□□□□□（其酌日于祖丁秦又宗）合集三七三一五 酌祭名；又用作侑，祭名。

□

稖

□ 屯二九九一 □ 合集九五六七 象以農具割斅禾形，直釋作稖，《説文》所無，見于金文父甲毁。或釋作穫，可參。

金文周中父甲毁作□。

卜辭作收穫之義：□□□（王稖黍）合集九五五九 □□□□□□（今秋受年，吉稖）屯六二。吉稖即收穫大吉。

医

□ 合集一九七五四 □ 合集二〇二二三 □ 英一七九三 象禾在匚中，《説文》所無，見于金文中山王嚳鼎。

金文戰國中山王嚳鼎作□。

卜辭人名：□□□□□（令医追方）合集二〇四六一 □□（医獲羌）合集一九七五四 地名：□□□□□（王令医人）合集二〇一九。即商王命令医地之人。

秉

□ 屯三三五 □ 合集二一六七三 象口在禾中，《説文》所無。

卜辭義不明：□□□□□（我今秉又事）□合

朿或釋秋、早，月名等，均與辭義不合。

卜辭疑作動詞：……朿于盂……（戊朿于盂遘大雨）合集三二九八

……朿于……（朿于……田，不遘大雨）……屯三三五

疑祭名：……朿……（翌日庚其朿，乃……至來庚，無大雨）合集三二九九

……朿（惟翌朿）合集三二三〇。

義不明：……吉（弜屯其鬮新朿又正）屯三〇〇四

	二六七三 又用作有。……（……今朿月……）合集二一六七四
	……朿（弜翟朿）合集二八二〇一 弜用如勿；翟，祭名。
	稱之古文作爯（見二三九頁爯字註）。
稱 秂	……合集一七五三一 从禾、从入，《說文》無。疑為《集韻》之秂字。
	《集韻》：「音人，禾欲結者」。
	卜辭人名：……下二……（婦秂示二屯，賓）合集一七五三一 示：
	整治；屯，量詞，一對骨版，賓為簽收者。
稠	……合集一〇〇五六 从……禾从……周，……象四周有界中已種植的
	農田形，應為从禾周聲之字。可釋作稠密之稠字。
	《說文》：「稠，多也。从禾，周聲」。《增韻》：「密也」。
	卜辭罕見之字，殘句中一見：……（……稠……）合集一〇〇五六
⿰禾睘	……合集二八二三三 ……合集二八二〇三 ……懷一三三五 形聲字，權作⿰禾睘。《說文》所無。
	卜辭疑禾熟之義：于盂田……（盂田禾⿰禾睘其御吉稃）
	合集二八二〇三 ……（習用禾征⿰禾睘）合集二八二三三

⿰𠂤冉年

合集九七三〇 从𠂤、从冉、从年、《說文》所無。

卜辭義與年同：（我受⿰𠂤冉年）合集九七三〇

⿰禾朁

合集三〇四六二 从禾、从，簪象婦女髮上插簪形、疑為應為从禾簪聲之字，直釋作⿰禾朁，《說文》所無。

（穳、攢）

後來之穳字，即今日積攢之攢。

《正韻》釋穳："音攢"。《集韻》釋穳："音纂，刈禾積也"。

卜辭神祇名：……（己亥卜，其祝穳庚……）合集三〇四六二 祝：祈禱。

⿰口余

合集二一五〇七 从禾、从入、从口，《說文》所無。

卜辭人名：（令官⿰口余）合集二一五〇七

⿰禾年

京津五五九 从二年，《說文》所無。卜辭⿰禾年用如年，義同。

⿰禾兄

屯二七三九 从禾、从祝，《說文》所無。

卜辭地名：王田于（王田于⿰禾兄）合集三七四九五 田用作畋、狩獵。

于工田（于壬廼田⿰禾兄，無災）屯二七三九

秝

秝 合集九三六四　秝 合集二八二〇九　从二禾。

《說文》：「秝，稀疏適也。从二禾。讀若歷」。

卜辭疑祭名：叀祖丁秝舞用又正（惟祖丁秝舞用，又正）

合集二八二〇九　又正讀有足。

⿱亼秝

⿱亼秝 合集二〇一六七　⿱亼秝 合集一九三三三　从秝，从亼或从人，《說文》所無。

卜辭人名：丁丑卜⿱亼秝曰叀甾（丁丑卜，⿱亼秝曰：惟甾）合集二〇一六七

多⿱亼秝疑指諸多之⿱亼秝，⿱亼秝可能為官職名：四已丙⿱亼秝……干……

……已丙⿱亼秝……干……（……以多

丙申，多⿱亼秝……于……）合集三九四四三

⿱亼秝……于……）合集一九三三三

⿰糸秝

⿰糸秝 合集四五三二　从二禾，从兩手執絲，《說文》所無。

卜辭中罕見，殘句義不明：……山⿰糸秝……（……子⿰糸秝……）

合集四五三二

⿱秝工

⿱秝工 合集一八四〇二　从二禾，从工，《說文》所無。

卜辭中罕見，殘句義不明：勿……⿰阜⿱午止 ⿰彳⿱囗丁 井……⿱秝工三丨（勿

……陟貝我……秝（三月）英七七一

𥞥

□ 合集九二八一 象兩手執工擊禾形，疑為□□秦之異文。

執工與擊禾與執午杵搗禾義近。

卜辭人名：□入二（𥞥入二）合集九二八一 入：貢納、進貢。

𥟵

□ 合集三七四二 从二禾、从𠂤、从𡈼，《說文》所無。

卜辭地名：王田于□（王田于𥟵）合集三七四二 田用作畋，

狩獵。

□

□ 合集二四四。从禾，从叉，構形不明。

卜辭義不明：□……□……□……十八……（癸巳……二月

父□：甲午……）合集二四四。

黍

□ 英八一九 □ 合集九九六八 象多穗並下垂之黍子形。所从之水

示黍子好水之義。

金文周晚仲歔父盤作□。

《說文》：「黍，禾屬而黏者也，以大暑而種，故謂之黍。从

禾，雨聲。孔子曰：黍可為酒，禾入水也」。雨聲之說有失。

卜辭穀物名：□□□□（我受黍年）英八二 即我得到了黍子豐收之好年成。動詞，種黍也：□□（王黍）合集九五二五 □□于□（眔黍于囧）合集一○。祭品：□□于□（黍蒸于祖乙）合集一一四八四 蒸：祭名。

香

□ 合集三○八 □ 英二五五 □ 合集三六五五三 从□麥或从□齋，□甘，或从□口，示穀類甘香之義。

《說文》：「香，芳也，从黍，从甘，春秋傳曰：黍稷馨香」。

卜辭人名：□□于□于□（御子香于迎）合集三一○八 □□于□□（御子香于母）合集三一○九 地名：□□□□于□□□（今日王步于香，亡災）合集三六五○二 亡用作無。

□□□（在香貞）合集三六五五三 □□□□□□□（黍在龍囿香，受出年）合集九五五二 黍：動詞，種黍，出用作有。

馨

《說文》：「馨，香之遠聞者，从香，殸聲。殸，籀文磬。」

卜辭聲用作馨，當是借音。……□□□□□□（……申卜，聲⿱齊米其蒸兄辛）合集二七六三二 ⿱齊米，⿱齊米：穀物名，聲⿱齊米即馨香之⿱齊米，蒸，蒸：祭名。即用馨香之⿱齊米向兄辛進行蒸祭。

□

米

□□ 屯九三六 □□ 英一九一 象米粒形，中間之橫是表示不同于沙粒之義。

《說文》：「米，粟實也，象禾實之形。」

敉

卜辭作米之本義，粟實也：□□□□□□□□（王其蒸南囧米，惟乙亥）合集三二〇二四 蒸，蒸：祭名。用作敉，動詞，安撫也：□□□□（余不米眾）合集七二 余：商王自稱，我也。

□……□□□……□□（令……絲米……眾）合集七一 ……□□……

□□……□□（……卜貞：其米……眾）英一九一 祭名：□□□□□

于□（癸卯貞，米于祖乙）合集三二五四〇 □□（弜米）屯九三六

弜用如勿。

⿰米覃

卜辭⿰米覃用作稻（見四二二頁稻字註）。

舂

□ 鄴三下四三六 □ 京津四二六五 象兩手執杵向臼舂米形。

□

（　关　）

周中伯舂盉作□。

《說文》：「舂，擣粟也，从廾持杵臨臼上。午，杵省也，古者雝父初作舂」。

卜辭動詞，搗擊也：□□□□□□□□（王其呼眾舂戌受人：）屯八八。

弇

□ 庫一三九七 □ 屯九 □ 屯二三八 象兩手執棒或杵作擣殺之形。或□釋亟、併、朕等，可參。卜辭朕作□，可知□即关、□，同弇。

毛公鼎作□、□，□爵作□，□公小量作□，□文作□，癸卣「文□父」作□。

《五音集韻》釋弇：「音饌，火種也」。

卜辭人名：□□□（弇亡疾）英一一三六 亡用作無。□□□（弇各化亡禍）合集五四三九 地名：□□□□□（吉方其至于弇）合集六一三 □□□□□（往弇㞢離）合集一七 㞢用作有。□□□（弇受年）合集九七九一 即弇地得到了穀類豐收之好年成。攻擊討伐之義：□□□□□□□□□義不明：□□□□□：□：□ □（丙辰卜，酚，弇：祖盤庚）庫三九七 酚：祭名。

于少（王其令右旅暨左旅谷見方）屯二三二八 才（臽林方）英二五六三 （王令子畫臽）屯二四三

臽

合集二三三七四 合集八二〇七 合集一九〇〇〇 合集四八三三 象人陷于坑坎中，所从之小點為土塊。為臽、陷之初文本字。

金文周晚㝬鐘作。

（陷）

《說文》：「臽，小阱也，从人在臼上」。臼當為凵形之訛變。

卜辭作陷人之祭，亦用牲法：（丁丑卜，子改臽，亡禍）合集二三三七八 亡用作無。于（臽于門）合集一九八〇〇 （今日臽）乙八七一六

臽

合集六〇二七 象兩手執杵將人擣入坑坎之中，《說文》所無。疑為臽之繁文。

卜辭殘句，疑作陷人之祭，亦用牲法：：：于：：（辛酉卜，爭貞，臽：：于鼓西，惟：：雨）合集六〇二七

㪔（枚、𢿨、散）　耑（端）

□ 合集二九二八九 □ 合集三一七八六 □ 屯一四九 □ 懷八三一 □ 合集一○九○八 象以手執棒擊向草木之形，所从之小點為脫落之物。有分散、分離之義。釋㪔，同枚、𢿨，後來均以散代之。

金文周晚㪔車父毀作□。

《說文》：「㪔，分離也，从攴，从林。林，分㪔之意也」。

卜辭地名：□□（王往㪔）合集八一八三 □□□□（其北㪔擒）合集二九二八九

□ 合集八二六七 □ 合集六八四三 从□止从一从□不，一為地平，□象草木之根，□象足形。會意字，根端也，為耑，端之初文。

金文義楚耑作□，郘王耑作□或□。

《說文》：「耑，物初生之題也，上象生形，下象其根」。

卜辭方國名：……□□□（……貞，伐耑）合集六八四四 ……□□□□□（……捍其大𦎫耑）合集六八四三 𦎫用作敦，打伐。

□□□□□□（王曰：耑其𢦏）合集二○○七○ 𢦏：舉戈跪降。

□　□

宀（廬 六）

□ 合集二二九三 □ 合集三四○六九 □ 合集一三五一七 象建築簡單之屋形，猶如後世之茅廬。卜辭中凡用作居處之字多从之，如□宮□宅□室□家等。合文中，□或省作□，如宋字可作□。另外也用作數字之六，如□□（六羊）、□□（六月）等。

《說文》：「宀，交覆深屋也，象形」。

卜辭用作屋室，廬也。□□□□（作宀于沘）合集一三五一七 于□□（于東宀）合集三四○六九

家

□ 英三九二 □ 屯三三二 □ 合集一三五八二 从□宀 □豭聲。□或省作□豕。

金文商代家戈爵作□，周早令𣪘作□，周中頌鼎作□。

《說文》：「家，居也，从宀，豭省聲」。

卜辭人名：□□□（家入五）合集六五○五 入三頁入。□□□（令家）掇二一○。指自己家族：□□□（家亡震）屯二六七二 亡用作無，震：受驚。□□□□□□□（我家舊眠臣亡蚩

我）合集三五三 亡用作無，蚩，動詞，為害于人。□□□□
□□（我家祖辛弗左王）合集一三五八四 左用作佐，佐助。祭祀之
室也：己□□于□□（己酉貞，于上甲家）合集一三五八〇

宅

□ 英一五五三 □ 屯四四〇〇 从宀，乇聲，即住宅之宅。
金文周早何尊作□，周早小臣宅毁作□，春秋秦公毁作□。
《說文》：「宅，所託也，从宀，乇聲。□，古文宅；□，亦古文宅」。
卜辭人名：□□□□□（婦宅示二屯箙）南南二·二三 示：
整治；屯：量詞，一對骨版；箙：人名，簽收者。□□□□
□（勿乎執宅□）合集六八五 乎同呼，命令。祭祀之室：□□
□于□□（呼婦奏于沘宅）合集一三五一七 呼：命令；奏：秦樂
跳舞祈雨之祭。住宅：于□□（于王宅）懷一五七六 動詞：建造或住
進：□□□□□□（今日王宅新室）合集一三五六三 □□□
（宅東寢）合集一三五六九。

室

□ 英二三四六 □ 合集二九四三七 从宀，从至或矢作聲符。

金文周早天亡毀作，周中頌鼎作。

《說文》：「室，實也，从宀，从至，至所止也。」

卜辭之室多指祭祀之室：（司母大室）合集三〇三七〇。司用作祀。（于新室奏）合集三〇三二 奏：奏樂舞蹈祈雨之祭祀。（于南室彡、報）合集一三五五七 彡、報均祭名。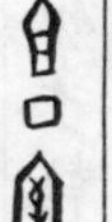（祖丁室）合集三〇三六九 指専供祭祀祖丁之室。另外尚有中室、東室、西室、盟室、重室等，均非居住之室。

宣

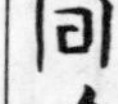 合集二八〇〇三 从宀，亘聲。

金文周中虢季子白盤作，春秋曾子仲鼎作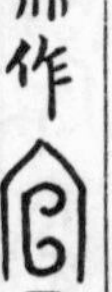。

卜辭南宣為祭祀之室（與後來用作皇帝理政的宣室不同）：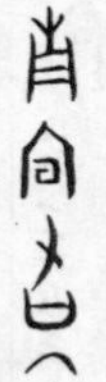（于南宣告）京四二六九 告：祭名，劃裂祭牲之祭，亦用牲法。疑方國名：（弜宣方燎）合集二八〇〇三 弜用如勿，否定詞，燎，焚柴祈雨之祭祀活動。

向

 合集三三五四〇  英二三一二 象屋牆有窗之形。

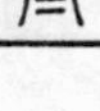 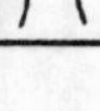

金文周中何卣作向，周晚叔向毀作向。

《説文》：「向，北出牖也，从宀，从口。詩曰：塞向墐戶」。

卜辭地名：王田向其來亡災（王田向，往來無災）英二五四三　田用作畋，打獵。于向（于向）屯二六三　省向（省向）屯五九八　省：省察。

寍

古文寍、甯、寕、寧一字通用（見二七四頁寧字註）。

定

定 合集三六九一八　定 遺五〇三　定 合集三六八五。　从宀，从正或从一、與蔡侯鐘同。

金文周早伯定盉作定，周中衛盉作定，春秋蔡侯鐘作定。

《説文》：「定，安也，从宀，从正」。

卜辭貞人名：己未卜定貞（己未卜，定貞）遺五〇三　地名：癸丑卜在定貞（癸丑卜，在定貞）合集三六八五。

安

安 合集三三五六一　安 合集一九五二四　安 合集二二四六四　安 合集九〇五　安 合集二一〇五四　象婦女坐室內，會安靜之義。所从之小點僅用于病人之名中，如「疒安（疒安）」，亦可不加小點，如「疒安」。

四四〇。

金文周早罳卣作，周中格伯𣪕作，春秋國差𦉜作。

《說文》：「安，靜也，从女在宀下」。

卜辭人名：（呼子安）合集三一六二 （子安有𡿧）合集九〇五

𡿧、災害。（子安之𡿧）合集九〇五 地名：（田安、亡戋）

田用作畋，打獵；亡用作無；戋同災。（于安）合集二九三七八 安寧、

安適之義：（王腹不安）合集五三七三

宓（密）

合集三三九二九 合集五八五四 屯三〇七 英四〇六 合集二三一七 周甲三六 象多弋在室，所从之小點為弋之省，釋宓。

古文宓、密通用。

金文周中易鼎作。

《說文》：「宓，安也，从宀，必聲」。《集韻》：「宓或作密、寶」。

卜辭人名：合集三三九二九 （宓𦎫示千）合集三三〇〇八 示：整治。

疑作動詞：（王令剛宓治侯）屯九二〇 剛，疑為人名；

侯：伯侯之侯，地方長官。

疑方國名：〻□□□□□（〻王西克往㝉）周甲探三　安寧之

義：□□□□（令周㝉，若）合集四八八五　若：順利。

寶

□英四三〇　□合集一七五一二　□合集一七五一二　象貝、玉在室，會

珍寶之義。金文从缶，缶亦器物亦聲符也。

金文商祖己鼎作□，周早盂鼎作□，周中彔伯簋作□。

《說文》：「寶，珍也，从宀，从王，从貝，缶聲，□，古文寶省貝」。貯

子己父匜作□，不从貝，與《說文》古文同。

卜辭人名：□□下二□小□（婦寶示二屯　小㱿）英四三〇　示：

整治，屯：量詞，一對骨版，小㱿：人名，簽收者。

宇

□合集二〇五七五　从宀，于聲。釋宇。同㝢、序、㝢、籀文作寓。

金文周中牆盤作□。

《說文》：「宇，屋邊也，从宀，于聲。易曰：上棟下宇。□，籀文宇从禹」。

（寓）

卜辭罕見之字，義不明：□日（宇日）合集二〇五七五

宰

宰 合集三一三六 宰 合集五五二 宰 合集三五二一四 宰 合集五八三

从宀，从辛或辛、辛、辛等。釋宰。此字結構變化較大，所从之辛、辛為辛之省。

金文商宰椃角作宰，周中頌鼎作宰，春秋魯原父毁作宰。

《說文》：「宰，皋人在屋下執事者，从宀，从辛，辛，皋也」。

卜辭地名：……□三□十□宰（……□乞骨七自宰）合集三三二四

□宰（在宰）合集三一三六 □□宰（在□宰）合集五八四 疑職官名：……王□宰□□……（……王易宰羊寢……）佚五一八 易同賜。

宰

寵

卜辭龍借音作寵（見七七二頁龍字註）。

宜（俎）

宜 屯四一七八 宜 屯七七六 宜 京一○四五 象肉在且上之形，且為肉几，即俎也；與祖宗牌位之且祖有別。宜與《說文》宜之古文𡧯同，宜、俎實為同源之字。

金文商切卣作宜，周早天王毁作宜，周早貉子卣作宜。

《說文》：「宜，所安也，从宀之下一之上，多省聲。𡧯，古文宜，𡨄亦古文宜」。

宜

卜辭作用牲法，□于□一□□一□（燎于河，十牛，宜十牛）
合集一四五五二 燎、祭名；河、神祇名。祭名亦用牲法：□□□□□
于□（旅貞，其宜羊于兄庚）合集二三五〇二 祭名：□□□□（己
巳勿宜）英一二七六 疑作祭祀之處：□□十于□（祐大甲于宜）
英二 祐、祭名。

宿

□ 合集二九三五一 □ 合集五三五六 □ 合集五三五七 繁文象一人坐臥于□
室內席上。古文宿、夙通用。
金文周中宿父尊作□。鄦子宿車盆作□。
《說文》：「宿，止也，从宀，佰聲。佰，古文夙」。
卜辭作止息、住宿：于□□□□（于机，宿亡𢦏）屯二一五二
亡用作無，𢦏同災。□：□（王宿）合集五三五七 地名：于□
（于宿）合集八一三二 疑祭名：□□□□□于□一（貞，祖辛宿
于父乙）合集一七七九 于用作與，連詞。大意是：向祖辛進行宿夙祭時
與祭祀父乙一同進行。

寑（寑寢㝲）

屯八五七 英一九九六 从宀，侵省聲。金文、籀文寑字从𡨦或侵，即今日之侵字，可見帚為侵或𡨦之省。古文寑、寑、寢、㝲同字。

金文商寑爵作，周早寑敖殷作，周晚召伯殷作。

《說文》：「寑，卧也，从宀，𡨦聲。，籀文寑省」。

卜辭人名：（婦寑娩妨）懷一二六二 娩，分娩，妨用作嘉，好也，卜辭生男曰嘉，生女曰不嘉。 居室也：（作王寑）合集二四九五三 （東寑）合集三四○六七 （西寑）同版 （新寑）合集三四九五一

守（安）

屯二三○一 合集三三四○七 从宀，肘聲，直釋作㝈，後人省作守。卜辭與守宮卣之守構形同。古文守、安一字。

金文商守觚作，周中守宮卣作，周中守殷作。

《說文》：「守，守官也，从宀，从寸，寺府之事者从寸，寸法度也」。

卜辭作動詞，守護、防衛也：（王族守方，在亡災）屯二三○一 亡用作無。（其守）合集三三四○七

害

害□ 合集二二四五 □ 合集三四六 □ 英一八八三 □ 合集七八八二

从□或□、□、□，从口，□象傷痕，亦是聲符，口有口舌之義。繁文□上下間距大些，所以被人忽略為□、口二字；从文義分析實為一字。□或省作□、□、□。繁文與周晚師害簋之害字大同。

金文周晚師害簋作□，周晚害叔簋作□，周晚毛公鼎作□。

一父丁爵作□，父乙觶作□。

《說文》：「害，傷也，从宀，从口，从口言从家起也，丰聲」。

卜辭作傷害、□□（又害）英一八八三 又用作有。□□（亡害）合集九一九九 亩作無。□□□（不作害）合集七八八二 □□□□（又作害于）合集二二四五 □□□□（勿令□害）合集三四六 □□□□（沚戠其作害）合集三九五四 上兩句中，□與沚戠均為商之將領，所言害者均指為害他人。風名：□□□□□□□□□□□□（貞，帝于西方曰彝，風曰害。拜年）合集一四二九五 帝用作禘，祭名。□……□□□（害……王不□）合集二〇二九五

害

究

…（貞…害…）懷七二八

合集二三五四八 从宀从从九，直釋作𡨦，與究之金文近似。卜辭作祭名，有袚除鬼祟之義。古文究、窔一字

金文周早麥盉作，周中曶鼎作，周晚兮甲盤作。

《說文》：「究，姦也，外為盜内為究，从宀九聲，讀若軌。，古文究，亦古文究」。《玉篇》：「古文窔字」。

（窔）

卜辭祭名：口（丁亥究𡨦，㞢埶、歲羌三十，卯十牛）合集三三五四八 𡨦：居室，㞢用作侑，侑埶均祭名，歲、卯則均為用牲法。

宕

合集二七九〇三 合集一八六二九 从宀，从石，與宕之金文同，音碭。

金文周中不𡢁𣪘作，周晚召伯𣪘作。

《說文》：「宕，過也，一曰洞屋，从宀，碭省聲，汝南項有宕鄉」。

卜辭地名：…田于88卜（…田于宕，其用茲卜）後下一五、三田用作畋，畋獵，即打獵。

(惟岩犬先从，亡𢦏)寧一·三九六 亡甬作無，𢦏同災。疑祭名：……

□于□□□□……(……保于母辛家，宕、彭……)合集二三四三 保、宕、彭均祭名。

宋

□ 合集二〇〇七五 □ 英一七七 □ 合集二〇二四 从宀，从木，象以木支撐屋頂，會為居室之義。

金文周晚北子宋盤作□，春秋趣亥鼎作□。

《說文》：「宋，居也，从宀，从木，讀曰送」。

卜辭人名：□□□□(王㞢子宋)合集二〇〇三四 㞢用作侑，祭名。……□□□(……祐子宋)合集二〇〇三五 祐：神靈祐助。 地名：于□(于宋)合集七八九八 □□□□□(令𠂤往宋)合集二〇二四。 方國名：□□□□□……(鼓其取宋伯……)合集二〇〇七五 伯：方國伯長。

[宀執]

□ 合集五九九一 □ 合集五九九九。 象房有戴銬罪犯形，所从之□為足形，足指向宀，示有人从外進入之義。

《說文》：「⿱宀執，屋傾下也，从宀，執聲」。
卜辭疑與圉同，本義為囚禁。□□□（惟辛⿱宀執）合集
五九九。辛，時詞。

宗

□ 屯二八七 □ 屯三四一 象屋內有牌位之形。
金文周早盂鼎作□，春秋秦公毁作□。
《說文》：「宗，尊祖廟也，从宀，从示」。
卜辭宗泛指安放祖宗牌位之處，□□□（在大宗）屯三八三
大宗為同宗共有之宗廟，內供有各祖之神合龍。□□□卜
（在祖乙宗卜）屯六〇。祖乙宗為祖乙受祀之室。□□□□（在
大丁宗）懷一五五九 疑祭名：□□□……（弜宗上甲……）合集二七〇五八
弜用如勿。□□（弜宗）英二四七。

□

⿱宀新

□ 屯四二八五 □ 合集二七一二 □ 合集三〇三三七 从宀，从新，《說文》所無。
金文戰國中山王方壺作□。
卜辭疑作室名：于□□□（于廳⿱宀新迎）懷一三九一 祭名：

干（新于宗）合集三〇三三七 十（宀新大乙，舌）合集二七一〇 舌，用牲法。新、新通用，新宗亦作宀新宗。于（勿于新宗酌）合集一三五四七 酌，祭名。即，不要在新建之宗中進行酌祭。十（其舌小乙宀新宗）屯二八七 舌，即後世之磔，裂牲也，祭名，亦用牲法。

宀丂

卜辭、金文宀丂、賓同字（見三七四頁賓字註）。

宂

屯一〇五〇 屯七七一 象人在屋下，釋宂冗，形義與許釋全同。《說文》：「宂，椒也，从宀，人在屋下無田事。周書曰：宮中之宂食」。

（冗）

卜辭方國名：于……（其𢦔宂，告于……）屯一〇五。𢦔，打伐。（弜將宂）合集三二七三三 將用作戕，動詞，傷害、打擊之義。疑懶散宂閒之義：（弜宂）屯七七一 弜用如勿。

宀㗊

合集二八一二九 懷一四四七 合集二八八七三 屯二三八六 从宀从人或从企 㗊或省作吅，《說文》所無。

卜辭人名：（王从㗊）合集八九二 从，偕同。地名：田

(弜田窝，弗擒) 懷一四四七 田用作畋，打獵。(王其田窝) 合集二八三七二

宛

合集三〇二六八　屯二六三六　或釋作从宀，夗聲之宛，權从之。
《說文》：「宛，屈草自覆也，从宀，夗聲。宛或从心」。

)惌(

卜辭疑地名。(王其宛麓，侽，弗悔)
合集三〇二六八　(王其宛昷侽無尤) 屯二六三六 尤，災。

宷

合集五六二　英六一〇　英六〇八　从宀，从𠬞，丮持一或丨，象有人在室中持器操作或搗擻之狀，或釋作宷。从卜辭中刖宷、執宷、用宷等辭分析，宷當是任人驅使和宰割之人，所以有人釋作寇，可參。

)寇(

《說文》：「寇，暴也，从攴，从完」。
卜辭寇地位猶如俘虜、罪犯，任人驅使和宰割：(刖寇八十人，不死) 合集五八〇　(令執寇) 英六〇九　(五百寇用) 合集五五五九　(呼

追寇、及）合集五六六　所轄方國名：□□□□（呼寇伐舌）合集五三七

呼：命令。地名：□于□（王寢于寇）合集九八一五

⿱宀我

□合集一九〇八九　从宀，从我，《說文》所無。

卜辭殘句，義不明：□□□（貞，惟⿱宀我）合集一九〇八九

⿱宀多

□合集七九二六　从宀，从多，《說文》所無。《廣韻》：「與宜同」。不可信。

卜辭地名：……于□……（……于⿱宀多……）合集七九二八

⿱宀朿

□屯六六二　从宀，从朿刺，《說文》所無。

卜辭地名：于□□□□（于右⿱宀朿學吉）屯六六二

⿱宀先

□合集八八二　从宀，从先，《說文》所無。

卜辭人名：□□□□□于□（呼⿱宀先取羊不于龜）合集八八二

⿱宀喪

□合集七九三五　从宀，从喪，《說文》所無。

卜辭疑作地名：……□……□（……步……⿱宀喪）合集七九三五

⿱宀艮

□合集三六九〇九　从宀，从艮，《說文》所無。

卜辭人名：□□于□□（呼⿱宀艮于京師）合集三六九〇九　□

宦(底)：卜辭从宀从广每無別，如寅即廣字，另外，古文氏、氐通用，故宦即後來之底字。《說文》：「底，山居也，一曰下也，从广氐聲」。

(令宦)合集三六九〇九

宷

合集一〇六七八 从宀、从米，《說文》所無。

卜辭殘句，義不明：工丙……(壬辰……宷焚……)合集一〇六七八

宦 (底)

合集五五五六。从宀、从氏，疑同底。

卜辭人名：(呼眴暨宦入御事)合集五五五六

⿱宀午

屯二七五一 屯二九六七 从宀、从午，《說文》所無。

金文周早⿱宀午尊作。⿱宀午豕簋作。

卜辭地名：(王其田⿱宀午)屯三六六三 田：動詞，田獵。

(在⿱宀午卜)合集三三五七五 于(于⿱宀午)合集三六七六六

宊

續三、三一、五 从宀、从大，《說文》所無。

卜辭地名：(在宊)續三、三一、五

宎

(⿱宀吳 窔)

合集三〇三八六 合集二七五四三 从宀、夭聲，直釋作宎，或从吳作⿱宀吳，義同。典籍宎、窔一字也，《說文》有窔，無宎、⿱宀吳。

《集韻》釋宎：「音杳，室東南隅也，亦作窔」。《說文》：「窔，室

東南隅也」。

卜辭疑作宗廟之側室：□□□□□□□（于□）□□□

（翌日辛，帝降其入于𣃘大宊在䧅）合集三〇三八六　……于□□

（……于𣃘小乙宊）同版　……于□□□□□□□……（……于宊惟

令羌甲日鼎……）南明五七九　……□□□□□□……□……□□……

□□……（……在八月乙丑，寢……祖乙……弘易賜……在宊……）合集三五六七三

□□□□□□□（王埶禰其宊于祖）合集二七五四三　埶、

禰均祭名。全句大意是：王在宊（宗廟之側室）向祖進行埶祭和

禰祭。

□

□合集二二〇三　象室內有二豕相背之形，下亥亦豕也，疑同家家。

卜辭人名：□□□□（甲午，□無禍）合集二二〇三

□

□合集一三六　□合集二二三七六　□合集一三五　象室內有牀形，疑為

爿牀之繁文。（見三三九頁牀字註）

金文周早又□殷作□。

卜辭地名：……□□□□……（……執逃匄自宀……）

合集一三六 逃）匄，逃亡之俘虜、罪隸。

賓 □合集三五二四九 象室內有貝之形，疑為□寶之省文。

金文周早賓簋作□。

卜辭義不明：……卜□□于十一……（……卜貞，賓至于十三）粹一三七九

竆 □合集三二六 □合集五八七四 从宀，从女，从貝，《說文》所無。

卜辭人名：□□□（氏子竆巫）合集五八七四 義不

明：……□□□□十□于□……（……貞，父乙之竆，自羌

甲至于父三）合集三二六

（宋） □合集六八四七 □合集四一五四 □合集八一六八 □合集二四〇八

从宀，从女或从卩無別，从木或从屮無別。宀為宀之省，如□宋或

作□。卜辭从口或不从口亦可通，如□啓字亦作□。《說文》所無。

（宋邦） 卜辭地名：□（在宋邦）合集八一六九 方國名：□□□□

（𠭯弗𦎫宋）合集六八四七 𦎫用作敦，進攻、打擊之義。 義不明：……□

宗　宓（窒）　寅（廣）

三十卜（三宗三七月卜）合集二一四〇八

合集一八六三〇　合集二九三五九　合集二九三五八　从宀、从小，《說文》所無。

卜辭地名：于（于宗無災）合集二九三五九

懷九八九　合集三三三三　同版　合集七〇九　从宀、从口、从女或从卩無別。宓或从止作窒，亦無別。疑與或賓同。

卜辭人名：（子宓不其獲）合集三一五九　（勿呼子宓）合集七〇九　地名：（勿呼宓侯）合集三三三三　（呼窒侯）同版　侯：地方長官。

合集四八八一　从宀、从黃，釋寅，即廣之初文本字。

金文周中不嬰毁作，周中癲鐘作，周晚士父鐘作。

《說文》：「廣，殿之大屋也，从广，黃聲」。

卜辭人名：（勿御廣于母庚）合集四八八〇　即：勿向母庚舉行攘除寅的病災之御祭。

己卯

廣

（己卯，媚子廣入，宜羌十）菁一 宜，同俎，劊，用牲法；羌，羌俘，用作祭牲。□□□（廣不死）合集一七○八

⿱宀東

□ 合集一○八四 从宀，从東，《說文》所無。

卜辭義不明，：□□□□于□□□二□（爭貞，將⿱宀東于祊毋畋，二月）合集一○八四 ：：于□田□：：□□二□（：：于聿田毋：：將⿱宀東，二月）同版

⿱宀廾

□ 懷八三八 象兩手舉皿于室中，《說文》所無。

卜辭義不明，：：：卜：：□：：：（：：卜：：⿱宀廾：）懷八三八

⿱宀鄉

□ 合集九三八一 从宀，从絲，从卩，《說文》所無。疑同□、□（⿱亼卪）。

卜辭人名，：□□□（郭⿱宀鄉入）合集九三八一（見三○六頁命字註）

⿱宀設

□ 合集四六○ 从宀，从設，《說文》所無。

卜辭疑祭名，：□□□□□（貞，惟羌用⿱宀設）合集四六○

⿱宀鼓

□ 前六、二三、四 从宀，从鼓，《說文》所無。

羌，羌俘，祭牲。

卜辭䕫作米，亦作，可知米同（癸）。

⿱宀⿰亻冉	⿱宀⿰石攵	宔	（⿱宀⿰吉卩）	⿱宀⿰𡕒攵	⿱宀癸	⿱宀⿰屮允
卜辭地名：王步于（王步于鼓）前六、二三、四 合集三一八一五 从宀、从人、从冉，《說文》所無。 卜辭疑祭名：（弜⿱宀⿰亻冉）合集三一八一五 弜用如勿。	屯一二六 从宀、从石、从攵，《說文》所無。 卜辭地名：于亡囚（于⿱宀⿰石攵無禍）屯一二六	京二四二三 合集六六七 从宀、从主，或从卩，《說文》所無。 金文周早井宔鼎作，周早令毁作。	卜辭祭名：于自（貞，⿱宀⿰吉卩告于祖乙）合集六六七	屯二二六〇 从宀、从攵、从多屮，《說文》所無。 卜辭疑作動詞，搔擾之義：方其（方其⿱宀⿰𡕒攵我戌）屯二二六〇 方：方國；戌：地名。	屯二四三六 从宀、从米，《說文》所無。米疑為癸之繁文。 卜辭地名：（在⿱宀癸）屯二四三六	合集三五二五〇 从宀、从屮允，《說文》所無

⿱宀⿰亻女	卜辭義不明：……亥……⿱宀⿰亻女……（……亥……⿱宀⿰亻女……）合集三五二五。 ⿱宀⿰亻女 合集六三四 从宀、从人、从女。 卜辭用與賓同，親臨、親自參加之義：……惟夕⿱宀⿰亻女福（……惟夕⿱宀⿰亻女福）合集六三四 福：祭名。
⿱宀畄	⿱宀畄 合集三三一八九 从宀、从畄，《說文》所無。 卜辭地名：戊辰烄于⿱宀畄雨（戊辰，烄于⿱宀畄，雨）合集三三一八九 烄：焚人求雨之祭。
⿱宀用	⿱宀用 合集三〇二四七 从宀、从用，《說文》所無。 卜辭地名：于⿱宀用又雨吉（于⿱宀用又雨吉）合集三〇二四七 又 用作有。
⿱宀⿰亻用	⿱宀⿰亻用 合集二四四二一 从宀、从人、从用，《說文》所無。 卜辭義不明：……⿱宀⿰亻用（……⿱宀⿰亻用）合集二四四二一
⿱宀疾	⿱宀疾 南輔八四 ⿱宀疾 人三〇九九 从宀、从疾，或从口，《說文》所無。 卜辭疑作祭名：……庚申⿱宀疾允雨……（……庚申⿱宀疾，允雨……）

人三〇九九 □□□□（弜疾其每）南輔八四 弜用如□勿、每畮作晦，天象昏暗。

寉

□ 合集一〇四二五 □ 合集三三三八四 从宀从隹，《説文》所無。

卜辭疑作地名：……□□、□……□□……（……□暨寉……獲寉……）合集一〇四二五

地名：□□□□□□□（王狩寉，弗擒）合集三三三八四

□

□ 甲一八〇三 从宀从攸啓，《説文》所無。

卜辭義不明：……□□……□□……（……大雨□每……）甲一八〇三

□

□ 合集三〇二九五 从宀从人从二甾。

卜辭疑作動詞：……□□……（……其□……）合集三〇二九五

害

□ 合集二七八〇七 从宀从横生从口，《説文》所無。

卜辭義不明：……□□□（……盂害）合集二七八〇七

□

□ 合集一七〇九三 从宀从屮，《説文》所無。疑同□宅。

卜辭疑人名：……□……□□（……□……不死）合集一七〇九三

官

□ 粹一四二 从宀，从白，《說文》所無。

卜辭地名：□□□于□（大乙使王饗于官）粹一四二

⿱宀⿱小田

□ 合集一八四三四 从宀，从小，从田，《說文》所無。

卜辭義不明：……□……（……⿱宀⿱小田……）合集一八四三四

富

□ 合集二一九〇 □ 合集三四三九三 象室有酒器之形，為會意字，與金文富字大同。商代既有貨幣，就會有交易，有了交易，就會有差別；有福字就該有富字。或釋作福，福、富之義無大差別。

金文戰國富奠劍作□，戰國上官登作□，戰國中山王鼎作□。

《說文》：「富，備也，一曰厚也，从宀，畐聲」。備有豐富完備之義。

卜辭殘句，疑作祭名，豐富完備敬酒之祭也：……□□……□

□……（……其至……祝富……）合集三四三九三 □……□……□……于□

……□……（貞……亥……商……于父……富……）合集二一九〇。

富

安

□ 合集一八六二〇 □ 合集一三七四七 从宀，从又或从丑無別，所从之小點為手指搔下之屑物。 疑為搔之初文。 或釋宷探可參。

）	騷	搔	（	⿱宀西		⿱宀售		⿱宀御		⿱之焚
卜辭人名：□□出作（叀其有疾）合集一三七四七　搔擾之義：	□□□□□（舌方其搔西土）合集六三五七　□□□□□	□（舌方弗搔西土）同版　掃蕩之義：□□□□□（王搔伐土方）	合集六四二五　□□□（呼奔搔）合集四一八五　呼：命令，奔：打擊。	□　乙七六三　从宀，从西，《說文》所無。	卜辭義不明：……□……（……貞……㝥……）乙七六三	□　文九。　从宀，从隹，从口，《說文》所無。	卜辭義不明：……□……（……⿱宀售……）文九。	□　前六、二九、三　从宀，从御，《說文》所無。	卜辭義不明：……□……□……□……（……貞……宀御……以……）前六、二九、三	□□　合集二七七三九　从之之从焚，从林，从林从宀，直釋作⿱之焚，
騷	搔									構義不明。
										卜辭疑作動詞：□□□□□□□□□□
										（辛酉卜，㱿，今日辛⿱之焚弗晦）合集二七七三九

⿱宀炙

合集一六二七一　从宀、从炙，《說文》所無。

卜辭作動詞，疑用牲法：三（三⿱宀炙牛于三）

合集一六二七一

⿱宀耳

合集七二　从門，从耳，疑為聽之省文（見五八三頁聽字註）。

卜辭用作廳室、祭祀之處：（翌乙亥，酚雍伐于⿱宀耳）合集七二　雍用作饔食，酚、饔食、伐均祭名。

⿱宀卩

合集一八六四三　懷三四六　合集一四七八五　合集一五二〇三　象一人安蹲于室內，直釋作⿱宀卩。从辭義分析，與从女之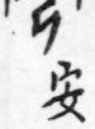安實一字也。

卜辭平安也：：（：若茲不⿱宀卩，其大不若）合集二三六五一　若茲即如此，不若即不順心。（貞，安行）英七〇九　人名：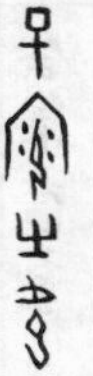（子⿱宀卩有蚩）合集九七五　蚩：災害。（參見四三九頁安字註）

宫

屯一四六九　英二五二九　从宀，吕雝、雍聲。

金文周早矢方彝作，周中舀鼎作。

《說文》：「宫，室也。从宀，躳省聲」。

宫

卜辭疑人名：羌宮示二屯㪔（羌宮示二屯 㪔）合集七三八〇 示：整治；屯：量詞，一對骨版；㪔：簽收者。地名：玉田宮（玉田宮）英二五五五 田：動詞，田獵。安放先公、先祖之宮室、亦祭祀之地：：天邑商公宮衣茲夕亡禍寧（：：天邑商公宮衣，茲夕無禍，寧）英二五二九 天邑商指商之王都，同大邑商；公：諸先公；衣：祭名；寧：安寧。

宫

宫 合集二〇三〇六 从宀，从吕，疑為宮字之異構。

卜辭宮室名：：卯卜王亡宫（：：卯卜，王無宫）合集二〇三〇六

宮

宮 合集一三三三三 从宀，从品，疑為宮字之異構。

卜辭宮室名：：貞：：雨宮鳳不：：（：：貞：：雨，宮風不：：）

合集一三三三一

呂

呂 合集三八二三 呂 英二五六七 象澆鑄之銅錠形。

金文周早敄子卣作呂，周中靜毁作呂。免毁「錫女赤呂」作呂。

《說文》：「呂，脊骨也，象形，昔太嶽為禹心呂之臣，故封呂侯，膂，篆文呂从肉，从旅」。非本義。

呂

寤（𥧒、寤、寤、悟）：[glyph]京四〇三 象人張口臥牀，示醒寤之義。所从之五作聲符。為寤、寤、寤、悟之初文。

《說文》：「寤，寐覺而有信曰寤，从𥧒省，吾聲。一曰晝見而夜𥧒也。[glyph]籀文寤」。

卜辭疑作醒寤之義：
：：[glyph]五
：：[glyph]
：：88[glyph]
[glyph]：：[glyph]（：貞王：：寤又：：茲惟祖辛：：唯）京四〇二。

卜辭地名：于呂（于呂）粹九八四 [glyph]于呂（方征于呂）陳一六。

方國名：呂[glyph]呂（舌方氏𨞇角方𦎧呂）京一二三〇。氏：帶領，𦎧用作敦，打擊、進攻。

銅錠也：[glyph]呂（王其鑄黃呂）英二五六七 ：：[glyph]呂（：：令：：賜[glyph]呂）合集三八二三

另 [glyph]合集二八〇〇六 [glyph]英二一八〇。从口、从万，《說文》所無。

卜辭地名：[glyph]于[glyph][glyph]（燎于另東）合集一四六七三 燎，祭名。

寮 [glyph]合集三六九〇九 [glyph]合集二四二七八 从宀，尞聲。古文寮、僚一字。

金文周早令毀作[glyph]，周早矢方彝作[glyph]，周晚毛公鼎作[glyph]。

《說文》：「寮，穿也，从穴，尞聲，論語有公伯寮」。

（僚）

卜辭地名：[glyph]卜（王在師寮卜）合集二四二七三

職官通稱：[glyph]（唯惟大史寮令）前五、三九、八 倒裝句，即：唯令大史僚。

寱（夢）[glyph]合集二〇六五 [glyph]合集一七四五〇 [glyph]英一一六八 [glyph]合集一二三七 象人依牀而臥，手在舞動，或被杖擊打之狀，均會夢魘之義。

[glyph] [glyph]

寐（寢、瞑、眠、蘗）：□合集三五二象老人卧牀，从米作聲，即《說文》之寐。《集篆古文韻海》以□爲眠。从苜，米聲。寐眠疑爲同源之字。《說文》：「寐，寐而未厭，从寢省，米聲」。《說文》有瞑無眠，訓瞑爲：「翕目也」。典籍眠之古文作蘗。卜辭用作眠，永眠也：□□□□□□（我家舊眠）合集三五二蚩，動詞，害也。

疾（𤕫）疒（

《說文》：「寢，寐而有覺也，从宀，从疒，夢聲」。

卜辭用其本義，寐而有覺也：□□□□□（王貞，余有夢）合集一七四四。□□□（多鬼夢）合集一七四四八 □□□□□□十□□□□：（王固曰：有祟，有夢，甲寅，允有來嬉艱：）合集一三七九果然，艱：災難。

□ 英一一二四 □ 英一一二三 □ 合集二一〇五四 □ 合集三六七六六

象人在牀上出汗之形，示疾病之義，或作矢射腋下，示受了箭傷，亦有病來之疾狀之義。金文疾、𤕫均作疾，卜辭𤕫形罕見，後世𤕫形廢而不用。疒、疾、𤕫一字通用。

金文周晚毛公鼎作□，戰國上官鼎作□。

《說文》：「疾，病也，从疒，矢聲。□，古文疾；□，籒文疾」。

卜辭指疾痛：□□□（周疾延）合集二二三六五 延同延，延長，久病不癒。：□□□□（：𤕫，歸于宰）合集三六七六六宰：地名。□□□□□（方叩骨風又疾）合集二〇五二 骨風：

□

骨頭受了風寒；又用作有。□（疾齒）英一二三 □（疾眩）合集一三六七八 □（疾九）合集一三六七七 九用作肘。□（疾自）合集一一五〇六 自：鼻也。疾速，急也：□（疾雨亡勻）亡用作無，勻：災害。

疛

□ 懷一六五九 □ 屯二九〇九 □ 懷一六五六 象一人臥牀，以手揉腹之形，所从之小點為汗液。从又、从寸古文可通。音肘。

《說文》：「疛，小腹病也，从疒，肘省聲」。

卜辭人名：□（王令疛）合集三二八七三 □（呼疛）合集四三四六 呼：命令。腹病也：□（婦好疛，延龍）合集一三七一二 龍用作寵，動詞，寵愛、寵祐之義。延寵即連續得到神靈寵祐之義。□（疛惟父乙蛊）合集六〇三三 蛊：神鬼為害。動詞，治腹疾也：□（呼娘疛克）合集四四六四

[illegible]

[疒羽]

□ 合集一三八六一 从疾广从羽，《說文》所無。

卜辭義不明：□（[疒羽]）合集一三八六一

疤
□ 合集三二四九 从疒巴聲，可釋疤。典籍疤、瘢一字，《說文》無疤字。《集韻》：「音巴，筋節病」。《正字通》：「瘡痕曰疤，本作瘢」。

（瘢）
《說文》：「瘢，痍也，从疒，般聲」。

𤺋
□ 合集一三六七 从疒，从身，从木，象人患某種疾病。
卜辭殘句，義不明：……□……□……（……貞……疤……）合集三二四九
卜辭作某種疾病名：□□□□□□□：（丁卯卜貞，㞢𤺋：）合集一三六七四 㞢用作有。

瘢
□ 屯附三 从疾，从攴，《說文》所無。
卜辭疑祭名：□□□□□□：（作瘢父乙豕、妣壬豚：）屯附三

（𤺺）
□ 合集一八六六〇 □ 合集一七四四六 □ 合集一七四六七 从爿，从虎，疑為□、□之異文，即夢字。

（夢）
卜辭用如夢，夢魘也：□□□□（有𤺺王夢）合集一七四四六 □□□□（𤺺其有匄）合集一七四六七 匄：災也。

冖（幎 冪 羃）：「冂」合集二〇二九四 从一下垂，象以巾覆物之狀，為後世冖、冪、冪、幎之初文。音覓。

金文周早盂鼎作冂，周早復作父乙毁作冂。

《說文》：「冖，覆也，从一下垂也」。臣鉉曰：「今俗作冪，同」。《玉篇》：「以巾覆物」。《正字通》：「今作冪，楷作冪，小篆从巾作幎」。

卜辭義不明：□□冂……□□□……（王貞，冖……禍，止老亡……）合集二〇二九四 亡用作無。

冂（同 坰 迥）：「□」合集二〇〇二一 象界綫、疆界之形。為後世冂、冋、坰、迥之初文。

金文周中趞曹鼎作□，周晚克鼎作□。音迥。

《說文》：「冂，邑外謂之郊，郊外謂之野，野外謂之林，林外謂之冂。象遠界也。冋，古文冂从口，象國邑，坰，冋或从土」。《集韻》釋冋：「音迥，義同」。（《說文》編冂為字首，排在高部之後）

卜辭疑作動詞，遠行之義：□□□（勿冂）明七五四 義不明：□□……□小□（王貞，……冂小王）合集二〇〇二一

□ □

冂

[glyph] 合集六四八二 象一下垂作覆物之狀，《說文》所無。

卜辭人名：[glyph] 冂入二（父冂入二）合集六四八二入：動詞，入貢。

冣（冣 聚）

[glyph] 合集三四六七六 从冂、取聲，直釋作冣，即冣、聚之初文。

卜辭冂、冂可通，如各落字作[glyph]亦作[glyph]。

《說文》：「冣，積也。从冂，从取，取亦聲」。徐曰：「古以聚物之聚為冣，上必有覆冒之也」。

卜辭地名：……[glyph] [glyph] [glyph] [glyph] [glyph] [glyph] [glyph]（……各區其延，在冣卜）合集三四六七六

同

[glyph] 合集二六八七〇。[glyph] 合集三〇四三九 从凡、从口，與金文同。

金文周早矢方彝作[glyph]，周中不𤔲毀作[glyph]。

《說文》：「同，合會也，从冃，从口」。

卜辭作共同、合會之義：[glyph] [glyph] [glyph]（同出，擒）續三·二八·六

不[glyph] [glyph]（不同涉）甲三九一六 涉：涉水，渡河。祭名：工丙[glyph]

[glyph] [glyph] ……（壬辰卜，同父乙……）合集二三〇二

最（冂取）：《說文》最之篆作[glyph]，从冂不从曰，古文冂、冃、冃形義同，均覆義。故《說文》[glyph]（冂取）[glyph]（冂取）二字乃一字也。《玉篇》釋最：「聚也」。《公羊傳隱元年》註曰：「最，聚也。冣之謂言聚，今聚民曰投最」。今之冣、冣、聚當與最、冃取為同源之字。

[glyph]　同

冡　冡為蒙冡字異文，《說文》：「冡，覆也，从冃，从豕」。《集韻》：「通作蒙」。

冃　《精薀》：「幼學未通也」。（見三四頁蒙字註）　冃

□合集八四二七　□合集二〇四〇〇　□合集六五五九　象有角飾之帽形，

）　直釋作□，即□蒙字所从之冃。《說文》訓冃為「蠻夷頭衣」，頭

冃　衣即帽也。典籍冃、冃、冒、帽一字。　冒

冒　周中衛鼎作□。

帽　《說文》：「冃，小兒蠻夷頭衣也，从冂，二其飾也」。《玉篇》：「或作帽」。

（　徐曰：「今作冒」。《總要》釋冃：「與冃同」。

卜辭方國名：□于□□□□（壬子來春伐冃）合集六五五六。

□□□□□□（于帚其作冃方禍）合集八四二四　祭名：□

□□□□（妹貞典，其冃）合集三七八四。十□□彡□□

（甲申，冃彡祭上甲）合集三五四二一　冃、彡均祭名。

冕　□乙八七八六　□合集二三六七五　□英七〇四。象人戴帽子形，即免毀之□免字。後世

免作脫免專字，而以形聲字冕作冠冕專字以代之。免、冕為同源之字。　冕

𦉩（兩、㒳）：□燕三六七　从二㒳，疑即兩、㒳之初文。金文㒳字實二㒳之竝列也。周早宅毀作□，周晚函皇父毀作□。

□《說文》分兩、㒳為兩個不同之字，有誤。《說文》：「㒳，再也」。「兩，二十四銖為一兩」。卜辭祭祀用字，再、竝也：□□……□……□：干……（貞翌三兩彡于三）燕三六七　彡：祭名。

免）

《說文》：「冕，大夫以上冠也，邃延垂瑬紞纊。从冃，免聲。古者黃帝初作冕。絻，冕或从糸」。《集韻》：「亦作悗」。《韻會》：「或作絻」。

絻

卜辭人名：（庚申卜，出貞，令冕並彭，河）合集二三六　彭，祭名；河，神祇名。方國名：

悗

（

（令戴王伐冕方，受坐又）。合集六五五五　坐用作有，又用作祐。

（呼䖒冕）合集六五五六　䖒：殺伐。

（貞，勿伐冕方）合集六五五五　祭名：十（冕于大甲）合集九〇一二　義不明：：

：：（：：冕：：）乙八七八六

⿵冂曾

合集一七六三四　从曾，从冂，構形不明。

卜辭人名：（丙子，保⿵冂曾示三屯）合集一七六三四　示：整治；屯：量詞，一對骨版。

草

懷四〇九　合集四九四六　从艸，从早，構形不明。

卜辭人名：（勿令壴鼓从草）合集四九四四

地名〻、〻□□□□〻（〻貞，□其受〻）合集九八〇一

□

□天四。□佚三三七 構形不明。疑同□曾（見四三頁曾字註）。

卜辭地名〻□□□□于□（辛卯卜，燎于□）佚三三七燎

用作燎，祭名。 于□□□〻（于□燎十〻）天四。

网

□懷三一九 □英七三八 □合集一〇五一四 象网形，為网、網之初文。

金文周早伯罜卣作□。

（網）

《說文》〻「网，庖犧所結繩以漁，从冂，下象网交文。□，网或从亡，□，网或从糸；□，古文网；□，籀文网」。

卜辭動詞，网捕鳥獸等〻 □□□□（网雉獲十五）合集一〇五一四

□□（网魚）合集一六二〇三 □□（网鹿）合集三八三二九 □□□

于□□（网鹿于□）合集一〇九七六

□（网）

羅

□合集三三〇八二 □合集六九五九 象一人撒网捕鳥形。

《說文》〻「羅，以絲罟鳥也，从网，从維，古者芒氏初作羅」。

卜辭方國名〻□□□□□（我用羅孚俘）合集九〇三 □□

□（羅）

（勿呼雀伐羅）合集六九五九 即：不要命令雀討伐羅方。

（呼雀伐羅）合集六九五九

（我伐羅）英六○六 伐：動詞，打擊、傷害。

罵 合集二七二五。 合集二八一五四 合集二八一五五 佚九六

象以繩套牛或馬之形，均會罵羈絆之義。《說文》小篆从网、从馬，並以繩縛馬腿，可謂形不同意同。古文罵、羈一字。

（羈）

《說文》：「罵，馬絡頭也，从网、从馬，馬，馬絆也。罵或从革」。

卜辭作祭牲，讀作薦：（中宗三罵）合集二七二五。（……五罵先彰）合集二八一五五 彰：祭名。

网廾 屯四二八一 合集一○七五九 象兩手開网形，疑與一字。

卜辭動詞，网羅獵物也：（其羅于虎）

罿

屯四二八一

罿　合四七一　屯一〇二　合集三一一三六　象雙手撒网形，為綱音剛繩，為之省。从文義分析，罿與羅之形義無別。卜辭同羅：（至罿羊）合四七一　于（于臺罿㫃）合集三一一三六　㫃旗　讀作偃，即偃旗收兵之偃，動詞，放倒，罿㫃即放罿以羅鳥獸也。（罿㫃在宰）同版

罒麇

合集一〇七二六　粹一〇〇三　从网，从麇省，或省作目　義同。《說文》所無，

卜辭作動詞，獵獸也：（罒麇豕）合集一〇七二六　（罒麇䴢鹿，擒）粹一〇〇三　即：用网獵䴢地之鹿，擒獲。

罒兔

合集一一〇　从网，从兔，《說文》所無。

卜辭作動詞，獵獸也：田（田，其彘罒兔）合集一一〇

田：田獵；彘：野猪。

罒豕

合集四七六一　从网、从豕，即《海篇》之罒豕，訓作「音蒙，覆網也」。

卜辭動辭，以网捕獲也〻（令〻罒豕𡦃）

合集四七六一 𡦃同俘，俘獲。

罒虎

合集一〇八五七 合集二〇七一。 乙六五四 从网，从虎，《說文》所無。

卜辭動詞，獵獸也〻（罒虎虎）合集二〇七一。

〻（〻豕罒虎不其獲）合集一〇八五七

罒雉

合三五四 从网，从雉，《說文》所無。

卜辭動詞，獵鳥也〻（罒雉獲十五）合三五四

罒畐

前八、七、三 从网，从畐，《說文》所無。

卜辭疑方國名〻（惟又獲罒畐）前八、七、三

又用作有。

罒夕

合集二一三八六 从网，从夕，《說文》所無。

卜辭動辭，疑為夜間捕獲之專字〻

（令師虎，今夕先罒夕）合集二一三八六 虎〻動詞，獵

虎，允，果然。

罜 □ 屯七三。从网从疋，《説文》所無。
卜辭疑獵具，□□□□□□（其田罜，以罜亡𢦔）屯七三。田，田獵；亡用作無；𢦔同災。

𦊓 □ 合集九四○。从网从卩，《説文》所無。
卜辭地名，□□□□□ 二告（旨弗其𢦔𦊓，二告）合集九四○。二告為卜骨之兆辭。

巾 □ 庫四一六 與金文巾同，象布巾下垂之形。
金文周中𠂤壺作□，周晚師兌簋作□。
《説文》：「巾，佩巾也，从冂，丨象糸也」。
卜辭義不明，□□□□□□（殻貞，弜允巾）庫四一六 弜，用如勿。

幎 卜辭冂以為幎、冪、冪幕之初文，《説文》：「幎，幔也，从巾冥聲，周禮有幎人」。（見四六八頁冂字註）

巾 丨

帚（婦）

帚 屯五〇二 帚 英四二 象紮某種植物成掃帚之形，卜辭帚多用作婦，表示某些婦女之身份。

商代婦好方彝作 帚，周早文帚卣作 帚。

《說文》：「帚，糞也，从又持巾埽冂內，古者少康初作箕帚秫酒少康，杜康也，葬長垣」。从又持巾掃冂內非初文形義。

卜辭帚用作婦：帚 娩 不 幼（婦娩不幼）合集一四〇二〇。幼即嘉，生男曰嘉，生女曰不嘉。人名：帚 好 㞢 子（婦好㞢子）合集九〇四 㞢用作有。 帚 寶 王 丁 三 屯（婦寶示三屯 㱿）合集一七五一二 示：整治；屯：量詞，一對骨版；㱿：人名，簽收者。

席

卜辭 囟 即席、蓆、西之初文（見一一六頁西字註）。

帚帚

帚帚 合集三三七一七 帚帚 英一八九三 帚帚 合集二一五七三 从二帚，所从小點為塵土，疑與 帚帚 埽一字（見九〇一頁埽字註）。

卜辭人名：庚 申 三 丨 屯 小帚帚（庚申乞十屯，小帚帚）存二·六九 乞：乞求，或用作迄；屯：量詞；小帚帚：人名，簽收者。

⿰疑疑

合集七〇五六 从二疑，《說文》所無，疑與歸一字（見上頁歸字註）。

卜辭疑地名：（己未卜，徙⿰疑疑暨辛）合集七〇五六 徙：徙步行走。

帠

合集一九八八九 合集二二五四三 合集三二〇一四 象雙手或單手持巾形。或从甘止作動符，甘乃足形，足指向上有起之義。疑帠字。

《韻會》釋帠：「音詣」。《集韻》：「法也」。

（帠）

卜辭疑祭名：帠于口（其帠用于丁）合集一九八八九 丁：神祇名。

于（帠鼓于大乙）合集三二四一九 鼓：動詞，擊鼓，為祭祀中的一種配合行為。義不明：（丁巳，帠示鼓）合集三二〇二四

鼓：祭名。于口（帠示鼓，暮于丁）同版 暮：祭名，疑為日落後之暮祭；丁：神祇名。

⿱商巾

京七七一 从商，从巾，《說文》所無。

卜辭地名：于（于⿱商巾）京七七一

帛

合集三六八四二 从巾，白聲，與金文同。

周中大毀作，春秋者減鐘作。

《說文》：「帛，繒也，从巾，白聲」。

卜辭地名：（在帛貞）合集三六八四二

白（伯）

屯二七四五 卜辭百字作，為一白合文，中之，象燃着之燈盞，其外之象光環。或曰象拇指，拇指為手足之首位，故為伯仲或王伯之伯。

周早盂鼎作，周晚師嫠毀作。

《說文》：「白，西方色也，陰用事，物色白。从入合二，二陰數。，古文白」。非初文形義。

卜辭地名：田于（王往田于白）合集三三四二五 田：動辭，田獵。于（于白西擒）合集二八三一五 顏色名：（白羊）屯二六七。（白狐）屯八六 用作伯，伯長：（呼取微伯）合集六九八七 呼：命令；取：捉拿；微伯：微

方伯長。……多（三多伯征孟方伯炎）

合集三六五二　多伯：諸多伯長；炎：孟方伯長名。

𡭴

合集三三八七一　象孔隙中有光亮之形。直釋作𡭴，後來繁作

隙（或訛作隟），異體作隟、陪等，均會孔穴、間隙之義。

《說文》：「𡭴，際見之白也，从白，上下小見」。白為口之變異。《說文》：「隙，壁際孔也，从𨸏，从𡭴，𡭴亦聲」。《孟子》：「鑽穴隙相窺」。《集韻》：「同陪，亦作𨺇、𨻶」。《宋庠補言》釋隟：「古文隙字」。

卜辭作天象，間隔雨，時下時停也：

（今日其至不𡭴雨）合集三三八七一　（其至𡭴雨）

同版

敝（㡀）

屯三九　合集五八四　象以手持物敗毀衣巾之形，八象破敗之碎片也，亦敗壞之義。為㡀、敝之初文。古文敝同蔽。

《說文》：「敝，帗也，一曰敗衣，从攴，从㡀，㡀亦聲」。《說文》：「㡀，敗衣也，从巾，象衣敗之形」。《玉篇》釋敝：「與㡀同」。

卜辭地名。[甲骨文]（王在𣀔）合集三六九三六 [甲骨文]（其狩𣀔麓，弗擒）合集一〇九七。[甲骨文]（王田𣀔，亡𢦏，擒）屯三六〇八 田，田獵；亡甫作無；𢦏同災。

黹

[甲骨文] 屯二四三 [甲骨文] 合集二八一三 [甲骨文] 乙八二八七 象針綫縫綴之物或刺繡之華文形。周中衛鼎作[甲骨文]，周中頌鼎作[甲骨文]，周中頌毀作[甲骨文]，周晚休盤作[甲骨文]。

《說文》：「黹，箴縷所紩衣，从㡀，丵省。」音致。

卜辭方國名。[甲骨文]（我惟黹𦎫）懷四〇七 𦎫用作敦，打伐。 地名。[甲骨文]（黹不其受年）乙七〇〇九 受年，得到豐收之好年成。 疑針刺之刑。[甲骨文]（庚辰卜王，朕𠭘羌，不黹，死在……）卜王即王卜；朕，我；𠭘，去陰之刑。

[甲骨文]

[甲骨文] 合集二八〇三五 [甲骨文] 合集三五二四二 疑與[甲骨文]黹同。

卜辭人名。[甲骨文]（婦黹有子）合集一三九三五 地名。[甲骨文]（戍黹有𢦏）合集三五二四二 戍，守衛；𢦏，傷也。

人

屯四一七三 英一四〇七 象人側立之形。

周早盂鼎作，周晚克鼎作，春秋王孫鐘作。

《說文》：「人，天地之性最貴者也，此籀文象臂脛之形」。

卜辭作人之本義：〔二千六百五十人〕合集七七一

〔刖隸八十人，不死〕合集五八〇。

〔師盤其來人〕合集一〇三六 方國名：

〔王征人方〕英二五二四 于〔人方不出于之〕合集二八〇一二

〔合人方〕合集二〇二四九

保

合集一八九七〇 英三三九 英一五五五 象人負子形，亦保養之義。

商父丁毀作，周早盂鼎作，周早矢方彝作，春秋郘叔鐘

作。所从之玉、貝為珍視、厚愛之義。

《說文》：「保，養也，从人，从𤓽，𤓽，古文孚；，古文保；，

古文保不省」。即之異變。

卜辭地名：于〔于保，吾方執〕合集六三三〇。保，衛也：

□□□□（令祝保甫圖）合集六 保佑：□□□

□□□（黃尹保我事）合集三四八一 □□□□ 㞢□（望乘有保）

英一五五五 㞢用作有。神祇名：㞢于□（㞢于保）合集二五〇三八 㞢用作

侑，祭名。㞢□于□（侑報于保）合集二四九四五 侑、報均祭名。

企 □□

□ 屯一七九 □ 合集一〇六五一 象突出足部之人形，示企立之義。

《說文》：「企，舉踵也，从人止聲，□，古文企从足」。

卜辭地名：□□（在企）屯一七九 神祇名：□□□

（惟企蚩）合集二四九六〇 蚩：神鬼為害於人。祭名：□□酌：

㞢于□□□（…企，酌告于祖乙、父丁）南明五五六 酌：祭名。

□□□□（今日夕企）合集一一六五一

伯 伯

《說文》：「伯，長也，从人，白聲」。卜辭用白為伯（見四七九頁白字註）

仲 仲

中 英二三六七 □ 屯七四六 卜辭中用作伯仲之仲，但□□又（左中

右）之中卻與仲有別。

周晚散盤作□，周晚兮仲𣪘作□。

《說文》：「仲，中也，从人，从中，中亦聲」。

卜辭殷先王名諱之中丁，讀作仲丁：中丁（仲丁）屯南四五一七 中己（仲己）粹三一九

伊

伊 屯三三三 伊 合集二一五七六 从人，尹聲。

周中史懋壺作伊，周晚伊生毁作伊。

《說文》：「伊，殷聖人阿衡尹治天下者，从人，从尹」。

卜辭殷舊臣名：又于伊尹（又于伊尹）合集三三七八六 又用作侑，祭名。 又于十立伊又九（又于十立：伊又九）粹一九四

又，第一又作侑，祭名，第二又有再加之義；立用作位；伊為伊尹之簡稱。大意是：享受侑祭的十位：伊尹再加上九位。 拜禾于伊（拜禾于伊）合集三三三八二 伊為伊尹之省稱。 伊丁（伊丁）南明四三九 伊丁即伊尹，丁為其廟號。 伊示（伊示）合集三二八四七 伊示即伊尹。 剛于伊爽（剛于伊爽）合集三三二七三 剛：祭名。 其拜雨于伊爽（其拜雨于伊爽）合集三四二一四 拜：祈求，拜雨即

伊

祈雨。

佝

後上二二·一 从人，句聲。典籍佝與殉、徇通用。

《說文》：「佝，疾也，从人，句聲」。

卜辭義不明：「……佝……囚……（……爭……佝……囚……）」

後上二二·一

倗

合集一三　合集一〇一九六　象人持朋之形，朋為量詞，一串貝即一朋。

金文周早倗万毁作，周中趞曹鼎作。

《說文》：「倗，輔也，从人，朋聲」。《六書統》：「倗，託也」。

卜辭：輔也：（令射倗衛）合集一三；合集人名：

（倗有災戋友若）合集一〇一九六　災同𢦏，災害。

何

合集二六八七九　懷九六一　合集二七三　象人荷物並張口何後，似問「誰何」之義。另有荷戈之荷，與何有別。（見四〇頁荷字註）

周早何尊作。子何爵作。戰國十六年戟作何。

供

《說文》：「何，儋也，从人，可聲」。訓作儋擔荷義，似有失。

卜辭人名：□□□□□小臣□□（令何𡧊呼𩁹小臣弋卒）懷九六一 □□□□（貞，何氏羌）合集二七五 氐用作氐、抵，抵抗；或釋作帶來。

卜辭共用作供（見一三六頁共字註）。

□

位（立）

□粹一九四象人站立于地之形，釋立；卜辭立、位一字（見六八七頁立字註）。

周中頌鼎即位之位作□。

《說文》：「位，列中庭之左右謂之位，从人立」。

卜辭立用作位：□□□□□□（又于十位，伊又九）粹一九四又：第一個又用作侑，祭名，第二個又有再加之義；伊為伊尹之簡稱，商代舊臣名。全句大意是：享受侑祭者十位，伊尹再加上九位。

□

儐

卜辭□儐□賓一字（見三七五頁賓字註）。

□

依

合集四七三〇 合集一四三一六 象衣中有一小人，示子依母 

懷，故有依賴、依附之義。

伯晨鼎作，从衣，从立作聲。

《說文》：「依，倚也，从人，衣聲」。

卜辭人名：（合多奠依爾郭）合集六九四三

奠；官名，多奠指諸多之奠。（依𦎫郭）合集

七〇四七 𦎫用作敦，打伐。

敚

古文微、敚一字（見九八頁微字註）

偁

合集一〇四〇五 象一人手提魚形，釋偁，同稱揚之稱。與爯 

字同（見三三九頁爯字註）。

周中偁缶毁作。

《說文》：「偁，揚也，从人，爯聲」。

卜辭驗辭用語，若偁即「如占辭所稱的吉凶」：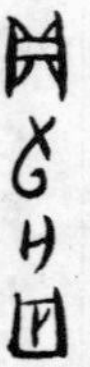

□□□□□□□□□□□□（貞，旬無禍，王固曰：乃茲亦有祟，若偁，甲午，王往逐兕，小臣甾車馬，硪馭王車，子央亦墜）合集一〇四〇五

偁

□合集二八〇七四 □合集一〇一七一 从人，从冉，或釋偁，可參。

周早父己爵作□。

卜辭人名：□□于□（戍偁于濘）合集二八〇七四 戍：戍邊，戍偁即偁戍。□□□（惟偁呼）合集一〇一七一 偁呼即呼偁，呼：命令。貞人名：□□□□□（庚午卜偁貞，雨）粹七四三

作（乍 做）

□合集二九六九〇 □英一一二 □懷八九七 象以手持針□縫作衣服形，衣縫可見。古文乍、作一字，作做通用。

周早天亡毀作□，周中頌鼎作□，周晚毛公鼎作□。

《說文》：「作，起也，从人，从乍」。《集韻》釋乍同作。《正字通》作做同。

卜辭人名：□□□（作其來）合集九〇四 造也：□□□□（王去作寢）合集一三五六七 寢：居住之室，寢宮。□□□□（基

方作郭）合集一三五一四 郭：城也。□□□（作大邑）金六二一 □

□（作册）合集一七三四 册：典册。編建：□□□□□□□（王作三師右中左）合集三三〇〇六 方國名：□□（作方）屯二九六二 鑄造：□□（作庸）合集三〇二七〇 庸：大鐘。

侵

□ 合集六〇五九 □ 合集六〇五七 象持帚打牛形，即後世之侵。

周代鐘伯侵鼎作□。从人，从𠬜，與秦篆同。

《說文》：「侵，漸進也，从人又持帚，若埽之進，又，手也」。埽同掃。

卜辭作侵犯、入侵：□□□□□（土方侵我田）合集六〇五七 □□□□□□□（𢀛方亦侵我西鄙田）合集六〇五七

鄙：邊遠之地。

侵

任

□ 屯六六八 □ 懷四三四 从人，壬聲。

周晚任氏㲃作□。

《說文》：「任，符也，从人，壬聲」。

卜辭職官名：□□（多任）合集一九〇三四 多指兩位以上，多

任

任與多伯、多侯、多田等之多，均為諸多或各位之義。

（而任霻）乙七六四六 而：方國名，霻為任之名字；卜辭有「而伯龏」、任、伯辭例相同，可見任之地位不比一般。疑為地方長官侯之副職：（獲侯任在方）懷四三四

俔（覞）

合集二一七七四 从人，从見。《左傳》釋俔為間諜。同覞，耳目也。

《說文》：「俔，譬諭也，一曰間見；从人，从見；詩曰：俔天之妹」。

卜辭人名：俔（壬寅貞，逆俔）合集二一七七四

逆：迎也。

使

史、吏、使：事同源一字（見四頁吏字註）。

傳

後下七、一三 合集九一〇〇 从人、專聲，金文或从辵作動詞，亦驛傳之義。

周中傳尊作，周晚散盤作，戰國龍節作。

《說文》：「傳，遽也，从人，專聲」。遽即驛遽，傳車也。《正韻》：「音椽，轉也」。轉：轉送、轉達。

卜辭作驛傳：（傳氏盂伯）後下七、一三 氏：致

俔 使 傳

送，孟伯即孟方伯長。……□□□……（……傳氏血……）。合集九一〇

伸 古文申用作伸（見九九三頁申字註）。

偃 古文㫃、偃通用。《集韻》釋㫃：「音匽，與偃同」。（見三九六頁㫃字註）

伏 □ 合集一四二九四 象一人伏地之形。或釋作伏。權从之。

周中史伏尊作□。

《說文》：「伏，从人、从犬」。

卜辭義不明：……□□□□（……伏風曰役）合集一四二九四

□□□□□□□□□□……（帝于北方曰伏風曰役，

拜……）同版

□

伐 □ 英一三五三 □ 英二四六五 □ 屯二九〇六 象戈加項上，示殺伐義。

周早令毁作□，周晚𢽚鐘作□，春秋南彊鉦作□。

《說文》：「伐，擊也，从人持戈，一曰敗也」。訓「从人持戈」非初義。

卜辭征伐：□□□（伐召方）屯一〇九九 □□□□□

□（王令伐旅婦）合集二〇五〇五 祭名，殺人牲以祭：□□□

□

俘　（孚）　咎

（大乙伐十羌）屯二九三　即向大乙進行伐祭，殺了十個羌俘。

（㞢勹伐于大甲）合集九五五　㞢用作侑，勹用作礿。即向大甲進行侑祭、礿祭、伐祭。

合集九〇四　合集三五三六三　合集一三七　象雙手或單手抓人形，所从之彳，彳為動符，示追赶之義。孚、俘為古今字。

周早𡨦鼎作，周中過伯𣪘作，周晚孚公𪊲作。

《說文》：「俘，軍所獲也，从人，孚聲。春秋傳曰：以為俘聝」。聝：割取俘虜一耳曰聝，斷頭獻首曰馘。聝、馘通用。

卜辭作俘獲：（俘人十又六人）合集一三七

（我用羅俘）合集九〇三　羅：獵具。

祭祀時用作人牲：（䰍俘、馬自大乙）屯一〇七八　䰍：祭名。俘虜和馬並列，地位相當。

咎

英一八〇四　懷一五三一　合集二八三八　先周周甲六〇　早期

象足踩人頂，示災難之義。周甲與今楷同。

□（云咎）周探二坑七七。云咎即典災禍。

春秋國差鑰作□，从疾，義同。

《說文》：「咎，災也，从人，从各，各者相違也」。

卜辭作災禍：□□□□□（㞢咎在茲邑）懷一四九五

㞢用作有；茲同此；邑：城邑。動詞，降災，為害：□□□

□（父乙咎王）合集二二五三 □□□□□□（惟父乙咎婦好）合集六○三二 □□□□□（惟娥咎王）合集五四七七

□□□□□□（貞，不惟帝咎王）合集二三五二

像

《說文》：「像，象也，从人，从象，象亦聲，讀若養」。典籍象、像一字（見六○七頁象字註）。

□

弔

□合集六六三七 □合集四三○六 从□人从□或□弓，□象矢上有繩形，為弋射之具，傳說：「古者人民質僕，死則裹以白茅，投于中野，孝子不忍見父母為禽獸所食，故作彈以守之」。所从之□非彈，但其義可通。卜辭弔、叔一字。

□

（叔）

周早作祖乙毀作□，春秋吳王姬鼎作□。弔鼎作□。

讀作叔：（宬叔用）掇二坑三七 宬同郕，宬叔即宬國之叔武。

《說文》：「弔，問終也。古之葬者厚衣之以薪，从人持弓，會敺禽」。敺當是敺之異，敺同驅，在此為動詞，驅禽即驅逐鳥類。

卜辭作叔：（貞，御叔于兄丁）合集四三〇六 御用作禦，祭名。義不明：（弔弗逐）前三·三二·二 疑動詞：（弗其弔羌龍）合集六六三七

亍（跱行）

合集六四七六 从人，丁聲，《說文》所無，為亍、行、跱之初文。《廣韻》：「亍行」。《韻會》釋亍：「音丁，伶行，獨行貌」。《集韻》釋伶行：「亦作跉跱」。《正字通》釋伶行：「亦作伶亍」。

卜辭疑人名：（王惟尸亍征）合集六四七六

偪（逼）

合集二七九九一 从人，从畐，《說文》所無。為偪、逼之初文。《集韻》：「與逼同，侵迫也」。

卜辭祭祀用語：（自可至于寧，偪、御）合集二七九九一 可、寧均為受祀對象，御用作禦，祭名。

部

合集二〇六五二 从畐，从卩；卩人形。《說文》所無，疑與偪同。

亍 偪

備

卜辭義不明：……（王貞，卽……）合集二〇六五二

合集五六五　从人，从葡箙，象人背箙形，箙為容矢之器。

為備之初文。古文傋、備一字。

周中師旋毀作，春秋齊侯壺作，戰國中山王鼎作。

《說文》：「備，慎也，从人，葡聲」。《書說命》：「惟事事乃其有備，有備無患」。

卜辭防備之義：……（惟備犬隸）合集五五六五

犬：疑方國名。或釋作寇。

（傋）

偏

合集二一三三九　从人，从扁，《說文》所無。

卜辭疑方國名：……于……（王，朕戟偏……于……）合集三六八二四

朕：王自稱，我也；戟：動詞，殺伐之義。

……（王，朕偏不余……）合集二一三三九

伐

合集一三三八九　从人，从戌，《說文》所無。

卜辭與天象有關：……（……雨㞢伐）合集一二四一二　㞢甫

作有。」（茲雲其俄）合集一三三八九 義同此。〻又

〻（〻又雨，今日小采〻允大

雨，延俄〻）合集二〇三九八 又用作有，小采〻時詞，傍晚之時，允〻果

然，延〻連綿。

伓

合集二〇九四七 合集三三八四 从人，丕省聲。典籍伓、伾一字。

《集韻》釋伾〻「或作伓」。《說文》〻「伾，有力也，从人，丕聲」。

卜辭人名〻（貞伓令）合集三三八四 伓令即令伓。義

不明〻〻〻（辛亥〻〻亡伓）合集二〇九四七 亡用作無。

⿰亻凡

合集一一〇〇六 同版 从人，凡聲，《說文》所無。

《集韻》〻「音凡」。《揚子方言》〻「⿰亻凡，輕也，楚人相輕薄謂之相⿰亻凡」。

卜辭疑人名〻〻〻〻〻（〻〻⿰亻凡〻〻自疾）合集一一〇〇六

自疾即鼻疾。地名〻（自⿰亻凡）同版

⿰亻欠

合集一四一五七 从人，从欠，《說文》所無。

《正韻》〻「音刺，人名也」。《集韻》〻「同欠」。

価

卜辭人名。（惟帝令佽）合集一四一五七

林二、二五、一二 从人，从西，《說文》所無。

卜辭人名。（貞，从価）林二、二五、一二

偺

綴二一九 从人，从㠯，从口，直釋作偺。

卜辭地名。（今日步于偺）綴二一九 偺

（在偺貞）同版

偤

合集一〇二六 英三二 合集一七六一六 从卣，从人或从尸，義同。《說文》所無。

卜辭人名。（偤示三屯 岳）合集一七六一六

示。整治；屯。量詞，一對骨版；岳。人名，簽收者。

（惟偤令）英三二 偤令即令偤。（侯偤氏人）合集一〇二六 侯，伯侯之侯，偤為侯名；氏有帶領之義，或作氐，同抵，抵達，抵人即抵達人方。

佮

合集六九四七 从人，合聲。

《集韻》：「音閤，合取也」。《說文》：「佮，合也，从人，合聲」。

卜辭人名：□□□□□（令佮往沚）合集六九四七 □□

□□（惟佮令）合集一〇九七 佮令即令佮。

僜

□ 合集三七四三四 从人，从廾，从口，从二，構形不明，很可能為金文僜字。《說文》所無。

（僜）

僜卣作□，僜尊作□，集僜毀作□。

卜辭地名：□□□于□（今日步于僜）合集三七四三四 □

□□（在僜貞）同版

僨

□ 合集二八〇五八 从人，从爻，从□，从火，構形不明。从辭意分析，疑為□備之異構（見四九五頁備字註）。

卜辭疑防備之義：□□□□□□□□（戍徝往于來取廼鳥備衛又𢦔）合集二八〇五八戍：戍邊；徝：循察；鳥：疑邊字；又用作有；𢦔同災。大意是：來往循察于邊疆地帶，廼乃取得防衛中有災禍之發生。

倲

倲 前五.一〇.六 从人，東聲，《說文》所無。

《集韻》："音速，獨倲，頭動也。"

卜辭人名：乎倲（乎倲）前五.一〇.六 乎用作呼，命令。

⿰亻羌

⿰亻羌 合集九八一九 从人，从羌，《說文》所無。

卜辭義不明：……⿰亻羌屮……[oracle-bone form]屮[oracle-bone form]（……⿰亻羌屮……受有年）

合集九八一九

⿰亻⿱東壬

⿰亻⿱東壬 合集一七九六四 从人，从東，从壬，構形不明。

卜辭義不明：……⿰亻⿱東壬……（……⿰亻⿱東壬……）合集一七九六四

⿰亻⿱由土

⿰亻⿱由土 懷一四六。⿰亻⿱由土 屯二一五二 从⿰亻冉，从土，《說文》所無。

卜辭地名：于⿰亻⿱由土 吉（于⿰亻⿱由土，吉）合集三〇二八〇。[oracle-bone form]二⿰亻⿱由土[oracle-bone form]（在下⿰亻⿱由土南）合集二八二三一 [oracle-bone form][oracle-bone form]祖辛⿰亻⿱由土[oracle-bone form][oracle-bone form]（其剛祖辛，⿰亻⿱由土有雨）合集二七二五四 剛：祭名。

疑停留、居住之義：于[oracle-bone form][oracle-bone form]作⿰亻⿱由土宿（于葡葡作⿰亻⿱由土宿）屯二一五二 王⿰亻⿱由土于……（王⿰亻⿱由土于……）合集三〇二七七

于盂⿰亻⿱由土（于盂⿰亻⿱由土）合集三〇二七一 于依⿰亻⿱由土（于依⿰亻⿱由土）合集三〇二七三

⿰亻⿱秝冉

□干□□（其于棌⿰亻⿱秝冉）合集三〇二六九

□ 英七八九 □ 合集九〇四二 □ 合集一一六三 从人，从秝或禾，義同。

《說文》所無。

卜辭人名：□□□□□（⿰亻⿱秝冉不其氐龜）合集八九九八

氐：提，帶來。□三□□□（今四月，⿰亻⿱秝冉至）合集四三五七

⿰亻⿱自冉

□ 合集一七九五七 □ 合集一三七五七 从人，从𠂤，从冉，《說文》所無。

卜辭人名：□□□□（⿰亻⿱自冉其有疾）合集一三七五七

⿰亻⿱止⿱自冉

□ 合集七七五八 从人，从止，从𠂤，从冉，《說文》所無。

卜辭義不明：□……□……□……（貞……⿰亻⿱止⿱自冉……戠……）合集七七五八

⿰亻丮

□ 甲二三五七 从人，从丮，《說文》所無。

卜辭義不明：……丙……□……（……丙……⿰亻丮……）甲二三五七

⿰亻月

□ 合集一八七八三 从人，月聲，《說文》所無。疑⿰亻月字。

《玉篇》：「音相，地名」。

卜辭義不明：……□……（……⿰亻月……）合集一八七八三

⿰亻屮 存二五一六 乙七三八 从人，从屮，《說文》所無。
卜辭疑人體某部位〻 出 出 （貞，出疾⿰亻屮，惟出蚩）乙七三八 出用作有，蚩〻神鬼為害于人。 〻〻（⿰亻屮不〻〻）存六五一六

⿰亻丮 粹一三一八 象一人跪降獻戈，其旁有人受降之形，疑即 丮之繁文（見一五〇頁丮字註）。
卜辭疑作降獻之義〻、〻〻 〻〻（〻〻其⿰亻丮〻〻）粹一三一八

⿰亻涉 乙三八〇四 从人，从涉，《說文》所無。疑即涉字，所从之人，為涉水者。（參見七四六頁涉字註）
卜辭動詞，涉水也〻 于 （羌于東涉）乙三八〇四

佔 合集一九九八二 从人，从占，《說文》所無。
卜辭疑人名〻〻 〻〻（〻〻佔取入牧母〻〻）合集一九九八二

仲 合集二三〇九九 从人，从中，構形不明。
卜辭疑人體某部位〻 （石陸疾

仲，不勻）合集二三〇九九 勻：災害。

係

[glyph] 合集一一〇二 [glyph] 合集一〇九八 [glyph] 合集一一〇五 [glyph] 合集一〇九七

繁文象以雙手用繩縛係人之頸部形，當是係、繫之初文。

《說文》：「係，絜束也，从人，从系，系亦聲」。《集韻》：「同繫」。

（繫）

卜辭動詞，縛係也：[glyph][glyph]……[glyph]……[glyph]……（癸酉……十羌係……）合集一〇九七 ……[glyph]……[glyph]……（……係……馬二十……）合集一〇九八

[glyph]……[glyph]……（貞，我……係……）合集一〇九九

侑

[glyph] 英九九六 [glyph] 合集七三四二 [glyph] 懷一五八八 [glyph] 屯七三 卜辭用㞢或又作侑，是同音假借，侑為祭名。古代侍食于所尊曰侑，亦曰侑食。侑祭當是進獻酒、食之祭。

《正韻》：「音又」。《爾雅釋訓》：「醻酢侑報也」。

卜辭㞢用作侑，祭名：㞢于[glyph][glyph]（侑于祖辛）懷五四即向祖辛進行侑祭。㞢于[glyph]（侑于河）英一一五六 河，先公名。

[glyph]㞢且口（王侑祖丁）合集一九八七 又用作侑：[glyph][glyph]曰入曰

（侑出日、入日）懷一五六九　（侑父己于來日）屯七三
（其侑羌五）屯一〇三　羌：羌俘、人牲；羌五即用羌五。

侯
卜辭　矦、⿸广矢即今日之侯（見三一〇頁侯字註）。

僚
卜辭　寮即今日之僚（見四六四頁寮字註）。

⿰亻口
京二七五八　合集二一九三六　从人从口，《說文》所無。
卜辭方國名：（癸丑，⿰亻口伯率）合集二一九三六

併
佚八五〇　合集一七九六五　从人、从井，《說文》所無。
卜辭義不明：……（……併……）合集一七九六五

侃
合集一五五一五　从一人張三口，會剛直好言之意，可釋作侃，亦作⿰亻⿱口巛、偘。从人
从品从巛，可謂「百變不離其宗」。
周中保侃母毀作，周中癲鐘作，周晚兮仲鐘作。

（⿰亻⿱口巛　偘）
《集韻》：「剛直也」。《論語》：「與下大夫言，侃侃如也」。《唐書》：「偘偘不甘虛譽」。
卜辭人名：（己酉，侃示十屯，先）合集一五五一五
示：整治；屯：量詞，一對骨版；先：為簽收人。

𠤕（疑）

前七、三六、二 合集三三九〇八 合集二三六六九。象人拄杖于歧路上，回顧張口，似有疑思之義；「彳」為「行」之省，「行」象十字大道。為𠤕、疑之初文。

周早疑觶作，周中伯疑父毁作。从牛、从辵，示有牛走失，驚疑之義。

《說文》：「𠤕，未定也，从匕，𥏼聲，𥏼，古文矢字」。惟「未定也」符合本義。《說文》：「疑，惑也，从子止匕，矢聲」。惟「惑也」不失本義。

卜辭疑作地名：（自疑師：三）合集二四三一七 貞人名：（疑貞）後下二四、四 動詞，疑側、疑思之義：大圖（二）（王固曰：疑茲乞雨，之日允雨）合集一三五三二 乞：求也；允：一定。即：疑思，此次求雨後，到時一定會下雨。

化

懷六五。合集六〇六八 象一人上下翻騰，以示變化。

周中癲壺作，周晚中子化盤作。

或釋从雨為順雨，即雨順。可參。

从 （縱）

《說文》：「化，教行也，从匕，从人，匕亦聲」。「匕亦聲」非本義。

卜辭人名：屮 （呼化）合集一○二七五 （弗各化弗其災爭）合集一三六九五 變化本義：（大雲北西化，惟風）京二九二。

屯二七四五 英六七五 象二人相从之形。典籍从、從一字。

商宰椃角作 ，周中从鼎作 。

《說文》：「从，相聽也，从二人」。

卜辭作隨行、相从：（王从望乘伐下危）合集六四七六 （三三王比从）合集七四○七

比：借同，聯合之義，卜辭从、比兩字構形有別，亦可从文義中區別之。（己巳，从斗）合集二一三四。斗：北斗七星。

自，由之義：（王往省，从南）合集五一一五 省：省察。（从西）合集二八一一六

用作縱，大也：（㞢从雨）英一八四六 （今日烄，从雨）合集三四四八五 烄：燒

人祈雨之祭。□出□□(舞出从雨)合集一二八四一 舞,跳舞

祈雨之舞,即舞祭。

從

□合集五七一六 □後下二五、九 从从,从彳或从止,義同,彳、止

為辵之省。从、從一字通用。

周早麥鼎作□,周中賢毀作□,春秋肖公鐘作□。

《說文》:「從,隨行也,从辵从,从亦聲」。

卜辭人名:□□出□三月(亞從出𢍉,三月)後下二五、九 出甫

作偩,祭名:彗,星名,掃帚星。 介詞,自、由之義:□:□

□:(我:從單:)續四、四四、三

幷(并 並)

□屯一二四七 □屯三七二三 象二人相連,有合并之義。後世并、

戰國中山王鼎作□。 ──並混用無別。

《說文》:「丷幵,相从也,从从,幵聲,一曰,从持二為幷」。

卜辭地名:王□田□比□(王其田并無𢦔)合集三三五七〇

田:田獵:𢦔同災。 □□(在并)合集八一三七 動詞,合也:

[字形](惟并駁)甲二九八 駁〻雜色馬，并駁即并用兩匹駁。

[字形](惟并騳無災)合集三七五一四 騳〻專供祭祀用的廄養之馬，并騳即兩匹騳。疑地名〻〻乎牙酉于[字形](〻子方奠于并)合集三二八三 奠〻祭名。

[字形]

[字形]合集三二九一九 从冉、从从，《說文》所無。

卜辭義不明〻〻[字形][字形]〻〻(〻〻[字形]〻〻)合集三二九一九

[字形]

[字形]甲一三五二 从从、从[字形]，構形不明。

卜辭人名或地名〻[字形][字形][字形](惟[字形]亡災)甲一三五二 亡用作無。

比

[字形]屯五二八 [字形]合集七四〇七 [字形]屯八 象二人並肩，示親密無間之義。比、从二字有別〻比字昂首手上舉作[字形]狀，从字首不昂手向下垂作[字形]或[字形]，左右無別。亦可从辭義中區別之。後世金文、秦篆「反从為比」。

周中班毁作[字形]，周中比毁作[字形]。

《說文》[illegible]〻「比，密也，二人為从，反从為比」。「反从為比」之說與

卜辭中𠀤往往混用，如𠀤望乘亦作从望乘，但𠀤从卻區別甚嚴，从與𠀤每可通用作从。或釋比乃聯合之義，於辭義較吻合。

北（背　丠）

初文無關。

卜辭□比用作妣：□□㞢于□□（庚申，㞢于妣庚，宰）京都一八三二　㞢用作侑，祭名；宰：圈養之羊，專供祭祀用。

親密之義：□□□□（王比从）合集七四〇七　比从並列，可見比从有別。

偕同之義：□□□□□（王比望乘）合集三二……

北　□　屯二四二六　□　合集三三二〇五　□　合集一〇一八五　象二人相背，為違背之背的初文，借音作南北之北。北古文作丠。

周早𠭯方彝作□，周中趞曹鼎作□，周晚北子鼎作□。

《說文》：「北，乖也，从二人相背」。乖同乖，相背違也。《集韻》：「違也」。

卜辭方位名：□□□□□（其北散，擒）合集二九二八九　□□□□□（北麓，擒）合集二九四〇九　□于□□（于北襄）合集三〇七三　襄：地名　□□□□□（又來禍自北）屯二〇五八　又用作有。　□□□□□□（在斷東北獲）合集二〇七七九　北土

北十

即北方之疆土。……于北土……（……邦于北土歸……）合集三三二〇五

北土受年吉（北土受年吉）合集三六九七五　受年，得到莊稼豐收之好年成。

北方為北疆方國之統稱，亦方位名。……于北方其出（王其征北方）屯一〇六六　北方其出（北方其出）合集三三〇三五

于北方封擒（于北方封擒）屯二一七。　北方受禾（北方受禾）合集三三二四四　受禾與受年義同，北方受禾與北土受年義同。

神祇名、帝于北（帝于北）合集一四三三二　帝用作禘、祭名；北指北方土神。

燎于北（燎于北）合集一四三三四　于北帝（于北帝）合集三四一五六　即向北方土神進行禘祭。

北羌為在北方活動之羌方：王惟北羌伐（王惟北羌伐）合集六六二七　北羌伐即伐北羌。

北十　合集三四一〇〇　从北、从十，構形不明。

卜辭義不明：王大御……大示北十……三十牛……惟茲……用（王大御……大示北十……三十牛，惟茲……用）合集三四一〇〇

……十牛……七牛，大乙三十北十牛……（……七牛，大乙三十北十牛……）存一一七九六

北

北 □ 明一七八八 从北、从一，《說文》所無。疑為□兆之省文。

卜辭義不明：：□：：□：：□：：（：：自：：其：：北：：）明

一七八八。

丘（坵、⿱丘土、丠、邱）

□合集三〇二七二 □合集五六〇二 □合集八三八四 象兩座小山形，為丘、坵、⿱丘土、丠、邱之初文。

春秋商丘弔匿作□，戰國子禾子釜作□，闈丘戈作□。

《說文》：「丘，土之高也，非人所為也，从北，从一，一，地也，人居在丘南故从北；中邦之居在崐崘東南。一曰四方高中央下為丘。□古文从土」。《集韻》：「亦作⿱丘土」。《正字通》釋坵：「俗丘字」。至聖先師孔子名丘，清世宗改丘為邱。

卜辭地名，人所居也：：：：□□（：：在丘）合集八七五 □于□□（𢦔于丘商）合集九七七四 𢦔：祭名。□□□□□（婦妌乎黍丘商）合集九五三。乎用作呼、命令；黍：動詞：種黍子。

□□□□（在丘雷卜）合集二四三六七 □□□□□□（庚

□

卯甬，在京丘）屯二四九　：□□□于□（：取竹芻于丘）合集一〇八

□□于□□（貞，奠于丘糾）合集七八〇。職官名：小□□（小丘臣）合集五六〇二

㐺 □

□甲二八五八　象三人側面，為□眾之省文。《說文》分作㐺、㐺二字，實一字也。㐺，今作众。與䖵㐺鼎□同

《說文》：「㐺，眾立也，从三人」。《正字通》釋㐺：「眾本字」。

卜辭㐺用作眾：□□□□（舞，今日㐺）甲二八五八

眾 □

□屯五七〇。□英六〇七　象眾人操作于日下，眾人為商代基本群眾，是生產奴隸。

周早師旅鼎作□，周中曶鼎作□，周晚師寰毀作□。

《說文》：「眾，多也，从㐺目，眾意」。

卜辭作眾人：：□□□□□（王往氏眾人）合集三四氏：

率領。□□□□□（今春眾出工）合集八□用作有。

：：□□□□□□田（：：大令眾人曰：劦田）合集一磬

同劦，即今日之協，同力協作之義。□□□□□□□（令眾御召方，𢦏）屯三八 御用作禦，防禦之義；𢦏即宰，為□執字省文，動詞，在此有持守之義。

□

□ 合集一四一五八 从石，从火，从㷬，疑為□庶字異文。

卜辭義不明：□□□□□□□（貞，㞢□秋，惟帝令作）合集一四一五七 □□□□□□□（貞，有□秋告：丁，四月）合集一四一五八

□

□ 屯一四八 从广，从㷬，《說文》所無。疑同□□。

卜辭作人名，祭祀用人牲：□□□□□□（辛卯卜，㷬□，雨）屯一四八 㷬：焚人祈雨之祭。

𡈼

□ 英四三六 □ 合集四三○四 象人挺立土上。疑為挺之初文。

《說文》：「𡈼，善也，从人士，士事也。一曰，象物出地挺生也」。

（挺）

卜辭動詞：□□□□□□（令𡈼惟寅，一月）合集四三○四

帶領、隨同：□□□□□□□□□（雀𡈼子商徒

𡈼

基方、克）乙五五八二 徒借音作屠、克；克復、戰勝。祭名：□□
□□□□（壬父乙，婦好生保）合集二六四六 生；生育，生保即
保祐生育。

朢（望）

□ 懷四二九 □ 英二四一四 □ 合集二九八五 繁文象一人在土堆
上睜目遠望之形，與保卣、《說文》朢之古文同。朢、望一字。
周早保卣作□，周早庚贏卣作□，周晚無叀鼎作□。
《說文》：「朢，月滿與日相朢，以朝君也。从月，从臣，从𡈼。𡈼，朝廷
也。𦣞，古文朢省」。朝君、朝廷之說，非本義。
卜辭人名：□□□□□（令望羊羊歸）合集一三五〇六
□□□□□（□□）（王从望乘伐下危）丙二一 地名：中
□□（在望貞）合集三五六六一 □□□（使人于望）
合集五五三五 □□□（王自望三）合集七二一七 方國名：□
□□□□（伐望，王受又又）合集二八〇九〇 又：第一個又用
作有，第二個又用作祐。 動詞，瞭望、觀察：□□□□

量 □

（呼望𢀛方）合集六一八六

□ 合集二〇九六 □ 合集三一八二三 □ 合集二〇九四 从日，从東，東象橐囊，會日下衡量之義。與大師虘毁之量字全同。周晚克鼎作□，春秋量侯毁作□，戰國大梁鼎作□，大師虘毁作□。

《說文》：「量，稱輕重也，从重省，曏省聲。□，古文量」。

卜辭地名：□□□□□□□（今日步于量，亡災）合集三七四七五 亡用作無。□□□（量亡禍）合集二〇九四 亡用作無。神祇名：□于□（御于量）合集二〇九四 御用作禦。即向量進行禦祭。人名：□□于□□（御量于父戊）合集二〇九四 御用作禦，祭名。大意是：向父戊舉行禳除量之病、災之禦祭。 動詞，衡量、預測之義：□□□□□□（令雀稱量唐）合集一九八二三

監 □

□ 合集二七七四二 □ 同版 □ 合集三〇七九二 象人在盆側自監其容之形，為監、鑑之初文。

（鑑）

周早應監甗作，周中頌鼎作，春秋鄧孟壺作。所从之小橫為水。《說文》：「監，臨下也，从臥，䘓省聲。，古文監从言」。說形全非本義。

卜辭地名：于（于監㸑）合集三〇七九二 㸑：祭名，祈雨之祭。人名：（令監凡）合集二七七四二 凡用作盤，盤遊。

身

合集八二三 合集一三六六六 合集一三六六九 象人身軀之側面形。亦作臥形，如周探二坑六一字。

周中𤔲伯毀作，周晚弔向毀作。

《說文》：「身，躳也，象人之身，从人，厂聲」。躳同躬。

卜辭作人之身軀：（貞，王疾身）合集八二三 㞢于（㞢疾身，御于祖丁）合集一三七一三 㞢用作有；御用作禦，祭名。㞢（疾身惟有蚩）合集一三六六六 蚩：神鬼為害。 王身即商王自身：（王身）周探二坑六一

殷　合集一五七三三　合集一七九七九　象以手執器于身前作敲擊或按摩之狀，亦治病之義。

周早盂鼎作，周早辰卣作，周中禹鼎作。

《說文》："殷，作樂之盛稱殷，从㐆、从殳。易曰：殷薦之上帝"。

卜辭疑祭名："（惟庚鰊，殷用）"合集一五七三三

"……（……其殷……）"合集一七九七九

衣　英一二九四　英一七九六　象古裝上衣形，領、襟、袖可見。

周早天亡殷作，周中頌鼎作，周晚寰盤作。

《說文》："衣，依也，上曰衣，下曰裳，象覆二人之形"。"象覆二人之形"有誤。

卜辭地名："（在衣）"合集二四二四七　"（王其田衣，亡災）"合集三七一四六　田：田獵；亡用作無。人名："（衣入五十）"合集五八八四　入：貢獻，入貢之義。疑祭名："（貞，其衣又）"合集二七一四八　又用作侑，亦祭名。……

乜（……天邑商，公宮，衣茲夕亡禍，寧）合集三六五四三　天邑商即大邑商；公，商代諸位先公；茲同此；亡用作無；寧，安寧。

……日干（……翌于祖辛，衣亡蚩）合集二三○○五　翌，次日或今後某日；亡用作無；蚩，災害。

褘

粹一五八八　从衣，衛聲，典籍韋、衛一字。釋褘。《說文》：「褘，蔽厀也，从衣，韋聲。周禮曰：王后之服，褘衣謂畫袍」。

卜辭疑人名或地名：（褘敳先利）粹一五八八

襄

合集三三四　英一一八七　屯六二五　合集二四二三三　合集二四二三四　合集二八○一二　从U，从人，或从口，从一，从二，構形不明。據考證，為襄字初文。

春秋蘇甫人匜作，戰國鄂君啟車節作。

卜辭地名（即春秋時宋襄公所葬之襄陵，地在今河南省

睢縣)：□□田于□(王其田于襄)合集二九三五四 田：田獵。□□(在襄)屯六二五 于□□(于北襄)合集三〇七三 □□(在襄卜)合集二四二三四 □田□□□□□(王田襄，往來亡災)合集三七六〇。亡用作無。田□(田襄)合集三七四八三

卒（卒 祽）

□ 懷九六二 □ 懷九六一 象用粗布做的上衣，為下人隸卒所穿之衣。卒當是會意字。古文衣卒、卒一字。祭名卒用作祽。□

春秋外卒鐸作□。

《說文》：「卒，隸人給事者衣為卒，卒，衣有題識者」。

卜辭地名：□□(在卒)合集八一九一 □□□(卒亡禍)合集四九五七 亡用作無。□□于□(步于卒)合集一一二七四

方國名：□□□(□其臺卒)合集六三五九 臺用作敦，打擊之義。祭名：□□□于□(勿卒，燎于河)合集一四五七二

燎：祭名；河：神祇名。□□□□□□(婦娸娩妨惟卒)合集一四〇一九 妨即嘉，生男曰嘉，生女曰不嘉。□□□

褮

（王勿卒）合集一四八八 □□□（卒黃尹）乙五〇三五

□合集二四三三四 □合集二四二九五 □合集二四三〇三 从炏从衣，或省炏，或从八，義同，與齊鎛褮字同。

周晚師寰毀作□，春秋齊鎛作□。

《說文》：「褮，鬼衣，从衣，熒省聲。讀若詩曰：葛藟褮之。一曰：若靜女，其袾之袾」。

卜辭地名，□□□□□□（今夕亡禍，在師褮卜）合集二四三三四 □□□□□（王在師褮卜）合集二四二九五 ……□□□□□（……王在師褮卜）合集二四三〇三 □□……（在褮……）合集二五三一二

□

裘（求）

□合集七九二三 象毛露在外之裘衣形。為求衣，求之初文。

周中衛盉作□，周中叉卣作□，春秋庚壺作□。

《說文》：「裘，皮衣也，从衣，求聲。一曰象形，與衰同意。□古文省衣」。

□

卜辭□省作丰，故□可釋作褸字。《集韻》褸：「音介，上衣也」。

衰	（褸）	禕

卜辭疑用作求：……□𡈼……□𡈼……（……裘往求裘往……）合集七九二一……□□……□……（……戲牵裘往……）合集四五三七

戲：動詞，攻擊、摧毀之義。

□ 合集一八七六三 从衣、从丰，《說文》所無。疑即《集韻》褸字。

卜辭義不明：……𡈼……□……（……王……裘……）合集八七六三

□ 合集二八四〇六 □ 合集三〇九九三 □ 屯二三六八 □ 屯三一六七六 从衣、从聿或木、屮，義同，《說文》所無。

卜辭祭名：于□□□□又□□又（于翌日禕，𢓊拜又大乙，王受又）合集二七〇九二 翌日：次日或某日；又：上一又用作侑，祭名，下一又用作祐。□□□□□□（惟禕彡日射亡災吉）合集三〇九九。彡亦祭名，𣪊手鼓而祭；亡用作無。

……□□又□□（……禕，伐又大雨）英二三三六 伐亦祭名；又用作有。□彡于自口（禕彡于祖丁）英二四一〇 □□□（弜禕、酌、圖羌）英二四六六 弜用如勿；酌亦祭名；圖：

校

用牲法。

合集二七九九五 从衣，交聲，《說文》所無。

《集韻》：「音皎」。《玉篇》：「校衦，小袴也」。袴同褲。

卜辭疑地名：十 （戊甲伐戔䖒方校）

合集二七九九五：打伐。于 （戊及校于又襄）

同版又有作右。

衮

合集二七九五九 象衣外套衣形，《說文》所無。

卜辭疑衣名：工卜：弗王。（壬戌卜）

馬：衮弗作王。（合集二七九五九）

（袮）

科

合集二九〇八四 从衣，斗聲，《說文》所無。

《玉篇》：「衦，袖也」。

卜辭義不明：田于（王其田于盂祆南立）

合集二九〇八四 立疑用作位，方位。

椊

續六、一九、一一 合集一〇九九七 从木，卒聲，《說文》所無。典籍

梓、檗、不一字。（梓字應在木部）

《玉篇》：「柱頭枘也」。《集韻》：「梓杌木短出貌」。《正字通》：「即檗字，同不」。

卜辭地名：□□□（王狩梓）合集一〇九九七 狩：動詞，狩獵。

□

□ 合集九〇九六 从叕、从衣，構形不明。

卜辭義不明：「……□□（……□氏……）」合集九〇九六

□

□ 合集二九四二一 从衣，索聲，《說文》所無。

《集韻》：「音索」。《類篇》：「衣聲也」。

卜辭地名：王□□□□□□（王惟□彔𪊨，亡災）合集二九四二一 彔同麓，𪊨：動詞，亡用作無。

袁

□ 乙七二二 □ 合集二七七五六 □ 合集三一七七四 與卜辭、金文□遠字所从之袁同（參見九二頁遠字註）。

《說文》：「袁，長衣貌，从衣，叀省聲」。叀省聲有失。

卜辭人名：□入□（袁入五十）乙七二〇。入：貢納。□□□□于：：（令袁往于：：）合集二七七五六　疑祭名：□□□□□□□□□□：：（兄丁延三百牢，雨，袁宗亘：：）合集二三二七四　□□□□□□□□（召麑在八又內其袁）粹五一八　：：□□：：□□：：（：：袁：：晦：：）合集三一七七四

袁

□合集二六八六二　从衣，从六，構形不明。

卜辭義不明：：□□□：：（戊寅袁：：）合集二六八六二

老

□合集一七一七九　□合集二七七四二　□合集一六〇四二　□合集三六四一六　象老者彎腰拄杖之形。典籍老、考通用。

周早天亡簋作□，春秋季良父壺作□，春秋□叔匜作□，戰國中山王壺作□。

《說文》：「老，考也，七十曰老。从人、毛、匕，言須髮變白也。」

卜辭作老之本義，長者、老輩，衰老也：：□□□□□□□□□□□（丁酉卜，大貞，小□老，惟丁留）合集二三七一五

孝：英二五 从（老，考之省）从子，示老人扶子，孝也。周晚散盤作，周中𠭯鼎作。《說文》：「，善事父母者，从老省，从子，子承老也」。卜辭疑作地名：（在雷孝，商啚）英二五 啚同鄙，邊鄙也。

留：辨理。職官名，多老指諸多有某種官職之人：

（勿呼多老舞）合集一六〇一三 呼：命令，舞：祭名。

地名：中（婦妥在老）合集二二四六 ：：畋（：：畋老）乙四三八

畋：動詞，畋獵。（咾字疑是老字異文，見六四頁咾字註）

耋

合集一七九三八 从老、从至，即《說文》之耋，音鐵。耋、耋一字。

《說文》：「耋，年八十曰耋，从老省，从至」。《集韻》：「耋或作耋」。

（耋）

卜辭義不明：：：：：：：（貞：：戊：：耋：：）合集一七九三八

考

合集三七六四九 《說文》老、考同義，金文老字無丨杖，考字所从之杖多作丅，與卜辭地名之考字同。

（老）

周早沈子毁作，周中頌鼎作，考母壺作。

《說文》：「考，老也，从老省，丂聲」。丂聲之說非本義。

卜辭地名：田（田考，往來亡災）合集三七六四九

田用作畋，畋獵；亡用作無。

尸

合集三三〇三九　合集六四五七　合集六四七六 象人屈腿蹲踞

（屍）

之形，釋尸、（或曰：同夷）通屍字（《論語》：「寢不尸屍」）。

周早盂鼎作，周晚㝬鐘作。

《說文》：「尸，陳也，象臥之形」。

卜辭方國名：（侯告伐尸方）合集三三〇三九

（王惟婦好令正尸）合集六四五九

正用作征；婦好令即令婦好。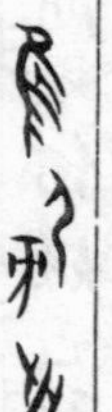（惟尸方受又）合集二〇六一二 又用作祐佑。

祭牲：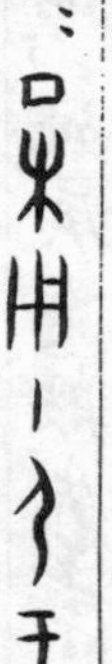（丁未，用十尸于丁，卯一牛）合集八二八 丁：下一丁為神祖名；卯：用牲法。疑人字。

尻（臀、脽）

合集二一八〇三 合集一七九七七 从人以一指其部位，指事尻字。釋尻，即今日臀字。典籍尻、脽、𩪍、臀一字。

《說文》：「尻，髀也，从尸下丌居几。脽，尻或从肉隼；𩪍，尻或从骨，殿聲」。

卜辭地名：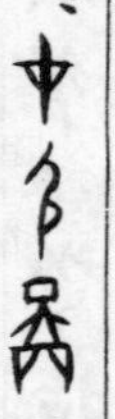（在尻啚）合集七〇七五 啚同鄙，邊遠之地。

人之臀部：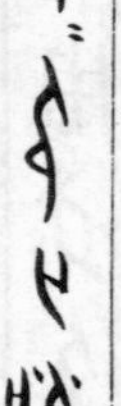（尻亡疾）合集一三七五〇 亡用作無。

牲畜之臀部：用□□□（用豕尻）合集二一八〇三

肩

□ 屯四六三 从□（人）以指其部位，指事字。可釋肩，即□

今日肩臂之肩。

（肩）

《說文》：「肩，髆也，从肉，象形，□，俗肩从户」。《正字通》

釋肩：「與肩同」。

卜辭作肩之本義，肩部也：□□□□□□□

（疾肩，御于妣己暨妣庚）英九七 御用作禦，祭名；暨：連詞，

用如及、和；妣己為殷先王祖乙之配偶；妣庚為殷先王示壬之配偶。

大意是：因為患有肩部之痛，所以向妣己和妣庚進行禦

祭。

尾

□ 合集一三六 象人有尾飾之形。戰國楚屈弔沱戈屈字作□

□，所从之尾與卜辭同。

《說文》：「尾，微也，从到毛在尸後，古人或飾系尾，西南夷

亦然」。

卜辭疑方國名：□□□□□□□□□□
□□□（□王固曰：其惟丙戌，執有尾，其惟辛家）合集一三六

屎（糞）

《集韻》釋屎：「音豕」。《禮月令》釋糞：「可以糞田疇」。《正韻》釋糞：「音奮，穢也」。

□ 合集五二六四 □ 合集九五七九 象人拉屎形，為屎之初文，或釋作糞，於義可通。

卜辭動詞，施屎（或糞）肥田也：□□□□□□□□
（翌癸未，屎西單田，受有年）合集九五七二 □□□□□□
□□（翌乙丑屎黃，乙丑允屎）合集九五七。□□□□□□□（翌，屎
有足，乃墾田）合集九四八。

舟

□ 屯四五四七 □ 合集一一六一五 象舟形。

商父丁卣作□，商父壬尊作□，周中洹秦毀作□。

《說文》：「舟，船也，古者共鼓貨狄刳木為舟，剡木為楫，以濟不通，象形」。

卜辭人名：□□□□（勿令舟）合集四九二五 地名：于□
□□□（于舟烄，雨）合集三四八三 烄：祭名，焚人祈雨之祭。

舟船也：□□□□□□□□（王其迎舟于滴，亡災）

合集二四六〇八 湎：水名，亦用作無。[甲骨文]（惟癸出舟）屯四五四七 疑祭名：[甲骨文]（庚申卜，舟燎二宰）屯三九六 燎亦祭名；宰：圈養的專供祭祀用牛，二宰即二頭圈養的祭祀用牛。

彤（彤彡）

彡 英二四一〇。彡 英二〇一 彡 英二〇四一 均象徵為聲波，彡在卜辭中均作祭名，即擊鼓行祭之彤祭，彤異變作彤。彤祭為連續不絕之祭，所以典籍中釋彤或彤有連續之義。

……[甲骨文]（……貞，舟上甲）合集一三二

商觥尊作彡，商切卣作彡，仲彤簋作彡。

《說文》：「彤，船行也，从舟，彡聲」。《正字通》釋彤：「舟行相續也」。《公羊》宣八年傳注：「彤者，彤彤不絕」。彤彤即彤彤，鼓聲也。《尚書・高宗彤日》孔傳：「祭之明日又祭，殷曰彤，周曰繹」。

卜辭祭名：[甲骨文]彡（貞，又勺、伐、合、彤）屯二〇八

又用作侑，勺用作礿，合用作祫；侑、礿、伐、祫、彤皆祭名；在彤彤

朕（⿰舟关）

鼓聲中，連續進行各種祭祀活動。□□□□（肜大乙，亡⿱止虫）懷一六○五 亡用作無；⿱止虫、災害。□□□□□□（辛酉貞，甲子⿰酉彡、肜）合集三三○二三 ⿰酉彡亦祭名。□□□（勿鼓肜）合集三四四七五 鼓肜為複字詞。□□□□□□□□（王賓小乙肜日亡尤）合集三五七九八 賓、親臨、親自祭祀；亡用作無；尤、災。□□□□（肜夕亡尤）合集三八二九八

□ 屯二六七二 □ 英七四六 象兩手執器治舟之形。古文朕、⿰舟关一字。周早盂鼎作□，周中頌鼎作□，匡諫𣪕作□，魯伯愈父鬲作□，⿱己其伯匜作□。

《說文》：「朕，我也，闕」。《玉篇》釋⿰舟关：「同朕」。

卜辭作代詞，多作商王自稱之詞：□□□（朕耳鳴）合集二二○九九 □□□□（朕芻于門）合集一五二 芻，割草。□□□□（朕出今夕）合集二三四七八 即今夕朕出。……□□□（……甾朕事）合集二○○七五 甾，協理，辨理之義。

□

般（盤槃鎜）

□英一六四　□英三七四　□英一九九五　象執匙向盤內取食之形。為般、槃、盤之初文。□象以手執匙，□、□為異文；□凡象盤形，後世誤□為舟，所以般等从舟。周中般觥作□，周中頌盤作□。《說文》：「般，辟也，象舟之旋，从舟，从殳，殳所以旋也。□，古文般从支」。誤凡為舟，一誤多誤。

卜辭人名：□□□□□□（令般从侯告）合集三三八一二　□□三（般入四）合集九五〇四　入：貢納。□□□□（惟般令）合集三二八六二　即惟令般。□□□（令般）合集四二五二　□二　□□□□□（今二月師般至）合集一一三　□□□□□（貞，惟般庚）林二八、四　般庚亦作盤庚，般先王名。□□□□□□□□（師般以人于北奠次）合集三三七八　□□□□□□于□（貞，師般來人于龐）合集一〇三五　□□□□□□□（呼師盤取逃自敦）合集八三九　逃：指逃亡之罪隸。　動辭，察看、

觀望、與其周旋之義。（貞，呼般𠷎方）合集八五五三

俞

合集一〇四〇六　合集一八六七五　懷九七七　从凡，盤省聲，即《說文》之俞（兪）字，典籍俞、艅一字，舟名兪皇亦作艅艎。

俞伯尊俞字與卜辭大同。

（艅）

周中五閒毁作，周中不嬰毁作，春秋黃韋俞父盤作，俞伯尊作。

《說文》：「俞，空中木為舟也，从亼，从舟，从巜，巜水也」。《說文》：「艅，艅艎，舟名，从舟，余聲」。《說文長箋》：「吳闔廬舟名俞皇，猶言皇舟，改作艅艎」。

卜辭疑作余之假借字：「……王固曰俞出求出……」（……王固曰：……俞出祟、出夢……）合集一〇四〇五　出用作有。

（王固曰：俞不吉在茲）合集一六三三五

茲同茲、此。

䑃

合集二二二七一　从舟，目聲，《說文》所無。為䑃、[舟眉]之初文。

（艒）

《集韻》：「同艒」。《博雅》：「艒艗，舟也」。
卜辭地名或舟名：……雉宰在艒用（……雉宰在艒用）合集
合集二二七一

[般口]

[般口] 合集二三〇五　[般口] 合集二四四二　从口，从[舟凡]般或[舟凡]消（《字彙》釋消
與盤同。古文盤、般一字）義同。直釋作[般口]，《說文》所無。疑盤槃字。
卜辭地名：于[般口]（于[般口]）合集二四四二　疑人名或方國名：[般口]
[般口]（獲[般口]）合集三〇五

[舟口]

[舟口] 合集二八〇三　从舟，从口，直釋作[舟口]。《說文》所無。疑與[般口]同。
卜辭義不明：……[舟口]……（……[舟口]……）合集二八〇三

[亼舟]

[亼舟] 合集一八六九四　从△，从舟，直釋作[亼舟]。疑為[舟合]、艅、俞之省文。
卜辭義不明：……[亼舟]……（……[亼舟]……）合集一八六九四

[舟爯]

[舟爯] 南師二、四八　从舟，从爯，《說文》所無。
卜辭同爯偁、稱，[舟爯]冊即爯冊，稱述冊命也：[舟爯]冊
（[舟爯]冊）南師二、八四

□

□ 合集一三六一九 从舟、从圣，《說文》所無。

卜辭義不明：□□□□□ 干…（貞，暨享首□于…）合集一三六一九

□

□ 合集二四七五七 从舟（卜辭舟、凡多混淆不分，如朕字作□亦作□，作偏旁字首時，月作舟為宜）、从老，《說文》所無。

卜辭疑作祭名：□□□…□□□□□□（癸酉卜，…貞，王□亡各雨）合集二四七五七 亡用作無，各用作落。

□

□ 合集三六九二五 □ 前二、三、六 从人或企、从舟、从廾、从又，構形不明，《說文》所無。

卜辭地名：□□□□□□（丙辰，王卜，在□）合集三六九二五 □□□□□□□□（丁未卜，在□，王令）前二、三、六

航

□ 合集一一四七三 □ 合集六五五五 □ 合集二〇六一九 象人以竿撐舟航行之狀。即《說文》之𣳴，今日之航，又與杭通用。《淮南子主術訓》註：「共濟為航也」。《集韻》：「方舟也」。

□

附陷匜之
尊字。
匜乃設

| 方 | 辧 | （　杭　航　） |

《説文》:「航,方舟也,从方,亢聲。禮:天子造舟,諸侯維舟,大夫方舟,士特舟。」《詩·衛風》:「誰謂河廣,一葦杭之。」杭用如航。

卜辭作駕舟航水:

（令吳曾航田取舟,不若）合集六五五　若,順利。

東（三航于東）合集二四六六

…（三王航三）合集一四七三

…（三航河三）合集二○六二

（三航于東）合集二四六六

（方其航東）合集一四六七

航于東,九月）合集二

（方其航東）合集二○六一九

（辛酉卜…（方其

辧

文）所無。

（□）合集一○三四

（□）合集二○六一九

（□）合集一○六七六　从止,从子,从身,《説

卜辭義不明:…（□）（三辧麇三遘）合集一○三

方

屯二三　屯一○八　其六二九　象古農具耒耜,古者耒

卜辭用作方國或方向。

耒而耕,刺土曰推,起土曰方。

周早天亡毀作 方，周中不毀毀作 方，周中召卣作 方。

《說文》：「方，併船也，象兩舟省總頭形。 方或从水」。全非

初文形義。

卜辭作方位名：方 方 方 方東（于西方東鄉）粹一二五二

用作 方 方 方（方又羌）屯九三 又用作有 方。指四方之土

神： 于三方（卯肜、酒其又于四方）合集三三九四

又用作侑、卯肜、酒、侑均祭名。 于三方

于方（其拜年于方，受年，其拜年于河）明續四二五四、河、

神祇名。方國統稱： （王御方）合集二〇五一御

用作禦，防禦、抵禦之義。 于方（方其來于沚）集合

六七三 （方來降，吉）屯三〇一 （方

不大出）英六二三 （王出伐方）甲五五六 （

大（令医追方）合集二〇四六一 （王征呂方）侯一二六

才（戔羌方）甲一九四七 戔：動詞，打擊之義， 字所

咢　　（　　吙　　）　　夅　　万　　兒

从之[象形]，是繁加之繩索，會敵愾之義，[象形]、[象形]均羌也。

咢
合集一四六二七　从口、从方，《說文》所無，疑為吙字初文。

）
《集韻》釋吙：「音髣，如聞也」。《正字通》釋吙：「俗吙字。

吙
釋吙無據，不可從。

（
卜辭義不明：…[象形]…[象形]…（…夅…河…）合集一四六二七

夅
[象形]　屯七六八　从△、从方，《說文》所無。
卜辭疑方國名：[象形]　[象形]　（王貞，朕夅今）合集二〇五四七。

万
丁屯八二五　與干支[象形]亥之省文同，但非一字，疑即後世複姓万俟之万字所本。《集韻》：「万俟複姓，俟音其，今讀木其」。
朕：王自稱，我也；值：巡察、視察之義。

兒
卜辭地名：中丁（在万）合集一九八九三　祭名：[象形]（万手父甲）合集二六八四
[象形]合集一〇七五　[象形]英三二二　象臼門未合之嬰兒形。
周早小臣兒卣自作[象形]，春秋居殷作[象形]，春秋余義鐘

作[象形]。

《說文》：「兒，孺子也，从兒，象小兒頭囟未合」。

卜辭人名：合集三三九九

：（：勿呼兒：）合集三四〇〇 呼，命令。方國名：

：（東畫告曰：兒伯：）合集三三九七 伯，方國伯長。

：（兒人：）合集七八九三 即兒國人。兒國疑即古之郳國。

兀

人二五八 甲三三七二 从一在人上。

商兀作父戊卣作，春秋王孫鐘作。

《說文》：「兀，高而上平也，从一在人上，讀若敻，茂陵有兀桑里」。

卜辭人名：：（：卜，王其呼兀奏）人二五八 奏，奏樂祈雨之祭祀活動。：（甲辰卜，王用二婦兀：）甲三三七二

允

英五四四 英六六 象人點頭，似有允許之義。

周早班毁作，周中不䵼毁作，戰國中山王方壺作中，秦公鎛作。

《說文》：「允，信也，从儿，㠯聲」。㠯聲之說非初義。

卜辭作果然之義，允和下連的雨、風、出、如、有、擒等組成了卜辭中的驗辭：（戊戌卜，今日雨，允）屯二三八八 （貞，今夕雨，之夕允雨）合集一二九四四 之：至也。（戊申卜，己啟，允啟）合集二〇九九。啟或作晵，天晴。（丙戌卜，丁亥王𦎫擒，允擒三百又四十八）合集三三七一 𦎫，設阱捕麋之專字。

兌（說悅銳閱）

英二三一。合集二七九六五 象人張口說話，氣从口出之形。周晚師兌毀作，周晚𪔂鼎兌毀作。

釋兌，古文兌、說、悅、銳一字通用。

《說文》：「兌，說也，从儿，㕣聲」。《韻會》：「悅或作說，亦作兌」。《史記·天官書》註：「兌作銳」。《荀子·議兵篇》：「仁人之兵，兌則若莫邪之利鋒」。

卜辭兌用作銳：（馬其先，王兌从）屯一一二七 馬：指司馬之官；兌从即銳从，急速追从。 三

兌田也可釋作銳田。

⿰⻊兒				⿰几几	

□□（惟辛……兌伐）合集二八〇六七　兌用作悅。□□□□

□□□（王兌省魚，不遘雨）屯六三七　義不明。□□田

□□（王兌田，大啓）合集二八六六三　啓同啓，天晴，大啓，大晴。

□□□□□□（戊子卜，兌，辛彡）屯四三一八　彡，祭名。□□

□□□（翌日戊，王兌）英二三〇　翌日，次日或今後某日。

□ 屯八一〇　□ 合集二七九三八　□ 合集一四八七　从二几，《說文》所無。疑為競（□、□）字省文（見一二六頁競字註）。

卜辭祭名。四□□□□□□于□□……（丙寅卜，大庚歲⿰几几于毓祖乙……）屯三六二九　毓祖乙即后祖乙，卜辭以乙為名之先王有大乙、下乙、小乙、武乙，皆可稱之謂祖乙，為了區別起見，遂稱大乙為高祖乙、下乙為中宗祖乙、小乙為小祖乙，武乙為毓祖乙。

……□□□（……弜⿰几几拜）屯一〇四八　弜用如勿。……□于□……（……⿰几几于高……）屯三一〇三

□ 後上一三二　象以手抓兒形，《說文》所無。疑擒字異文。

卜辭疑為擒字異文：庚寅卜貞𢀛弗其離亡[illegible]（庚寅卜貞，𢀛弗其離，亡[illegible]）後上三、二 亡用作無。

夌（陵）

夌 合集一六〇四七 夌 合集一八六八四 金文陵字作陵，所从之夌與卜辭夌同。典籍夌、陵一字。（《說文》夌在夊部）《說文》：「夌，越也，从夊，从𡴆；𡴆，高也，一曰：夌偓也」。夌偓即陵遲。《荀子宥坐篇》釋陵：「百仞之山，任負車登焉，何則，陵遲故也」。後世陵遲為酷刑名。

卜辭地名：中夌（在夌）合集八二四三 疑地名：……弗其氐夌（……弗其氐夌）合集一〇九〇 陵遲也：……其氐夌不……（……其氐夌不……）合集一〇九五 氐：人牲。

先

先 合集五八六二 先 英一九九四 从止生或省作止，从人。構形不明。先羌作先先，亦作先先，可見先、先一字。

卜辭人名：先氐十五（先氐五十）合集一七七七 氐：動詞：提、帶來。今夕[甲骨文]先氐[甲骨文]先[甲骨文]……（今

夕，令先氏多射先陟(三)合集五七三八 氏，率領；多射，指諸多司射；陟，何上、登高之義。(先不其獲羌)合集一八八 方國名。(伐先)合集一九七七三 (其伐先，利)合集三六五三六

兂

英五六四 合集三三三六 象有髮辮之人形。此字乃人形側面，其手自然垂于胸前，與雙手反綁或被揪辮之奚(或)不同。兂多作人名，與用作人牲之奚地位身份有別。兂字《說文》所無。疑同兂。

卜辭貞人名：(兂貞)前六、六四、二 普通人名：(己酉，侃示十屯，兂)合集一五五一五 侃，人名；示，整治；屯，量詞，一對骨版；兂為簽收人。(婦井示二屯，兂)英五六四 (兂不死，王固曰：吉，勿死)合集七三四

洗

合集三七六四五 粹九九六 合集二九二四。、均

《集韻》釋沇：「或从兗作渷」。《甘氏星經》：「兗州作沇州」。

（兗渷沇沇）

人形，允字也。□、□均以允作聲之沇字，即今兗字。

卜辭地名：王田于□，□□□□十（王田于沇，往來無災，獲狐七）合集三七四八〇。田：田獵。□□田□□（惟沇田無災）英二三二 于□（于沇）合集二九二四〇

⿱巛人

□京三四五八 □佚九五一 □懷七〇 □□甲二八七二 从八或省作八，从一人或繁作二人義同。疑為沇之省文（見五四一頁允字註）

卜辭地名：□□田□□（惟⿱巛人田亡𢦏）合集二九二四八 亡用作無，𢦏同災；⿱巛人田即田⿱巛人，田獵于⿱巛人也。田□（田⿱巛人）合集二九二四七

義不明：□□□□（□□⿱巛人□□）甲二八七二 □□□□□□□□（□□⿱巛人□□奠□□）懷七〇

⿱屮允

□合集三三一四九 □合集九八 从屮从允，《說文》所無。

卜辭疑地名：己□□□□□□□□（己未卜，爭貞，⿱屮允齊亡禍）合集九八 亡用作無。

□□□□□□□□□□□□□□□□□□

□衍𢓊：：（癸亥貞，王惟今日伐：：王夕步自果三陮：：乙丑王光𨕫：：）合集三三一四九 步：：步行，或引申作行路，行走。衍同㣔，直釋作衔，疑即送之初文。

兄

兄 粹三一〇。兄 合集二 从人，从口或廿義同。兄 與金文齊鎛之兄全同。

同早令毁作兄，同中刺卣作兄，春秋齊鎛作兄。

《說文》三下「兄，長也，从儿从口」。

卜辭貞人名：：兄 兄（癸亥卜，兄貞）前五·三三·四

兄弟輩統稱：：己丑㞢于兄口（亘貞，㞢于兄丁）續一·三·一

㞢用作侑，祭名。乙卯㞢于兄（己亥，㞢于兄）九合集二五〇二

㞢用作侑，祭名。

競

競 庫一八四 从二言，所从之言與競字所从之言 言省文 無別。競之篆文作競，金文作競均从言，可見競、競一字，文不同義同。（見一二六頁競字註）甬比盨作競。

《說文》：「兢，競也，从二兄，二兄競意，从丰聲，讀若矜。一曰兢，敬也」。《說文》：「競，彊語也。一曰逐也，从誩，从二人」。「逐也」與「二兄兢」義同。

卜辭人名：：□□□□（：未卜，子兢）後下一七、一一

義不明：：□□□□□□（王兢，其亦𢊁，二月）庫一八四八

况

□ 合集二三六八四 从兄、从八，《說文》所無。

卜辭人名：：□□□□□□□□□□□（丁酉卜，出貞，令况中止鳴友：）合集二三六八四

⿴兄入

□ 合集二〇六四五 與兄字有異，口多一豎，《說文》所無。

卜辭人名：：□□（⿴兄入入）合集二〇六四五 入：動詞，入貢或進入。

呪

□ 懷一五五九 从兄奉□形，□為祭祀用品。

卜辭祭名：：□□□□□□□（庚子貞，其呪翌日）懷一五五九 翌：次日或今後某日；其呪翌日即翌日其呪。

□□□□□□□□□（丁未，其呪，翌在祖丁宗）同版宗：

宗廟，安放祖宗牌位之地；商代先祖、先父、先妣、先母皆有宗。

□ 佚九三一 从□，从才，从午，《說文》所無。卜辭義不明：「……□……□……□」佚九三一

□

□ 合集二二五七一 □ 合集一七九三。象兄執杖形。卜辭疑祭名：「□□卜□……□□（丙辰，□□丁）」合集二一五七一

□

□ 屯二九〇七 □ 同版 象兄有髮飾之形，疑與□先一字（見五四二頁先字註）。卜辭人名：「□□□□□□（庚寅貞，惟□令伐商）」屯二九〇七 □令即令□。

□

□ 屯六六〇 □ 合集二九二七九 □ 屯二四四。□ 二九二八二 从□或□義同，从□或省作□、□、□，《說文》所無。跪狀之□多作祝，即□之省；站狀之□皆作兄，為卜辭兄弟輩之統稱；但兩者也相通假，如貞人名中有□、□

二字，兩者當是一人。卜辭中从□之字不少，从文字發展上看，
凡偏旁之□釋兄為宜。
卜辭地名，□□□□□（王其田䖞亡災）屯二四四〇。田
用作畋，畋獵；亡用作無。□□□□□□（王其田㑆，亡災）
屯六六〇。田□□□（田䖞不風）合集二九二八二 䖞字所从之
□當是□形之損。疑人名，□□□□□（惟㑆犬比，
亡𢦏）屯一〇六 𢦏同災。㑆犬比即比㑆犬，比，偕同；犬，司田獵之官。

⿰㐱兄

□合集二九三三九 从今，从兄，構形不明。
卜辭地名，□□田□□□□□（惟⿰㐱兄田湄日亡
災，擒）合集二九三三九 湄日，終日、整天；亡用作無。

⿱从兄

□甲七一三 从从，从兄，《說文》所無。
卜辭神祇名，□□□□□□（惟⿱从兄□彡
甬）甲七一三

⿰口㔾

□合集二二〇〇 象一人張口展臂之形。

傹

卜辭疑吉凶用語：「□□㞢□」（「□酉貞，亡𡆥」）合集二二〇一。亡用作無。

□ 合集一七三一四　□ 合集二二四五一　□ 合集二三九九　从竟，竟執杖形，疑與□兄同（見五四五頁兄字註）。

卜辭疑人名：「□□」（「傹食」）合集二三三九九

□□「□」（「傹往豕」）合集二一五七。　己□卜□□

「□□」（己酉卜王，子□竟傹，骨有疾）合集一三七二四

⿰吅兄

□ 合集一〇九七六　从吅、从兄，構形不明。

卜辭義不明：「□□□□□」（惟□令⿰吅兄疾）合集一〇九七六

呪（詶　詋）

□□ 屯三〇三五　从口，从兄，《說文》所無。即發誓賭呪之呪，為呪、詶、詋之初文本字，亦與祝通。（呪字應在口部）

《廣韻》：「呪，詛也」。《集韻》：「或作詶，亦作詋」。《集韻》：「通作祝」。

卜辭呪用如祝，祭名：「□□□□于白□」（癸亥卜，呪于祖

丁）屯三○三五

骪

□合集三六七七五 从日 疑骨字从□似□而非凡，構形不明。權作骪。

卜辭義不明：王□于□□□□□（王□于射，往來無災，饮骪十終）合集三六七七五

先

□合集三二五○ □合集三二六八 □屯一二三二 □合集三二七八 □合集六六三九 □ □

佚九九七 □合集一九八○二 均象婦女頭上插簪形，為先、簪、箕、鐕、

（簪）

篸之初文。先為象形，餘均形聲也。

《說文》：「先，首笄也，从人，匕象簪形。□，俗先从竹，从簪。」《集

箕

韻》：「或作鐕、篸」。典籍簪古文或作箕。

鐕

卜辭人名：□□丁三 □小□（婦先示三屯小掃）佚九九七 示：

篸

整治，屯：量詞，一對骨版，小掃為簽收人。人牲：□□（□烄先）

（

合集一九八○二 烄：焚人祈雨之祭。□干□□□□□：（□于大乙、

祖乙，先，拜年□）合集二八一七三 疑人名或神祇名：□□□□（先子

□我）合集二二七三 □：動詞，為害之義。 方國名：□□□□（□

呼伐先）合集六六四四 呼：命令。□□□□□□□□

□（王登三千人、呼伐先方、𢦏）合集六九三九 登：徵集；𢦏：

動詞，打擊傷害之義。 義不明：□□□□（先又祖乙）

合集二七二五。 又用作侑，祭名；先：疑為人牲。

皃（貌）

□ 明七二七 象突出面部之人形，示儀表、相貌之義，為皃、皃

貌之初文。

《說文》：「皃，頌儀也，从人，白象人面形。□，皃或从頁，豹

省聲，□，籀文皃，从豹省」。

卜辭疑作儀表、相貌本義：□□□□□□□□

□（丁未卜，大貞，其又我貌）明七二七 又用作祐，動詞，

保祐佑也。

皃

□ 合集一一二 □ 乙一七四七 象突出面部的人形，與□皃

字形近。

卜辭疑方國名：□□□□□□□（惟罞呼竹

先（㑭）

𢻻（殷兒）合集一一〇八 𢻻：動詞，打殺之義。

屯二五五七 屯三六五 合集一一五八 从人从止或之。止是足形，足趾向前，示前進之義，之亦往義。所从之彳為動符。金義鐘銘文「追孝㑭且」即「追孝先祖」也，先、㑭為簡繁一字。

周早盂鼎作，春秋余義鐘作。簡繁與卜辭同。

《說文》：「先，前進也。从儿，从之」。

卜辭作先後之先：（先夋束）合集二二八五 夋同後，束同刺，刺殺。（王其先冓捍）英五九三 冓同遘，遇也。（惟岳先又）屯三四二 岳，神祇名；又用作侑，祭名。（惟王亥先又）合集三四二九一 又用作侑，祭名。（馬其先，王兌从）屯一二七 馬指司馬官；兌用作銳，急速之意。（犀先射，其若）合集二八四〇七 若：順利，隨心之義。（令束人先涉）英二四一五

(貞，勿乎卓先御燎) 合集一七七

乎同呼，命令；御用作禦，祭名；燎，同尞、燎，祭名。

(貞，呼先酌，燎上甲，王。) 合集一二九一

酌，祭名。

(辛卯卜，爭貞，勿令望乘先歸，九月) 合集七四八八

先世、先祖之通稱。(其祀多先祖。) 合集三八七三二

見 (現)

英五三九　懷七五四　象突出目形之人，亦有所見之義。

為見、現之初文。

周早沈子毀作，周晚揚鼎作，周晚㝬鐘作。

《說文》：「見，視也，从儿，从目。」《集韻》：「俗作現。」

卜辭人名：入三 (見入三) 合集九二六七 入三入頁。

方國名：(王其令右旅暨左旅𢦏見方) 屯二三二八 𢦏同关，動詞，打擊，攻打。

地名：□□（在見）合集一七〇四八 召見：□□□□（呼見師般）合集四三一 呼、命令。謁見：□□□□□（缶其來見王）合集一〇二七 監視、觀察：□□□□□□（登人五千，呼見𢀛方）續一、一三、五 登：徵召。借音作獻：□□□□□□□（呼見羊于西土由）合集八七七 □□□□□□□（□見百牛，鑑用）合集一〇二 鑑：祭名：殺取牲血之祭。

觀

卜辭雚、雚用作觀（見二三六頁雚字註）。

旻

卜辭旻、得一字（見一〇〇頁得字註）。

覓（覔）

□合集一八〇七六 □合集一八〇七五 从冂，从見，疑《說文》覓字。

卜辭疑天象用字：□□□□□（覓日□不□）合集一八〇七六 □□：（覓大□）合集一八〇七五 □□□□□□（惟覓□至，十月）合集二三六七〇

覞

□□合集二五九四二 象一人看井形，井中一橫為人影。疑為監鑑之異文（見五一四頁監字註）。

觀 旻

或謂□為見五二字，可參。

筧

卜辭疑祭祀用字：□□三□彡出□□（疑貞，乞酌彡出衆覞）合集二五九四二

□ 合集一〇七七 □ 合集三三一四八 从見，从竹或省作∨，義同。

《說文》所無。

卜辭地名：□□□□□□□（丙辰貞，王步于筧）合集三三一四八 步，行走。

⋯⋯入于□（⋯⋯入于筧）合集八三三六 人名：□□□□（惟筧令方）合集四四九一 □□□

見五

□（王步自筧）合集三三一四七

□ 屯三二〇 从見、从五，構形不明。

卜辭疑作祭祀用字：□□□□⋯⋯□□□于⋯⋯（甲午貞，王⋯⋯見五拜于⋯⋯）屯三二〇

［冂見］

□ 合集一七〇三一 从□見，从凵，構形不明。

卜辭疑作地名：⋯⋯出□⋯⋯□⋯⋯（⋯⋯出𡿧⋯⋯自［冂見］⋯⋯）合集一七〇三一 出用作有，𡿧，災害。

□與口液外流之□（次、涎）有別，次用作河水外溢泛濫之義（見五五六頁次字註）。

卜辭□丁疑同□丁（㞢示）、即旁係先王：□□□□丁（侑、伐自上甲、㞢示）屯七五一

卜辭□（次）□（吃）均形聲字，所从之□欠與喫、吃所从之契、乞音同。

欠

□合集一八〇〇七 □合集七二三九 □合集九一四 象一人張口向前之形，與扭頭向後之□旡相反。《說文》：「欠，張口气悟也，象气从人上出之形」。視篆文之□為气，與初文字形不符。

卜辭人名：十□卜□□（甲午卜，令欠）合集二〇四七五

□□（欠來）合集九一四

□

㳄 ）

□合集七五七四 □合集一九九四五 象一人以手向口中進食之形，疑為喫、吃之初文。《說文》：「喫，食也」。

喫 吃 （

卜辭作神靈降臨就食之義：□□□（上甲來喫）合集二七〇七五 □□□（翌，父乙喫）合集一九九四五 翌：次日或今後某一日。祭名：奉食之祭：□十□□用五□□（惟七牛喫用，王受又）合集三〇七一五 又用作祐。

歠

□佚九五。象一人張口向殘骨形。《說文》：「歠，咽中息不利也，从欠，骨聲」。

卜辭地名：于□（于歠）佚九五。

□

攽 （ 㲃 ） 歔 次 㱃 飲

合集二〇七九四 合集一八〇〇九 从欠从攴或倒殳義同，直釋作攽或㲃。《說文》所無。

卜辭地名：于（于攽㷇）合集二〇七九四 㷇：祭名，焚人祈雨之祭。

合集三二七五七 象一人張口就食于盧鬳之狀。《說文》所無。

卜辭疑祭名：（己亥卜，辛丑，歔婦好祀）合集三二七五七

合集一三六四六 象人張口向ㄐ形，《說文》所無。

卜辭疑作動詞：于（貞，凡𢦏亡次于王）合集一三六四六 亡甬作無。

金四八 从白，从欠，《說文》所無。

卜辭疑祭祀用字：……（……㱃𢼸）金四八 𢼸：祭名。

合三二七 合集一〇四〇六 合集一〇一三七 懷九五七

或釋作羨，可參。

（飲）

庫一三八八　合集二〇九七　合集三二三四四　合集六〇五七

象一人張口伸舌飲向酒器之形，所从之、即九，為酒之諧音，其餘皆省文也。釋歃，今日作飲。

作𠈇生飲壺作，伯作姬飲壺作，善夫山鼎作。

《說文》：「歃，歠也，从欠、酓聲。，古文歃，从今、水；，古歃，从今、食」。歠音啜，大飲也。

卜辭動詞，飲水：……于（三㞢出虹自北飲于河）合集一〇四〇五　㞢用作有；虹：天上彩虹；河指天河。　飲酒：（王其飲）合集七七五　（王飲有蚩）合集一〇一三七　蚩：災害。　于（于阜西飲）合集三〇二八四

人名：（呼飲斧卓畫）懷九五七　呼：命令；斧同关，動詞，打伐。

次

合集一〇一五六　存二一五三　合集八三一七　合集一七九三四　合集五五五九　象一人口液外溢之形。為次、涎、㳄之初文。

（漩）　㕕　（佸）　盜

《說文》：「次，慕欲口液也，从欠，从水。次或从侃。籀文次」。

《正韻》釋漩：「與次同」。《集韻》釋漩：「音羨，緬漩，水流貌」。

卜辭作水之外溢、泛濫之義：（今載泉來水次）合集一〇一五六　（洹不次）合集八三一七　洹，水名，即今之安陽河。

與盜同：（洹其盜）合集八三一五

人名：（王惟次令五族戍羌方）合集二八〇五三　：（呼次：御事）合集五五五九

合集二〇二二八　合集七〇〇七　合集七〇〇四　象突出舌部之人形，疑即佸字。

《說文》：「佸，會也，从人昏聲」。昏同舌。

卜辭地名或方國名：（戊子，令使佸）合集二〇二三八　（羊辛其捍佸）合集七〇〇四：（：婦不捍于佸）合集二〇二二八

合集八三一五　从次、从舟。次有泛濫之義，次又从舟，更突出了河水之泛濫了。後世誤舟為皿，以「次、次欲皿者」，用作盜寇之

盜　佸

義，似與初義相違。

春秋秦公鎛作[glyph]。

《說文》："盜，私利物也，从次，次欲皿者"。

卜辭次、盜義同，皆河水泛濫之義：[glyph][glyph][glyph]（洹不次）續存下一五四 洹：水名，即今之安陽河。[glyph][glyph][glyph][glyph]（洹其盜）合集八三一五

旡

[glyph] 合集一八〇〇六 [glyph] 合集三〇二八六 象人張口扭頭向後之形。

《說文》："旡，飲食气屰不得息曰旡，从反欠。[glyph]，古文旡"。

卜辭疑作動詞：[glyph][glyph][glyph][glyph][glyph][glyph][glyph]（彝在廳、在㲋門旡）合集三〇二八六 [glyph][glyph][glyph][glyph]（貞亡作旡）合集一八〇〇六 亡用作無。[glyph][glyph][glyph][glyph][glyph][glyph]（其㞢作旡丝家）合集一三五八七 丝同茲，此也。

知

[glyph] 乙一七八九 象人張口扭頭向口形，構形不明。

頁	順

卜辭地名：□入□：：出□（王入□：：出若）乙一七八九

□ 合集二二二一六 □ 合集二二二一五 象突出其首之側面人形。

周中卯段作□。

《說文》：「頁，頭也，从𦣻，从儿」；古文䭫首如此。𦣻者䭫首字也」。《六書故》：「頁即首字」。

卜辭頁、首一字，頭也：：□又：：□□：：（丁丑：：豕頁：：）合集一五六八四 豕頁即豕首。 叩頁即叩首：□又中□□□□（乙丑中女𣪘，五子叩首）合集二二二一五 𣪘：音設，陳飲食也；□象以手扣關形，□象手形，扣同叩，叩首即叩頭。大意是：乙丑這一日，由中間那個女孩擺設飲食，由五個男孩叩頭。

順

□ 屯二〇八〇 象人注視川流之形，亦見川流而悟出順暢之義。川流自上而下，悟順序、順从之義。金文順字从見不从頁，與卜辭順字全同。

顯	⿰⿱火皿頁

何尊「順我不每」作□。中山王嚳壺「不顧逆順」作□，从川，从心，會順心之義。《說文》：「順，理也，从頁，从巛」。巛為小篆巛川之變異。卜辭作順意，順从本義：……又□□巛（……丑，其順从）屯二〇八〇。典籍㬎、顯一字（見三八六頁㬎字註）。

□ 合集二七九八八 □ 合集二七九八七 象人伸手在火爐上烤火取暖之形。

卜辭地名：……□□弗𢦏（……戍⿰⿱火皿頁弗戕）合集二七九八七 戍：守衛；戕：傷害。□□□于□（方其至于⿰⿱火皿頁師）合集三三〇四五 方指方國。□□□（弜將⿰⿱火皿頁師）合集二七九八八 將用作戕，傷也。□□□……□……（其將⿰⿱火皿頁：……又夕：……）同版又用侑，侑、夕均祭名。□□□于□（其將⿰⿱火皿頁于襄）同版 襄：為《說文》㗊𢀿之初文，地名。

面

合集二一四二七 从目从，象目外面部之輪廓。

《說文》："面，顏前也，从百，象人面形。"从百之說有失。

卜辭方國名："……（……雀比人伐面……）合集七○二○。

（徝面周）甲四一六 徝：循；察之義。

義不明："……（……面……御……六月）乙二四六三

首

合集六○三三 合集六○三七 合集六○三三 象人頭形，髮、目、口可見。 典籍首、百一字。

周早井侯毁作，周中頌鼎作。

《說文》："首，百同，古文百也。巛象髮，謂之鬊，鬊即巛也。"

（百）

卜辭作首之本義，人之首也："（王疾首，亡延）合集二四九五七 亡用作無；延同延，連續、延長。

地名："（王惟柏首田，亡戈）合集二九二七九 田用作畋，畋獵；亡用作無。

義不明："（王往途首）合集六○三三 或釋途首為除道，王出除道洗塵也，可參。

𩠐（𩠑）：□合集三〇九四九 □合集三五六〇五 □合集三五六二四 象雙手執牲頭於□上，義與□、□（𩠐、𩠑）同。典籍《羊人》訓曰：「祭祀割羊牲，登其首」。卜辭作進牲首之祭：王□邑 □ヒ□（王賓𩠐，無尤）。合集三五六二四

𩠐（𩠑）

□合集八二三一、□合集二〇六四二 象雙手或單手提一牲頭形。《說文》所無。

一進牲首之祭也：□人（𩠐人）合集六三〇人

卜辭地名：□□□□□（王往𦍃，在𩠐）合集八二三一

縣（縣　懸）

□前二、一〇、五 象木上懸掛一個獸角之形。金文易角為首，會懸掛高杆，梟首示衆之義。秦篆用作郡縣之縣，有地方政權直懸中央之義。縣既成了郡縣專字，後來就把縣字加心用作懸念之專字了。縣、懸同源之字也。

周中縣妃毀作□，春秋郘鐘「大鐘既縣」作□。

《說文》：「縣，繫也，从系持県」。註云：臣鉉等曰，此本是縣挂之縣，借為州縣之縣，今俗加心，別作懸義，義無所取。

卜辭殘句，義不明：……□……（……縣……）前二、一〇、五

□（篆文）

須（鬚）

□合集一七九三一 □合集八一六 象人面有髭鬚形，為須、鬚之初文。金文銘文中假借作𩔪盨，如「周雒作旅須盨」。

春秋鄭義伯𩔪盨作□，春秋易𩔪盨作□。

□（篆文）

《說文》：「須，面毛也，从頁，从彡」。註曰：「臣鉉等曰：此本須鬚之須。頁，首也；彡，毛飾也；借為所須之須。俗書从水，非是」。

卜辭人名：（令須多女）合集六七五

方國名：（立須犬史其奠）合集八一六

立：動詞，設置；史：用作使，派出之使者；奠，祭名。

髯

合集二七七四〇　合集二七七四二　象面頰有毛之形，即臉邊鬍，可釋髯，或作髯、顈。《說文》：「顈，頰須也。从須冄，冄亦聲」。鼎文作

（顈）

卜辭人名，疑是人之外號：（惟老髯令監凡）合集二七七四二　監：省察；凡：人名或方國名，為省察對象。

彡

彡 合集三二四一七　合集三五〇七六　為聲波或光彩之象徵，《說文》釋彡：「毛飾畫文也，象形」。卜辭作祭名，彡、彡即後來之形或肜、肜（見五二八頁肜字註）

㐱

合集五五七　合集一三七　合集四三〇五　合集二三三四

从人，从彡，與㐱卣㐱字大同。

（㐱）

周中㐱尊作□。㐱卣作□。

《說文》：「㐱，稠髮也，从彡，从人。詩曰：㐱髮如雲。鬒，㐱或从髟，眞聲」。與卜辭之義無關。

卜辭人名：□□□□（勿惟㐱令）合集五五七 㐱令即令㐱。□：□□月㞢□（㐱弗其骨風㞢疾）合集一三八八七 骨風：骨頭受了風寒；㞢用作有。用作疹，熱病也：□：□□：（：豐㐱于彔：）合集一三七 即豐在彔地得了疹病。□㞢□□□：（貞㞢疾王㐱：）甲一二二八 㞢用作有。

文 □

□ 合集四六二一 □ 合集四八八九 □ 合集九四六 □ 合集四八八九

象人文飾胸前之狀，即文身之文。

周早令毁作□，周晚毛公鼎作□，春秋蔡侯盤作□。

《說文》：「文，錯畫也，象交文」。

卜辭人名：□入一（文入十）合集四六二一 入：貢納，入貢。□

令冓氏文取大伐亞（令冓氏文取大伐亞）合集四八八九

氏〻帶領。〻〻文甾王事〻〻（〻〻文甾王事〻〻）合集九四六　甾〻

協理、辦理。室名〻于文室（于文室）合集二七六九五　文武之

文〻文武丁（文武丁）續六、七、四　文武丁或稱文武帝，商代直系先

王。

后

卜辭用毓為后（見九八一頁毓字註）。

司

司英一八九三　后合集一九八八四　象用手甲口上大聲說話，會

為主管之義。

周晚揚毀作司。司母戊鼎作司。司母辛鼎作后。

《說文》三「司，臣司事於外者」。

卜辭作動詞，主管也〻司工（司工）合集五六二八　即主管工

程的職官。龔司為神祇名〻ㄓ于龔司（ㄓ于龔司）合集

一四八二四　ㄓ用作侑，祭名。品司即品祀，為祭名疊用〻其品司

在茲（其品、司在茲）合集二三七一三　茲同茲、此。王二十司即王二十

祀：（在九月，王二十祀）合集三六八五六　對祖妣輪祭一遍曰一祀，一遍需時約一年，所以用祀紀年，二十祀即二十年。用作祠，奉敬神鬼也：（設司室）合集一三五六一

（司母大室）合集三〇三七〇　祠堂（宗廟）之省稱：于　四

（于司，丙寅，又絧伐三十羌，卯三十豕）合集三二〇四九　又用作侑，祭名：絧、伐、卯皆用牲法。　于司

（于司，御子辟）英一七六八　御用作禦，祭名。　祭名：

（己卯卜，陰用尹司于父乙，亡禍，尹）合集二三〇八三　亡甫作典。

（貞，用小宰辟，司）合集二一八〇五　宰：圈養，專供祭祀用牛；小宰：疑指圈養的專供祭祀用的小牛；辟，辟部。

詞

典籍詞辭嗣辭通用（見九七二頁辭字註）

卩

英九三五　　懷一九二　象人坐式之側面。

《說文》：「卩，瑞信也，守國者用玉卩，守都鄙者用角卩，使

詞　卩

山邦者用虎卩，士邦者用人卩，澤邦者用龍卩，門關者用符卩，貨賄用璽卩，道路用旌卩，相符合之形」。訓卩為符節之節，非初義。

卜辭祭名：「三于□□□□（三于父丁宗卩）」合集三二七〇。「□于□四（卩于母丙）」明一九八〇。「□□于□□（勿卩于祖辛）」乙二一四五 疑地名：「□□□□（貞，卩出萬出）」合集一三三三〇 出用作有，萬，象蝎形。即卩地有蝎子出現。

令

□屯二四三 □屯二三三 象口在人上，示上人發號施令，下人伏坐以聽之義。典籍令、命一字。

周早盂鼎作□。周中免毀作□。父辛卣作□。

（命）

《說文》：「令，發號也，从亼、卩」。

卜辭作動詞，命令：「□□□□□（令一月，帝令雨）」合集一四二九五 「□□□□（王令御方）」合集二〇四五一 御用作禦，

防禦、抵禦之義。（王令伐旅婦）合集二〇五〇五

⿰弋卩

英二三六四 合集五三三六 从弋、从卩，與商⿰弋卩卣之⿰弋卩同。弋即弋射之弋，以繩繫矢而射也。後世⿰弋卩字廢而以⿰必卩字代之，必字金文作，从二弋，不失本義。⿰弋卩、⿰必卩為古今字。

（⿰必卩）

商⿰弋卩卣作，商⿰弋卩甗作。

《說文》：「⿰必卩，宰之也，从卩，必聲」。

卜辭人名：（争貞，取子⿰弋卩）合集五三六

方國名：（戎與代⿰弋卩方）合集二八〇〇〇

祭名：（⿰弋卩彤彫其又于四方）合集三〇三九四

⿰弋卩、彤、彫皆祭名，又用作祐、保祐。（⿰弋卩落日，王受又）合集二九八〇二 又用作祐。

屯二三六 合集五四七一 合集四五〇二 合集六三四

⿰卩卩

象二人俯首聽命之形，為⿰卩卩、巽之初文。

《說文》︰「卬，二卪也。巽从此。闕」。

卜辭人名︰□□□□□□（卬弗其凿王事）合集五四七一

凿︰協理、辦理。□□□（卬亡禍）合集六七七一 亡用作無。

乎□□□□□□（呼卬从䇂取夾臣）合集六三四 呼︰命令。

乎□□（呼斫卬）合集一八三 斫︰動詞，打擊之義。

人牲。□□□□□□□□□□（壬寅卜，妣癸歲卬，酌，翌日癸）粹二三六 歲︰祭名，殺牲以祭神祖也。酌︰祭名。翌日︰次日或今後某日。

貞人名︰□□□□□□（卬貞，今夕亡禍）甲一三三八 亡用作無。

□

□ 合集一八七七 从卪旁有小點，構形不明。

卜辭人名︰□□□□（令卪于徉）前一、四八、二 地名︰□□（于卪）合集一八七七六

□

□ 合集三二五七一 □ 合集七〇九 从刀、从卪，疑即《說文》卲字。

卲

（卲）

周早井侯毀作，周中頌鼎作，周晚毛公鼎作。

《說文》：「卲，高也，从卩，召聲」。

卜辭神祇名：（燎羊二十于卲）合集三五一七四

燎：祭名。祭名：

（呼子宀卲卲父乙冊良，垂，卯宰）合集七○九　呼：命令；子宀：人名；冊：砍也；卯：剖也；良，垂皆人牲；宰：圈養，專供祭祀用羊。

（呼子宀卲父乙）同版

蠰

合集一○五七九　合集一八三三七　从襄，从步或省作止義同，《說文》所無。（應在止部）

卜辭人名：（呼蠰途子娃來）合集一○五七九　呼：命令。

兕

屯五八二　英一一七九　合集一四六五一　合集三九九八四　英一一四三　从从从兕或省从義同。

與疑為一字（見五四六頁兕字註）。

卜辭殷先公名：□□于□（拜年于兕）英七九三
□□于□（酌小甲于兕）屯一〇六二 酌，祭名；于用作與。□□
于□（王帝于兕）合集一一四。帝用作禘，祭名。□□
□□□于□（來庚子，其拜年于兕）屯二三八八
又于□（又于兕）屯八〇四 又用作侑，祭名。

兕

□ 南無五〇六 □ 合集一八〇一七 象一人有髮飾形。
卜辭疑人名：：□卜：：□□：：（：戌卜，：亞兕：：）南無五〇六
義不明：：□□□□（庚申卜貞，兕）合集一八〇一七

告

□ 合集二七九〇四 □ 合集三四三一 从卩，从生或省一横，義同。構
形不明。疑與□先同。（見五四〇頁先字註）
卜辭人名：：□□□□□：：（辛酉，余呼告从：：）
合集二二五九五 余：商王自稱；从：隨同。□□□□□□
□（惟宕大先从，亡戋）合集二七九〇三 亡用作無，戋同災。
□□□□□□□（惟宕大告从無災）合集二七九〇四

[大/卩]

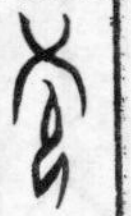 合集二三三五六 从乂从卩，構形不明。卜辭疑祭祀用詞：「三十（三七家[大/卩]，四月）合集二三三五六

丞

 合集七六三  合集一〇〇四 象雙手提拉一人形，與丞鼎之同，為丞、拯之初文（見一三一頁丞字註）。

[豕/卩]

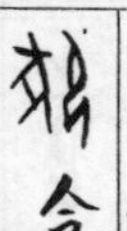 合集九七四 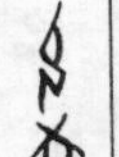 同版 从豕、从卩，《說文》所無。卜辭祭名：「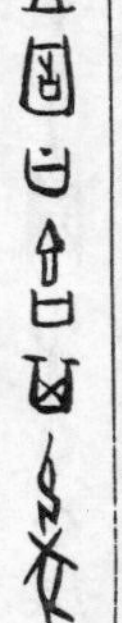（王固曰：吉，其[豕/卩]）合集九七四 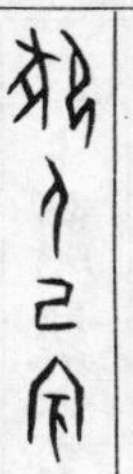（[豕/卩]妣己，賓）同版 （貞：王[豕/卩]父乙，賓）同版 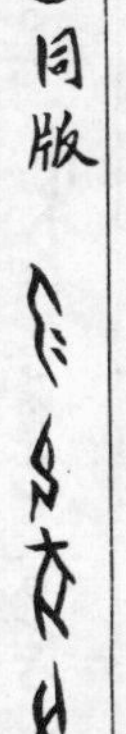（勿[豕/卩]父乙，賓）同版 賓：商王親自參加祭祀。

印

 屯四三一〇  合集二二五九一  合集二二五九〇。象以手抑人而使之跽，本為壓抑之抑，後世用作印璽之印，更造从手之抑作為壓抑之專字。印、抑乃同源之字也。

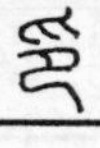

（抑）

周晚毛公鼎「用印卲皇天」作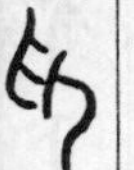，春秋曾伯匿作。

《説文》：「印，執政所持信也，从爪，从卩」。又訓：「归，按也，从反印。，俗从手」。初文無正反之分。

卜辭人名：（呼印）合集一九七八八 （呼印）合集二一五八六 呼：命令。方國名：：（：不其征印）合集二〇四一五

色

《説文》：「色，顏气也，从人，从卩」。或釋卯、卲與色一字，可參（見五七〇頁卯字註）。

辟（僻 避）

英一七六七 英一七六八 合集八六九五 合集八一〇八

从辛从㠯或省口義同，與金文同。典籍辟、僻、避一字。

周早盂鼎作，周中師望鼎作，戰國䲨羌鐘作。

《説文》：「辟，法也。从卩，从辛，節制其辠也；从口，用法也」。

卜辭人名：（王勿御子辟）合集二〇〇二四 御用作御祟。地名：于（于自辟）合集二〇八六 辟臣即嬖臣，商王愛臣：：（：亥卜，多辟臣其：：）

合集二七八九六 多〻諸多之義。辟門疑為宮室之門〻 □□□□

門□（王于正辟門燎）合集二〇八五 燎〻祭名。

旬 □ 英一六〇七 □ 懷六〇六 从□亘加一作為指示符號、象周匝循□

環之形、故十干一周為一旬。

王來奠新邑鼎作□、春秋王孫鐘作□。

《說文》〻「旬，徧也，十日為旬，从勹日。□，古文」。

卜辭祭名〻 □□□□□□（三旬無禍，在□旬）合集

二三一四五 □□□□□□□□（癸卯貞，旬無禍，在□

旬）同版 □□□□（貞，旬多父）英九六 多父〻諸多父輩先

王。□□于□□（貞，旬于祖乙）乙五七八三 地名〻 □田□

□（乎田于旬）南明一九二 乎用作呼。从甲日至癸日為一旬，共

十天〻，最後之癸日〻，卜問下旬的吉凶曰卜旬卜辭，所以凡卜旬卜辭

總冠以癸字〻，作癸丑、癸亥等〻 □□□□□□（癸

巳，王卜貞，旬亡禍）英二三三三 亡用作無。□□□□□□□

旬（癸未，王卜貞，旬亡禍）英二三二三 亡用作典。紀時單位，从甲始至癸終，十日也。（貞，丝旬雨）合集五六〇〇 丝同兹，此也。（貞，婦好娩不其嘉，三旬㞢一日甲寅娩，允不嘉，惟女）合集一四〇〇二 嘉，好也，生男曰嘉，生女曰不嘉；㞢用作又；允，果然。

苟（敬 儆 警）

合集五五九〇 合集二五九八〇 合集一八〇一九 合集二〇三九。此字構形各異，从金文苟盤銘文分析，疑為从羌得聲之字。古苟、敬、儆、警通用。

周早盂鼎作，周早大保殷「大保克敬亡㫚」作，周早班殷作，周晚毛公鼎「夙夕敬念」作，春秋楚季敬苟盤作（與說文古文同），戰國中山王鼎「敬𢘅順天德」作，中山侯鉞「以儆氒眾」作。

《說文》：「苟，自急敕也。从羊省，从包省；从口，口猶慎言也；

从羊，羊與義善美同意。，古文羊不省」。《說文》：「敬，肅也，从攴苟」。《韻會》釋儆：「戒也」。

卜辭疑人名：（貞，男苟亡禍）合集二九五四

亡用作無。動詞，用作儆警、儆戒也：：（：：令苟舊師）合集二〇三九。神祇名：于（奏四土于苟）合集二〇九一 奏：祭名。于（拜雨于苟）甲八九一 于（燎于苟）合集三三三九四 燎：祭名。

鬼（䰟）

合集八五九二 存二八四六 合集一四二九三 合集二〇三 合集三二〇一 象人身頭異之鬼怪，或从示作䰟，示象神靈牌位形，可見鬼也是受祀對象。䰟與《說文》鬼之古文、陳肪毀同。

周早小盂鼎「鬼方」作，周中鬼壺作，戰國陳肪毀「龔盟鬼神」作，戰國梁伯戈作。

《說文》：「鬼，人所歸為鬼，从人，象鬼頭。鬼陰气賊害

从厶。䰟，古文从示」。

卜辭人名：□□□□（王勿从鬼）合集六四七四 从彳借同。

□□□□□□□（王令鬼㝢剛于高）懷一六五○。剛：祭名。

□□□□（貞，鬼獲羌）合集二○三 □□

□□□□（貞，鬼不其獲羌）同版　方國名：□□

□□□□□□（己酉卜，賓貞，鬼方昜，亡禍）合集八五九一

昜：同揚，飛揚，逃走之義。指道路險惡、阻塞：

□□□□□□□□□□□□（王固曰，途若兹鬼，險在廳：）合集七一五三

鬼之本義：□□（來鬼：）合集一四二九一

□□□（多鬼夢）合集一七四五一

鬽

□ 合集一四二八八 □ 合集二八七 从鬼旁有八，鬼怪也。同魅。

《說文》：「鬽，老精物也，从鬼彡，彡鬼毛。魅或从未」。

卜辭作鬼怪：□□□□□□（王固曰兹鬼鬽）合集

（魅）

□

醜

一三七五一

醜 合集四六五四 从鬼，酉聲。即今醜俊之醜。

《說文》：「醜，可惡也，从鬼，酉聲」。

卜辭憎惡之義：貞若茲不雨隹：虫醜于：（貞若茲不雨，惟：虫醜于：）合集一二八七八 龖虫醜（龖虫醜）

同版龖：更加之義；虫用作有。

甶

甶 合集二二四六 甶 屯二五三八 象鬼頭形，卜辭作敵人首級。

周中長甶盉作甶。

《說文》：「甶，鬼頭也，象形」。

卜辭作敵人首級，祭品也：：：用危方甶于妣庚王賓（：：用危方甶于妣庚，王賓）合集二八○九二 羌方甶其用王受又又（羌方甶其用，王受又又）合集二八○九三 又又用作有祐。其用甶在妣辛升至母戊（其用甶在妣辛，升至母戊）屯二五三八 升用作礽，祭名。

醜 甶

畄

合集一九七五六　合集一九七五七　象以手提掮首級形，疑為進獻敵人首級之義。

卜辭作進獻敵人首級之義：四　三　（丙寅卜，又涉三羌，其畄至師印）合集一九七五六　……　（……羌其畄，涉……印……不畄）合集一九七五七

畏

合集一四一七三　合集一九四八四　合集二八三二　象鬼持杖形，會令人畏懼可怕之義。

周早盂鼎作，周晚毛公鼎作，春秋王孫鐘作。《說文》：「畏，惡也，从甶，虎省。鬼頭而虎爪，可畏也。古文省」。非初文之象。

卜辭人名：（貞，畏其有禍）合集一四一七三

畏夢為畏懼之夢魘：（王貞，畏夢，余勿御）合集一七四四二　余：商王自稱；御用作禦，祭名。

畏至即可怕事情之到來：□□：□□□（辛卯：畏至不？：）合集一九四八四 不：用在句末的不，後代文獻作否，畏至不與畏至否義同。 義不明：□□曰：□：（王固曰：畏：：）合集二八三二

山字多為平底作□，火字多為弧底作□。主要是从辭義中區別開來。

山

□ 屯二九一五 □ 合集三四二〇五 □ 合集五四三一 象山形。

商父戊尊作□，商毓丁卣作□，周晚克鼎作□。

《說文》：「山，宣也，宣气散生萬物，有石而高，象形」。

卜辭人名：□□□（勿令山）懷四四九 □□□□（山甾王事）合集三二九六七 甾：斑理。 □入□□（山入御事）合集五五六一 御：主持。

受祀神祇名，山神也：□□于□（拜雨于山）合集三〇一七三 □于十山（燎于十山）合集三四一六六 燎：祭名。

山嶽本義：……□三□（三往三山）合集一九二九三 □□□□□□（壬申卜，王陟山）合祭二〇二七一 陟，登上也。

□

嶽（岳）

□英一五二 □英二四四五 □乙二五八四 从山，羊（羊鳴聲）聲，與《說文》嶽字古文□近似，為岳、嶽之初文。

《說文》：「嶽，東岱、南霍、西華、北恆、中泰室，王者之所以巡狩所至。从山，獄聲。□，古文象高形。」

卜辭人名：□□丁一□（婦喜示一乙岳）。合集三九示：整治，乙：量詞，一對骨版，岳為簽收人。□□丁三□□（庚午示三乙岳）合集一七六三八 地名：□于□（貞于岳）合集六一五六 ：：：□□□□：：（：：王其呼戍岳：：）乙三〇七 戍：保衛。神祇名：□□□于□（其拜禾于岳）乙二三三 □□□□□（貞，舞岳出雨）合集一四二〇七 舞：祈雨之祭；出用作有。□□□□□（貞，取岳有雨）合集一四四六八 取用作聚，或作𥚧、𤎹，為燒柴之祭。于□□□□□（于岳宗彭，又雨）合集三〇二九八 宗：廟，彭：祭名，又用作有。□□□□□（惟岳先又）乙三四二 又用作侑，祭名。

嵒（岩　巖）

嵒 英二〇〇〇　嵒 合集九四三三　嵒 同版　从品品从山山或省作山義同。

示山有岩石之義。釋嵒，即後世之岩、巖。

《說文》：「嵒，山巖也，从山品。讀若吟」。《晉書·顧愷之傳》「千嵒競秀」註：「與嵒同，俗又作岩」。

卜辭地名：……三□嵒□（……乞自嵒二十）合集九四三三　乞：同迄。

□□三□嵒……（辛丑，乞自嵒……）英二〇〇〇　□井丁二□

嵒……（婦井示二屯，自嵒……）合集六二三三　示：整治，屯：量詞，一對骨版。

嵒

島（島）

島 屯四五六五　島 合集五四九七　从鳥在山上，釋島，今作島。

《說文》：「島，海中往往有山可依止曰島。从山，鳥聲。讀若詩曰：蔦與女蘿」。

卜辭人名：島□□（島又禍）屯四五六五　又用作有。

島

密

卜辭宓、密一字（見四四〇頁宓字註）。

岶

岶 合集三二四八七　岶 合集三二四八六　从山山白白聲。岶字所从之白非日月之日，即白白形之異變；从白或自義同，可釋岶。

廳（庭）

《字彙》：「音拍，嶼峭，密貌」。《說文》所無。

卜辭地名：□□于□（步于峭）合集三三二四八七　□□□□（王步□峭）合集三三四八六

□合集三一六七三　□合集八〇八六　从宀，聽聲，《說文》所無。本義是廳屋，大廳也。廳、庭當是同源之字。廳金文作□。

《廣韻》：「廳，屋也」。《說文》：「庭，宮中也」。

卜辭人名：□□入二□（唐入二，廳）合集九二六九　入：入貢，廳為簽收人。地名：……中□□（……在廳阜）合集一〇四〇五　祭祀之處：□□于□（貞，祝于廳）合集二四四二　祝：祭名。□□□□□□于□（其啓廳西戶，祝于妣辛）合集三〇二九四　啓：開也；戶：同門。□□□中□（王其卿在廳）合集三一六七二　卿同鄉，用作饗，祭名。于□□□（于廳旦迎）屯六〇。旦：早晨，日剛出來時；迎：迎接。于□門□□……（于廳門酓飲……）合集三〇二八五　酓飲，疑祭名。

廣

卜辭寅、廣一字（見四五五頁寅字註）。

龐

合集七二九。合集一〇三五 从广、龍聲。

《說文》：「龐，高屋也，从广，龍聲」。

卜辭人名：丁二（婦龐示二屯、冗）（合集七三九三）示：整治；屯：量詞，一對骨版；冗：簽收人。㞢

（貞，龐㞢蠱）合集一九五二七 㞢用作有；蠱：災害。地名：

于（余于龐次）合集七三五八 余：我，我們；次：駐紮部隊。于（次于龐）合集七三五九

于（呼婦好先奴人于龐）合集七二八三 奴同共，供也，供給提供、徵集之義。……（……龐不其受年）合集九七七一 受年：得到豐收之好年成。

龏（龔）

合集八九一 合集七九五 从广，从龏（龔），疑與龐同。

卜辭地名：于（貞，黍于龏）合集九五三八 黍：動詞，種黍也。神祖名，龏司即龍司：

（惟龏司蚩婦好）合集七九五 蚩：禍害。

龐

㞢于丙[illegible][illegible]（㞢于龍廾司）合集一四八一四 㞢用作侑，祭名。
㞢于[illegible][illegible]㞢于[illegible][illegible]（㞢于五毓，至于龏𢑚）合集
二四九五一 㞢用作侑，祭名。毓同后，先王。龏𢑚疑即龏司。

庶

[illegible]合集二〇四五 [illegible]合集六五九五 [illegible]周甲一五三 周甲象山厓下大
上有炊具之形，會意字，為庶民所居也。
周早盂鼎作[illegible]，周晚毛公鼎作[illegible]，戰國中山王方壺作[illegible]。
《說文》：「庶，屋下眾也，从广炗。炗，古文光字」。訓光不確。
卜辭地名：「乎[illegible][illegible]于[illegible][illegible]（呼行取龏友于
叨庶氏）合集六五九五 呼：命令。[illegible]（今辛不至
庶）乙五三三一

庶

龐

[illegible] 英一一三 从广从龏，《說文》所無。疑為寵愛之寵。
卜辭義不明：「[illegible][illegible]（不作龐）英一一二 作：古文本作乍，
後來分為乍、作兩個意思不同之字。[illegible]：[illegible][illegible]：
（貞：作龐：）英一一二

仄（側）

仄 合集二一三九。象人在厂下。即後世平仄之仄，又與側通用，人處山根厓巖之下有慮，故作側傾也。

《說文》：「仄，側傾也，从人在厂下。[glyph]，籀文从矢，矢亦聲」。

卜辭人名：[glyph]（丙辰卜自惟羊子仄）合集二一三九。

卩（危）

[glyph] 英五九○。[glyph] 英五八九 象傾敧易覆之敧器之形，是卩、危之初文。

《說文》：「卩，仰也，从人在厂上。一曰屋梠也，秦謂之梠，齊謂之卩」。又：「危，在高而懼也，从卩，自卪止」。皆非初文之義。

卜辭地名：[glyph]（壬卜，在危貞：）英二五六三

方國名：[glyph]（危方其有禍）合集八四九二 [glyph]（王勿从望乘伐下危）英五八九 从：隨同。

[glyph]（：用危方甶于妣庚，王賓）合集二八○九二 甶：頭顱，首級；賓：賓臨，親

《集韻》釋挽：音詭，毀撤也」。

𢍰（挽）	石	（祏）
自參加。▢▢▢▢▢▢▢（王令卯途危方）合集三三二九途		
假借作屠，殺伐之義。		
▢合集八五〇一 ▢屯二六四 象雙手捧鼓器之形，疑即挽字。		
卜辭義不明：……▢▢▢▢▢▢▢▢……（……		
𢍰其惟庚，我受出又，其惟……）合集八五〇一 出用作有，又用作祏。		
	▢屯二一八 ▢英一八四六 ▢合集二二〇五 ▢合集三四一七四 象▢	
	山巖下有石塊形。▢厂為省文。卜辭石亦用作祏。	
	周早乙侯簋子𣪘作▢，春秋鄭子石鼎作▢。	
	《說文》：「石，山石也，在厂之下。口，象形」。	
	卜辭人名：▢▢▢▢▢（婦石燎爵于南庚）	
	屯二一八燎：祭名，爵：酒具，在此作祭品，一祭器。▢▢▢	
	▢▢▢▢（戊午卜貞，婦石力，十三月）合集二二〇九九	
	地名：王固又于▢▢▢▢▢▢▢（王其又于滴，在又	
	石，燎又雨）合集二八一八〇 又：上一又用作侑，祭名，下則均用作有，	

燎，祭名。方國名：□□□□□（貞，雀氏石方）合集六九五二

氏：動詞，帶領之義；或用作抵，抵達。用作祏，祭名：□□

□□□□（岳石㞢从雨）合集九五五二　岳：神祇名，岳石即祏岳；㞢用作有；从用作縱，縱雨，大暴雨。□□□□□（石，御于庚）合集三二〇四八

御用作禦，祭名。□□□□□□……（御石于安，豕有十三）合集三二〇九四

□□□□□□（戊午卜，御石）合集三二〇九九

……□□□……（……石夒……）合集三四一七四　夒：殷先公名，疑即高祖夒。

硪

□　合集一〇四〇六　从二石，我聲，即《說文》硪字。

《說文》：「硪，石巖也，从石，我聲」。

卜辭作巖石：……□□□□……□□□□□□□□□□□□□□□（……王往逐□，小臣□車馬，硪馬□王車，子央亦隊（墜））合集一〇四〇六　小臣：職官名；□：負責，駕馭（御）；□或作□，本義是絆馬足，此指絆撞馬車，硪馬□王車即石塊絆了

磯

商王所乘之馬車。

磬

英二三九三 合集八○三三 象以手執錘擊磬形。與《說文》磬字籀文同。

（殸）

《說文》：「磬，樂石也，从石、殸，象縣虡之形，殳擊之也。古者毋句氏作磬。、籀文省；、古文从巠」。縣同懸。

卜辭地名：王田不。（王田磬，不遘雨）合集三七七二七 田用作畋，畋獵；遘：遇也。

于（呼婦姘圍于磬京）合集八○三五 呼：命令；圍：祭名。

……王（……王徝磬，若）合集一三五○七 徝：省察；若：順利。

砅

英五四七 同版 象水中有踏石形。為砅、濿之初文，音厲。

《說文》：「砅，履石渡水也，从水、从石。詩曰：深則砅。，砅

（濿）

或从厲」。

卜辭疑人名：（砅氏孫启獲入罜）九合集九三三

氏」帶領。地名」于（勿于砯奠）英五四七 奠祭」名。于（于砯）同版 于（貞，微人于砯奠）同版

硪

合集六〇一六 合集一八七五八 合集一九四〇一 从石、从耳，《說文》所無。疑為（）聲之省文。卜辭疑用作聲」（其㞢硪得）合集六〇一六 㞢用作有。義不明」」」（」貞」來硪」）合集一九四〇一

⿰石舌

合集一三六四一 从石、从舌、《說文》所無。應為會意字，示舌頭僵硬，語言不便之義。卜辭用如舌同」（貞，王舌疾，惟㞢由）合集一三六四一 㞢用作有，由」來由，原因。

砓

合集二五二二三 象以手執錘擊石形，《說文》所無。《字彙補》」音哲，砓硈貌」。

卜辭義不明：□……□……□……（庚……貞……砓……）合集二五二一三

硧

□ 合集三五五〇一 从厂、从有，《説文》所無。卜辭□石、厂□每可通用，如聲字作□亦作□。□直釋作𥑮，即《玉篇》、《集韻》之硧。

（𥑮）

《集韻》：「音愷，石名」。

卜辭疑地名：王曰□□□□□□□□（王曰：則大乙，𣪠于白麓，𥑮宰羊）合集三五五〇一 則亦作𠛬、𠛬，𣪠皆祭名；白麓：地名。

硊

□ 合集六六六三 □ 合集四五九五 从石、从危，《説文》所無。

卜辭人名：□□□□□□（貞，勿令硊）合集四五九四

方國名：□□……□□□（硊方……弗其伐）合集六六六二

碤

□ 合集一八七五七 从石、从英，《説文》所無。

卜辭地名：……于□……（……于碤……）合集一八七五七

[石甲]	碻	（塙	鄗	確）	[石享]

[石甲]

□ 屯二六七一 □ 合集二一八八五 為□（上甲）異文，為殷先王名。

卜辭疑即殷先王□：……□□□□□（……彡御上甲至殷庚，足）屯二六七一 彡：祭名，午為卬御，禦省文，祭名；殷庚亦作盤庚。□□□□（御上甲宰用）合集二三一六 宰：欄養的，專供祭祀用牛，一宰為一頭。

碻（塙、鄗、確）

□ 合集二〇二九二 从石，从□高，《說文》所無。直釋作高，為後世碻、塙、鄗、確之初文。

《正字通》釋碻：「同確」。《廣韻》釋塙：「音墒，土高也，一曰土堅不可拔也」。《易乾卦》釋確：「確乎其不可拔」。《正字通》釋鄗：「春秋晉邑，戰國屬趙」。

卜辭義不明：……□……□……（……王貞……碻……）合集二〇二九二

[石享]

□ 合集三三一三七 从石，从享，《說文》所無。

卜辭地名：十□□千□（甲午卜，于[石享]）合集三三一三七

砋

人三〇九九　从石，止聲，《說文》所無。磨刀石也。《集韻》：「音止，擣繒石」。《揚子太玄經》：「轅于砋石，一曰礪石」。礪石即磨刀石。

卜辭疑方國名：……（：貞，旬甲子，祝砋方，六月）人三〇九九

碩

南坊四、二〇五　从石，从貝，《說文》所無。

卜辭義不明：……（……卜貞，……碩）南坊四、二〇五

碍（礙）

拾一二、二　从石，从㝵，即礙之初文。《正字通》釋碍：「俗礙字」。《說文》：「礙，止也，从石，疑聲」。今用作妨礙、阻礙等，不失古義。

卜辭義不明：（碍）拾一二、二

⿰石人

乙三四七八　象人在石前，《說文》所無。

卜辭義不明：…………（乙巳卜貞，⿰石人……不延）乙三四七八

砓

□ 合集二一二八九 象以手執石形，《說文》所無。

卜辭疑作動辭：……□冊□……（……與冊砓……）合集二一二八九

⿰石⿱戉方

□ 合集二八八九〇 从石，从戉，从方，直釋作⿰石⿱戉方，疑與□𢦔𥕏一字（見一〇〇四貞𢦔𥕏字註）。

卜辭地名：□□田□□（惟⿰石⿱戉方田無災）合集二八八九〇。田用作畋，畋獵。

⿸声犬

□ 合集二八三〇七 从声，从犬，《說文》所無。

卜辭疑地名：□□□□□□（王其射⿸声犬大豕）合集二八三〇七

砐

□ 合集三三一三六 从石，从又持乙，構形不明。

卜辭地名：于□□□（于砐亯伐）合集三三一三六。亯：小篆作□，即今享字，砐亯為地名，單一亯字亦地名，如：□□（在亯）人三八四 □□□□□于□（今日王勿往于亯）後上一六九等。

伐：動詞，在此為殺牲之祭。

長

□ 合集二八一九五 □ 合集二七六四一 象長髮老人拄杖形，示長久、長者之義。

□

周早𢎥長鼎作□，周早日戊鼎作□，周中牆盤作□。
《說文》：「長，久遠也，从兀，从匕，兀者高遠意也，久則變化，亾聲，𠂆者倒亾也。」上□，古文長，□亦古文長」。說形不確。
卜辭作長幼之長：□□□□□□
（其又長子惟□至王受又）合集二七六四一 又：上一又用作有，其下一又用作佑，祐，保佑。
義不明：□：：□：：□：：
（乙未：：長：：不：：：）合集二八一九五

□ 英五四八 □ 英五三四 象弓弦振動之形，大概是否定字無形可象，只得借聲作勿了。卜辭中勿亦用來指稱物色。
周早盂鼎作□，周晚克鼎作□，春秋齊鎛作□。
《說文》：「勿，州里所建旗，象其柄，有三游，雜帛，幅半異，故遽稱勿勿。□，勿或从㫃」。全非本義。
卜辭貞人名：□□□□（丙午卜，勿貞）甲釋一五二
否定詞：□□□□□（勿呼伐𢀛方）英五六。呼：命令。

昜（暘　陽　揚）

(王勿去)合集五一五六　用作物色之物，即雲气之色：(勿見，其有梌，亡旬)南明七六二

勿見即物現，指雲气之色的出現；梌即渝，變化也；亡用作典；旬：災害。　用作刎，割殺也：(勿十牛)合集一三五五五　(勿羊，十二月)合集一五九二三　(勿五宰)合集一五七八三

宰：圈養之羊，專供祭祀用，五宰即五頭圈養之羊。

英一九八　合集二○六三一　屯四五二九　象日在丁、之上，所从之𠂤阜　象山有級階之形，陽字从𠂤，取陰陽之義。為昜、暘、陽、揚之初文本字。

周早敄子卣作，春秋昜叔盨作，永盂「陰陽」作。伊毁「對揚」作，農卣「對揚」作。

《說文》：「昜，開也，从日、一、勿，一曰飛揚，一曰長也，一曰彊者眾皃」。惟開也、飛揚之訓可取。

卜辭地名：(在昜)合集二○六三一　于(于南陽)

屯四五二九 方國名：（王惟昜白岦族从）合集六四六。白用作伯，昜伯即昜方伯長；岦族為伯長之私名；从：隨同。用作揚，飛揚，逃跑也：（鬼方昜，亡禍，五月）合集八五九一 亡用作典。

而

合集四一二 合集一五五八八 合集六七三 象頷下有鬚須形。

春秋屖敦毀作，春秋於賜鐘作。

《說文》：「而，頰毛也，象毛之形。周禮曰：作其鱗之而」。

卜辭地名：（在而）合集一〇二〇一 （狩而）人二七一 狩：打獵。方國名：（而伯）合集六〇四 伯：方國伯長。用作胹：祭名，煮熟食以祭也：（貞，而妣壬，而）合集一〇九八九 胹：典籍與臑、𩱦、烲通用，均為爛、熟之義。

（胹 臑 𩱦 烲）

豕

懷一六三 粹一二。象豕形。

周中𧊒毀作，周晚函皇父毀作。

《說文》：「豕，彘也，竭其尾，故謂之豕，象毛足而後有尾，

與豨同。桉今世字誤以豕為彘，以彘為豕，何以明之，為啄琢从豕蠡从彘，皆取其聲，以是明之。□，古文」。

卜辭人名：□□□□（惟庚令豕）乙三三五。　獸名，野豕也：□□□□□（呼逐豕獲）合集一〇二三六　呼：命令。　祭牲：㞢□□□十（㞢豕于父十）合集七七九　㞢用作侑，祭名。　□于□□□□□□□（𢍷生于妣庚、妣丙，牡、羝、白豕）合集五四〇八一　大意是：向妣庚、妣丙祈求生育，用公牛、公羊、白豕作祭牲。

□□□□□□□（婦鼠㞢妣己，南豕）英一七六三　㞢用作侑，祭名；南用作㲉，小豕也。

卜辭㲉省作南，皆用作祭牲。

《說文》：「㲉，小豚也，从豕，𣪊聲」。小豚即小豕，今稱小豬。

卜辭作祭牲：□□□□□□□□□（燎三小宰，卯九牛，三㲉，三羌）合集三七八　燎：祭名；宰：欄養的，專供祭祀用羊；卯：剖開，用牲法。　□□□□□□□（燎于王亥，五牛，新㲉）

㲉

□、□並舉，各有所指，可見並非一字。

或釋犭□為猳，為有勢之犬。可參。

英二七五 新：新鮮、活的。

豭

□ 屯四五四 □ 合集一五二六 象有勢之豕，亦為沒有閹過的公豬。

《說文》：「豭，牡豕也，从豕，叚聲」。《廣韻》訓猳、豭一字。

卜辭作祭牲：□□□于□～（彡六豭于祖乙）合集一五二六

彡：祭名。□日㞢于□三□（今日㞢于成，三豭）合集一三七五

㞢用作侑，祭名；成：商直系先王大乙之私名。

（猳）

豢

□ 合集一一二六七 □ 續五、八、六 象雙手持豕，亦豢養之義。

《說文》：「豢，以穀圈養豕也，从豕，𢍏聲」。

卜辭作祭牲，有獻豕以祭之義：……□……□㞢□（……

東：：其㞢豢）合集一一二六七 㞢用作侑，祭名。□□□□□（王其豢，亡尤）續二、一六、一 亡用作無；尤：災害。㞢□□（㞢其豢）餘六、一 㞢用作侑，祭名。與团圂同（見三六八頁圂字註）。

豕

□ 英一四九 □ 英一一五八 象勢離豕體，亦為閹過之公豬。一般釋作豖，與去勢義之椓、劅、斀音近義通。

豭 豢

《說文》：「豕，豕絆足，行豕豕，从豕繫二足」。豕繫二足，無實際義，恐非本義。

卜辭作祭牲：[甲骨文]（今日燎三羊、三豕、三犬）合集七三八 燎，祭名。[甲骨文]（燎黃尹，四豕，卯六牛）懷八九九 燎，祭名；黃尹，殷舊臣，尹疑為官名；卯，用牲法，

豩

[甲骨文] 甲三六三四 [甲骨文] 合集七〇〇二 从二豕或三豕，義同，簡繁與後世之豩、豩同。

（豩）

《說文》：「豩，二豕也，豳从此闕」。音彬。《字彙補》釋豩：「同豩」。《同文備考》：「豕亂羣也」。

卜辭地名：[甲骨文]（今執氏人田于豩）合集一〇二三 氏：帶領，田用作畋，畋獵。義不明：[甲骨文]（惟豩惟龍）拾一五

[白豕]

[甲骨文] 合集一一二六五 為[甲骨文]白[甲骨文]豕合文，直釋可作[白豕]。《說文》所無。

卜辭祭牲不僅分牝牡、口齡，還分毛色，如□（黃牛）、□□（幽牛）等，㹙即白色豕也。

卜辭指白色之豕：……□……干口……□（……卯……于丁……㹙）合集一一三六五

豩

□ 合集一二。□ 合集三○九九 从子、从豕，《說文》所無。

卜辭義不明：……□……□□三□（……令……豩子，三月）合集三○九九 ……□□……□……□三□（……貞，呼……豩……□，十三月）合集一一二。

剢

□ 懷九四七 □ 合集一一二五二 从豕、从刀刂，《說文》所無。

周中彝銘作□。

卜辭作動詞，災禍用字：□□出□（貞，師出剢）合集七七九 出用作有。□□中□、□□□（貞，戠在祉，亡其剢）合集四二八四 □□□□（戊亡其剢）合集四二七四 亡用作無。

豝

□ 甲一二八二 从豕、从巴，《說文》所無。疑即豝字，音卓。《集韻》釋豝：「通作豚」。

⿰豕羽			⿰豕盧		⿰豕羊		⿱⿰臼臼⿰豕豕豕		豨
卜辭疑野獸名：……□□……□……□（……貞惟……豝……擒）甲一二八二	□ 乙八八六二 从豕、从翼羽，《說文》所無。	卜辭義不明：（□……□……□（乙酉卜，……媢……⿰豕羽）	乙八八六二	□ 合集一〇七二四 从豕、从盧，《說文》所無。	卜辭疑作地名：□……□……□……（戊……又……于……	⿰豕盧……）合集一〇七二四	□ 合集二七四五九 从豕、从羊，《說文》所無。	卜辭義不明：□□□□□……□（壬子卜貞，王其……⿰豕羊）	合集二七四五九

□ 合集二八三九八 从雙手持午，从三豕，《說文》所無。	卜辭狩獵用字：□□□□□□（惟⿱⿰臼臼⿰豕豕豕先	犬擒，亡𢦏）合集二八三九八 亡用作無，𢦏同災。	□ 英五九七 □ 英一一四八 □ 英一九四八 豨字構形各異，與

彖

（祟）

《說文》𢊁之古文□近似，與殺之古文□亦大同，與金文□蔡、魏三體石經□蔡全同。𢊁、殺、蔡音近形似，所以有人一字三用。

卜辭中𢊁有災害禍祟之義，所以有人用𢊁為祟。

《說文》：「𢊁，脩豪獸，一曰：河内名豕也，从彑，下象毛足。讀若弟。□，籀文；□，古文。」籀文、古文皆象獸形。

卜辭用作祟，災害、禍祟也：□□（上甲祟王）合集八二一 □□□（王亥祟我）合集一四七五八 □□□□□（羌甲祟余）合集一八〇三 □□□□（王𠧴曰：有祟）英八八六 □□□□（貞，我亡祟）合集八九二 亡用作無。祭名：□□□□□□□□□□（拜年于示，祟有大雨，大吉）合集二八二六六 示：神祖。□□□□□（王祟雨于土）合集三四四九三

𧸖 （貁）

□ 合集六六五三 □ 合集一八三二三 □ 合集五八三 □ 合集一八九九

从二獸，或从凵，示陳牲于禮器之中。□貁與子𧸖爵之𧸖同。

周早天亡殷作□，周中召卣作□，子𧸖爵作□，𦿆殷作□，

𧸖

）召尊作□。簡繁與卜辭同。

䌛 《說文》：「䌛，䌛屬，从二䌛。□，古文䌛。虞書曰：䌛類于上帝」。《集韻》：「音四」。《廣韻》：「俗作隸」。䌛古文作䌛。

（ 卜辭人名：：早□告曰：：（：：子䌛告曰：：）菁六 地名：

𦃃 于□（于䌛）前一、四八、三 □虫于□（弜至于䌛）人二〇五九 弜用如勿。
進獻祭牲也：虫□（虫來䌛）合集一九四〇五 虫用作有。□
□（亡來䌛）合集一九四〇六 亡用作無。

彘 □懷三八一 □英一二八四 □英七八 象豕身著矢，示彘為野豕，非射不可得也。
周中衛盉作□、㾜壺作□。
《說文》：「彘，豕也，後蹏發謂之彘，从彑，矢聲，从二匕，彘足與鹿足同」。蹏同蹄。
卜辭人名：□（呼彘）乙六〇二 呼：命令。□（□一（彘入十）乙四四八四 入：入貢。 祭牲：虫于□□□（虫于

□

父乙，白彘，新豰）英七九 ㄓ用作侑，祭名；新：新鮮、活的；豰：
用南岀為豰，小豕也。□□□于□己（彡，用彘于妣己）
合集四五四 彡：祭名。

豚 □

□ 屯四五七九 □ 屯一○五七 从肉从豕，與《說文》篆文同。
周早臣辰卣作□，周中豚卣作□。
《說文》：「豚，小豕也，从彖省，象形。从又持肉以給祠祀。□，
篆文从肉、豕」。从又持肉之說非初文之形。
卜辭作祭牲：□□□□（燎惟白豚）合集三四四六二 燎、
祭名。
□□□□□□□□□（御父
乙羊，御母壬五豚，兄乙犬）合集三二七二九 御：用作禦，祭名。

豸 □

□ 合集一三五二二 □ 合集二○二五六 象張口猛獸形。
《說文》：「豸，獸長脊行豸豸然，欲有所司殺形」。音至。
卜辭地名：□□□□□□□□□（丁酉卜，亘貞，將
酉于豸）合集一三五二一 酉同酖，疑祭名。

⿰豸異(貔、豼):

⿰豸異 周探二 坑三五

从豸,異聲,釋⿰豸異,疑與从昆作聲之貔同。

《說文》:「貔,豹屬,出貉國,从豸,昆聲。詩曰:獻其貔皮。周書曰:如虎如皮。貔,猛獸。豼,或从比」。

《詩大雅》:「獻其貔皮」疏曰:「貔似虎,或曰似熊,遼東謂之白熊」。

卜辭獸名:白⿰豸異即白貔:

(白⿰豸異)周探二五

豹

合集一〇二〇八　合集三三〇三　象金錢豹形。

《說文》:「豹,似虎,圜文,从豸,勺聲」。

卜辭虎、豹同類,說虎時亦包括豹,如獵獲的野獸中有虎多少,未見有豹多少的;但从字形來看,兩者應有別。豹多作人名:(豹歸)合集三三〇三

(豹勿帝于)合集一四三六三　帝用作禘,祭名。

易(賜)

英一八五〇　英一八五一　合集五四五八　前六.四二.八　繁文象雙手執壺倒酒于酒器之中,示賜與之義,引申作更易之義。卜辭易,賜一字。一事褒尊「孫子其永易」作。

周早德鼎作,盂鼎作。弔德毀作。

《說文》:「易,蜥易、蝘蜓、守宮也,象形。祕書說:日月為易,象陰陽也。一曰:从勿」。非初義。

卜辭易用作賜,易日即賜日,賜日與暘日同。殷人迷信,認為自然現象是由神靈暗中安排的,陰暗天氣時,希望出太

豹　易

陽，所以賜日多與風雨並提。卜 曰（無風易日）英六八○ 曰不雨（易日不雨）合集二二九八 彰 日（彰易日）合集三四二四 彰，祭名。 償賜寶物。 （勿賜黃兵）合集九四六八 （勿賜牛）合集九四六五 更易、更換。 （王疾齒，亡易）合集一三六四三 亡用作無。即：商王得了牙齒病，不會換牙。地名。于 （于易）前六、四三、一 祭名。 （易豕百，九月）前六、四二八（或釋易日為暘日，指陰暗天氣，可參）

象

英三三三 懷三○八 合集一○二二三 象長鼻大象形。

商祖辛鼎作 ，周中師湯父鼎作 。

《說文》：「象，長鼻牙，南越大獸，三年一乳，象耳牙四足之形。」

卜辭獸名。 （獲象）合集一○二二三 祭牲。 㞢 （㞢氏象㞢祖乙）合集八九八三 氏，動詞，帶來、使用之義；㞢用作侑，祭名。 方國名。 （丁丑，伐象）乙一○○二

馬

合集五七二四 合集二八○二 象馬形。

周早盂鼎作□，周中虢季子白盤作□。

《說文》：「馬，怒也，武也，象馬頭、髦尾四足之形」。

卜辭方國名：□□□□（我伐馬方）合集六六六四 馬亞、馬小臣為司馬之職官：□□□□□（令馬亞射麋）合集二六八九九 □□□□□□（多馬亞其有禍）合集五七一。多：諸多之義。□□=□□=（惟馬小臣=）合集二七八八一

牲畜名：□□=（=得馬=）懷三五九□□

□（古來馬）合集九四五

□合集一〇四〇六 □合集一三五八四 □合集九五〇七 □合集三六九八六

从丂从□馬或□㲋義同。象馬受丂之羈絆狀，直釋作□或□。可釋□，□之異文作□或□，與卜辭構形近似，用義也可通。音環。

《說文》：「□，馬一歲也，从馬一，絆其足，讀若弦，一曰若環」。惟「絆其足」可信。

□

（□□□□）

驪 （⿰馬利） 駁

卜辭作動詞，絆也：□□□□□□□□□□
□□□□□□□□□（貞王往逐兕，小臣甾車馬，
硪馬馬王車，子央亦墜）合集一〇四〇六 小臣：職官名；甾：本義
是辦理，引申作駕馭，硪馬王車即石頭絆了王車。 義不明：□□
□□□（有祟馬用）合集一五四五 □□□（惟馬用）合集三六九八六
□□ 佚九七〇 □ 通七三〇 □ 周甲探二九九 从馬，从麗或利作聲。
《說文》：「驪，馬深黑色，从馬，麗聲」。《廣韻》：「⿰馬利馬同驪」。
卜辭馬名，深黑色之馬也：□□□□□□□
（惟⿰馬利暨大騂亡災）佚九七〇 騂：厩養之馬；亡用作無。 □
□□□□□□（惟⿰馬利既駛子亡災）合集三七五一四 亡用作無。

□ 合集三六八三六 □ 合集三六九八七 从馬从爻。
《說文》：「駁，馬色不純，从馬，爻聲」。
卜辭作雜色即毛色不純之馬：□□□□□□□
（王：于□駁騂：）合集三六八三六 □□□（惟并駁）

驪 駁

𢍏亦作□、□、□等。金文象雙手用桶起土。可直釋作□、□。學者釋作□（𢍏）、□等，迄無定論。

合集三六九八七　并同並，兼、合之義，連詞。六一〇。

馵

《說文》：「馵，馬後左足白也，从馬，二其足，讀若注」。「馬後左足白」之說無實際意義，馵、馬實一字也（見六〇八頁馵字註）。

騽

□ 合集三七五一四　从馬，習聲。

《說文》：「騽，馬豪骭也，从馬，習聲」。《玉篇》：「驪馬，黃脊」。

《段注》：「豪骭謂骭上有脩豪也」。脩：長也。

卜辭長髮馬名：□

□（在潢貞，王其𢍏大𡵂，惟騋暨騽亡災，擒）合集三七五一四

𢍏：本義是𢍏田，此指掘阱陷獸；騋：馬名；亡用作無。□

□（惟騋暨騽亡災）合集三七五一

驍

□（惟驍暨小騽亡災）合集三七五一四

□ 合集三七五一四　从馬、从高、从㞢，應為形聲字。權作驍，或釋騎，可參。

卜辭馬名：□（惟驍既小騽亡災）

合集三七五一四　騽：馬名；亡用作無。

馵　騽

騎（奇）

合集一七九八九 合集二三二八三 象一人騎馬之形，可謂文簡形象之一幅速寫畫。一幅是奔進，一幅是跨馬，疑即騎，奇之初文。

《說文》：「騎，跨馬也，从馬，奇聲」。

卜辭義不明：……（……騎……）合集一七九八九

（乙卯卜貞，子騎）合集二三二八八

（乙卯卜貞，騎）合集二三二八三

驟（掫）

英一〇九七 英一〇九六 象兩手捂耳之形，即《說文》之掫，《說文》：「掫，夜戒守有所擊，从手，取聲，春秋傳曰：『賓將掫』」。《說文》：「驟，馬疾步也，从馬，聚聲」。

卜辭借作大驟風之驟。

卜辭作形容詞，急也：

（壬寅卜，癸雨，大驟風）合集一三三五九

（……丁酉，大驟風，十月）合集一三三六〇

（……旬己亥，驟風）合集一三三六五

鴷（䮻）

合集三〇二九七 从馬，歺聲。直釋作駁，繁作鴷，歺歹列皆聲符也。

《說文》：「鴷，次弟馳也，从馬，劣聲」。《玉篇》：「馬名」。

《廣韻》：「或作䮻，亦作駠」。

卜辭馬名：王　于　（王馬迎鴷，其御宗于父甲亞）合集三〇二九七 御：祭名；亞：安放神祖牌位並作祭祀之地。

駛（駛）

合集二八一九五　同版 从馬，吏聲。釋駛或駛，古文吏史一字，故駛、駛亦同。

《說文》：「駛，疾也，从馬，吏聲」。《正韻》釋駛：「音試，與駛同」。

卜辭馬名：（左駛其剢不歺）合集二八一九五 剢：騙也；歺同卢、肖，用作烈、猛烈。

（……入駛其剢）合集二八一九六

（又使入駛，士其𨚖不歺）合集二八一九五 又用作有，入=入貢；士=勢也，𨚖=驕過的，歺用作烈，猛烈。

馽

《說文》：「馽，絆馬也」。與馽、馽一字（見六○八頁馽字註）。

騂

騂 合集二九四二○ 騂 合集三六九八五 从馬，从辛，厩養，專供祭祀用馬。《說文》所無。

卜辭作祭牲：叀小騂用（惟小騂用）合集三六九八六 叀并騂亡巛（惟并騂亡災）合集三七五一四 并=兼，合之義，并騂即并用兩騂，亡用作無。

寓（厩）

寓 合集二九四一五 象馬在厩中，《說文》所無。疑即厩字。

卜辭疑作地名：王其乍俾栜于寓（王其作俾栜于寓）合集三○二六六 馬厩：王畜馬在茲寓（王畜馬在茲寓）合集二九四一五 畜=動詞=餵養，茲同茲，此。

驍

驍 合集三六九八五 从馬，从尧，《說文》所無。權作驍。

卜辭祭牲名，亦馬名：叀驍眔驍用（惟驍暨

驍用）合集三六九八五 駐：馬名。

⿰馬⿰立犬

□ 合集三七五一四 从馬，从立，从犬，《說文》所無。

卜辭馬名：□□□□□□□（惟□暨⿰馬⿰立犬子亡災）合集三七五一四 □：馬名，亡用作無。

⿰馬立

□ 合集三六九八五 从馬，从立，《說文》所無。卜辭馬名。

□□□□□（惟駐暨驍用）合集三六九八五驍：馬名。

⿰馬豕

□ 合集三七五一四 从馬，从豕，《說文》所無。

卜辭馬名：□□□□□□□□□□□□（王其𤔲大犀，惟⿰馬豕暨騮，亡災，擒）合集三七五一四 𤔲：本義是𤔲田，此指掘阱以陷犀，騮：馬名，亡用作無。

⿰馬沓

□ 合集二七九七二 从馬，沓聲，《說文》所無。

《玉篇》：「駁⿰馬沓，馬行貌」。《正韻》：「音沓」。

卜辭人名：□□□□□□□□□（戍其歸呼⿰馬沓，王弗每）合集二七九七二 呼：命令，每用作悔。

駐 [甲骨文] 後二.一八.八 从馬，从⊥，士，勢，為公馬之專字。

卜辭作公馬專字：「[甲骨文]」（乙未卜，暊貞，師貯入赤駐，其𤉲不歺，吉）後二.一八.八 入：入貢；𤉲：騸，閹割，去勢之義；歺同卢，肖，用作烈，性子暴烈。

駝 [甲骨文] 合集一一〇四九 从馬，从匕，為母馬之專字。

卜辭作母馬專字：「……小[甲骨文]……」（……小駝……）合集三四二……「……[甲骨文]于……」（……卜……駝，于……）合集一一〇四九

騺 [甲骨文] 合集三六九八八 从馬，从殺，《說文》所無。

卜辭作馬名：「……[甲骨文]……」（……暨騺用，亡災，在……）合集三六九八八 暨：連詞，同及；亡用作無。

馮 [甲骨文] 合集三七五一四 从人，从馬，《說文》所無。可釋馮。

《玉篇》釋馮：「馬行貌」。《字彙補》：「音姥」。

卜辭馬名：「[甲骨文]」（惟左馬暨馮

亡災）合集三七五一四　亡用作無。

騽

□ 乙一六五四　象頭部異常之某種馬形。即《集韻》之䮷。
卜辭馬名：□□（白騽）乙一六五四

騉

□ 合集三七五一四　从□馬从□（象某種馬形），《說文》所無。
卜辭馬名：□□□□□（惟騉暨騽無災）合集三七五一

[馬刹]

□ 合集三七三八七　从□，从刹，从□，□為□馬之省，可釋作[馬刹]，
與□[馬刹]同。卜辭馬名：□□□□□（其唯[馬刹]夾[夾馬]）合集三七三八七

[夾馬]

□ 合集三七三八七　从□倒牛从豸，从馬。卜辭馬名：□□□□
□（其唯[馬刹]夾[夾馬]）合集三七三八七　夾：連帶、及、與之義。

廌

□ 屯二三三九　□ 合集五六五八　象獸形，有雙角，牛屬。
《說文》：「廌，解廌獸也，似山牛，一角。古者決訟，令觸不直，
象形，从豸省」。「一角」之說誤。

卜辭作獸名：：□：□：□：□（：延：□：廌：
擒）合集三〇一八二　：□□□□□（：廌，湄日亡𢦏）合集二八四一九

（**廌**）

騽　廌

湄日即彌日，整天，亡用作無，𢦏㦲同災。祭牲名：

（燎東黃廌）合集五六五八 燎：祭名。疑地名：

（惟廌龍旬又大雨）合集二八四三 又用作有。

麀

合集七九五 同版 从廌，从匕，為母廌之專字。

卜辭義不明：（其御麀）合集七九五 御用作禦，

祭名或抵禦。（麀不其禦）同版

⿰弓廌

合集五八六。象矢射廌形，示廌為野牲，射而可獲也，與

之構形義同。應為廌之異文。

卜辭義不明：……于

（……⿰弓廌捍東廼……自西从……于之執）合集五八六。

薦

合集三七五三二 象廌食草形（出不知所象）。疑為薦字。

周晚弔朕匿作，春秋鄭登伯鬲作。

《說文》：「薦，獸之所食艸，从廌，从艸」。

卜辭地名：王田……（王田薦）合集三七五三二 田用作畋，畋獵。

薦

麟

甲二〇三三 从廌，从粦，《說文》所無。

卜辭地名：（惟麟先田，無災）甲二〇三三。（弜田麟，其雨）同版弜用如勿；田用作畋，畋獵。

鹿

英二五六五 懷三二〇 象鹿形。

周早貉子卣作，周中命𣪘作。

《說文》：「鹿，獸也。象頭角四足之形。鳥、鹿足相似，从匕。」

卜辭地名：于（于鹿）英二三二七 獸名：（擒鹿十又五）英二二八九 （獲又大鹿）合集二八三四五 又用作有。（王其逐鹿，獲）合集一〇三〇 （王涉滴，射鹿，擒）合集二八三三

涉：渡水。（呼网鹿于農）合集一〇九七六 （犬來告，有鹿，王往逐）屯九九七 用作祭牲：（其㲋鹿）屯一九九八 㲋：祭名。

麃

慶　合集三六四八一　存下九一五　前四、四七、三　从鹿，从文，直釋作慶，示其身有文，後又作麐或麟，吝、粦皆表聲也。慶、麐、麟乃同源之字。為傳說中之麒麟，今日之長頸鹿也。

《正字通》釋慶：「同麐」。《集韻》釋麐：「同麟」。《說文》：「麐，牝麒也，从鹿，吝聲」。《說文》：「麟，大牝鹿也，从鹿，粦聲」。

卜辭獸名，祭牲也：……日　于　……用……（……白慶于大……用……）合集三六四八一

疑地名：王……于　……（王……于慶駁……）前四、四七、三

麋　屯四三七五　合集一〇三六四　形聲字，以眉表聲，後來以米代眉作麋。

春秋石鼓文作　。

《說文》：「麋，鹿屬，从鹿，米聲。麋冬至解其角」。

卜辭獸名：……（允獲麋四百五十）合集一〇三四四

（令馬亞射麋）合集二六八九九　馬亞：司馬

之職官。

麇

合集四六〇一　合集四五九七　从麑（幼鹿，無角），从禾（囷省）作聲，為麇、麕之初文。《說文》訓麇為麞，《詩集傳》訓麕為獐，麞、獐一字。

周晚師害毀作。

（麕）

《說文》：「麇，麞也，从鹿，囷省聲。麕，籀文不省」。《詩集傳》：「麕，獐也，鹿屬，無角」。音囷。

卜辭人名：（麇告曰：方由今春凡，受㞢又）合集四五九六凡用作犯，進犯；㞢用作有；又用作祐。

麑

英三三九五　合集一〇二六。象無角之小鹿形，為麑、麛之初文。

（麛）

《說文》：「麑，狻麑，獸也，从鹿，兒聲」。《論語》：「素衣麑裘」疏曰：「麑裘，鹿子皮以為裘也」。《說文》：「麛，鹿子也，从鹿，

弭聲」。

卜辭獸名：□□□□□□□□□二□一□□一□二□百□十。（今日，王狩光，擒，允獲彪二，兕一，鹿二十一，豕二，麑百二十七。）合集一○一九七 允：果然；彪：母虎。 王□□□□□□□一□□（王固曰：吉，獲麑五、象一、雉六）英二五三九

麗（丽 丽 丽 麗 儷 儷）

□ 周甲探九五 象鹿之雙角有飾之形，示對偶、美好、美麗之義。典籍訓麗為伉儷，麗之古文作丽、丽、丽、麗。

周中師旋毀作□，周晚聊盧匜作□。

《說文》：「麗，旅行也，鹿之性見食急則必旅行，从鹿，丽聲，禮：麗皮納聘，蓋鹿皮也。丽，古文；丽，篆文麗字」。《詩．大雅》：「商之子孫，其麗不億」。麗：數也。《玉篇》：「偶也」。《六書正偽》：「丽，古麗字，相附之形，借為伉麗，俗別作儷」。

卜辭作美好、美麗之義：囟□□（其麗）周甲探九五

⿸鹿⿱高癸

□ 南南二·一五九 从鹿、高、癸，構形不明。

卜辭義不明：……三日□□□……（……三旨廳⿸鹿⿱高癸㐭……）南南二·一五九

⿸鹿土

□ 合集八二三三 从鹿，从⊥（士），⊥為雄牲之標誌，即勢也。釋⿸鹿土，為公鹿之專字。

卜辭地名：……口□……□于□……囟曰囟出……（……丁酉……圓于⿸鹿土……固曰：其出……）合集八二三三 圓或作則，祭名；出用作有。

⿰鹿鹿

□ 合集五〇二六八 从二鹿，疑與从三鹿之麤同。典籍與粗通用。《說文》：「麤，行超遠也，从三鹿」。《玉篇》：「不精也」。不精即粗。

（粗麤）

卜辭地名：田□（田麤）前八·一〇·二 田用作畋，畋獵。

⿸鹿見

□ 屯三三八一 从鹿，从見，《說文》所無。

卜辭獸名，為鹿之一種：……□□□……（……告⿸鹿見

麤

犀……）合集三七四六七　……吉□□王□□□□□（……告觀鹿，王其从射，往來亡災）合集三七四三九　亡甫作無。□□□

□□□□□□……（貞，王宮逐辟祝侯麓觀犬……）合集三七四六八　……□□□……（……觀遘……）屯三三八一

（⿸鹿癸）

□□合集一七八九。□□合集一四二九五　从鹿，癸聲，疑即《說文》麈字。《說文》：「麈，鹿屬，从鹿，圭聲」。

卜辭獸名：□□□□□□□□□□□（王其往逐兕于⿸鹿癸，不其獲）合集一四二九五　于讀作與。

（⿸鹿䠶）

□屯二五三九　□同版　从鹿，䠶聲。釋⿸鹿䠶，今作麝。獸名，即臍有麝香之麞（獐）也。

（麝）

《說文》：「⿸鹿䠶，如小麋，臍有香，从鹿，䠶聲」。

卜辭獸名：□□□□□□……吉（己未卜，象、⿸鹿䠶既，其呼……吉）屯二五三九　既：盡也；呼：命令。□□□

□□□□□□□……吉（丁未卜，象來涉，其

呼鹿𪊆躲射（：：吉）同版　鹿𪊆躲即躲鹿𪊆。

庙

□ 英六六 □ 合集八二三 □ 合集八二二。象鹿頭形，《說文》所無。

卜辭人名：□□□叀于□（古貞，庙叀于滴）合集八三〇。

叀：動詞。□□叀于□（庙不叀于滴）同版　地名：□

（二□□（夫入二，在庙）合集九四。入：入貢。□口□于□

（作邑于庙）合集一三五〇五　邑：城邑。

唐（）

□ 合集一〇九七 □ 合集三三〇三 □ 合集三五三〇三 □ 合集五一二九

从庙，从口或多口，義同，口在上下無別，《說文》所無，疑同庙。

唐

卜辭地名：□□中□（多尹在唐）合集三三九七九　尹：職

官名，多尹指諸多、不止一位尹。：：□中□（：師在唐）

唐（）

合集三三一〇三 □于□（貞于唐）合集五一二九 ：：□□

□（：：宓宅唐）合集八三三九　宅：動詞，作宅或宅居。

𢉖

□ 庫一〇七四　象鹿在川中，《說文》所無。

卜辭義不明：□□（惟鹿）庫一〇七四

㲋

英八五八　合集一五二四八　合集一〇四六四　尾短似兔而口大，即《說文》之㲋字。《說文》：「㲋，獸也，似兔，青色而大，象形。頭與兔同，足與鹿同。，篆文」。

卜辭人名：「（勿令㲋）」合集四一九　獸名：「……三……（……獲……㲋三……）」英一八二七　「…………（……爭貞，……㲋獲）」英八五八

⿱㲋口

英一八二九　合集一八二三　合集一〇九〇二　象㲋在口上，疑與、同義，陷㲋于阱也（見四三四頁陷字註）。

⿱㲋沓

合集三六八五二　合集三六八五八　从㲋、从沓或省五作酉義同，疑是《說文》之⿱㲋沓。

周早遣小子毁作，周中季⿱㲋沓毁作。繁簡與卜辭同。

卜辭地名：「（在上⿱㲋沓貞，王旬無禍）」合集三六八五四　「（在⿱㲋沓貞，今夕無

兔泉

禍）合集三六八七。

 合集三八七一八  合集七二三九 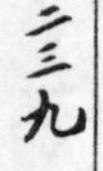 合集一三六九六 象兔或其它某種野獸在泉前，與金文兔泉同。金文或作兔酉泉，可見酉（兔酉）兔泉有同源關係。（見六二五頁兔酉字註）

周晚㝬鐘作 ，春秋數狄鐘作 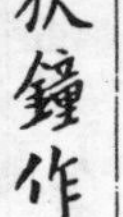，丙申角作 。數狄鐘「數々兔泉々」之兔泉，如《說文》之兔泉，讀若薄，「數々兔泉々」即今之「蓬々勃々」。子爵作 ，子觚作 。

卜辭人名々 （兔泉入三十）合集一三三九 入々入貢。疑祭名々 （庚申卜貞，王賓兔泉，亡尤）合集三八七一八 賓々親臨，親自參加；亡用作無；尤々災禍。

圍

 存二·五三 象兔在口中，《說文》所無。

卜辭義不明々 （圍）存二·五三

兔

合集三〇九 合集一〇三九五 合集一〇四〇七 象短尾巴兔形。

《説文》：「兔，獸名，象踞後其尾形，兔頭與㲋頭同」。兔口小，㲋口大，是兩者之別。

卜辭獸名：……十㞢三（獲……兔七十㞢三）英八五六 㞢用作又。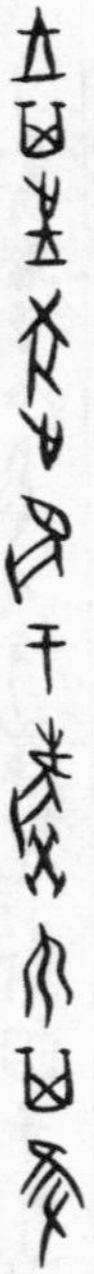（王往逐兔于麋，不其獲）合集一四二九五 （丙午卜，彈延兔）八合集一〇四五

彈，動詞，彈弓射擊。

[兔丙]

合集四六二一 从兔，从丙，《説文》所無。

卜辭人名：（貞，惟兔丙令）合集四六二一 惟[兔丙]令即惟令[兔丙]。

[八虎]

合集二六八〇四 合集三一二三 合集一〇九三九 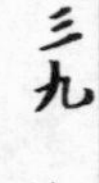合集一〇九四二 从八，从虎或其它野獸，義同。《説文》無，權通釋八虎。

卜辭人名：（王勿往狩从八虎）合集一〇九三九 从：隨同之義。

義不明：…………（……日八虎……死）合集二六八〇四

（三八虎，乙酉，子雍出出）合集三二一三
出用作有。

⿱虍來

合集二〇八八 从（疑、虍之省），从，權作⿱虍來。《說文》所無。
卜辭地名：（丁丑卜，步黃⿱虍來）合集二〇八八

犬

合集一四三六。懷一三四 象犬之側面，腹瘦，尾長而翹，為其特徵。
商子自卣作，周中員鼎作。戍嗣子鼎作。
《說文》：「犬，狗之有縣蹏者也，象形。孔子曰：視犬之字如畫狗也。」
卜辭職官名：（勿令犬延田于京）英八三四
田用作畋，畋獵。（王惟犬比亡災）合集二七九二六 比：偕同、聯合；亡用作無。國族名：（令多子族暨犬侯鑿周，甾王事）合集
侯：地方首領；鑿，動詞：打擊；周：方國名；甾：辦理之義。

牲畜名：□□□（古來犬。）合集九四五 來：來貢。□□

□□□□（貞，惟備犬、隸）合集五六五 隸：奴隸，犬隸並稱，人、畜地位相當。

祭祀用牲：□□□于□□□（今日燎于岳，犬）合集一四四五二 燎：祭名；岳：先公名。

㞢于□□十□（㞢于魯甲，犬）合集二〇九八 㞢用作侑，祭名；魯甲亦作象甲，即陽甲，般庚先王。

㞢于□□□□（㞢于多介父，犬）合集一八〇 㞢用作侑，祭名；多介父：指諸多披甲戴冑、戰攻赫赫之父輩先祖，美稱也。

職官名：□□□□（呼多犬衛）合集五六六五 呼：命令；多犬指諸多主管獵犬，參與畋獵和戰爭之武官。

□□□□□于□（呼多犬网鹿于農）合集一〇九七六

尨

□ 合集一一二〇八 从犬、从彡，示犬毛長之義，長毛狗也。音忙。

《說文》：「尨，犬之多毛者，从犬从彡。詩曰：無使尨也吠。」

卜辭人名：□□□□：□□□（貞，翌辛巳：令尨）合集四六五二 翌：次日或今後某一天。

犬類獸名：一□（一、尨）合集

尨

狾

合集一四三九六　合集二三六八八　从犬，斤聲，釋狾，今作狺。

《說文》：「狾，犬吠聲，从犬，斤聲」。《廣韻》釋狺：「犬爭也，本作狾」。《楚辭九辯》：「猛犬狺狺以迎吠」。狺音銀，銀、斤音近。狾、狺為古今字。

（狺）

卜辭人名：告：不（狾告曰：不）合集二三六八八　（既出，狾燎于土社宰）合集一四三九六　燎：祭名；宰：圈養之，專供祭祀用羊。

卜辭月凡用作犯，當是同音假借。

犯

《說文》：「犯，侵也，从犬，巳聲」。

卜辭凡用作犯，侵也：（麋告曰：方由今春犯，受㞢又）合集四五九六　㞢用作有，又用作祐。（爭貞，舌犯肱暨余……）合集六八一三　舌：方國名。

狩（獸）

合集六七三屯二二四屯一〇〇九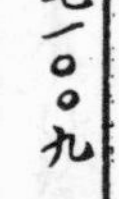合集一〇六〇五 从犬，从單或省作、義同；單象捕捉野獸之工具或武器，犬為獵犬；示狩獵之義。直釋作戰，為後世獸字所本，為了區別起見，遂另造形聲狩字作為狩獵之專字。狩、獸為同源之字。

金文獸、狩通用。商宰甫毀作，周中史獸鼎作，周中頁鼎作。皆與甲骨文狩字同。

《說文》：「狩，犬田也，从犬，守聲。易曰：明夷于南狩」。田：田獵。《說文》：「獸，守備者，从嘼，从犬」。釋義非禽獸之獸。《爾雅·釋鳥》：「四足而毛謂之獸」。

卜辭地名：（辛卯貞，从狩盧涉）屯一〇〇九 涉：渡水。 動詞，狩獵：（癸卯，狩擒）合集一〇六二三 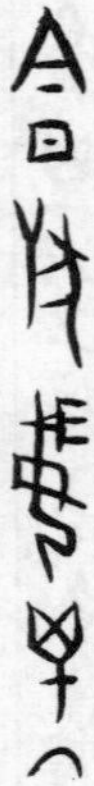（今日狩娥，擒）屯二一一三 ：：（：：狩，獲，擒鹿五十出六）

合集一〇三〇八 㞢用作有。甲乙下□□（翌乙亥，狩魚）巴六 □□□□□（王狩亳魚，擒）前一、二九、四 魚用作魯，吉魯。疑祭名：□□□□□□沮：（乙丑貞王狩祖乙三）屯三七八六 指野獸：□□□□□（爇，擒有小獸）屯二三三六 爇：焚草木驅野獸。

臭

□□ 合集七〇六六 从自，从犬，自是鼻形，示犬之鼻嗅覺□靈敏，會意字。典籍臭、嗅一字。

（嗅）

《說文》三「臭，禽走，臭而知其迹者犬也，从犬，从自。」

卜辭人名：□□□□于□□（貞，御臭于母庚）合集四六四九 即：為攘除臭之災病，向母庚舉行御祭。□□□□……（貞，臭弗其……）合集四六五。弗：副詞，表示否定，用如今日之不。

狌

□ 合集二九二三六 从犬，从㞢往，為往之異文。可能是田獵時離不開犬，故从犬表義。

卜辭用作往：□□田□□□□□□（王往

猱（獿）：合集一八九八四 合集一四六八 象獮猴形，或釋猴、猱，均可通。與先公名（夒）有別，後者手掌向上，腿直，前者手掌向下，腿曲。《說文》：「猴，夒也，从犬，矦聲」。《廣韻》釋猱：「猴也」。《禮樂記》註：「獿或作猱」。卜辭作獸名：（其獲猴）合集一〇四六八 （雀氏猴，十二月）合集八九八四 氏：致也，引伸作帶來之義。

田，湄日不冓大風）合集二九二三六 田：田獵；湄日：終日；冓同遘。

猶（猷）

屯二三五一 从犬，酉聲。酉象酒具形，後世之酋，示酒味上出之義。典籍猶、猷一字通用。

周中枏盤作，周晚毛公鼎作。

《說文》：「猶，玃屬，从犬，酋聲。一曰：隴西謂犬子為猷」。

卜辭人名或方國名：（甲子卜，弗執猶）屯二三五一 （戊辰卜，執猶）同版

狼

前六．四八．四 从犬，良聲，與《說文》篆文同。

《說文》：「狼，似犬，銳頭，白頰，高前，廣後，从犬，良聲」。

卜辭獸名：（獲狼）前六．四八．四

狐

合集二八三一六 合集二八三二〇 从犬，亡無聲。

金文狐省作瓜，令狐君壺作。令狐：姓也。

《說文》：「狐，䄏獸也，鬼所乘之，有三德，其色中和，小前，大後，死則丘首，从犬，瓜聲」。

卜辭獸名：□□□□（王其射狐）屯四五六一　□□田于□□大□（王其田于畫，擒大狐）合集二八三一九

田用作畋，畋獵。□□八□□（獲狐八十又六）合集三七四七一

祭牲名：……用□于口（……用狐于丁）合集一〇二五四

用：祭祀用。丁：神祇名。

狽

□合集二九四二〇　□合集二九四二〇　□合集一八三七〇。从犬，貝聲，《說文》所無。

周中狽毀作□。

《集韻》：「獸名，狼屬也」。《玉篇》：「狼狽也」。

卜辭獸名：□□……□……□……□（惟狽……茲……京）合集一八三七二

……□□……□□……□（……買……狽、騂……每）合集二九四二〇。騂：圈養，專供祭祀用馬，狽、騂並舉，可見二者均牲畜名。

□

□合集三三六九　象以手抓犬形，《說文》所無。

獏：

[甲骨文] 周探二坑一九

从犬，莫聲。

《集韻》：「音模，獸名。」

卜辭殘句：[甲骨文]（獏）周探二坑一九

亞中獏父丁尊獏作[甲骨文]

[甲骨文]卣獏作[甲骨文]。

[犭朱]

卜辭義不明：[甲骨文]（癸酉母至中母又）

存一·一四五九 [甲骨文]（癸母）合集二二三六九

[甲骨文] 合集二七八一六 从犬，从朱，《說文》所無。

卜辭義不明：[甲骨文]（丁卯卜，狱貞，王其狱目，若：：）合集二七八一六

[犭大]

[甲骨文] 甲一〇三二 [甲骨文] 合集二七八一六 [甲骨文] 誠三三七 从犬，从大，《說文》所無。

卜辭貞人名：[甲骨文]（丁卯卜，狱貞：：）合集二七八一六

猶

[甲骨文] 粹一一六四 从犬，从酉，《說文》所無。

卜辭方國名：沚 [甲骨文]（沚戓伐猶，受又）

粹一一六四 又用作祐佑，保祐。[甲骨文]（今日章猶，戈）後下四二·四 章用作敦，打伐：戈：動詞，傷害。

[戈犬]

[甲骨文] 粹九九三 [甲骨文] 甲六七二 [甲骨文] 人二〇〇四 [甲骨文] 存下六七〇。从[甲骨文]，从𡉚或立等義同，从犬或豕義同。《說文》：所無。

卜辭地名：[甲骨文]（今日，王其田[甲骨文]）人二〇〇四田

用作畋，畋獵。[甲骨字形]田[甲骨字形]……（弜田𤞷……）粹九九一　弜用如勿，
田用作畋，畋獵。

狄

[甲骨字形]　寧一、三九五　从犬，从火。釋狄，音笛。
《說文》：「狄，赤狄，本犬種，狄之為言，淫辟也，从犬，亦省聲」。
卜辭疑人名：王[甲骨字形][甲骨字形]……[甲骨字形]（王惟磬……狄比）寧一、三九五

[篆文]

炏

[甲骨字形]　鐵一〇四、一　象二犬形。音銀。
周中叔炏毀作[金文字形]。

[篆文]

（狀）

《說文》：「炏，兩犬相齧也，从二犬」。《集韻》：「亦書作狀」。
卜辭義不明：……[甲骨字形][甲骨字形]……（……卜，炏惟……）鐵一四四、一

獄

[甲骨字形]　英二五二九　[甲骨字形]　合集三六五四一　从炏，臣聲。同覗，今作伺。
周早曾侯獄甬作[金文字形]，周中牆盤作[金文字形]，獄父丁卣作[金文字形]。
《說文》：「獄，司空也，从炏，臣聲。復說：獄司空」。《集韻》：「音笥」。《玉篇》：「今作伺、覗」，可參。
卜辭地名：[甲骨字形]……

[篆文]

（壬戌卜貞，在獄，天邑商公宮衣，茲夕亡禍，寧）英二五二九　天邑商：指王都，或曰：即今之河南商邱，因城邑大，故稱之。公宮：安放先公牌位並作祭祀之地。衣：祭名。公宮衣即在公宮進行衣祭。亡用作無。寧：安寧。

鼠

 英一七六三  英一七〇四　象偷食之鼠形，所从之小點是嚙掉之碎物。

《說文》：「鼠，穴蟲之總名也，象形」。

卜辭人名：（婦鼠冥劫，五月）合集一四〇二〇　冥用作娩，劫即嘉，生男曰嘉，好也。㞢（婦鼠㞢妣庚，羊，豕）英一七六三　㞢用作侑。祭名。

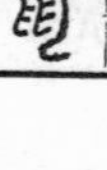

火

 合集一三四八  合集二一〇九五  合集三〇七七四　象火焰上升之形。卜辭 火 山 易混，區別是：火字下圓，山字下直。

《說文》：「火，燬也，南方之行，炎而上，象形」。

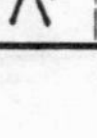

卜辭人名：□□□□（火甾王事）寧一·四九六 甾：辦理。火之本義：：□卜□□□（：：卯卜，火不延）合集三○七七四 延：續。 火熱之義：□□□□□□（火，今一月其雨）合集一二四八八 地名：于□□□□（于𦎫去火，六月）合集七九六六 星名，火星也：：□□□□□（：：新大星并火）合集一一五○三 并：并列靠近之義。 疑假作禍：□□□□□□（癸酉貞，旬亡火）合集三四七九七 亡甫作無。

尞（燎 ⿰示尞）

□ 合集二八○八 □ 合集三二○二八 □ 屯四三九七 □ 英一一八○ 从木在火上，木旁小點象火焰上騰之形。為尞、燎、⿰示尞之初文。

周早鄘伯馭𣪘作□。

《說文》：「尞，柴祭天也，从火，从昚。昚，古文慎字，祭天所以慎也」。《集韻》釋燎：「本作尞」。《正韻》釋⿰示尞：「⿰示尞，燔柴祭天也」。

卜辭祭名：□于□十（尞于大甲）合集一四七五五 于□□□（于黃爽尞）合集四一八 黃爽：疑為𦾔臣名。

尞（燎）

全句大意是：向黃奭進行燎祭。□□□一□一□……（燎黃尸，一豕，一羊……）合集九九四五。□于□一□□（燎于蚰，一豚）合集一四三九五 蚰：神祇名。……□于□□□（……燎于土方帝）合集一四三〇六

焚（燓　燔）

□合集五八四　□合集一〇六八六　□合集一〇六七七　□合集一〇一九八

从火，从林或从艸義同。象火焚草木之形，爲焚、燓、燔之初文。

多友鼎作□，鄂君啟車節作□。

《集韻》釋焚：「古作燔」。《集韻》釋燓：「本作焚」。《說文》：「燓，燒田也」。

卜辭動詞，燃燒草木，迫使野獸逃出，便於擒獲之義：……□□□□□□（……焚茶擒又犀）屯四四六三　又用作有。□□□□□（翌戊午，焚擒）合集一〇一九八　縱火焚燒：……□□□三（……亦焚亩廩三）合集五八三

焚　燓　燔

爇

□ 英二三〇四 □ 屯四四九。□ 合集二八八〇〇 □ 合集二八八〇二

象手執火把燃燒草木之形。

《說文》：「爇，燒也，从火，蓺聲」。應是熱聲。

卜辭動詞，燃燒草木，迫使野獸逃出，便於擒獲，與焚之義近似，：□□□□□□□□□□(王其爇沈廼麓，王于東立，虎出擒) 合集二八七九九 □□□□□□(惟徭麓爇，擒有小獸) 屯二三二六

熱

□ 合集五八三 □ 合集三三七四七 □ 合集二二四八四 即□爇字所从之熱。可釋熱。

《說文》：「熱，溫也，从火，埶聲」。

卜辭疑作溫熱本義：：丙□□(：丙寅熱) 合集二一二五三 祭名：丙□□□

□□□□(丙子卜，熱兄，雨) 掇一五九 兄：神祇名。

或謂□乃□之省文，可參。

柰

□ 合集三四二二五 从火在木上，疑與□燎同，卜辭上下每無別(見六三八頁燎字註)。

卜辭祭名：□□(柰岳) 合集三四二〇五 岳：神祇名。

□□□□□□(癸未，柰，好火雨) 同版 火：火熱，指气

或釋：堇即饉，飢饉。可參。

候炎熱如火。

列（烈）歺

□合集二七四六五 □屯九九九 □合集二八一九五 从火，从歺，為烈之初文。

《說文》：「烈，火猛也，从火，𠠱聲」。

卜辭歺借作烈：□□□不□（左駛其㓼不烈）合集二八一九五 㓼：騶也；駛：馬名；歺用作烈，指馬之猛。

□□□□□□不□（又使入駛，士其㓼不烈）合集二八一九五 又用作有，入：入貢；士：勢也，為雄性之標誌。

地名：中□□（在烈，逐）屯九九九 于□（于烈）合集二七四六五

熯（暵 堇 旱）

□合集二八二九七 □英一一〇三 □屯一五八 象一人戴項械于火上，示天旱焚人祈雨之義。為熯、暵、堇初文，今作旱。

□為省文，與□黑之省文□同，易混，可从文義中區別開來。周中頌鼎作□，周晚召伯𣪘作□，周晚𢦏鐘作□。

《說文》：「熯，乾皃，从火，漢省聲。詩曰：我孔熯矣」。《集韻》：「本作暵」。

卜辭作乾旱：□□□□□（不雨，帝惟熯我）合集一〇一六四 帝：想象中至高無上之上帝。□□□□（帝其降熯）合集一〇一六八 □□□□□（帝其降我熯）合集一〇一七一 □□□□（西土無熯）合集一〇一八六 …… □□（三方熯）合集二八二九七 □□□□（來丁亥熯）合集二五三七。

□□□（貞，商熯）合集二四九 商：地名。

閃

□ 合集二七一六。□ 英二三六六 从火，門聲。

《說文》：「閃，火兒。从火，□省聲。」

卜辭 地名：□□□□□□□（王其射閃狐，湄日亡災，擒）合集一八三一八 湄日：終日；亡用作無。□□于閃□□（勿奈于閃，無雨）英二三六六

烄

□ 合集一一三七 □ 懷一八八 □ 合集三四四八二 □ 合集三四四七九

从人在火上，示焚人祈雨之義。所从之交亦作聲，交或省作文、交、文皆人形，義同。

《說文》：「烄，交木然也，从火，交聲」。交木之訓不確。

卜辭人名：曰：（烄曰：）合集三四九六 地名：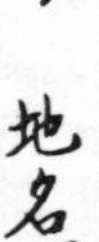

（辛卯卜，其狩烄，擒）合集四〇二 狩：狩獵。祭名，焚人祈雨之祭：（勿烄妌亡其雨）合集一一二一 亦作無。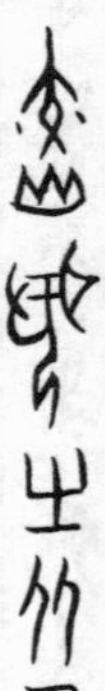（烄聞，有从雨）合集一一三六 从用作縱，放也，大猛雨。（于分烄）合集三四四八二

熚

 拾二·十 从火，單聲。

《說文》：「熚，炊也，从火，單聲。春秋傳曰：熚之以薪」。

卜辭義不明：……一…………（……羊十……熚……）拾一二·〇

熹（熺）

 合集一八七三九  合集三三五三六 从火，从壴。壴本鼓字，壴字後世多作喜，喜象鼓在座上。釋熹。

《說文》：「熹，炙也，从火，喜聲」。《玉篇》：「熱也，烝也」。

卜辭祭名，炙燒食物之祭也：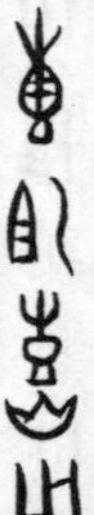（惟祖乙熹

熚　熹

《玉篇》釋𡿧：「今通作灾、災」。

烖　）　𢦏　灾　災　巛　（　光

用）合集三二五三六　□□（惟新熹用）合集三〇六九三

□□□□（惟舊熹用）同版

中山　合集一九六二三　□　合集一八七四一　巛　合集二八六二二　中山字从火，

从中才作聲，與《說文》古文扌火同，中亦𢦏之聲或省文，故中山

即烖之初文，宀山象室中失火，與篆文灾同；巛象洪災，

即籀文所从之巛。𢦏、灾後世皆以災代之，災與籀文𡿧同。

（參見六四四頁𢦏字註）

《說文》：「烖，天火曰烖，从火，𢦏聲。灾，或从宀火；扌火，古文

从才；𡿧，籀文从𡿧」。

卜辭作災害：……□中山……（……𢦏，烖……）合集一六六二三

𢦏，禍害。　……𢦏□□……（……𢦏以眾灾……）合八〇六𢦏，

疑人名。　□□□□（弜羊令共灾）合集八九五五

弜用如勿；共用作供，供給；灾，受灾之地。

□　合集一三〇八　□　合集一八〇四　象人頭上有火，示光明顯貴之

烖　□

義。《說文》：「光，明也，火在人上，光明意也」。

商宰甫毁作□，周早矢方彝作□，周晚毛公鼎作□。

卜辭人名：□□（光獲羌）合集一八二 □□（光來）合集四四八一 地名：□（今日王狩光，擒）合集一〇一九七 狩：狩獵。

爑（𤎅、煏、焙）

□合集二八〇五八 □合集八九三五 从火，備聲，備或省作𤇡 爑

義同。為爑、𤎅、煏、焙之初文。

《說文》釋𤎅：「𤎅，以火乾肉，从火，稫聲」。《集韻》釋爑：煏

「音備，火乾也」。《玉篇》釋爑：「本作煏」。《集韻》釋煏：「本作𤎅，亦書作爑、𤇡」。

卜辭地名：……□……于□（……取……于爑）遺二五 疑借作備：□□□于□□□□□□（戍值往于來取廼自內邊爑衛又𢦏）合集二八〇五八 戍：官名；值：循視；來：地名；衛：防衛；又用作有；𢦏：傷害。

或釋戍為官名，為戍族之長，銅器有「戍嗣子」之名，以官為氏。

或謂：啚為鄙字，炋叟為奠（鄭）地。是从奠的炋叟之邊鄙上取三個邑。可參。

炘

[甲骨文] 合集三○四一三 从火，欣省聲，《說文》所無。為炘、焮之初文。

《玉篇》："本作焮"。《玉篇》釋焮："炙也"。

卜辭疑祭名：[甲骨文]（尞炘）合集三○四一三 尞同燎，祭名。

（焮）

炋

[甲骨文] 英一七四八 [甲骨文] 合集七○七四 从火，丕省聲，《說文》所無。

《篇海》："音丕，火也"。

卜辭地名：[甲骨文]（呼比奠取炋、角叉、啚三邑）合集七○七四 呼：命令；比：偕同；奠：人名；三邑：炋、叟、啚三座城邑。

[杈火]

[甲骨文] 合集七八六二 从火，从杈，《說文》所無。疑與炋同。

卜辭地名：[甲骨文]（勿于杈火）合集七八六二 [甲骨文]（貞于杈火）同版

[妝火]

[甲骨文] 合集二○四八三 从火，从妝，《說文》所無。

卜辭義不明：[甲骨文]（妝火）合集二○四八三

煲

[甲骨文] 合集一八七三四 从火，从保，《說文》所無。卜辭義不明：……[甲骨文]……（……煲……）——合集一八七三五

⿱止火（⿰火𡿺 ⿰火𡿹） ⿱小火（炒）

粹一三二六 合集三〇三九三 从火，从止，止或㞢義同。可釋⿰火止，同⿰火𡿺、⿰火𡿹。《集韻》釋⿰火止：「同⿰火𡿺」。《集韻》釋⿰火𡿺：「音腦，熱貌，或作⿰火止、⿰火𡿹」。《集韻》釋⿰火𡿹：「音腦，本作⿰火𡿺」。

卜辭地名：（王在⿱止火卜）粹一三二六 疑祭名：（烄暨⿱止火，惟小宰，又大雨）合集三〇三九三 又用作有。（其叔⿱止火）合集三〇四五五 于（其求年，烄⿱止火于炒，𢦏豚）合集三〇三九三 𢦏：用牲法。

合集三〇四五六 从山火从小，小，卜辭小、少一字，上下左右每無別，故疑為炒字。

卜辭疑神祇名：（其拜年烄⿱止火于炒，𢦏豚）合集三〇三九三 （叔炒即宗）合集三〇三九 叔：祭名；即：就食，即宗乃到宗廟來就位就食。于（其𣪕于⿱小火，又大雨）合集三〇四五六 又用作有。

子火：合集七九六六 从子从火，《說文》所無。卜辭疑與同，地名：：：（：子火：無災）合集七九七八

煤：、本為沫之初文，疑亦後世煤字所本。

[分火]：合集五三〇。从火分聲，《說文》所無。卜辭地名：中（在分火）合集五三。

沫	合集一五八六 合集四七二 合集二〇二八 合集六四七七 同版 同版
）	合集八〇四二 合集八〇六〇 英八三四 合集一八四一七 合集三〇五二六 合集
某	三六五七七 合集三六六七三 某或从火从京作𤇾、爀，某或从京作𪸀，
𤇾	某或从木迎作𪸀，或以未代某。迎、京音近，某、未音同。某、𤇾、爀、𪸀、
爀	𪸀、𪸀多為地名，且均从某（或未）作聲，从卜辭文義分析，當是一字一地。
𪸀	即後來之沫字。沫即商之沫邑，或稱牧野、朝歌。《集韻》釋沫：「音妹，衛邑名」。
𪸀	卜辭地名：中（在某）合集一〇九五〇 中（在某火）合集八〇七。于（于爀），
𪸀	合集八〇五九：（：某奈）合集八〇四二 于（于𪸀）合集三〇五二六 田（田𪸀）合集二〇三六
（	于（于𪸀）合集三六五七七 人名：（子𪸀其死）合集
[火簪]	合集三〇四六三 从火，从簪，《說文》所無。
	卜辭地名：于（于[火簪]拜）合集三〇四六三
[火示]	合集三〇四五四 从火，从示，《說文》所無。
	卜辭疑神祇名：于（拜年，
	示火、于小大，鑑豚）合集三〇四五四 鑑：用牲法，亦祭名；鑑豚：用豚

血進行血祭。

烚

□ 合集一八七三八 从火、从旗插座上，《說文》所無。其構形之義不明。

卜辭義不明：……□……□……（……呼……烚……）合集一八七三八

烊

□ 屯二三〇一 从火、从𢆉，𢆉形近辛，權釋烊，《說文》所無。

卜辭地名：□□（自烊）屯二三〇一 十□卜□□□□□□□□□□□□（甲子卜，伯以王族宄方，在烊，亡災）同版"族"，家族或氏族，為一戰鬥單位，宄，音軌，此作動詞，打伐之義，亡甫作無。

焊

□ 合集二九三八四 从火、从口在𢆉上，構形不明。

卜辭地名：……□田□于□（……其田，宿于焊）合集二九三八四

⿰火⿱眔止

□ 合集二四三七八 从火、从眔、从止，構形不明。

田用作畋，畋獵。

卜辭地名。……卜……中……（……卜，行……在……）合集二四三七八

爐

合集二八三二四 象火燒鬳形。《說文》所無。

卜辭疑作焚燒。（惟東麓先爐）合集二八三二四 麓：山坡，東麓為田獵區。（惟中麓先爐）同版 爐之目的為獵獸。

⿰火旬

合集一八七四四 合集一八七三七 从火、从旬，《說文》所無。

卜辭義不明。……（戊戌……⿰火旬……）合集一八七四四

⿱山火

合集八四五 从山、从火，《說文》所無。

卜辭義不明。……（……寅貞，亘⿱山火逃）合集八四五

⿰火复

甲二九四七 从火、从复，《說文》所無。

卜辭地名。（于⿰火复𢦏）甲二九四七 𢦏，動詞。

⿱目火

合集一八七三六 合集二一一〇。合集三四四四七。从火、从目，《說文》所無。

燹

卜辭地名。于□月王□□（于□凡，王弗悔）合集三〇四四五

神祇名。□□□（拜雨尞燹）合集三〇四五七 尞，祭名。

□ 合集一二八六。象豕在火上，《說文》所無。為燹、燹之初文。

《集韻》：「音燹，本作燹」。《廣韻》釋燹：「火燹起貌」。

卜辭疑地名。□□□……□□□（丙寅卜，王燹拜雨……）合集一二八六。

（燹）

〔斷火〕

□ 合集五七六六 从火、从斷，《說文》所無。

卜辭人名。□□□□□……□□（令辰氏射从〔斷火〕……方戎）合集五七六六 辰即振、震，人名；氏，帶領；射，射手；从，相从，隨同；方，方國。

叜

□ 合集一八一七七 □ 同版 从□倒皿，从収又執屮，構義不明。

卜辭義不明。……□□……□（……叜今……月）合集一八一七七

燹

⿰火嬰

□□□□□□（……殼貞，叀今六月……）同版

□ 合集一一二 象火焚嬰兒形，疑爲求雨祭祀用字。□

同期，《說文》所無。

卜辭義不明，……□……□……（……寅卜，……⿰火嬰……）合集一一二

⿱火宀

□ 合集七九六六 □ 合集二六八九五 □ 合集三七五五 从火在宀上，構形不明。

卜辭疑人名，……□□□□□□（……乙未，萠韋⿱火宀在瀧）合集三七五五 韋同衛，保衛。

□□□□□□□□（……戍辟，立于□，橫王⿱火宀之，斧羌方，不雉人）合集二六八九五 辟用作僻，偏僻也，戍僻即防守邊遠之地，王⿱火宀之，地名，斧同羌，打擊，雉，傷害。

⿰冉火

□ 合集一八七四七 从火，从冉，《說文》所無。

卜辭疑人名，……□□……□□……（……⿰冉火曰……元曰……）合集一八七四七

⿰火嬰

⿰火尖	□ 合集一七九一三 从火、从尖，《說文》所無。 卜辭義不明：……□……□……（……⿰火尖……三千……）合集一七九一二
⿰火羌	□ 合集三七七四三 □ 屯三一八三 □ 合集二九三一〇 从火、从羌，《說文》所無。疑同□羌，所加之□繩□火亦對羌之敵愾。 卜辭地名：于□□田□□□（于壬，王迺田⿰火羌，亡戈）屯三一八三 田用作畋，畋獵；亡用作無；戈同災。王田□□（王田于⿰火羌）合集三七七四三 田□□□□□（田羌，往來無災）合集三七四〇九 田□（田羌）合集三七四一六 羌為⿰火羌之省文。卜辭田⿰火羌多从火，不从火者罕見。
⿱幸灬	□ 甲二九〇七 从火，从幸執，《說文》所無。 卜辭祭祀用詞：□□□□□□□□□□（辛未卜，酌大乙，⿱幸灬其正）甲二九〇七 酌：祭名。
⿰火⿱亯南	□ 後下一九二 从炗、从亯、从南，《說文》所無。 卜辭義不明：□□□□□□□□……（出貞，□□旬

不熇 不……）後下一九、一

熇

□ 合集四七五九 从火、从高中有匙，《說文》所無。

卜辭義不明：……□□□□……□□……□□……

（……酉卜，史貞，……令戉……熇乃衙……）合集四七五九

炗

□ 合集一六四〇八 从火、从士，《說文》所無。卜辭吉字作□、

故知士即士。所从之小點示火勢，也可視作上揚之煙塵。

卜辭人名：□□□□□□（惟炗令从鏧周）後下

三七、四 鏧：打擊；周：方國名。

燓

□ 合集三五九一三 从火、从爿、从木。權作燓。

卜辭地名：……□□□□□……（……在燓師貞，

……祖甲升……）合集三五九一三

[去火]

□ 合集二八一八九 从火、从去，《說文》所無。

卜辭祭名：□□□□□□□（辛亥卜，[去火]，王受

又）合集二八一八九 又用作祐佑，保祐。

卜辭先作□□，亦作□□，可知□即先，故直釋□為㷇。

㷇

□ 甲二三七二 从火、从先，《說文》所無。

卜辭疑人名：……□來（……㷇來）甲二三七二

奇

□ 合集一八二三 構形不明，權作奇。

卜辭義不明：□……□……（癸……昱奇……）合集一八二三

⿰火咼

□ 陳二 从火、从咼，《說文》所無。

卜辭地名：□□□（弜凡⿰火咼）陳二 弜用如勿，凡同盤。

⿰火旋

□ 後下四．九 从火、从旋，《說文》所無。

卜辭義不明：……□……□……（……卜……⿰火旋……）後下四．九

⿰火南

□ 合集三六四九四 □ 合集三六四九一 从火、从南、从丬，《說文》所無。

卜辭地名：……□□□□（……正人方在⿰火南）合集三六四九一

正用作征。

□□……□……□□……（癸巳……⿰火南師……王旬……）合集三六四九四 ⿰火南師，地名。

⿰火南

□ 合集三六九六八 从火、从肉、从南，《說文》所無。疑同□⿰火南。

卜辭地名：□□□□□……（在⿰火南貞，王其……）合集三六九六八

炕

□ 摭續二六五　从火，亢聲。

《說文》：「炕，乾也，从火，亢聲」。

卜辭義不明：十□□……□（甲寅貞……炕……）摭續二六五

□

⿱田火

□ 前二、六、四　从火、从田，《說文》所無。

卜辭義不明：四……□……□……五……匕……（丙……卜……⿱田火……王……亡……）前二、六、四　亡用作無。

⿰火聿

□ 前五、三三、一　象以手持棒撥火，為⿱聿火、燼之初文。

《說文》：「⿰火聿，火餘也」。《廣韻》：「同燼」。

卜辭文殘，義不明：……□……（……⿱聿火……）前五、三三、一

□

（燼）

⿱吳火

□ 粹四一七　□ 戩二六、八　从火、从側面或正面人形。

卜辭疑神祇名：于□□（于⿱吳火拜）粹四一七　□□□（尞岳、⿱吳火）戩二六、八

尞，祭名。

烕

□ 合集一三九七　□ 合集一七一〇三　从□火，从□戉、鉞，象用鉞撲

□

（滅）

滅火焰之形。本為从戌之字，後誤戌為戌，故（烕）即《說文》之烕，再後又增加水旁作滅，从水烕聲，成了形聲字了。（烕）或作（烕），所从之（戌）象以手執鉞，表意性更强。烕、滅同源，為古今字。《說文》：「烕，滅也，从火戌。火死于戌，陽氣至戌而盡。詩曰：赫赫宗周，褒似烕之。」

卜辭人名：（貞）（烕）不（死）（貞，烕不死）合集一三九七

（貞）（烕）（其）（死）（貞，烕其死）合集一七一〇三

滅

（⿱余火）

（⿱余火）合集二二一八七 此字構形較簡，所从之（余）為（余）余之省，（火）則為（火）火之省文。 可直釋作⿱余火（⿱余火）。

卜辭祭名：（乙亥）：（用）（⿱余火）（妣）（乙）（不）（乙亥：用⿱余火妣乙不）合集二二一八七 不：用在句尾之不後世均以否字代之，「⿱余火妣乙不？」與「⿱余火妣乙否？」之義同。

（炎）

（炎）（炎）合集三六五〇九 从二火，示炎熱之義。

周早令毀作（炎），周中召尊「在炎自」作（炎）。

炎

《說文》：「炎，火光上也，从重火」。

卜辭人名：……（……多伯征盂方伯炎……）合集三六五二 多：諸多，不止一個；伯：方國伯長；炎是盂方伯長之私名。……（……惟王來征盂方伯炎）合集三六五〇九

粦（燐）

合集二六一 象人有光亮之形，為粦、燐之初文。

周中尹姞鼎作、。

《說文》：「粦，兵死及牛馬之血為粦。粦，鬼火也，从炎、舛」。非初文之義。《韻會》：「或作燐」。

卜辭人名：……（丙申卜，粦[炎/廾]人：在[叀/絲]，若）合集三三〇四。[炎/廾]同关，打伐；若：順利。……（……卜，賓貞：……粦竹，……一牛……）合集二六一

㑎佣炎止

卜六〇六 从炎，从二佣，从止，《說文》所無。

粦

卜辭疑神祇名。（貞，令斅）

卜六〇八 祭名，進奉香酒之祭。

⿱冊火

合集三〇三九八 从冊，从火，《說文》所無。

卜辭疑祭名。（辛丑卜，奏⿱冊火从甲辰𢀛，雨少，四月）合集三〇三九八

黑

屯二六二三 合集二九五四四 與金文 黑 近似，象面部不淨以示黑。卜辭熯之省文與同，可从文義中區別之。

周早𨟻伯𣪘段作，春秋鑄子弔黑臣匿作、。

《說文》：「黑，火所熏之色也，从炎上出㓈。㓈，古窻字」。窻同窗。

从炎上出㓈之說不確。

卜辭作黑白之黑：（弜用黑羊）屯二六二三

弜用如勿。

（黑牛）合集二九五〇八 （黑豕）英八三四 （黑犬）合集二九五四四 （拜雨，惟黑羊用，又大雨）合集三〇〇二二 又用作有。

焱

合集三二一三。从三火，象火花形。音炎。

《說文》：「焱，火華也，从三火」

卜辭祭名：（妣庚用，焱羌）合集三二一三。

（妣庚惟焱用羌）合集三二一三

⿱冊火

合集八五二九 从冊，从火，直釋作⿱冊火。

卜辭義不明：（甲戌卜，𠱠貞，𢀛方其……祐⿱冊火）合集八五二九 𠱠亦作，或釋辰，可參。

⿱𠕋火

合集二〇三九八 構義不明。疑與⿱冊火同（見六五九頁⿱冊火字註）。

卜辭疑地名：……于……（……𢦏侯令生于⿱𠕋火……）

合集二〇三九八

燮

明一五五二 从火炊，从言（或辛），从又，即《說文》之燮、爕。典籍燮、燮、爕、爕一字通用。《字彙》釋燮：「俗燮字」。《字彙》釋爕：「俗燮字」。

（爕）

（見一五四頁燮字註）

赤

合集二七七二 合集三三一三 从大从火，本義為大火顏色，

火色紅，紅色即赤色。

周早麥鼎作□，周中頌鼎作□，春秋邾公華鐘作□。

《說文》：「赤，南方色也，从大，从火。烾，古文从炎、土」。

卜辭人名：……□□……（……射比赤……）合集二三三〇。比：偕同、隨同。

顏色名：□□□□□□□□□（師貯入赤馬，其騂不占）合集二八一九五 入：入貢；騂：騂騮也；占：占用作烈，猛也，性子暴烈。

□□□□□□□（左赤馬、其騂不烈）合集二九四一八

□□□□□□……（右赤馬其騂……）合集二八一九六

……□□□□一□□□□□□

三□□□□□□□□□三□……（……擒獲虎一、鹿四十、狐百六十四，麑百五十九，□赤有友三赤……）合集一〇一九八

大

□ 英九二五 □ 屯六七五 象人之正面，四肢分開以示大義。

周早盂鼎作□，周中頌鼎作□。

《說文》：「大，天大，地大，人亦大，故大象人形」。

□

太：卜辭大甲作□或□，為商代直系先王，史稱太甲。另大庚作□，史稱太庚；大戊作□，史稱太戊；大丁作□，史稱太丁。經史大、太、泰通用。

卜辭貞人名：□□□□□□□□（戊戌卜，大貞，其侑于兄庚）粹三三五　普通人名：□□（臣大入一）丙三〇　入：入貢。大小之大：□□□（大牛骨）合集三三六〇一　□□□（擒大狐）合集二八三一九　□□（大雨）合集三〇一六八　地名：□□□（在大卜）文四五六　□□□□□（自濩至于大）八合集二八八八　方國名：……□□□□□（……來告，大方出）合集二七八八二　□□□□（惟大方伐）屯一三〇九　即：惟伐大方。用作達，到達：□□□□□（達今二月不其雨）粹七九八　大宗即同宗共有之廟：□□□□□□……（在大宗，又、勺、伐……）佚一三二　又用作侑，勺用作礿，侑、礿皆祭名，伐：殺伐，用牲法。大室即太室，為宗廟中祭祀之大室：……□□□□□□（……其桒丁于大室）前一、三六、三　桒：祭名，丁：神祇名。大示為直系先王之神主，與小示相對而言：□□□□（㞢于大示）佚五六一　㞢用作侑，祭名。大邑商疑同天邑商，為商之都邑：□□□□□

夾（俠　挾）

（王其入大邑商）佚九八七　大食為紀時名詞，即朝食時候，在大采之後；（大食雨）合集二〇九六一　大采為紀時名詞，即天明時候，即朝時，在大食之前；（大采雨）粹一〇四三

合集二四二三九　合集四六六五　象一人腋下夾持兩人或一人之形。

周早盂鼎作，周中禹鼎作。

《說文》：「夾，持也，从大俠二人」。古文與俠挾同。

卜辭人名：（惟大史夾令，七月）合集五六三四　地名：（王在夾卜）合集二四二三九　疑方國名：（夾方）合集六〇六三　動詞，夾擊：（王呼取，我夾在罾啚，若）合集七〇七五　呼：命令；取：攻佔；若：順利。（夾方）合集二〇一八七　用如勿；方：方國。

夷

合集一七〇二七　从矢、从己，己象繩形。

同晚栁鼎作 。

《說文》：「夷，平也，从大，从弓，東方之人也」。說形不確。

卜辭動詞，平息也： 大……（夷伺……）合集一七〇二七

⿱虍大

 合集一八三一九 从大，从虍，《說文》所無。

卜辭義不明：…… ……（……⿱虍大……）合集一八三一九

吴

 屯四三六六 屯二二四 懷四七五 合集九五 均象某一種爬行動物，權作吴或昊、⿱甶大。（舟父丁卣作 ，舟鼎作 。）

昊

卜辭人名： 入 （吴入五十）合集一三三三八 入：貢納。

⿱甶大

 （王令吴）屯四三六六 山 （吴甾王事）合集五四六四 甾：辦理。

关

 合集二〇二四六 从大上有V，構形不明。疑與 同。

卜辭地名： （在关卜）合集二〇二四六

⿱八夾

 合集一四二九四 从八，从夾，構形不明。胡厚宣先生釋夾。

卜辭風名： 曰 （南方曰⿱八夾，風曰

徵）合集一四二九四

奴

□合集七一三九 □英五九七 象以手抓大形，大象人之正面，《說文》所無。

卜辭疑人名：……□㞢□□……□□……（……其㞢獲羌……祟奴……）英五九七 㞢用作有，祟：神鬼為祟，害人。

無丙

□合集一二五〇五 □合集二七八四〇 □英一六三 □合集五三九四

从四丙从□無，舞，直釋作無丙，卜辭中多用作某一種祭祀活動。

卜辭祭名：□□□□□□□（王無丙惟吉，不遘雨）合集二七八四〇。□□□□□□（王無丙惟吉燕）懷三八九 燕用如宴，安也。□□□□二□（貞，無丙，雨，二月）合集一二五〇五

疑地名：□□□□□（呼婦井氏無丙）英一六三 氏用作抵，動詞。□□□□□□□□□（勿呼婦妌氏無丙先于戓）合集六三四四

□

□ 合集二四三八 从大，从良，《說文》所無。

卜辭地名：□□□□□□（王其步自□）合集二四三八

……十□□□（……七月，在□）合集二四三七

□

□ 合集二三四〇 从二大，大為正面人形，示人上有人，有一人騎在另一人頭上之義。

卜辭疑神祇名：□□□□……□□□（乙酉卜貞，……□不禍）合集二三四〇。禍：動詞：降禍，為禍於人之義。

□

□ 合集四四一六 □□ 合集五六三九 从大，从冉 井 或冉 冉 義同，《說文》所無。

卜辭方國名或人名：□□□（呼見□）英三三一 見讀覘。□□（呼□）合集四四一七 ……□□□（……㚘□）合集五六三九 㚘同关，打伐。……□□□□□（……□來歸，十月）

□

□ 合集二〇二一五 □ 英三一八 从大，从豕，《說文》所無。

卜辭人名：□□□□□□□（□獲魚其三萬）合集

一四七一 □□□□(令𢦏伐冒) 合集六五六四 □出
□二□(𢦏出至,二月) 合集七二 出用作有。

孜

□ 合集三三三九。从大,从子,《說文》所無。
卜辭地名: □于□(貞于孜) 甲一五三一 疑人名: □□
用□□(弜孜用,其弦) 合集三二五六三 弜用如勿。

𡗜

□ 合集三〇三四七 象一人兩手舉凵形,會意不明。
卜辭疑人名: ……□□□□□(𡗜其左于宊) 合集三〇三四七

夸

□ 合集四八一三 从大,从于,或釋夸,可參。
卜辭用義不明: □□□□□□(呼弘宊宊夸弗桑) 合集四八一三 呼,命令。

奸

□ 合集二七四三 从大,从干,《說文》所無。
卜辭神祇名: □□□□□□□(庚午卜貞,奸延𢦏我) 合集二一七四三 □是倒□字,同□𢦏,動詞。

夨

合集四四八 象人在人項之狀，構義不明。

卜辭人名：～（乙酉卜，：貞，夨往來亡禍）合集四四八 亡用作無。

太

合集九三三二 从丷在人下之狀，構義不明。

卜辭人名：（太入）合集九三三二

太

合集一八八〇 从い在人下之狀，構義不明。

卜辭疑祭名：（貞，祖丁太，九月）合集一八八〇

熗

英二五三二 从大、从㿝，《說文》所無。

卜辭地名：（癸未卜，在熗貞）英二五三二

𣢗

屯一〇九八 从大，从彖，《說文》所無。

卜辭地名：（王其田㶟，延射𣢗犀，亡戈）屯一〇九八 田用作畋，畋獵；延，連續；亡用作無，戈同災。

太

英一四四 合集一三七一六 从大，从⺌，構形不明。疑汰字。

卜辭人名：（呼子太逐鹿、獲）合集

一〇三一四 呼：命令。（子太來）合集三〇六四

太

合集一八七九二 从大下一點，構形不明。疑即太字。

卜辭義不明：……

冊（癸：旬亡禍：㞢：……，己卯，日太：雨）合集一八七九二

亡用作無，㞢用作有。

炦

寧三、一五四 乙六四 象以手執杖擊大形，《說文》所無。

卜辭義不明：（丁酉卜貞，

戊戌炦，六月）乙六四

⿹戉大

合集二〇九六〇 从大、从戉，大是人形正面。象人持戉，戉是

斧鉞類兵器。

卜辭沃象用字：……（：

大采雨自北延⿹戉大少雨）合集二〇九六〇。大采：紀時之詞，天明時

侯；少卜辭少小同字。

戍

[glyph] 合集二二三八 从大从戌，横戌，大象人形正面，戌是斧鉞類兵器。兵器加頂，當是殺伐用字。父乙鼎作[glyph]，戍鼎作[glyph]

卜辭疑祭名：……[glyph]卜[glyph]……[glyph]……[glyph]……（……辰卜，王……戍卸……鼎出……）合集二二三八 出用作有。

燅

[glyph] 合集七七〇。象一人手持戈人，當是殺伐用字。

卜辭作殺伐之義：[glyph][glyph]（勿燅）合集七七〇。（所从之卜乃人形）

㚇

[glyph] 合集二一四一九 从大、从㚇，構形不明。

卜辭義不明：[glyph][glyph]卜[glyph]（癸酉卜㚇）合集二一四一九

失

[glyph] 合集一六八四六 从大从匚，大象正面人形，匚為指事符號，以匚指其部位，與[glyph]臂之構形義同。可釋為項頸之初文。卜辭頁作[glyph]，與[glyph]均為人形，項、頸均从工得聲，兩字音義全同。

（頸　項）

《說文》：「項，頭後也，从頁，工聲」。《說文》：「頸，頭莖也，

項　頸

从頁，巠聲」。

卜辭作頸項：[甲骨文]……

[甲骨文]（癸酉卜，永貞，旬亡禍，王固〻：㚔項于卜）

合集一六八四六　亡用作無，㚔〻動詞，殺取祭牲之血用以祭祀也，既是用牲法亦是祭名，㚔項即割開祭牲項部取血以祭也。

⿱言無

[甲骨文] 合集二〇八三　[甲骨文] 英二六七四　从言、从[甲骨文]，構形不明。

卜辭人名〻 [甲骨文]（戠子曰⿱言無）英二六七四　[甲骨文]（⿱言無子曰雀）同版

⿱舌大

[甲骨文] 合集一〇七七　从大、从舌。

卜辭疑神祇名〻〻 [甲骨文]（〻〻敳人）合集一〇七七

⿰㞢⿱言大

[甲骨文] 合集三六五三〇　从⿱言大、从㞢，構形不明。

敳〻動詞〻為害於人。

卜辭疑人名〻 [甲骨文]

[弓盾]

[glyph]……（貞，余征三封方，惟[glyph]令邑弗悔……）合集三六五三〇。

[glyph] 英六九。象一人手持弓盾，亦殺伐之義。疑與[glyph][glyph]同

卜辭疑作殺伐之義：……[glyph][glyph][glyph]（……捍，余呼[弓盾]）英六九。

[大戈]

[glyph] 合集六六一七 象人持戈形。

卜辭人名：[glyph][glyph][glyph]月出[glyph]（子[大戈]骨風有疾）合集一三八七四

風受風。[glyph][glyph][glyph][glyph]（貞，[大戈]其死）合集九三八

殺伐之義：[glyph]……[glyph][glyph]……（王往……[大戈]羌……）合集六六一七

[戈奚]

[glyph] 英七三五 [glyph] 合集一六二二 [glyph] 合集四四一九 从奚或奚持戈，義同。疑與[glyph][大戈]同。

（[戈奚]）

卜辭人名：[glyph][glyph][glyph]月……（貞，子[戈奚]骨風……）存一・二

地名：[glyph][glyph]（在[戈奚]）屯七三五

[戉奚]

[glyph] 英二六七四 象戉砍奚形，戉是斧鉞類兵器，所从之小點為血滴，奚象人形。或釋鉞，可參（見一〇〇五頁[戉奚]字註）。

或釋戩、
捍，可參。

戩	（ 戎 ）	㚘

卜辭人名：□子曰□（吹子曰戩）英二六七四 □子曰□

（戩子曰戩）同版

□ 合集七七六八 象一人一手持戈一手執盾，非常威武，疑即《說

文》戚戎字。（參見八五一頁戎字註）

周早父乙尊作 □，父己毀作 □。

卜辭動詞，疑為兵戎之事：：□□卜，□貞，□□□今日 □

（癸酉卜，㱿貞，雀惟今日戩）合集七七六八 □□卜，□貞，□

□于□十□ □（癸酉卜，㱿貞，雀于翌甲戌戩）同版

翌：次日或今後某一日。

□英一七八四 □合集一五八二三 象二人並立之形，疑與□并□並一字。

（參見六七五頁并字註）

卜辭作並立：：□□□□□□□□□□

□□□（王貞，余㚘立負宁史暨見奠終夕卬）英

一七八四 疑指成雙之祭品：：□□□□（貞，勿用㚘）合集

戚

一五四一三 用〻用於祭祀。

⿱庚大

 合集二〇五七 从庚、从大、《說文》所無。

卜辭人名〻（丁未卜貞，庚骨告王）合集二〇五七七 骨告王〻卜骨告訴王。

奐

 庫二六 象一人項帶枷形，8為髮辮。

卜辭疑祭牲〻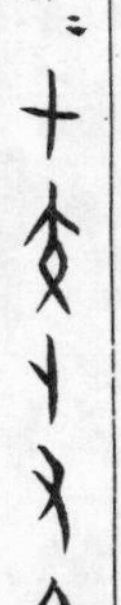（甲寅卜，又奐祖乙）庫二六 又用作侑，祭名。

⿱子共

 英三四一 象一人舉子之形，其義不明。

卜辭人名〻（貞，⿱子共及舌方）英五六六 及〻追及。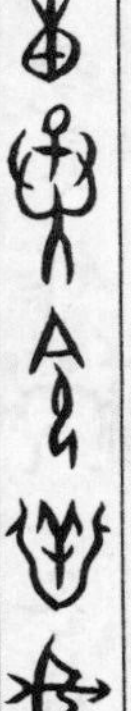（惟⿱子共令蓋射）合集五七七〇 蓋〻教養。即令⿱子共教養射手。

魌

 合集六〇六三 象一人戴假面具之形，或釋作魌。同期魌。

《說文》〻「䫏，醜也，从頁，其聲，今逐疫有䫏頭」。古文魌、䫏、倛一字。

（倛䫏）

卜辭疑方國名〻

（……弁告曰：……魋夾方相二邑）合集六〇六三 夾：夾持，相讀傷，傷害；邑：城邑。

吴

□英二三〇四 从大上有廿，構形不明。疑與□襄同。

卜辭地名：……田□□曰：（……田吴，湄日：）英二三〇四 田用作畋，畋獵；湄日：終日。

㚘（並 并 竝）

□屯六八 象二人並立之形，从文義分析，當與□同（見六八八頁竝字註）《集韻》釋㚘為比之古文，似非初文本義。

卜辭用如竝，併也：□□卜□□□□□□□□（丙申卜，蒸並酌，祖丁暨父丁）屯六八 蒸，酌均祭名；暨同及。

□酌（弜㚘酌）合集三四五五七 弜用如勿。□□酌（弜竝酌）□合集二三三二六 㚘酌，亦作竝酌，可見兩者一字。□□□□

□二□□□□□（癸巳卜，祝貞，二示祟王遣竝）英一九四八 二示：兩位神祖；祟：動詞，神鬼為害於人；遣：疑祭名。

亦（腋）

[甲骨文] 英一八三 [甲骨文] 英七二五 [甲骨文] 合集二四二四七 从大从八。大象正面人形，以八指明其部位，指事字。本腋字初文，假作副詞也意之亦，另造形聲之腋作腋篇之專字。亦、腋乃同源之字也。

周中效卣作[甲骨文]，周晚毛公鼎作[甲骨文]。

《說文》：「亦，人之臂亦也，从大，象兩亦之形」。臂亦即臂腋。

卜辭地名：[甲骨文]（在亦卜）合集二四二四七 用義如也，有重複之義：[甲骨文]（癸巳卜，殼貞，旬亡禍。丁酉雨，丁雨，庚亦雨）合集一二七一五

[甲骨文]（旬壬寅雨，甲辰亦雨）合集一二四三九

[甲骨文]（癸巳卜，殼貞，旬亡禍，王固曰：有祟，其有來艱，迄至五日丁酉，允有來艱自西，

沚戠告曰：土方征于我東鄙，𢦏二邑，𢀛方亦侵我西鄙田）合集六〇五七

夨

[glyph]合集三九四六一 [glyph]合集一九六八二 [glyph]合集一四七〇八 象一傾頭人形。

周早令㲋作[glyph]。夨尊作[glyph]，夨王鼎蓋作[glyph]。

《說文》：「夨，傾頭也，从大，象形」。

卜辭㲋先公名：[glyph][glyph]（㞢于王夨）合集一四七〇九

㞢用作侑，祭名。[glyph][glyph][glyph][glyph]（尞岳、夨、山）合集二二一〇

尞同燎，祭名；岳、夨、山均受祀對象。

交

[glyph]合集二〇七九九 [glyph]合集三二五〇九 象兩脛相交之人物正面形。

周早交鼎作[glyph]，春秋交君匜作[glyph]。

《說文》：「交，交脛也，从大，象交形」。

卜辭疑人名：[glyph][glyph][glyph][glyph][glyph][glyph]（惟奚令崇交）

叀

合集三九〇五　交得（令步祟交得）合集三三五〇九

合集七七八一　合集二四二二　合集一三六七五从交中有、等，其義不明。

卜辭疑祭名：（御疾叀于妣癸）合集一三六七五 御用作禦，祭名。（生七月叀）合集七七八一

生：來，下之義。（貞，夕叀）合集二一四二二

貞

佚二三四 構形不明。

卜辭疑神祇名：（貞令易日）佚二三四

易日即暘日。或釋易日即晹日，陰天，可參。

壺

合集一八五五九　英七五一　合集一八五六一　燕八五

屯一一七六 象壺形，蓋、耳、紋、腹、足可見。

周中頌壺作，周晚圅皇父鼎作。

《說文》：「壺，昆吾圜器也，象形」。

卜辭人名：小（壺示：屯、小叡）合集七三八二

卜辭執作□或□、□，均象手戴梏銬形，是釋□為梏的見證。另外睪、䍜字所从之幸、奎是聲符，可見奎音告，即梏銬之初文。

幸 ） 奎 梏 銬 執 （ 執

示：整治；屯：量詞，一對骨版；小𠬝：人名，簽收者。□□

□□（壺子曰喪）英二六七四 □□□□（壺弟曰啓）同版

疑地名：□□□（貞，勿于壺力）屯七五一

□ 懷四五二，□ 英六〇二 □ 合集三四四四。象手銬形，即古□之手梏、手械。釋幸，但與幸福之義無關。可釋作幸、奎、

戰國中山王譽壺作□。奎梏、銬之初文，與執通用。

《說文》：「幸，所以驚人也，从大，从羊。一曰大聲也。一曰讀若瓠。一曰俗語以盜不止為羊，羊讀若籋。」若瓠即若梏，籋：箝也，夾取之器也。

卜辭幸用如執，動詞，執捕、拑制、夾取之義：□□□□（王其奎吾方）□□□□□□（令眾禦召方奎）屯三八 □□□□□（令邑並執隸）英六〇八 □□（令執隸）英六〇九 □□□（亘執隸）合集五七五

執隸亦作幸奎隸，可見幸、執可通。

□ 英一八〇七 □ 合集二〇三七六 □ 合集五七〇 □ 合集五七二 象一人

□

幸

戴有手梏之形，其用近幸。

周中不㠱毁作□，周晚兮甲盤作□。

《說文》：「執，捕罪人也，从丮，从幸，幸亦聲」。

卜辭作捕執：□□□□（庚子執隸）合集五七一五

□□（王呼執羌）合集二六九五〇。呼：命令。捕捉野牲

亦稱執：□□□□□（合畫執犀）合集一〇四三六

被捕用作人牲的亦稱為執：□（乙亥卜，執

其用）合集二六九九一 □□□□□□□

（執其用自中宗、祖乙、王受有祐）合集二六九九一 □□□

王□□（其用執，王受祐）合集二六九八〇 □□于自□（執用于祖□）合集二六八〇二

□□合集五九三八 □懷一四九六 □合集二〇三七九 从幸，从

口，口在上下無別。疑為□幸之異文，用如執。

卜辭指罪隸：□□□□（幸其有疾）合集一三七三三

捕也：□□□□□□（自爻幸六人）合集一三九卅

匚即報，祭名。从執為報祭之人牲也。

《說文》：「𢷎，首至地也，从手、桒，桒音忽。[字形]，揚雄說：拜从兩手下。[字形]，古文拜」。拜字井侯毀作[字形]，彔伯毀作[字形]，友毀作[字形]，虘毀作[字形]。

衛

[字形](弗[字形])合集二〇三七九 [字形](𠙻亘)同版

[字形]合集六六六四 从㚔埶从行，疑為㚔之異文，其用如執。

卜辭疑作執，捕獲用作人牲者亦稱執：ㄓ于田三[字形]

[字形]匚[字形](ㄓ于上甲三宰，告我匚，衛)合集六六六四 ㄓ用作侑，祭名；宰，圍養的專供祭祀用羊；匚，神龕形，中間盛神主牌位，讀報，毀先王唯有匚乙、匚丙、匚丁稱，合稱三匚；衛乃用衛之省。

桒

[字形]屯五九 [字形]合集三一八四 構形與杜伯盨桒字近似。𢷎拜字以桒作聲，饙或作饙，可見桒讀若賁。初文為拜求之義，為今桒、𢷎(拜)之本字。

周早獻侯鼎作[字形]，周早矢方彝作[字形]。季盉尊「用桒福」作[字形]。

(拜 𢷎)

《說文》：「桒，疾也，从夲，卉聲，拜从此」。

卜辭作祈求：[字形]皿(拜雨)佚四。[字形]日口日[字形]：(拜祖丁、祖辛：)合集二二八四

亢

[字形]屯三一二 象一人戴脚鐐之狀，亦為抵抗者，會意字，為亢、抗之初文。

(抗)

亢毀作[字形]，爵文作[字形]，亢僕父己毀作[字形]。

[字形] [字形] [字形]

《說文》："亢，人頸也，从大省，象頸脈形"。《左傳・宣十五年》："結草以亢杜回"。亢即抗。

卜辭人名：（令亢往于畫）合集一〇三〇二

抵抗也：（貞，令象抗目，若）合集一〇三〇二 若：順利。

奏

奏 英一一五三 屯三八九八 从廾从収，从木或木，収同供、拱，有奏進之義。

《說文》："奏，奏進也，从夲从廾从屮，屮上進之義。，古文。亦古文"。

卜辭祭名，演奏樂器之祭祀活動：……（奠，其奏庸，惟舊庸……）屯四三四三 奠：祭名，庸：大鐘。（今我奏祀）英一二八六

（王奏丝玉成，左）合集六六五三 丝同茲，此：玉：玉磬，成：成功，左用作佐，佐助，為有佐之省。

□□（勿奏岳）英一一五三即不要向岳神進行奏祭。□
□□□□□（今日夕，奏母庚）合集四六。于□□
□（于孟廳奏）合集三一〇一四 于□□□（于新室奏）
合集三〇二三

□
□合集一三八二六 □合集一四〇二三 □合集二一七〇三 从希在
□中，其義不明。
卜辭吉凶用字：□□□□□（子商其□禍）合集二九五五
子商，人名。□□□□（子□不希）合集三二五九 希用作
祟。□□□□（目其□）合集一九〇三六 ……□□□□
（……貞，子不□）合集二一七〇三

□
□ 明七一六 卜辭□作□亦作□，可見□、□一字，
當是希之異文。
卜辭□同希，用作祟，禍害也。……□□□
□（……旬又希，王曰：衛）明七一六 又用作有，衛，同防。

奕

 合集二四一七 从大，从亦。

卜辭義不明：…………（……奕……）合集二四一七

屰

 合集三四二三  合集三四二九 象一人兩手有物形。

卜辭地名：中冎（在屰貞）合集三六四二九

奚

 合集三三九〇五  合集六四七七  合集三三五二四 

（

英二五四四  合集八二一  合集六四四 繁文象一人雙手反

傒

綁，髮辮被揪之狀，从男从女，單手雙手，正反左右義同。

嫨

釋奚。奚之身份低下，為奴隸之一種，後世或作傒、嫨，義同。

）

商奚段作，商丙申角作。

《說文》：「奚，大腹也，从大，𦃃省聲。𦃃，籀文系字」。大腹之說不確。《集韻》：「音兮，隸役也」。《周禮·天官》：「酒人奚三百人」註曰：「通作嫨、傒」。

卜辭人名，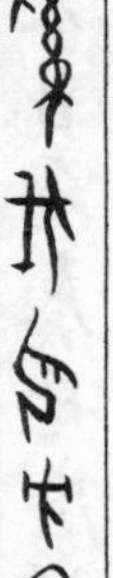（王从奚伐巴方）合集八二

（惟奚令崇交）合集三三九〇五

祟，動詞，本義為為祟於人，此有殺伐之義。 地名：五田(王田奚，往來亡災)英二五四四 田用作畋，畋獵；亡用作無。 祭祀用人牲：…………于口(：：貞，奚：：羊百，盜用于丁)合集一一一八 盜：用牲法，丁：受祀對象。 (王㞢三奚于父乙)柏八㞢用作侑，祭名。 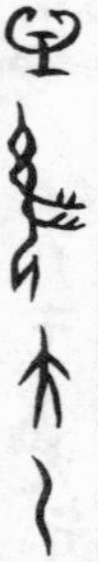(㞢奚大乙三十)合二八 即，向大乙進行侑祭，用了三十個奚作祭牲。

罘

合集二八〇二 从目，从大，《說文》所無。《說文》有罘䍃無罘，當是失收，或為後人佚去。

周中縣妃𣪘作。

卜辭方國名：……(：：罘方)合集二八〇二

夫

英三一九 象頭髮插簪之正面人形。古童子披髮，成人束髮戴簪，男子戴簪，亦為大丈夫也。

周早盂鼎作，周中曶鼎作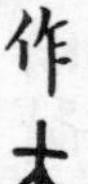。

㝬：□周探二三三 从害，从夫。《說文》所無。遹𣪘「遹使于㝬侯」作□，彔𣪘「父來自㝬」作□，㝬孫鼎「㝬侯」作□。卜辭㝬侯為㝬邦之國君。□于□□𠂆（其于伐㝬侯）周探二坑二三二 𠂆當是□之殘字。

《說文》：「夫，丈夫也，从大，一象簪也。周制以八寸為尺，十尺為丈，人長八尺，故曰丈夫」。

卜辭人名：□□□（夫入二，在□）合集九四。入：貢納。□□□□（令夫弜爰）合集二〇一六五 弜用如勿；爰同援。地名：□□□□□□（王田夫，往來亡災）合集三七七五。田用作畋，畋獵；亡用作無。□□□□（勿呼良往夫）合集一〇三〇二 呼：命令。□□□□（于夫烄雨）合集三二一六七 烄：焚人祈雨之祭。用作大：□□（大甲）前四、七、六 大甲：商代直系先王，史稱太甲。□□（大示）前五、二、四 示：神祖牌位，亦指神祖，大示一般指直系先王。

□

□ 合集三七四七四 从臼，从夫，《說文》所無。

卜辭地名：□□□□□□□□（貞，王□田□，往來亡災）合集三七四七四 田用作畋，畋獵；亡用作無。

㚘

□ 明二一四九 从二夫，象二人並立之形。《說文》：「㚘，竝行也，从

㚘

本為站立之立，引伸作蒞（同涖、莅），臨也。

立（茳　位）

二夫，輦字从此，讀若伴侶之伴」。卜辭中，扶、扷、炔、竝同義，均作連詞或兼合之義（見六七五頁并字六七三頁扷字註）。

□屯一〇三五 从大，从一，象一人立地平之上。卜辭立、竝一字。古文立、位一字。

商父乙卣作□，周中格伯毀作□，周晚毛公鼎作□。

《說文》：「立，住也，从大立一之上」。《周禮・春官》註：「故書位作立，鄭司農云：古者立、位同字」。

卜辭人名：□□□□（令立見方）合集六七四二 見用作覘，窺也。□□□（立入十）乙五〇四九 入：貢納。貞人名：□□□□□□□□□（舊立貞，王今夕不震）合集三六四四二 震：驚也。祭名：于□□□□□（于南單立岳，雨）屯四三六二 岳：先公名。樹立：□□□□（立中亡風）合集七三七一 立中：立旗聚眾，亡用作無。站立：□□□□□□□□□□（王其蓺兕麗，王于東立，虎出擒）合集二八七九九

□

地名：立[甲骨文]立[甲骨文]（王往立稭黍）合集九五五八 稭：收割。

用作位：[甲骨文]卜[甲骨文]于一立[甲骨文]（丁巳卜，又于十位伊又九）合集三二七八六 又用作侑，祭名；伊：伊尹之簡稱；九：九示之簡稱，指九位先王，伊尹加上九位先王，正好十位。

[甲骨文]立[甲骨文]（婦好其从沚戓伐巴方，王自東罙伐捍陷于婦好位）合集六四八〇 大意是：婦好同沚戓討伐巴方，商王自東罙出發討伐或抵擋，在婦好所在之位置設了陷坑。

竝

[甲骨文] 英三一二 象二人並立之形，與金文竝字同。在卜辭中[甲骨文]、[甲骨文]、[甲骨文]、[甲骨文]義同，即并、並、竝之初文（見五〇六頁并、六七五頁炇字註）。

竝爵作[金文]，辛伯鼎作[金文]，郱並果戈作[金文]。

《說文》：「竝，併也，从二立」。

卜辭人名：[甲骨文]入一（竝入十）合集一七〇八五 入：貢納。[甲骨文]T

□(㞢示五十)合集一三五三二 示、整治。地名、□□□(惟㞢往)合集四三九六 □于㞢(□于㞢)英一九四八 併和之義、□㞢彡(弜㞢彡)合集二三三二六 弜用如勿。彡、奉酒之祭。□□□㞢彡(貞，妣庚歲㞢彡)合集二三三二六 歲、彡均祭名。即向妣庚進行歲祭和彡祭。□□□□□□㞢彡□(庚申卜，出貞，令令㞢彡河 合集二三六七五 □或釋□。卜辭偏旁中A、□每通用無別，如倉字作□亦作□，合字作□亦作□，會字作□、□亦作□、□、□等，可見□、□皆令字。令、令連用，上一令乃命令之義，下一令則為人名或祭名。河、本江河之河，此指某一位先公。□□卜□□彡□□□(丙申卜，蒸㞢彡祖丁暨父丁)屯六八 蒸、祭名，暨、連詞。疑人名或方國名、□㞢(伐㞢)合集三三一一九

心

□合集七一八二 □合集九〇五 象心臟形。

周中師望鼎作□，周晚克鼎作□。

□

《說文》：「心，人心土藏在身之中，象形。博士說，以為火藏」。

卜辭作人之心情：……（貞，王忠若舞：：）合集五二九七 ……（貞，王心不：：）合集六 ……（王㞢心正：：）合集六九六八 㞢用作有，正用作征，征伐，出征。水名：……（貞，涉心……狩）合集一〇二二 涉：渡水，心讀沁，沁水。

杺

合集八二九三 合集二九七〇。从心，从木或屮，卜辭从木从屮艸草每無別，釋杺，即梽字，《說文》所無。《集韻》：「音心，木名，其心黃」。

（梽）

卜辭神祇名：㞢干（㞢干梽，犬）合集三一九。㞢用作侑，祭名，犬是用犬之者。即向梽進行侑祭，用犬作祭牲。

⿱冃心

合集九二六一 英三九二 从冃，从心，構形不明。

卜辭人名：入（⿱冃心入百）合集九二六一 入：貢納。

忩 義不明：□□□□□（貞，忩師般龜）合集九四七一

□□合集二〇九〇四 从心，矛聲，與《說文》懋之省文同，典籍懋與楙、茂通用。

） 周早小臣遷簋作□，周早宅簋作□，周中史懋鼎作□。

懋 《說文》：「懋，勉也，从心，楙聲。虞書曰：詩惟懋哉。□，

楙 癲簋作□，不从心，省作楙。

茂 或省」。

（ 卜辭地名：□□□□□□□□（弜□災，

惟懋田□，受又）合集二九〇〇四 弜用如勿；□即彡，祭名；又用作

祐。

忐 □合集一八三八五 从心，从□，構形不明。

卜辭義不明：□□□□□□（貞，惟□

不惟□□）合集一八三八五

恚 □合集一九二一三 从心，从□，構形不明。

卜辭疑祭祀用字：□□□□□□（□惟豕

司衎（舟心）合集一九二二二豕：去勢公豬，祭牲。

慗　□合集一八三八〇 从心、从辛、从□，構形不明。

卜辭義不明：：□□：□：（：王勿：慗：）。合集一八三八

懘　□合集六五二八 □合集一〇九八九 从心、从爾。心在部首中後世多　□

作忄，故可釋□為懘。《集韻》：「音禰，心弱也」。

卜辭人名：□□□□（懘其來告）合集一〇九八九 □□

（懘取射）合集五七五九 地名：□□（田懘）合集六五二八 田：田獵。

恆　□英二一七七 □合集一八四七八 □後二七、七 □粹七八 从月，从弓　□

）　或工作聲義同。後世誤月為舟作恆或恒，或視月為夕作

恒　亙，恒或作恆，故恒、恒、恆、亙、亙為同源之字。

恆　周中恆毀乙作□，周中舀鼎作□。周早亙解作□。

亙　《說文》：「恆，常也，又卦名」。《易恆卦》：「恆久也」。

亙　卜辭神祇名：□□于□□（貞，㞢于王亙）合集一四七六二 㞢

（　用作侑，祭名。□□□□□□（貞，王恆易御）英一一七七

御用作御，易御疑作祭祀用語。

恙

合集八八七 从心，羊聲。

《說文》：「恙，憂也，从心，羊聲」。《廣韻》：「憂也，病也」。

卜辭義不明：………………（……貯……恙……取）合集八八七七

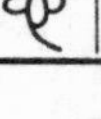

懈

古文解用作懈，如《詩大雅》：「夙夜匪解」（見二六三頁解字註）。中山王嚳壺「夙夜不懈」作。

恖（忽 念）

合集五三四六 从心，从，本作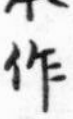，因契刻不便故中空。與克鼎及戰國印之恖同。典籍恖、忽、念一字。

周晚克鼎作，周晚毛公鼎作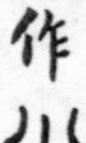，戰國印作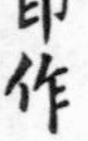。

《說文》：「恖，多遽恖恖也，从心，囪，囪亦聲」。《集韻》：「音聰，恖恖急遽也」。

卜辭義不明：……………………（……卜王……恖……自……）合集五三四六

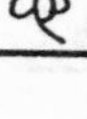

⿱心皿

合集二〇三七 从心 从、疑為皿之殘損，从卜辭文義分析，當為平安之義，應是寍之省文，即⿱心皿字。古文盜、寍、寧一字（見二七四頁寧字註）。中山王譽壺作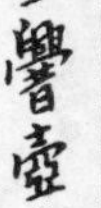。

卜辭作安寧之義〻〻卜〻〻（〻〻亡⿱心皿〻〻）合集二〇三七 亡用作無，亡⿱心皿即無寧。

念

庫六〇 同版 合集一八六八九 从心，余聲，與金文、《說文》之念同。周晚季余鼎作。春秋鄭虢仲念鼎作。曹公媵孟姬念母盤作。

《說文》：「念，忘也，嘽也，从心，余聲。周書曰：有疾不念。念，喜也」。

卜辭人名〻〻中子〻〻（〻〻夕，念毓〻〻）合集一八六八九 毓〻今作育，生育。

恔

合集二一三〇六 同版 从心，交聲。

慶	𢘑	□	

《說文》：「恔，憭也，从心，交聲」。《集韻》：「音姣，慧也」。《孟子》：「於人心獨無恔乎」朱註：「快也」。

卜辭疑有快悅之義：「□□□□□□□」（辛卯卜，嗇其恔）合集二一三〇六 嗇用作穡，收穫也。

□

□ 合集二八〇〇九 从戈，从心在交中，構形不明。

卜辭義不明：「□□□□□□□□□□□□□□□□□□□□□□□□：：」（丁亥卜，在陪衛酌邑□典冊有奏方狷今秋王其使：：）合集二八〇〇九

𢘑

□ 合集四三一〇 从心，从吅，構形不明。

卜辭義不明：「□□□□□□□：：□」（：：卜，王勿令弜：：□）合集四三一〇。

慶

□ 合集二四四七四 □ 同版 □ 合集三六五五五。从廌从心，與□召伯毁、㠱伯盨慶同。《說文》从鹿，當是廌形之演變。卜辭廌作□或□、□等，鹿則作□或□、□等。

周晚召伯毁作□，周晚異伯盨作□，戈弔慶父鬲作□，秦公毁「高弘有慶」作□ 假麐（麐、麟）為慶。戰國印作□。《說文》：「慶，行賀人也，从心，从夂，吉禮以鹿皮為贄，故从鹿省」。卜辭地名：□□卜（在慶卜）合集二四四七四 □□（在慶）同版

水

□

□ 合集三三三五六 □ 英二四三〇 □ 屯三二二 □ 合集五八三七 均象水流之形，旁之小點為水滴。周早沈子毁作□，戰國魚鼎匕作□。《說文》：「水，準也，北方之行，象眾水並流，中有微陽之气也」。非初文本義。

卜辭指江河之水：□□□□（大水不各）合集三三三四八 各用作落。□□□（有大水）英二五九三 ：□□□□（泉來水次）合集一〇一五六 次：河水泛濫。指洪水：□□□□□□□（今秋禾不遘大水）合集三三三五一 水名：□□（洹水）合集一〇一五八 動詞：□□□□□□（今日王其水寢）合集二三五三二 水寢：用水

河

洗滌寢宮。□□□（王其水）合集三四六七四 水洇水或洗澡。 88

□□（茲不水）屯三二一二 茲同此；不水：不被水淹之義。

□甲二四九一 □英二四四九 □英一一六九 □英二四二八 从水、从丂可

或□何作聲。

周中同段作□，戰國中山王圓壺作□。

《說文》：「河水出燉煌塞外，昆侖山發原注海。从水，可聲。」

卜辭人名：□□□□（辛亥卜，河貞）佚一〇八 人名：

□□□（王呼从河）合集五〇四九 呼：命令；从：偕同，隨同。 地名：

□□（在河）合集二四四二〇 先公名：□□□□□□（奈于上甲

與河，十牛）合集一一八六 奈同燎，祭名；上甲：先王名。□□□（河

即宗）粹四 即：降臨，宗：宗廟或宗廟安放神祖牌位處。疑指自

然神，即司雨之河神。□□□□□（岳既河酌，王

受又又）合集三〇四一二 岳：神祇名，酌：祭名，又又即有祐。指黄河：

□□□□（王其涉河）合集五二二五 涉：渡水。□□□□

□

湔

于 東（令師般涉于河東）合集五五六六

合集六五六七 合集六五六八 合集六六六九 合集一三三八六

象在洗器中洗足之形。

《說文》：「湔，水出蜀郡綿虒玉壘山，東南入江。从水，前聲，一曰：手澣之」。《廣韻》：「湔，洗也」。《廣雅·釋詁》：「湔，洒也」。洒：洗滌也，洒、洗通用。

卜辭人名：（呼湔𠦪）合集一七七 呼：命令；𠦪同衛。（呼湔）合集四八一九 地名：于（于乙酉，陷湔麋，在襄）合集一〇九九一 方國名：（伐湔方）合集六五六七 （戌𢦏湔方）合集六五六六 𢦏：動詞：打擊、傷害之義。

溫

屯二四三。 合集一〇八七四 象嬰兒在襁褓之中，以示溫暖。卜辭中為田獵之地，與沁陽田獵區不遠，即今日溫縣一帶。後來溫字所从之皿、水，是逐漸繁加的。典籍𥁕、溫一字，溫亦

（昷温）

作温，温之演變過程是温、昷、温、温。

《說文》：「温，水出犍為涪南入黔水，从水，昷聲」。《左傳．隱三年》：「取温之麥」註：「温，今河内温縣」。《類篇》釋昷：「省作昷或作温」。

卜辭地名，田獵區：王其迖于温（王其迖于温）屯七四五

迖：巡遊。迖于温即巡遊于温地。王其田温亡𢦔（王其田温，亡𢦔）合集三三五二九 田用作畋，畋獵，亡用作無，𢦔同災。才温（在温）合集一〇八七四

沮

沮 拾一、一四 从水，且聲。《說文》水名。卜辭沮用為且，即先祖之祖，如：……沮丁二牛（：祖丁二牛）拾一、一四 即祭祀祖丁時用二頭牛作祭牲。（耳卣「弗敢沮」作[illegible]，不从水）

涂（塗）

涂 合集二八一六七 涂 合集二八〇二 从水，余音途聲。同塗。

春秋涂鼎作[illegible]：。

《說文》：「涂，水出益州牧靡南山，西北入澠，从水，余聲」。

涂

洛

卜辭地名：〻中□（〻在涂）合集二八一六七 義不明：□□

□□□□□于□（弱易涂，人方不出于之）合集二八〇二三 弱用如

勿。

□合三三一 □□ 懷四四八 从水，从各作聲（卜辭各用作落）。□□

乃倒各。義同。

周中虢季子白盤作□，春秋太師虘豆作□。

《說文》：「洛，水出左馮翊歸德北夷界中，東南入渭。」从水，各

聲。

卜辭地名：□□□□□□□（令□取洛□）懷四四八

中□□□〻（在洛𠂤貞〻）存二九七四

淲（滹淲）

□ 合集六一三一 □ 合集三三三三 从水，从虎，虎象虎頭，以頭代

全身。即金文淲字，同滹。

金文喬君鉦作□。从水，从虎。

《正韻》：「音呼，滹沱，水名，在信都北入海，或作濯滹惡淲

合集一五九三五
或釋作㚤。
卜辭、、均水形，从
辭義分析，、當
是汝字的不同構形。
人名：丁二
（婦汝示二屯）合集二五九三五

汝

汓同」。

卜辭地名：于（王往次于沍）合集六一三二 次：舍也、止宿。于（于沍）合集三三三三二

合集二七九二 合集一四〇二六 从水，女聲。典籍汝、女可通。

《說文》：「汝，水出弘農盧氏，還歸山東入淮，从水，女聲」。

卜辭人名：丁二（婦汝示二屯㪤）合集六一五六 示：整治；屯：量詞，一對骨版；㪤：即掃，人名，簽收者。（汝娩不其㚤）合集一四〇二六 㚤即嘉，生男曰嘉，生女曰不嘉。

用女為汝，人稱代詞：（王曰：侯豹！余其得女使）菁七 女使即你的使者。

沁

合集三〇七三八 合集三四〇七 从水，心聲。

《說文》：「沁，水出上黨羊頭山，東南入河，从水，心聲」。《說文通訓定聲》：「沁，假借為浸」。《韓愈詩》：「義泉雖至近，盜索不敢沁」註：「沁猶汲也」。

（浸）

卜辭疑水名：……□……□……□……□（……未……魚……沁……擒）合集二三三七。
疑作動詞：□□□□□（丙奈出魚不沁）合集二〇七三八
□于□□（沁于埶白）合集三四〇七　心用作沁，涉心即涉沁：
□□（涉心）乙六三七七　涉，渡水。

淮

□合集三六九六八　□英二五六四　从水，隹聲。
周中彔卣作□，周晚散盤作□，春秋曾伯匿「克狄淮夷」作□。
《說文》：「淮，水出南陽平氏桐柏大復山，東南入海。从水，隹聲」。
卜辭地名：□□□□□□□□□（在洮，立貞，王步于淮，亡災）英二五六四　亡用作無。

澭（灉）

□英二五六一　□合集三六五九四　□合集三六六〇四　从□水□雍聲。
□隹或作□雀，隹、雀均鳥形，義同。釋澭，同灉。□雍與从水之□澭非一字，卜辭中，雍為人名，澭為地名，各有所指。
（參見二三〇頁雝字註）

《說文》：「灉，河，灉水在宋，从水，雝聲」。
卜辭地名：王田（王田灉，往來亡災）英二五五五
田用作畋，畋獵；亡用作無。王于（王迖于灉）英二五六一 迖：
巡遊。

洧

英七五五 合集二〇五六九 从水，又聲，卜辭又用作有，故
可釋作洧。
《說文》：「洧，水出潁川陽城山，東南入潁，从水，有聲」。
卜辭疑人名：：（貞，洧不其：：蚩）英七五五
蚩，禍害。 地名：（在洧）合集二〇五六九

（杈）

濼

合集五九〇二 从水，樂聲。
春秋虘鐘「用濼好賓」作，假借作樂。春秋𨟭子平鐘「以
濼其大酉」作。
《說文》：「濼，齊魯閒水也，从水，樂聲。春秋傳曰：公會齊
侯于濼」。閒同間。

洹

卜辭義不明：（：氏多：濼）合集五九二
懷四四。 合集二八一八三 合集八三一五 从水，亘聲。音還。

周中洹秦毀作，周晚白喜父毀作，春秋洹子孟姜壺作。

《說文》：「洹，水在齊魯間，从水，亘聲」。段註：「許當云在晉衛之間」。間同閒。

卜辭水名，即安陽河（流經殷墟北面，折向南流，又从殷墟南面再折向東流）：四（丙寅卜，洹其盜）合集八三一五 盜：水漲外溢，泛濫之義。（洹不次）合集八三一七 次同漾，象口液外流，引申作江河流水之外溢，泛濫，與盜同義。（洹弘弗敦邑）合集二三七 弘假作洪，洪水；敦：動詞，敦迫；邑：城邑，指京城。 祭祀對象，水神：（出于洹，九犬九豕）合集二四一三 出用作侑，祭名。（燎于洹泉）合集三四一六五 燎：祭名；洹泉：洹水或洹水之源。（又于洹又雨）合集二八一八二 上一又用作侑，祭名，下一又用作有。即：

佪洹進行侑祭，有了雨。（丁亥貞，夜洹）合集一三四四 夜夜祭名。（洹其作茲邑禍）合集六八五四 作作動詞，「作茲邑禍」即「作禍給此邑」。

瀘

瀘 合集二〇三六四 瀘 乙一五三二 从水，盧聲。

《說文》：「瀘，水出北地，直路西，東入洛，从水，盧聲」。

卜辭地名。（乙巳卜，𠀠由在瀘）乙一五三二

洚

洚 佚六七八 从水，从二足向下，有下降之義。

《說文》：「洚，水不遵道，一曰下也，从水，夅聲」。

卜辭祭名，祈求神靈降臨之祭。（王洚祖丁，牝三）佚六七八 牝即母羊。即商王祈求神靈降臨，用了母羊作祭牲。

演

演 合集三七五一四 演 合集三六五九。演 合集三一六八五 从水，寅聲。

《說文》：「演，長流也，一曰水名，从水，寅聲」。

卜辭地名。（在演卜）合集三一六八五

瀘 洚 演

沖（衝） 洀（汎泛盪）

（王田在演麓）合集三七四五二 田：田獵。

合集三二九〇六 南明五二〇。从水，从中，釋沖，與衝通。

戰國沖子鼎作，戰國印作。

《說文》：「沖，涌搖也，从水、中。讀若動」。

卜辭人名：（合沖）後下三六·六

英三三六四 合集一一四七九 合集一一四七七 合集二〇二七三 均象舟行水中之形。為洀、汎、泛、盪之初文（盪或省水作盤，但非盤、碗之用義）。卜辭多作泛舟之義。

周早殷尊「在洀水上」作。

《字彙》釋洀：「與盤同」。《韻會》釋盪：「通作盤」。《說文》釋汎：「浮皃，从水，凡聲」。《玉篇》釋汎：「通作泛」。

卜辭作乘舟巡游之義：（今日王洀不風）合集二〇二七三 （毋洀延）合集二三二六四 即：不要連延不斷地泛舟。（來辛巳其句洀）

沖

泮

合集一一四七七 旬：同音假借作巡，旬洀即乘舟巡視。

□ 合集三三六九一 从水、从舟廾（象兩手推舟），疑為洀之異文。

卜辭作乘舟之義：□□月（弜泮舟）合集三三六九一弜用如勿。

灂

□ 合集三六八五一 从水，爵聲。

《說文》：「灂，水小聲，从水，爵聲」。

卜辭地名：□□□（在灂貞）合集三六八五一

湌（粮 餐）

□ 合集二四三六九 □ 合集二五五八五 □ 合集四三六八 从□米从□食

可釋作粮，即後來之餐字，食米為餐，乃會意字。前人誤□或□為水，故以訛傳訛，誤粮為湌，為《說文》餐字省文所本。餐字所从之奴象手持殘骨，會進食之義，亦是聲符。

《集韻》釋湌：「與餐同」。《說文》：「餐，吞也，从食，奴聲。□，或从水」。湌即粮之訛變。

□ □ □（□ □）

淵（𣶒）

卜辭地名：□□□□（貞，亡尤在粮）合集二五五八五 □□
亡用作無；尤：災害。□□□（在粮卜）合集四三六八
□□（貞，勹：在粮）合集二四三六九 勹用作礿，祭名。
□屯七三 □屯二六五。象潭中有水之形，或从水義同。與《說文》□
淵之古文同。古文𣶒、淵一字。
周早沈子毀作□。周中牆盤作□，不从水。戰國中山王鼎「沒于
𣶒」作□。
《說文》：「淵，回水也，从水，象形，左右岸也，中象山皃。□，淵
或省水；□，古文从口水」。《集韻》：「淵古作𣶒」。
卜辭地名：五□田于□（王其田于𣶒）後上一五、二 田，田獵。五
□田□屯七三（王其田淵西）屯七二三 五□田中□□（王其田在淵
北）同版

□

□合集二九四〇一 从水，从囗，从卜辭文義分析，疑為□淵
之或體（見本頁淵字註）。

卜辭地名、□□田□□□（王其田在□北）合集二九四〇一

田用作畋、畋獵。

寖

□ 合集一八六一九 □ 佚四四七 □ 合集一三七二七 □ 合集二〇四三 从水、从𡪢、

𡪢或作□義同。从又與不从又義同。不从水之□為居室之

寑、區別甚嚴。古文浸、寖一字。

周晚成伯孫父鬲作□。

《說文》：「濅，水出魏郡武安，東北入呼沱水。从水，𡪢聲。

𡪢，籀文寑字」。

卜辭人名：□□□（子浸亡疾）合集一三七二七　亡用作

無。□□……（子帚浸……）合集二〇四三　……□……□……

（……寖……其……）合集一八六一九

湡

□ 屯二三二 □ 屯二三二 从水，禺聲。

周早缶鼎作□。

《說文》：「湡，水出趙國襄國之西山，東北入寖，从水，禺聲」。

澫

卜辭地名。……于□□……（……于湡往來……）合集三六五三一

……□□……（……觀湡無……）屯二三三　……□□□□（……湡，王其焚）屯二三三　焚，焚草木驅獸出來便于獵捕也。

□ 合集四三三二　□ 合集三六九三一　□ 合集三七七八六　从水，从萬，《說文》所無。應為从水萬聲之字。

石鼓文：「澫有小魚」。澫當為水名。

卜辭地名。□□（在澫）合集三七五三六　田□（田澫）合集三七七八六　田，田獵。

疑人名。□□□□……（師般見澫，呼……）合集四三三　□□□□□□□（呼子商从澫，有鹿）合集一〇九四八

⿰氵龜

□ 合集二三六三　□ 合集三四二六一　□ 合集一四三六三　□ 前六、六五、五

从水，从龜，《說文》所無。

卜辭地名。……□于□□□（……至于⿰氵龜，獲羌）合集一九九

受祭祀對象，神祇名。□于□（㞢于⿰氵龜）合集四三六一　㞢用作侑，祭名。

□□于□（王燎于⿰氵龜）合集一四三六二　燎，祭名。

令沚𢀛羌方（令沚𢀛羌方）前六·六·六

滋

滋　後上一三·六　从水，茲聲。

《說文》云：「滋，益也，从水，茲聲。一曰：滋水出牛飲山白陘谷，東入呼沱」。

卜辭地名：「王步于滋」（王步于滋）後上一三·六

沚

沚　英五四六　英一九一　从止旁有三小點，釋沚。

《說文》云：「沚，小渚曰沚，从水，止聲。詩曰：于沼，于沚」。

卜辭沚戴為商王將領：「王比沚戴」（王比沚戴）英六八〇。比：偕同。「王比沚戓」（王比沚戓）屯四一八三

地名：「壴往沚，亡禍」（壴往沚，亡禍）合集七九九六　亡用作無。「王在沚卜」（王在沚卜）合集二四三五一

方國名：「令沚方」（令沚方）屯四〇九。「吾方弗𦎫沚」（吾方弗𦎫沚）合集六一八〇　𦎫用作敦，打伐，敦廹。

汜

汜　合集八三六七　从水，巳聲。

《說文》云：「汜，水別復入水也，一曰：汜窮瀆也，从水，巳聲。詩曰：江有汜」。

卜辭義不明：……汜……（……汜……）合集八三六七

濘

屯二四〇九　合集二七九七二　从水、甹聲。卜辭甹、寧可通，故

浮即濘字。

《說文》：「濘，滎濘也，从水，寧聲」。

卜辭地名：（在濘）屯二四〇九　（人于濘次）

合集三二二七八　（于濘帝呼

禦羌方于之戋）合集二七九七二

潢

合集三六五八九　合集三七五一四

《說文》：「潢，積水池，从水，黃聲」。

卜辭地名：（在潢貞）合集三七五一四

淄

合集一〇一六三　从水，从倒甾。《說文》所無。疑淄

《集韻》：「音菑，水名」。《水經》：「淄水出泰山萊蕪縣原山」。

卜辭水名：……（……淄其來水……）合集一〇一六三

湄

懷一三四六　英二三〇四　佚五二二　粹七〇六　从水，眉聲。

《說文》：「湄，水艸交為湄，从水，眉聲」。

彌

卜辭湄假借作彌，終也，湄日即終日：□□田□日亡𢦔（王其田，湄日亡𢦔）屯七八九 田：田獵；亡：用作無，𢦔同災。

（昧） 假借作昧，指黎明時候：□□□□□□（今日湄至昏不雨）合集二九八〇三 □□□□□（旦湄至昏不日）京三八三八 旦指天將明時；日：太陽，不日即不出太陽。

浮（泅、湭）

□乙七八七 □乙九〇三 象人泅于水中，為浮、泅、湭之初文。

《說文》：「浮，浮行水上也，从水，从子。古或以浮為没。□，浮或从囚聲」。《集韻》：「亦作湭」。《韻會》釋泅：「本作浮」。

卜辭用其本義，動詞，泅水也：□□□□□（癸丑卜，不浮）乙九〇三

□

泛

疑與汦（沚）同。

□合集三六八九八 □金五四四 从水，从之，《說文》所無。

卜辭貞人名：□□（泛貞）合集三六八九八 地名：□□□□□（今日步于泛）金五四四

休（氼）溺

□ 佚六一六 □ 屯一〇 从水、从人，即《說文》休字，音溺。《玉篇》釋休為溺之古文。《正字通》氼字同休，人在水下，其義更明。《說文》：「休，沒也，从水、从人。奴歷切」。奴歷切音即溺死之溺。《玉篇》：「古文溺字」。段注：「此沈溺之本字也」。卜辭地名：干□□（干休烄）屯一〇。烄：焚人祈雨之祭。義不明：叀：□：□（呼：：交：休）佚六一六

□

潦（澇）

□ 合集二四四三 从水、尞聲。釋潦，今音勞，同澇，與旱相對。《說文》：「潦，雨水大皃，从水，尞聲」。《正韻》：「與澇同，淹也，一曰：積水」。卜辭地名：王□□（王在潦）合集二四四三

□

濩

□ 合集三五五八一 □ 合集二三〇七 象隹在水中之形，在卜辭中，與地名之□淮不同，疑為□鑊之省文，可權从羅振玉之說釋濩。

□

《說文》：「濩，雨流霤下，从水，蒦聲」。

卜辭祭名，疑爲煮物以祭：于口（其濩于丁）

合集三〇七〇 丁：神祇名。（王賓大乙濩

亡尤）合集三五四九九 賓：親臨參加；亡用作無，尤：災害。

涿

英八三七 从水，豕聲。《說文》所無。

卜辭疑人名：：：田（貞，：乎涿：田）英八三七

乎用作呼，命令之義。

[氵豛]

庫四〇二 戩二八·四 从水，[豛]聲。《說文》所無。釋[氵豛]或[氵豛]。

卜辭貞人名：（乙卯卜，[氵豛]貞，

王賓叙，無尤）後下二九·五 叙即祡，祡，祭名；尤：災害。

瀧

合集三七五五 合集九〇二 从水，龍聲。

《說文》：「瀧，雨瀧瀧皃，从水，龍聲」。

卜辭地名：（在瀧，十月）合集三七五五

（王不雨，在瀧）合集九〇二 王不雨：王不受雨霖。

灉

沈

□ 屯三二四三 □ 懷一三〇六 □ 合集三四六七一 □ 合集四八四 象沈□牛羊於水中之形。為形聲字沈之初文。典籍或以沈、湛為一字，二字均有投物於水之義，但金文沈、湛其形不類，後世又各有所指也。

（湛）

周早沈子毁作□、□。

《說文》：「沈，陵上滈水也，从水，冘聲。一曰：濁黕也」。《韻會》：「音鴆，亦没也，一曰：投物水中也，或作湛」。《周禮·春官》：「以貍沈祭山林川澤」。

卜辭作沈牛羊於水之祭，亦用牲法：□□□于□（沈九牛于河）英二四七五 河：神祇名。□□于□□三□（拜禾于河、沈三牢）屯二六六七 牢：圈養的、專供祭祀用牛。□□于□□二□□□二（拜禾于河、燎二宰、沈牛二）屯九四三 宰：圈養的、專供祭祀用羊。

[氵宰]

□ 合集一四五五八 从水、从宰，亦沈圈養之羊在水中。疑同沈。

卜辭作用牲法，沈圈養之羊於水也。于：

三（燎于河，三宰滓　卯三牛）合集一四五五八 燎：祭名；河：神祇名；宰：圈養的、專供祭祀用羊；卯：用牲法。（或釋為沈小宰三字合文，可參）

涵

合集三一八二六　合集二九三四五　从水，函聲。為涵、涵初文。

（涵）

《說文》：「涵，水澤多也，从水，函聲。詩曰：僭始既涵」。《集韻》：「涵本字」。

卜辭地名：（王田涵，湄日亡災，擒）合集二九三四四 田：田獵；湄日即彌日，終日也；亡用作無。

溼

合集八三五四　屯七一五　合集三八一七九　从水，从，絕，表水之絕流處，从止足形所以止也，足止水之絕流處，溼隰之誼並顯也，故古文溼隰一字。溼今作濕。

（濕）（隰）

周中史懋壺作，周晚散盤作。

《說文》：「溼，幽溼也，从水，一所以覆也，覆而有土故溼也，㬎

或釋濕田為低下之田，可參。

省聲」。《北史・王世充傳》：「兵既度水，衣皆霑溼」。

卜辭地名，□□于□（王步于濕）合集八三五六　于□田……（于濕田……）屯三〇四　……□□□（……亡災，在濕）合集八三五四　亡用作無。

沑

□ 合集一八七八一　□ 合集二三〇五二　从水，丑聲。疑可釋沑。

《說文》：「沑，水吏也，又溫也，从水丑聲」。

卜辭祭名：……□□□□（……小丁歲，沑，彡）合集二三〇五二

小丁：小乙之父，即祖丁，以別于大丁（大乙之子）；歲、沑、彡均祭名。

□□□（貞，作沑）合集一八七八一

沒

□ 合集五三六二　□ 合集一八七六五　从水，从宀，从又，構形不明。

卜辭作吉凶用語，□□□□□□（王夕沒，惟有由）合集五五七　□……□□……□（王……沒多……蚩）合集五三六二　蚩：禍害。

汊

□ 合集三五二四六　□ 合集一八三四六　从水，从又，疑同沑。

卜辭義不明：……（……汉……嗷……）合集一八三四六
……（乙……又汉又……）合集三五二四六

洎

合集七〇四七　存下二八　从水，自聲。
《說文》：「洎，灌釜也，从水，自聲」。
卜辭人名：（婦洎）存下二八

酒

合集三六九一九　从水，从百，《說文》所無。
《玉篇》：「音鼻，涕也」。
卜辭地名：（在酒貞）合集三六九一九

⿰氵臬

合集三六七八七　合集七三二〇。从水，臬聲，音孽，《說文》所無。
《集韻》：「音齧，水名」。
卜辭人名：（从⿰氵臬）合集三三三六一　从：偕同。地名：（在⿰氵臬貞）合集三六七八五　水名：（涉⿰氵臬）合集七三二〇　涉：渡水。

濞

合集八三五七 从水，鼻聲。釋濞，通作淠、潩。

《說文》：「濞，水暴至聲，从水，鼻聲」。《集韻》：「濞通作

潩

潩」。《六書故》：「濞與淠通」。濞、潩、淠均形聲字。

淠

卜辭地名：：　：：于（戊申卜貞：：于

（

濞：：方）合集八三五七

溫

英二五六二 从水，从皿，《說文》所無。

卜辭地名：：（乙

巳王卜，在溫貞，今日步于攸，亡災）英二五六二旁作無。

瀌

合集一四七五五 从水，麃聲，《說文》所無。《集韻》釋作湄

之異文，可參。

《集韻》：「與湄同」。

卜辭疑人名：：（癸：：賓

貞，周擒犬延瀌）合集一四七五五 周：：方國名，犬延：：疑指犬延族。

濼（阱）

日 合集二七九六四 从水、从麋、从井，从文義分析，其用如阱，與

、、、、井同，均象麋落陷阱之中。商代轄內氣候炎熱，坑井中常積雨水，所舉濼字从水，不無道理。

、乃繁簡之字也。可視為陷麋之專字。

卜辭作動辭，掘陷阱以捕野獸也：十卜濼（甲子卜，其濼）合集二七九六四 于濼（惟馬呼濼）同版

馬：司馬之官，呼，命令，馬呼即呼馬。

洴

合集一八七七〇 从水，井聲，《說文》所無。

《玉篇》：「洴渀，小水貌也」。

卜辭義不明：三百洴三（三百洴三）合集一八七七〇。

循（沓）

屯二三九五 合集二九二三三 合集二八七八九 同版 从彳、从沓，或省彳義同。即《說文》曰部之沓。音他。

《說文》：「沓，語多沓沓也，从水，从曰，遼東有沓縣」。

卜辭地名：王田循（王其田，射循麋）懷一四四一

田：田獵。（惟𢓊麓爇，擒又小獸）

爇：燒草木驅野獸出來以便獵獲也，又用作有。

（惟沓田亡𢦏）合集二八九八二 亦用作無，𢦏同災。

（逐沓麋，亡災）合集二八七八九

浥

合集一〇一六一 象城邑四周有水，亦浸淹之義，邑亦聲。

《說文》：「浥，溼也，从水，邑聲」。

卜辭作浸淹之義：（五下，水浥：）合集一〇一六一

洒

合集三六七八九 合集三六八〇九 合集三六六一二 从水，西聲，或从口義同。口為借聲符號，亦借西聲，與今日呀、啊之口義同。

灑

古文洒、灑、洗一字通用。

洗

《說文》：「洒，滌也，从水，西聲，古文灑埽字」。《正韻》：「與洗同」。

卜辭地名：（在洒貞）合集三六七八九（在洒貞）合集三六六一二

盨（沬）

後二·二·五 从頁、从心、从皿，象一人手皿中以手洗面之形。其狀如金文之盨，其義則與《說文》沬之註解同。因為盨為器物名，遂有形聲字沬作為洗面之專字。沬或作地名之沬（沬邑），但盨春秋筍伯盨作。（不能作地名（見六四八頁沬字註）。

《說文》：「沬，洒面也，从水，未聲。，古文沬从頁」。洒同洗。

卜辭作動詞，有盥洗之義：：（我沬其：）

後二·三·五

浴

合集一八二四 合集一五一 合集一八五二八 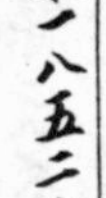合集二二三五九

象人浴于浴器之中，所从之曰，示浴于露天日下。為《說文》形聲字浴之初文。

《說文》：「浴，洒水也，从水，谷聲」。洒古文同洗。

卜辭地名：：：㞢其𢼸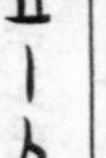卜ㄅ㞢二（：：㞢逃匄匄自浴，十人㞢二）合集一三七逃 匄：逃亡之罪隸，㞢用作有。

《令寢往浴》後下三〇·一三 沬浴淨水以參加祭祀洛動也：：ㄅ 旪

瀼

（人歲其浴）合集二五一六二 歲，祭名。

（告于父丁，惟今浴彭）合集二三二五九 彭，祭名。

屯一〇九八 懷一二四七 合集三四六八 从水，襄聲，釋瀼，今音讓。

《說文》：「瀼，露濃皃，从水，襄聲。汝羊切」。汝羊切音即讓。

卜辭疑人名：（从瀼）合集二八八七 从，偕同，隨同。地名：于丼（自瀼至于膏亡戋）合集二八一八八 亡用作無，戋同災。（王其田瀼，亡戋，擒）合集二八四九七（今日王其田瀼）合集三七七七 田用作畋，畋獵。同音假借作禳，攘除災殃之祭：（沚戠不瀼）合集三四六八

濤

前六、二八、四 合集一〇九八四 从水，壽聲。即浪濤之濤。音掏。

《說文》：「濤，大波也，从水，壽聲」。

汃（𣲖）□ 汢

卜辭地名：田于□（田于濤）。前二・六・四 田于□（田于濤）。合集一〇九八四 田：田獵。

□ 合集二七九九六 从水，从八八，按文字由繁就簡之趨勢來看，可釋作《說文》之汃。

《說文》：「汃，西極之水也，从水，八聲。《爾雅》曰：西至汃國謂四極」。

卜辭水名：……□于土……（……汎汃于之……）合集二七九九六

汎：同泛。

□ 合集八七二五 从巛、災口。疑同巛、災。卜辭有口無口每可通。

卜辭疑同災、災害也：□出□□（其出大左□）合集八七二五 出用作有，左：錯，不相合，為難之義。

□ 合集一五六七八 从水，从土。卜辭□吉所从之□作土，故可釋□為汢。《說文》所無。

卜辭疑作祭祀用語，與雨水有關：……□……□（……烄……汢）合集一五六七八 烄：焚人求雨之祭。

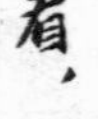

沛（澮）

合集三六四三三　合集三六七八〇　合集三六八九四　从水，从朿，朿，可釋

為澮之古文沛字。《說文》：「澮，水出霍山西南入汾，从水，會聲」。

霍即今日之霍。《集韻》：「澮，古作沛」。（卜辭止作　，亦作　、　、　

乃　止　巾合文，故　可釋沛）

卜辭水名或地名：　（涉沛）林二一五、一六　涉：渡水、

趟蹚、趟水過河。

吉　（辛未卜，在沛貞，今夕師不震，吉，茲

御）合集三六四二八　師：指部隊；震：驚也；茲：後世用作此；

御用作禦，祭名。　（癸巳

卜，在沛貞，王旬亡禍）合集三六七八〇。亡用作無。

（……巳卜，在沛東貞，今夕

師不震）合集三六四三三

（癸未卜，在沛貞，今夕師不震，茲禦）合集

三六四三一　……（庚午……沛貞，今

沛（澮）

濼

⋯師不⋯）合集三六四二八　⋯⋯□□□□⋯⋯□□□□⋯⋯（⋯
在非貞，其⋯沛，惟牛，在⋯）合集三六九二三

□合集二八〇九五　□合集三一七七一　□屯七六五　□屯六六七　从水，巢聲。所从之□□乃巢之聲，从與不从無別。

《韻會》⋯「音勦，湖名」。

卜辭人名，⋯⋯□□□□□□□（⋯盧伯濼其延呼饗）合集二八〇九五　盧伯即盧方伯長。　□□□□⋯（盧方伯濼）屯六六七

□

瀸

□合集三六九五六　从水，从亼，从倒□戴，構形不明。

卜辭地名，⋯⋯□□□□⋯⋯□□千⋯⋯□□（⋯辰卜，在瀸⋯步于⋯亡災）合集三六九五六　亡用作無。

洸

□合集三七五三三　从水，羌聲，所从之□火是對羌人敵愾之義，與□之从繩義同。

《玉篇》⋯「水也，本作羌」。

卜辭地名，王田（王田滮）合集三七五三三 田用作畋，畋獵。

滮	洑	洫	溢	濜

滮

屯二一一六 从水、从二虎，《説文》所無。

卜辭疑地名，（王其涉東洮田三麓滮……）屯二一一六 涉，渡水；田，田獵。

洑

合集三六七五三 从水、从山、从犬，構形不明。

卜辭地名，（王迖于洑，往來亡災）合集三六七五三 迖，巡遊；亡用作無。

洫

合集三一九九。从水、从皿。《集韻》釋洫為溢字省文。可參。

卜辭地名，（……食眾人于洫）合集三一九九。

溢

屯二六九 从水、从盖，《説文》所無。

卜辭地名，（在亩䨻溢）屯二一六九

濜

屯二三二。从水、从畫、从皿。《説文》所無。

卜辭地名，（……在濜，弘吉）屯二三二。

澮（洽）

合集三〇四二九 从水、从會，為澮，洽之初文。

《集韻》：「洽或作澮」。

卜辭地名：（其拜河惟舊𢍚用于澮酌）合集三〇四二九 河：神祇名；舊𢍚：同舊冊，指舊有典冊之冊詞；酌：祭名。

瀕

合集二八二五四 从水，从羊，从頁，應為从水，𩕯聲之字。

卜辭疑地名：（壬午卜，其拜年瀕 大吉）合集二八二五四 瀕：疑為于瀕之省。

潾（𤅊）

合集二七二八六 从水，粦聲。為潾、𤅊之初文。

《玉篇》：「水清貌，通作𤅊」。

卜辭疑祭名：（惟母潾用，祖丁升）合集二七二八六 升用作衸，祭名。

汱

合集二四九八三 合集二三六三 从水，从火，示水火為害。从文義分析，當是从巛从火之災字，與㞱、巛等同。

卜辭沃用同災，災害，有災之義：□□□□（壬足帷沃（災））合集二三六二三 足：指腿部，用作腿。□□□（貞，其沃災）合集二四九八三

卜辭劉作□、□，劉之古文作□，可知□即卯。

洱 □ 合集一四一二三 □ 合集九七七四 从水，耳聲。

《集韻》：「音耳，水名」。《水經注》：「洱水出弘農郡盧氏縣之熊耳山」。

卜辭地名：于□：□□（于洱，：婦娘子）合集一四二二 子：動詞，生子。□：：干□（勿：于洱）合集九七七四

泖 □ 合集六四八二 从水，从卯，卯疑為□□，□□之省，象對剖祭牲，為□卯之本形。可釋作从水卯聲之泖。《集韻》：「音卯，水名」。

卜辭水名或地名：□□（在泖）合集六四八二

汒 □ 合集二七八八四 从水，从亡，音茫。

《集韻》：「同漭，漭浪，大水貌，或作汒，亦作茫，通作茫」。

卜辭疑祭名：□□□□□□：：（其拜宗汒又燎：：）

□（洱） □（汒）

合集二七八八四　又用作侑，侑燎均祭名。□□□□□□于□

□（惟小臣口以汜于中室）合集二七八八四　小臣口：小臣，職官名，口乃其私名；中室：宗廟中祭祀之中室。

滴

□合集二八三七五　□合集二九三二一　从水，从啇，疑即淬字。

卜辭地名；□□田□□□（惟滴田湄日亡戈）合集二九三二一

田用作畋，畋獵；湄日即彌日，終日也；亡用作無；戈同災。

泱（溲）

□合集二〇四　□合集八三五一　□粹九四五　□合集八三六五　从水，从史（卜辭史、吏一字），為泱、溲之初文。

《集韻》：「水名，在河南。」或从吏作溲」。《集韻》釋溲：「音駛，水名，在河南，本作泱」。

卜辭地名；□□（在泱）合集八三五一　人名；□□□□（貞，泱獲羌）合集二〇四

□（□）

潸

□合集三六七八八　从水，从□，應為形聲字。

卜辭地名；□□□（在潸貞）合集三六七八八

《集韻》釋渫：「音枚，壞也，或作殜」。

渫

合集八三五八 从水，从枼（疑同枼、枼，某），釋渫。

卜辭地名：于　（于渫迎）合集八三五八 渫疑即後來之渫邑，史稱牧野、朝歌。

湅

合集一一五六 从水，東聲。

《說文》：「湅水出發鳩山，入于河」。《爾雅釋天》：「暴雨謂之湅」。

卜辭地名：　（祟湅牛）合集一一五六 祟：動詞，神鬼為害。

滣

合集三七七一四 从水，唇（脣）聲，釋滣，為浱、漘之初文。

（浱　漘）

《說文》：「漘，水厓也」。《集韻》：「或省作浱」。

卜釋假借作整，滣日即整日，全天也：　（今日王田叀，滣日不遘雨）合集三七七一四 田用作畋，畋獵。

⿰氵芋

英一八九一 从水，从芋，應為从水芋聲之字。《說文》所無。

卜辭疑人名：　（丙子卜，⿰氵芋御于二妣己于妣丁、子丁）英一八九一 御用作禦，祭名；于：第二個于作連詞，同與。

沖 合集二四五九 从水、从屮，應是形聲字。

卜辭義不明：「……沖……」（……沖……）合集二四五九

溲 合集三〇六一四 从水、从叟，應為形聲字。

卜辭疑神祇名：「……」（……其祝溲惟王今日又）合集三〇六一四 又用作侑，祭名。

泊（薄） 合集三六八二三 从水，白聲。釋泊，古文泊、薄同字。

《集韻》：「舟附岸曰泊」。《王充論衡率性篇》：「氣有厚泊，故性有善惡」。厚泊即厚薄。

卜辭地名：「……」（于泊亡災）合集三六八二三 亡用作無。

瀨 合集四一六四 从水、从木、从賏，構形不明。應為形聲字。

卜辭義不明：「……」（……雀瀨……）合集四一六四

潐（[罒/潐]） 合集三六七六五 从水，焦聲。疑即《說文》之潐字。同[罒/潐]。

《說文》：「潐，盡也，从水，焦聲」。《說文》：「[罒/潐]，釃酒也，一曰浚也，从网，从水，焦聲」。《集韻》釋潐：「與[罒/潐]同」。《類篇》釋[罒/潐]：「盪也，盡也」。

㵢

合集一四三五七　从水、雷聲。金文鄂君啟舟節作㽞。

《集韻》：「音靁，澤名，通作雷」。

卜辭疑地名：……今……（……今……牧示㵢……）合集一四三五七

沁

屯四二六六　从水、从屮、从心，卜辭屮艸木無別，故權作沁。形聲字。

卜辭義不明：……（……沁……）屯四二六六

氵口

合集三二〇三　从水、从口，《說文》所無。應是形聲字。

卜辭方國名：……（……其𢦏於……氵口方）合集三二〇三

𢦏：動詞，打伐、傷害。

泏

合集二二一四　从水、从出，形聲字。

卜辭地名：（王燎河公于泏）合集二二一四

燎：祭名；河公：神祇名。

洛

合集一五三三　从水、从攴、从口，形聲字。

㵢

[氵网]

卜辭義不明：「……井[氵网]（……井洛）」合集一五二三

[氵网] 合集三〇四四 从水，从网，《說文》所無。

卜辭疑地名：「……[甲骨文]……[氵网]（……貞，多羌自[氵网]）」合集三〇四四

湢

湢 甲二四一八 从水，畐聲，疑即《集韻》之湢字。

《集韻》：「音逼」。《禮內則》：「外內不共湢浴」，湢浴即浴室。

《賈誼新書容經篇》：「軍旅之容，湢然肅然固以猛」，湢然肅然，整肅之義。

卜辭義不明：「……[甲骨文]……湢于……（……我……湢于……）」甲二四一八

沎

沎 乙五〇六一 从水，从化，《說文》所無。

《集韻》：「音貨，水名」。

卜辭地名：「□[甲骨文]……沎（丁卯卜，作六于沎）」乙五〇六一

六：本房舍廬字，借作數字之六，作六即作廬。

澎

澎 前二、六、三 从水，彭聲。《說文》所無。

《集韻》：「音彭，縣名，在東海，一曰擊水聲」。

澎

⿰氵壴

卜辭地名：（在⿰氵壴貞）前二、六、三

⿰氵壴 合集一四三三九 从水、从壴鼓，《說文》所無。

卜辭地名：（王在師⿰氵壴卜）合集一四三三九

漐

前二、三、一 从水、从執，《說文》所無。疑即《集韻》漐字。

《集韻》：「音蟄，汗出貌。一曰：漐漐，小雨不輟也」。

（槷）

卜辭疑方國名：（其伐漐利）前二、三、一 伐：征伐、討伐；利：順利。

涼

合集七〇三四 合集七〇三五 从水、从丈、从（構形不明，權作京），表義不明。

卜辭疑方國名：（王惟涼𦎫）合集七〇三三 𦎫用作敦，打伐，敦迫。

（涼𢦏）合集七〇三五 𢦏：動詞，打伐，傷害。涼𢦏即𢦏涼。

⿰氵𠬝

合集三六七七九 从水、𠬝聲。釋⿰氵𠬝（所从之𠬝與、、同，迎之初文）或逆。《說文》所無。

[illegible]

卜辭義不明：「……王……（……浚……王……）」合集三六七七九

屯三六三七 从水、从甾、从口，形聲字。

卜辭人名或方國名：「……才……（……[illegible]戕戲方……）」屯三六三七 戕：打伐、傷害。

[illegible]

屯一一〇二 从水、从王、从辛，構形不明。

卜辭疑吉凶用語：「……（……宗不[illegible]）」屯一一〇二 「（河其[illegible]）」屯二〇五四 河：神祇名。

沘

合集三六九四六 从水、从匕，形聲字，《說文》所無。

卜辭地名：「（在沘貞）」合集三六九四六

汯

乙一六〇八 从水、从厶，《說文》所無。

卜辭疑動詞：「四……（丙午，弜汯）」乙一六〇八 弜用如勿。

[illegible]

文六六七 从水、从見、从殳，《說文》所無。

卜辭地名：「（在[illegible]）」文六六七

汈

人三三三三 从水、从刀，形聲字，《說文》所無。

卜辭方國名：(弗𢦏⿰氵⿰女攴)人三二三　𢦏：動詞，打伐、殺傷。

⿰氵⿰女攴

續三、二九、二　从水、从女、从攴，表義不明。

卜辭地名：(在⿰氵⿰女攴師貞)續三、二九、二

滴

英二三八七　屯九三○。　合集一○八二　从水，啇聲，釋滴，水名，或曰即今之漳水。《說文》所無。

《集韻》：「音商，水名。」

卜辭水名：(涉滴)屯二五六　涉：渡水。祭祀對象：(王其又于滴)合集二八一八○。又用作侑，祭名。(拜禾于滴)合集二八二四三　地名：(在師滴卜)文六八一

汸

甲三六一三　从水、从方，釋汸，與《說文》方之或體同。與戰國——中山王圓壺之汸同。

《集韻》釋汸：「音方，併船也」。

卜辭義不明：(己酉𡆥汸丁巳)甲三六一三

泧

泧 英二五六四 泧 同版 从水、从戉，形聲字，釋泧。《說文》有滅無泧。

卜辭地名：王步于泧（王步于泧）英二五六四 在泧立貞（在泧，立貞）同版

⿱淮衣

⿱淮衣 摭續五〇。从淮、从衣省，釋⿱淮衣。《說文》所無。

卜辭義不明：……貞……王……馬……⿱淮衣（……貞……王……馬……⿱淮衣）摭續五〇。

⿰氵畣

⿰氵畣 續三、三〇、六 从水、从畣，權作⿰氵畣，疑形聲字。

卜辭地名：……辰卜在⿰氵畣……（……辰卜，在⿰氵畣……）續三、三〇、六

⿰氵口

⿰氵口 乙二三六六 从水、从口，表義不明。

卜辭義不明：貞⿰氵口之（貞，⿰氵口之）乙二三六六 之，往也，⿰氵口之疑即之⿰氵口。

⿰氵⿱亼束

⿰氵⿱亼束 文六七六 从水、从⿱亼束，權作⿰氵⿱亼束，疑形聲字。

卜辭地名：在⿰氵⿱亼束卜（在⿰氵⿱亼束卜）文六七六

⿰氵弓

⿰氵弓 合集二四六〇。从水、从八、从弓，表義不明。

⿰氵歺

卜辭義不明：己未：：⿰氵歺（己未：：⿰氵歺）合集二四六。

⿰氵歺 合集一八七七三 ⿰氵歺 合集二一四三五 从水，从歺（歺、歹），形聲字。疑即《說文》洌字。歺本殘骨形，刀剔殘骨，列、𠛱、歺義無別。《說文》：「洌，水清也，从水，列聲。易曰：井洌寒泉食」。《字林》：「冽，寒風也」，冽：與洌通。

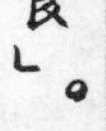

（冽）

卜辭用作冽，大冽即大風寒冽：貞儆其大⿰氵歺（貞，儆，其大冽）合集一八七七二 儆：今日摧字，動詞，指風摧。

沌

沌 前二、一〇、六 从水，屯聲。《說文》所無。《集韻》：「音屯，水勢也」。《水經注》：「：：沌陽縣處沌水之陽，故名」。

卜辭地名：：于沌（：：于沌：：）前二、一〇、六

澅

澅 屯六二五 澅 合集二八六八六 从水，畫聲。《說文》所無。《集韻》：「音畫，水名」。

卜辭地名：王其田于澅（王其田于澅）屯二八五一 田用作畋，畋獵。

⿰氵亞

⿰氵亞 合集一八七六八 从水，从亞，《說文》所無。

洲（潜）	洎	滮	瀿

洲（潜）

卜辭義不明：「□□□：（：：湎冗：）」合集一八七六八

□ 合集九三 □ 合集四五 □ 合集二二八五 □ 合集二二三四 从水或川，从册或冊義同。《說文》所無。應為从水，冊聲之字

《字彙補》釋洲：「音憑，無舟渡河」，可參。

卜辭動詞，疑為渡河之義：「□□□□（王固曰：勿洲）丙四二 □□：：□□□□（王疾：：求不洲）合集四五 □□□（不余洲）合集一五三三一 □□□□□□（吉万其出不洲）簠征二。

洎

□ 合集二二三七二 从水，从自，《說文》所無。

《集韻》：「同堆」。

卜辭義不明：「：：□：：□□（：：卜：：洎：：不死）合集二二三七二

滮

□ 合集三六九五五 从水、从尤、从虎，《說文》所無。

卜辭地名：「□□（在滮）」合集三六九五五

瀿

□ 合集三七四七五 从水、从即、从奈，構形不明。

⿰氵麥（淶）	涑	⿰氵北

卜辭地名：（今日步于⿰氵麥）合集三七四七五

（在⿰氵麥師貞）同版

合集三七四七五 从水，从麥，釋⿰氵麥。卜辭來、麥一字通用，疑即《說文》淶字。

《說文》：「淶，水起北地廣昌，東入河，从水，來聲，幷州浸」。

卜辭地名：（在⿰氵麥師貞）合集三七四七五

合集三三二〇七 从水，从束（此象有旁枝之木被束之形，與束同）作聲，可釋涑。《說文》所無。

《韻會》：「音速，水名」。《左傳・成十三年》：「伐我涑川」。

卜辭地名：（……在北涑西）合集三三二〇七

屯二一二　屯四四八九　屯二一一六　合集一三三。从水，从北，《說文》所無。應為形聲字。

卜辭水名：（勿涉于東⿰氵北）合集八三四五

涉，渡水。（王其涉東⿰氵北）屯二一一六

⿰氵麥（淶）	涑	⿰氵北

□于□□（其涉師于西兆）屯二二 人名：□□□□
□□：：（王令兆有蚩，从：：）合集四四九九 □于□□□（兆
于之擒罕）合集二八三九九 地名：□□（在兆）合集八三三四

災

□ 英二五四三 □ 合集二九一九八 □ 英二五五五 从水，才聲（才亦作在），
同□、□，本指水災，泛指所有災害。古文災、烖、灾、烖、巛通用。
（見六四四頁烖字註）

沐

□ 後上一三、一 从水，木聲。
《說文》：「沐，濯髮也，从水，木聲」。
卜辭地名：王□□□□于□□□（王其步自杞于沐，亡
災）後上一三、一 亡用作無。即：王从杞地到沐地去，無災禍。

澍

□ 合集三六五三三 从水，封聲。《集韻》：「音葑，深泥也」。《篇海》：「本作葑」。

（葑）

卜辭疑人名：……□□□□□□□□于□□□□
□□：：（：：今秋其章其呼澍示于商正余受有佑：：）合集
三六五三三

⿰氵老	汭	⿰氵慶	⿰氵羴	）	⿱羊羊	羴	羶	（

⿰氵老

□ 合集三五七五八 从巛水从□（象有髮飾拄杖之側面人形），應為形聲字。權作⿰氵老。

卜辭地名：□□（在⿰氵老貞）合集三五七五八

汭

□（内）甲二四七一 从巛水，从内，内亦聲。疑為《說文》之汭字。

《說文》：「汭，水相入也，从水，从内，内亦聲。」

卜辭義不明：□□（□汭）甲二四七一 或釋□為彌，可參。

⿰氵慶

□ 合集三六八三五 从水，从慶。《說文》所無。形聲字。

卜辭地名：□□□（在⿰氵慶師）合集三六八三五

⿰氵羴

□ 屯二一四一 □ 合集二九五一二 □ 合集一三〇五〇六 从二羊，从巛或不从巛，義同。音山。

卜辭人名：□□□□（子⿰氵羴不死）合集一七〇七 □□

⿱羊羊（羴羶）

□□□（望⿰氵羴若启雀）合集六九五二 □□□□（今望⿱羊羊歸）合集一三五〇六

貞人名：□□□□（辛亥卜⿰氵羴貞）文六二九

祭牲名，與牛並列：□□□□□□（王其勺⿰氵羴牛于⋯）合集三〇九〇四 勺用作礿，祭名。

⋯□□□□□□⋯

汭

(〻〻蒸𦍩牛大乙白牛〻〻)合集二七二三 蒸〻祭名；𦍩〻拙疑𦍩或羊
與羴通用，羴古文同羶、膻。□字所从之小點示羊散發之
膻味。𦍩(羊羊)指膻味較濃之山羊，羊羊、牛並舉，非羊莫屬。
(參見二三二頁羴字註)

𦍩

□、合集一七四五 □、鐵八六、三 从羊，其小點示羊體散發出來之
氣味，同羴或羶、膻。□或□為□之省文(見上頁𦍩
字和二三二頁羴字註)。
卜辭人名〻□(丨(羊入十)合集一七四〇五 入〻入貢。祭牲，指
羶味較濃之山羊〻□丨□(燎十𦍩)鐵八六、三 燎〻祭名。

潙

□合集一五八六九 應為从水□聲之字，權作潙。
卜辭義不明〻〻□□〻〻□〻〻(〻〻其勻〻〻潙〻〻)合集一五八六九勻
用作礿，祭名。

□

□合集三六九〇三 从〻水从□貝从□□，直釋作□。
卜辭地名〻〻丫中□〻〻(〻〻卜，在□〻〻)合集三六九〇三

或釋作川，可參。

⿰氵⿱肉𤇾

合集三六九六八 从水，从肖，从𤇾，直釋作⿰氵⿱肉𤇾。

卜辭地名：（在⿰氵⿱肉𤇾師貞）合集三六九六八

⿰氵⿱心𤇾

英二五六三 从水，从心，从𤇾，直釋作⿰氵⿱心𤇾。

卜辭地名：（在⿰氵⿱心𤇾貞）英二五六三

⿰淶火

合集二四四二三 从水，从來，从火，直釋作⿰淶火。

卜辭地名：（王在⿰淶火）合集二四四二三

沝

英五四〇 合集三三一三六 从二水，與《說文》篆文同。音錐。

《說文》：「沝，二水也。闕。」闕：通缺，闕疑，有懷疑，暫時放下來，不作主觀猜測。

卜辭地名：（貞，⿺辶執自沝圉得）英五四〇

⿺辶執：指逃亡之罪隸；圉：囹圄，監獄。

⿲氵步水

屯三七四 屯一一一二 合集一〇六〇六 合集二八三三九 合集四八〇 合集五三二五 从水，从步，示涉水之義，⿲氵步水、涉一字。

（涉）

周中格伯毁作，周晚散盤作。

《說文》：「𣻔，徒行厲水也。从㳄，从步。涉，篆文从水」。

卜辭作動詞，渡水也。□□□（王其涉河）合集五二二五

□□□（王涉滴）合集三八三九

く

《說文》く之篆文く與卜辭水字同（見六九六頁水字註）。

巜

《說文》巜之篆文巜與卜辭水字同（見六九六頁水字註）。

瀕

《說文》瀕之篆文□與卜辭瀕字同，或作□（見七二九頁瀕字註）。

川

□ 合集一八九一五 □ 合集二一六六一 □ 合集三三三五七 □ 屯二一六一

象較寬大之水流。釋川，卜辭川、水無大別，在邊旁中每通用無別，如㴚字作□亦作□，涉字作□亦作□等。

周中矢毀作□。啟卣作□。

《說文》：「川，貫穿通流水也。虞書曰：濬く巜距川。言く巜之水會為川也」。

卜辭地名：□□□□（在川人歸）合集二一六五七 與水同，

く 巜 □ □

口未十匕川（丁未卜，亡川）合集三三五七 亡用作無。又川（又川）同版 又用作有。川（不川）寧一、四八三 不川即不發大水、不受水淹。

𡿧

屯三四二 合集六五八九 即後世之㱙、歺。本殘骨形，卜辭用作列、烈之義。

《說文》：「𡿧，水流𡿧𡿧也，从川，列省聲」。非本義。

列

卜辭用作列，並列也：：五……二……二）

烈

（：：王曰：余其曰多尹，其𠂤二侯：上絲暨𠂤侯）通列二即：王說我告訴多尹、並及于上絲和𠂤侯。用作烈，猛烈也：：……不……（左馭其𩦠不烈）合集二八一九五 馭：馬名，𩦠：騆也。又……不……（有使入馭，士其𩦠不烈）同版 入：入貢，士：勢也，為雄性之標誌。

州

屯二三六三 合集八五一 合集一七五七七 象水中有高土，與《說文》古文同。典籍州、洲一字。

（洲）

周早井侯毁作，周晚散盤作。

《說文》：「州，水中可居曰州，周遶其旁，从重川。昔堯遭洪水，民居水中高土，或曰九州。詩曰：在河之州。一曰：州，疇也，各疇其上而生之」。《爾雅釋水》：「水中可居曰洲」。

卜辭州臣為州地（亦即州族）之臣，即受殷人奴役之州人：（州臣㞢逃自寮得）合集八四九 㞢用作有，逃：指逃亡之罪隸；寮：地名。 地名：王卜中（王卜在州）屯二二六三

泉

合集一〇一五六 屯一一七八 合集三七六 合集八三七三 象泉源之水流出之形。

《說文》：「泉，水原也，象水流出成川形」。

卜辭作水源：（今載泉來水次）合集一〇一五六 次：泛濫。 于（燎于洹泉）合集三四一六五 燎：祭名。

臮

合集三一一九九 合集二八三三七 象人在泉水之旁，《說文》所無。

卜辭疑為祭祀用語：（來庚，𩂣東乃雲舞，無大雨）合集三一九九 雲舞：也可作霝無，即今雩、雩之初文，祈雨之祭祀活動。……、（……年……𩂣……雨）合集二八二二七

⿹又泉

合集四五四六 合集一七四七五 合集一三五二〇 合集三三〇一〇

从泉，从又或爪，力義同。《說文》所無。

卜辭疑人名：……（……𩂣來）合集四五四六 義不明：于

（于京其奠𩂣芻）合集三三〇一〇 奠：祭名。

（勳芻其奠于京）屯一一二

⿱五泉

合集八三〇 合集四九六 从泉，从五或X義同，《說文》所無。

卜辭人名：（令⿱五泉𠧪子呂歸）

⿱𣏟泉

合集三六九一一 合集三六九〇九 从泉，从木或（此偏旁本義為拜，求之拜，為後世㮝、捧拜之初文）作聲，直釋可作⿱𣏟泉，《說文》所無。

永 ） 泳 𠂢 （ ⿰永又 （□）

卜辭地名：□□□□□（在□□□貞）合集三六九〇九 □□□□□（在六月、在□□□）合集三六九二

□屯七三 □英三〇八 □屯二三四一 □英二三六三 象人游泳水中，爲永、泳之初文，永、𠂢一字無別。

周早宅𣪘作□，周晚皇父𣪘作□，春秋匽公匜作□。

《說文》：「永，長也，象水巠理之長。詩曰：江之永矣」。《說文》：「𠂢，水之衺流別也，从反永」。

卜辭人名：□□□□□□（奠示十屯出一永）合集六五二七 奠：人名；示：整治；屯：量詞，一對骨版；出用作有；永：簽收人。

地名：□□□□（在永師貞）英二五六二

貞人名：□□□□□（辛亥卜永貞）英三〇八

永長本義：□□□（今日王永）合集二七八二七

□合集三三二六三 □合集三四二三六 从永，从又或収義同（又象手形），構義不明。 疑同□永，吉利用語，長久也。

卜辭作吉利用語，□□□□□□（今秋其降，⿰永又）合集三四七一二

□ □ （ □ □ ） □

⿰示亭：□懷八七三 从永，从𩫖，直釋作⿰示𩫖，亦可省作⿰示亭。構形不明。卜辭殘，義不明：□……□……（……⿰示亭……惟……）懷八七三

⿰兂永

□□□（不降叔）合集三三二三 ……□□（……商叔）合集三二九二五

□合集六 □英三三八 □合集五七〇八 从永，从兂，《說文》所無。

卜辭人名：：□□□□（令⿰兂永保甫圃）合集六 □□

□□（勿惟⿰兂永令）英三三八 □□□□（令⿰兂永往于屖）

合集四五八七 □□□□□□□□（貞，伲暨⿰兂永氏有取）合集九〇五。

⿰王永

□甲三九一三 从玉，从永，《說文》所無。

卜辭人名：：□□□□□□入（壬戌卜，虎貞，其⿰王永入）

甲三九一三 入：入貢。

祝

□佚九三七 □續三、二七、五 从永，从□，《說文》所無。權宜作祝。

卜辭疑作地名：：□□……□□……□（己未……祝貞……

于……災）佚九七三

谷

□合集一七五三六 从八，从口，示水出山谷，分開流入平原之義。與金文谷同。

周早何尊作□，周中格伯𣪘作□。

仌（冫、冰、冰、冰、凝）

《說文》：「谷，泉出通川爲谷，从水半見出于口」。

卜辭地名：十寅卜王曰貞翌乙卯其田亡災于谷

谷（甲寅卜，王曰：貞，翌乙卯其田亡災，于谷）合集二四七一 亡甬作典。

□中谷□（□□在谷□□）合集八三九五 疑假借作穀：□□谷

谷氐長十（□□賓谷歲亡尤）合集三八六三四

仌 續三、三六、七 象水凍結成冰凌之形。與金文、《說文》之仌全同。典籍仌、冫、冰、冰、冰一字。仌在偏旁中多作冫。《說文》冰之或體作凝，凝今作凝結專字。

商之卣作仌。

《說文》釋仌：「仌，凍也，象水凝之形」。《韻會》釋冫：「本作仌，今文作冰，仌字今偏旁書作冫」。《說文》釋冰：「冰，水堅也，从仌，从水。凝，俗冰从疑」。《玉篇》釋冫：「冬寒水結也」。

卜辭地名：往仌（往仌）續三、三六、七

雨　靁　（雷）

英二三三七　英二五六六　从一，从川，象雨从天降。

商亞止雨鼎作，周早子雨卣作，戰國中山王圓壺作。

《說文》：「雨，水从雲下也，一象天，冂象雲，水霝其間也。古文」。

卜辭用作本義，風雨之雨：（今夕大雨）合集二七二一九　多（今日多雨）英二五八八　（貞，其亦烈雨）合集六五八九　（㞢从雨）合集一二六七五　㞢用作有，；从用作縱，放縱，大暴雨。（十午奏舞，雨）合集一二八一九　奏、舞：以奏樂、跳舞的活動方式而進行的祈雨之祭。

合集一四　合集一三四八　合集二四三六四　合集一三四二一　从申象閃電，从田或○表示雷聲。釋靁，今省作雷。因為雷雨有關，故後世加上雨頭。

周晚盠駒尊作。陵方罍作。對罍作。

《說文》：「靁，陰陽薄動靁雨生物者也，从雨，畾象回轉形。

古文靁，古文靁，籀文靁，間有回，回靁聲也」。

卜辭作雷電之雷：（雷不雨）合集一〇八六、（帝其令雷）合集一四一三。人名：于（呼雷耤于明）合集一四 呼：命令；耤：耕作。（雷婦又子）後下四二·七 地名：（在雷）合集二四三六四 （在丘雷卜）合集二四三六七

電

合集二七一六四 合集二〇五七六 象閃電之形，卜辭作干支申字，申、電實為同源之字。《說文》虹字註：「，籀文虹，从申，申，電也」。

震

屯二三六 屯二六七二 英二五二八 从止，辰聲，所从之小點示震動時脫落之象。為震、踬初文。

（踬）

《說文》：「震，劈歷振物者，从雨，辰聲。春秋傳曰：震夷伯之廟。，籀文震」。《說文》：「踬，動也」。乃足形，止足同。

卜辭作動詞，震驚、震動之義：（今夕師不震）英二五二八 師：部隊。（家亡震）屯二六七二 亡

用作無。□□□（茲邑亡震）合集一七三六。亡用作無。擂擊也。□□□□（其震壴）屯二三六 壴即鼓。

雪（䨮）

□ 英二三六六 □ 合集二〇二四 □ 合集二九三二四 □ 英二三六六 从雨，彗聲。即說文之䨮，今省作雪。

《說文》：「䨮，凝雨說物者，从雨，彗聲」。

卜辭作雨雪之雪：□□□□□□□（乙酉卜雪，今夕雨不？）合集二〇九一四 □□□□□（甲辰卜，雪）合集二一〇二三

祭祀對象，雪神：□□□□□□（燎于雪又大雨）英二三六六

燎：祭名，又用作有。大意是：向雪神進行燎祭，有大雨。

雹

□ 英一〇七六 □ 合集一一六二八 从雨，从□，象天降冰雹之狀。與《說文》雹之古文大同。

《說文》：「雹，雨冰也，从雨，包聲。□，古文雹」。

卜辭作冰雹：□□□□□（茲雹惟降禍）合集一二四二三 □□□（丙戌，雹）合集七三七〇。

霝（靈、零）

霝 合集二八六四 霝 英四一七 从雨，从口，即《說文》霝字。典籍霝、靈、零通用。

周早沈子殷作霝，周晚克鼎作霝，春秋蔡侯盤作霝。

《說文》：「霝，雨零也。从雨，𠱠象零形。詩曰：霝雨其濛」。

卜辭人名：霝妃不死（霝妃不死）合集六一九九

令霝（令霝）合集三三五○九

篆文：霝 靈 零

䨣

䨣 合集二四二五七 从雨，各聲。

《說文》：「䨣，雨零也，从雨，各聲」。《正韻》：「音洛」。

卜辭地名：在師䨣卜（在師䨣卜）合集二四二五七

篆文：䨣

霖

霖 合集一三○一○ 从雨，林聲。或釋作霰，可參。

《說文》：「霖，雨三日已往，从雨，林聲」。

卜辭疑地名：⋯⋯王⋯⋯逐⋯⋯霖麑（⋯⋯王逐⋯⋯霖麑）前四、四七、二

貞霖豕⋯⋯（貞霖豕⋯⋯）合集一三○一○

篆文：霖

霋

霋 合集二○一○ 霋 合集三八二○四 霋 合集三八二○○ 从雨，妻聲。

篆文：霋

） 霽 （ ） 雩 （

《說文》：「霋，霽謂之霋，从雨，妻聲」。霽：雨止。

卜辭用作雨止，與霽同：A 日 雨 霋（今日霋）合集三八一九二

□ □（妹霋）合集三八二〇六 妹用作昧，昧爽之昧。

□ 英四三一 □ 英六〇八 □ 合集一六二三〇 □ 英三三一八 从雨，

于聲（卜辭于、亐一字）。《說文》釋雩為祈雨之舞祭，卜辭中

雩多作人名，卜辭之 □ □ 才是用作以舞祈雨之專字。

周早小臣遽毀作 □，周晚毛公鼎作 □，戰國曾侯乙鐘作 □。

《說文》：「雩，夏祭樂于赤帝以祈甘雨也。从雨，于聲。翌或从羽，雩，羽舞也」。

卜辭人名：□ □ □ □ □（丁丑，雩示二十屯，岳）合集一七六〇二 示

整治：屯，量詞，一對骨版；岳，人名，簽收者。□ □ □ □（雩示九屯）合集一七〇〇三

□ 合集一三四六七 □ 合集一三四六六 从雨，从 □（象野貓形），

即《說文》之霾字，所从之貍即野貓，河南人稱野貍貓，其形與

□ 近似，故可釋作从雨、从貍之字。典籍霾亦作霾，乃以埋

作聲也。又：貍同狸音里，與埋音麥通，霾、霾均音麥。

雩 霾

《說文》：「霾，風雨土也，从雨，貍聲。詩曰：終風且霾」。《釋名》：「霾，晦也，言如物塵之色也」。《集韻》：「或作⿱雨埋」。

卜辭作晦，天色陰暗：：（：：雨，惟霾）合集一三四六七

：：（：：作霾）合集一九七三八 （茲雨不惟霾）合集一三四六七

⿱雨舞

屯一〇八 合集二九九八四 合集二七〇六二 从雨，从無，卜辭無不作有無之義，用作舞，象形字，从雨从無之字可書作⿱雨無或⿱雨舞。祈雨用字無、⿱雨無通用，但舞蹈用，字則只能用⿱雨舞。

卜辭作以舞祈雨之祭：（弜呼⿱雨舞，亡大雨）合集三〇〇二九 弜用如勿，否定詞，亡用作有無之無。

（惟万⿱雨舞孟田又雨）合集二八一八〇 又用作有。⿱雨舞、舞通用：（惟万舞，大吉）合集三一〇三五

（我舞雨）合集一四二〇

雲

屯一〇六二 合集二七四三五 象天上雲彩翻捲之形，本作云，

雲

（云）

後來又加雨頭作雲，成了从雨、云聲之字。云、雲為古今字。

春秋姑發劍作□。

《說文》：「雲，山川气也，从雨，云象回轉形。□，古文省雨；□亦古文雲」。

卜辭作雲雨之雲：□□□□（茲雲其雨）合集一三三八五 茲：此也。各雲即各種顏色之雲：□□□□（三各雲自北三）合集二一〇二一 三啬雲即三色雲，凡雲前冠以數字，均為雲色現象，被視為將降吉凶、水旱、豐荒之預兆：三□□（三啬雲）卜二 □于□（燎于四雲）合集一三四〇一 燎：祭名。□于□□（燎于六雲）合集二三二七三 地名：□□□□□（貞，旬亡禍，在雲）合集三三二七三 □于□（芻于雲）合集一一四〇七 芻：刈草。

云□ 合集一三五一四 从云、从口，《說文》所無。

卜辭義不明：□□□□□□□□□□□□（辛卯卜，殻貞，基方缶作郭，不□弗□）合集一三五一四

⿱云夊
□ 合集一三四四　从云，从夊，《説文》所無。疑同云。
卜辭疑天象用語：……亘□□□……□大□……二……
□□……□大□……㞢（……暈既㱿牛……卯大隹冉……二……鼎刻……云大夊……啓）合集一三四四

⿱雨𦘔
□ 合集七〇七五　从雨，从𦘔，《説文》所無。形聲字。
卜辭地名：……□□□□□□□□□于□（……王呼取我夾在□鄙，若，于⿱雨𦘔）合集七〇七五

⿱雨龜
□ 合集八九九六　□ 合集一六〇一二　□ 合集一六一一七　从雨，从龜，《説文》所無。形聲字。
卜辭龜之一種：……□□□八□□一三□（……氏龜⿱雨龜八，戈⿱雨龜五百十，四月）合集八九九六，氏：致，送來；⿱雨龜、戈⿱雨龜皆龜之一種。
……□□……□井三□□……（……入五……婦井乞⿱雨龜自……）合集九三九五　入：入貢。
或釋□為□龜。

⿱雨今
□ 合集二〇四四四　□ 合集三〇〇七三　从雨，从今，形聲字，《説文》所無。

卜辭疑祭名：☐☐☐☐☐（惟兕零、彡、雨）合集二○四四四

兕：神祇名；彡：祭名。☐☐☐（勿作零）合集三○○七四 弜用如勿。

⿱雨火

☐ 坊間四、五一 ☐ 合集二八二九四 从雨，从火或炎義同，《說文》所無。

卜辭神祇名：于☐☐☐☐☐（于零拜年，又雨）合集二八二九四

拜：祈求；又用作有。

⿱雨臾

☐ 合集一三○二 从雨，从人，从収，權宜作⿱雨臾。

卜辭義不明：☐☐☐（貞，不⿱雨臾）

⿱雨示

☐ 合集一一五○○ 从雨，从示，形聲字。《說文》所無。

卜辭義不明：……☐☐☐☐☐☐☐（……⿱雨示，庚子，埶鳥星，七月）合集一一五○○ 埶：祭名。

⿱雨斫

☐ 合集二○七七○ 从雨，从斫，形聲字。《說文》所無。

卜辭地名：……☐☐☐☐☐☐☐☐（……自入至⿱雨斫門不往，陰，十一月）合集二○七七○

⿱雨⿱無丙

☐ 屯二三五八 从雨，从☐（同☐），直釋作⿱雨⿱無丙。

⿱雨無

卜辭作祈雨之祭，其義如[甲骨文]：[甲骨文]（其雨，壬不⿱雨無吉）屯三三五八 [甲骨文]（其⿱雨無）同版

[甲骨文] 合集三四四九。从雨、从無，形聲字，《說文》所無。疑同⿱雨舞。

卜辭疑祭祀用語：……[甲骨文]……[甲骨文]……（……⿱雨無……炆……）合集三四四九。

炆，祈雨之祭，與炆義同。

⿱雨股

[甲骨文] 屯一〇二四 从雨，从股，形聲字，《說文》所無。

卜辭義不明：[甲骨文]……[甲骨文]（辛未貞，其……教惟⿱雨股惟左）屯一〇二四

⿱雨乑

[甲骨文] 合集四八一八 从雨，从乑，形聲字，《說文》所無。

卜辭義不明：[甲骨文]……（庚申卜，賓貞，今||⿱雨乑多字字……）合集四八一八

⿱雨⿰包中

[甲骨文] 英一七九五 从雹，从中，《說文》所無。

卜辭義不明：[甲骨文]……[甲骨文]……[甲骨文]……[甲骨文]……（癸……不……今……⿱雨?……）英一七九五

⿱雨束

□ 合集三七八四八 从雨，从束，所象不明，權作⿱雨束。

卜辭一種虎名：王田□□□□□（王田雞麓，獲大⿱雨束虎）合集三七八四八

⿱雨口

□ 合集二〇九四三 从雨，从口，疑為□霝之省文。（見七五七頁霝字註）

卜辭義不明：……□……□（……亥卜，……⿱雨口）合集二〇九四三

⿱雨風

□ 合集一三八一七 □ 合集一三〇〇九 □ 懷二三九 从雨，从鳳風。《說文》所無。

卜辭用作風雨之風：□□□（貞，雨其⿱雨風）合集一三八一七

……□□……□（……有啓……⿱雨風）懷二三九 ……□□（……惟⿱雨風）合集一三〇〇九

⿱霝龜

□ 合集三九四二三 从□霝，从□，□疑為□龜之異變，故權作⿱霝龜。

卜辭義不明：□（⿱霝龜）合集三九四二三

⿱雨魫

英一八二三　懷四三一　从雨，从魫，形聲字，《説文》所無。

卜辭疑作人名：（⿱雨魫其戋弜）合集七〇二五　戋：動詞，傷也。（⿱雨魫其來）合集四六七三　（⿱雨魫其克戋）合集七〇二四　（辛酉卜，⿱雨魫弗章弜，㞢南庚）英一八一三　章用作敦，動詞，有敦迫、打伐之義；弜：方國名；有用作侑，祭名；南庚：沃甲之子，即帝南庚，般之旁系先王。（貞，⿱雨魫不亦來）合集七〇二四　亦：疑用作夜。（□酉卜，⿱雨魫其亦章弜）合集七〇二八　（乙卯卜作，弜夲⿱雨魫）合集七〇二四　夲同執。

魚（魯）

合集二三　合集二八二三七　合集二四七〇四　象魚形，釋魚。

周早伯魚卣作，周晚毛公鼎作。一或用作魯，嘉美。

《説文》："魚，水蟲也，象形，魚尾與燕尾相似"。

卜辭作魚蝦之魚：（甲申卜，不其网魚）合集一六二〇三 （⿱大豕獲魚其三萬：）合集一〇四七一

用作魯，嘉美也：（今日其雨，十月，在甫魚）合集一四五九一（卜辭有「其雨，十月，在甫魯」之句）見二〇頁魯字註）

⿰魚⿱网廾

合集五二 合集二八四三〇 象雙手持网捕魚之形。應是从网捕魚之專字。

卜辭作捕魚：（惟滴⿰魚⿱网廾）合集二八四二六 滴：水名。（弜⿰魚⿱网廾）屯三〇六〇 弜用如勿。

鮻

合集二七九四六 合集三六九二三 象以手持具捕魚之形。本為捕魚之義，但卜辭之鮻均用作地名。

卜辭地名：（在鮻）合集二四三八三 （在鮻卜）合集二四三八三 （在鮻貞）合集三六九二三 （在鮻師）屯二三三〇

⿰魚大

南明四七一 合集二一四七〇 从魚、从大，《說文》所無。

卜辭方國名：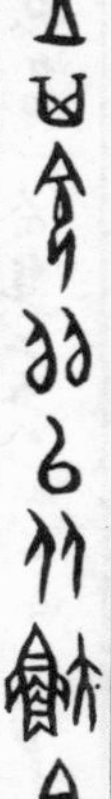（王其令𠂤以从𩵦伯……）南明四七二 伯：伯長。

𩵦

 合集一八三五六 从虍，从魚，《說文》所無，與金文𩵦字同。𩵦鎛用𩵦為吾，保𩵦兄弟即保吾兄弟。

周晚𢍜甲盤作。𩵦鎛「保𩵦兄弟」作。

卜辭義不明：（……賓……禍……𩵦……）

合集一八三五八 （……𩵦……二月）合集一八三五七

鮊

 合集一八三五九 从魚，白聲，《說文》所無。

《集韻》：「音白，魚名」。

卜辭疑魚名：（……並……鮊……）合集一八三五九

魛

 合集一六〇四三 从魚，刀聲， 疑即《玉篇》魛字。

《玉篇》：「𩵏刀魚」。《正字通》：「本作刀，言魚形似刀也」。

卜辭魚名：（翌丁卯，魛饗，多……）三 合集一六〇四三

翌：次日或今後某一日；饗：祭名。魛饗即饗食祭時以魛作祭品。

鮏（鯹）腥

 合集二三〇五 从魚，生聲，為鮏、鯹初文。

《說文》：「鮏，魚臭也，从魚，生聲」。《正韻》釋鯹：「音星，與鮏同，魚臭」。《集韻》：「魚名」。

卜辭指生肉：（貞，勿鮏多口亡禍）合集二三〇五 勿用作刎，割殺；多口疑指人口、眾生；亡用作無。

鮪

 懷三四七  合集二五八 从魚，从㞢，㞢卜辭用作有，故可釋作从魚，有聲之字，即《說文》之鮪。鮪乃似鱣之魚，典籍有「春獻王鮪」、「薦鮪于寢廟」之句，可見鮪乃味美可口之魚也。

《說文》：「鮪，鮥也。周禮：春獻王鮪。从魚，有聲」。《禮月令》：「薦鮪于寢廟」。《釋文》：「鮪似鱣，大者曰鮏鮪，小者曰鮛鮪；沈云江淮間曰鮛，伊洛曰鮪，海濱曰鮥」。

卜辭魚名：～（乙未卜貞，㕛獲鮪，十二月允獲十六……）（本書七六六頁有「㕛獲魚其三萬」，可見鮪乃魚名）合集二五八……

鮏（鯹（鮪

（……克鮪夒 多口亡禍）乙八八九二 克，同剋，殺也；夒，疑為動詞，多口指人口、眾生；亡甬作無。

□……□……□……□……□……

（翌……彖……鮪，酉……水……）懷三四七

⿰魚役 □ 合集二八〇二一 从魚，从彳（人）从殳，應為从魚，役聲之字（古文役、役同字），可釋作《集韻》之⿰魚役、《說文》之鯢，鯢今稱娃娃魚。

）

鯢

《集韻》：「音役，魚名，有四足」。《正字通》釋⿰魚役：「狀如鮎，四足，

⿰魚殳

長尾，聲似小兒，善登竹，別作⿰魚戉」。《爾雅·釋魚》：「鯢，大者謂之

⿰魚戉

⿰魚役」，註曰：「今鯢魚似鮎，四腳，前似獼猴，後似狗，聲如小兒啼，大

（

者長八九尺，別名⿰魚役」。《說文》：「鯢，刺魚也，从魚，兒聲」。

卜辭疑作動詞：□□□□□□□□□□□□□□

（壬戌卜，狄貞，其有來方亞旋其⿰魚役，王受又又）合集二八〇二一 來方：方國名；亞旋：疑人名；⿰魚役：動詞，捕⿰魚役也，又又讀有祐。

⿱八魚

□ 英二二八六 □ 合集二六七七八 从八、从魚，《說文》所無。

[鼻魚]

卜辭疑祭名：（王奠魚不雨）合集六

（今日奠魚庸，十二月，在甫魚）合集二四三七六 庸：祭名，魚讀

（今日奠魚繳）合集二六七七八 繳：祭名。——魯，吉魯。

合集二六三。合集九七三二 象鼻下有魚，會意字，當是（鮮、鮮）之異文（見七六八頁鮮字註）。

卜辭指生肉：（庚入鼻魚亡女）合集三一八八二

亡甫作無。（勿鼻魚婦好御）合集二六三。

鯑

屯五七九 从魚，从帝，从奴廾，構形不明。

卜辭義不明：——勿用作刎，割殺，御：祭名。

（……使人丩告啟……鯑，在廳卜）屯五七九

鱚

英二六七四 从魚在壴上，《説文》所無。

卜辭人名：（鱚弟曰啟）英二六七四

（鱚子曰喪）同版 （隹子曰鱚）同版

瀿

合集一〇四七五 合集三三七八一 合集二九八四 从水，从四魚或二魚，一魚義同。繁簡與《説文》瀿漁及其篆文漁同。卜辭多用作人

（漁）

名。

商漁毁作，周中遹毁作，周中井鼎作。

《說文》：「漁，捕魚也，从𩺰，从水。，篆文漁从魚」。

卜辭人名：（子漁疾目）合集一三六一九

于（呼子漁出于父乙）合集二九七七 出用作侑，祭名。

捕魚：……（……王漁，十月）合集一〇四七五

燕（宴）

合集五二八七 合集一〇四九九 象小燕子形。

《說文》：「燕，玄鳥也，籋口，布翄，枝尾，象形」。《集韻》：「與宴通，安也，息也」。

卜辭作燕享、燕安之義：（貞，惟吉燕）合集五二八六 （貞，惟燕吉）合集一二五二三 （貞，惟雨，燕）合集一二七五一

[illegible]

合集六七〇二 合集二七九九。 从日，从燕，从攴，《說文》所無。

卜辭義不明：……（令……歸[illegible]）合集六七〇二

疑動詞，有打伐之義：「□□方□方□方」（呼䶃羌方、虘方、䜌方）合集二七九九。

䶃

□ 合集三二五四 疑與□䶃同。

卜辭義不明：「王占□：利□□□：大吉」（王其呼利乃䶃血：大吉）合集三一五四

龍

□ 前四．五三．四 □ 甲一六三三 □ 合集九○三 □ 合集六五九一 □ 合集九四 □ 合集四六五四 象傳說中之靈物龍，體、角□可見。

周早龍母尊作□，周晚䢅仲無龍鬲作□，春秋邵鐘作□。

《說文》：「龍，鱗蟲之長，能幽，能明，能細，能巨，能短，能長。春分而登，秋分而潛淵。从肉，飛之形，童省聲」。神話，按改形論字。

卜辭人名：「□□□田于□」（呼龍田于□）合集一○五五八 呼，命令；田：田獵。

地名：「□□□□□□」（在龍囿□，受□年）合集九五五二 □用作有。

方國名：「□□□□」（婦

姘伐龍方〕合集六五八五　神祇名：□□□□□□（惟小宰御龍母〕合集二八〇五　宰：圈養的專供祭祀用羊。御用作禦，祭名。用作寵龍祐之寵：□□□□□（疾齒，龍？不其龍？）丙一二即：牙齒有疾痛，是否會得到寵愛祐護？。　龍甲為商王室先公之一：□□□□十（御婦好于龍甲）戩八、一二即：向龍甲進行禳除婦好痛災之禦祭。　□于□十（㞢于龍甲）南南一、三　㞢用作侑，祭名。　水名：□□□□□□□□□（戊戌貞，今眾涉龍□北，亡禍）懷一六五四　涉：渡河；亡用作無。　義不明：□□□（易龍兵）屯九四二　易賜一字。

幵龍 （龍幵）

□ 合集三六七　从龍，从幵幵，即《說文》幵龍字，或作龍幵。　音堅。

《說文》：「幵龍，龍耆脊上幵龍幵龍，从龍，幵聲」。《集韻》：「龍背堅骨」。

卜辭義不明：：：□：：□：：：（：：幵龍：：亡：：）合集三六七

□

⿱龍丙

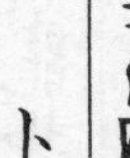 合集六九四七 从龍、从丙。《說文》所無。卜辭疑地名：（殳氏⿱龍丙）合集六九四七 氏用作抵、抵達。

嚨

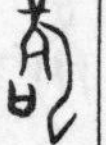 懷八二一 从口、龍聲，即《說文》口部嚨字。《說文》：「嚨，喉也。从口、龍聲」。卜辭疑人名：…………（……卑从嚨肩……）合集四六五九 从：隨同。

嚨

龖

 合集八二九七 从二龍，同《說文》龖。音沓。《說文》：「龖，飛龍也。从二龍，讀若沓」。卜辭義不明：…………（……龖……）合集八一九七

龖

⿰壴龍

 合集一八五八八 从壴鼓从（疑為龍之省），權宜作⿰壴龍。卜辭義不明：…………（……⿰壴龍……）合集一八五八八

⿱飛異

合集四六二

 合集一一九二 象一人伺頭上戴物之形（與異形近，其義有別）。卜辭用作翼佐之翼，有祐助之義。典籍翼、⿱飛異一字。

⿱飛異

翼（　）

《說文》：「𦐊，翄也，从飛，異聲。𦑶，篆文𦐊从羽」。《玉篇》：「籀文翼字」。秦公鎛作□。中山王嚳壺作□。

卜辭用作翼佐、祐助之義：：□□□□□□（：爭貞，不其雨，帝翼）合集一四九二　□□□□（父乙不翼，敗王）合集二三七四

非（　）

□ 屯二五九七　□ 合集二八二九九　□ 屯五〇三　□ 屯二六三五　□ 屯七三七

象二人相背之形，或从北从廾義同。為非、匪之初文，繁簡與金文同。或釋□為排，可參。

周中曶鼎作□。周晚毛公鼎作□。𢇁鼎作□。

𢇁（　）

《說文》：「非，違也，从飛下翄，取其相背」。

卜辭地名：：□□□□（在師非卜）合集二四二六六　□□□□（王步自𢇁）屯八二

否定詞：：□□（𢇁禍）合集一六九二九　□□（非水）合集二八二九九

水：動詞，來洪水、水淹。□□（非禍）合集一六九六八　：：□□□□□□□□（：巳卜，茲貞，茲雨𢇁禍）簠天三八

語氣詞，表示疑問：：□□□□□（旬無禍𢇁）京四七五八

⿲丬皀匕

□ 合集五〇三八六 从□非、北从□迎，《説文》所無。卜辭非、北混同，如裴字作□亦作□〻，□釋謝或尋、拜、迎等，釋迎為宜。權宜作⿲丬皀匕，地名。

卜辭地名〻：日□□□□□入于□大□中□（翌日辛，帝降，其入于⿲丬皀匕大宎，在㝡）合集三〇三八六 宎〻宗廟、祀室之類的建築，㝡〻地名。〻〻于□〻□（〻〻于⿲丬皀匕小乙宎）合集三〇三八六 小乙〻商代直系先王，小乙宎即安放小乙牌位之祀室。

乳

□ 合集二二二四六 象子在母懷吃乳之形。

《説文》〻「乳，人及鳥生子曰乳，獸曰產。从孚，从乙。乙者玄鳥也。明堂月令〻玄鳥至之日，祠于高禖以請子。故乳从乙請子，必以乙至之日者。乙春分來，秋分去，開生之候鳥，帝少昊司分之官也」。以訛變之字立論，當非本義。

卜辭動詞，哺乳也：□□□□（呼爰㚻乳）合集二二二四六 呼〻命令；爰同援，助也；㚻〻人名。

不（丕、否）

英一一八七 屯二三〇一 英九〇六 合集三三八四三 从一，从或，

象植物發育期之根部，一象地平，表受一阻不得生出之義。

典籍不、丕、否通用。

周早盂鼎作。春秋者汈鐘作。天亡毁「丕顯考文王」作，

《說文》：「不，鳥飛上翔不下來也。从一，一猶天也」。非本義。《韻會》

丕：大也。

：「音缶，與可否之否通」。

卜辭作副詞，否定：（不受又）合集三四六八四 又用作祐。

可（不可）合集一八八八九 語氣詞，用在句末，表示疑問：

（今日方其至不？）合集二〇四一〇 （自

今至丁丑，其雨不？）合集二〇五二 疑方國名：（王

貞，余勿伐不）合集六八三四

杯

拾一四．一六 从二不，《說文》所無。與金文杯字同，典籍或作丕丕，《尚書．

大誥》：「弼我丕丕基」即「弼我杯基」，丕丕有顯、大義，用如丕。師遽

毁「敢對揚天子不丕休」與彔伯毁「對揚天子不顯休」文句正同。

周中師遽毁「敢對揚天子不丕休」作[甲骨文]，周晚番生毁作[甲骨文]。

《爾雅‧釋訓》：「丕丕，大也」。《尚書‧大誥》：「弼我丕丕基」，弼音比，輔弼。

卜辭義不明：[甲骨文]（癸亥卜貞，丕……人）拾一四‧一六

⿰不又

[甲骨文] 合集四六九三 [甲骨文] 合集二〇〇四五 [甲骨文] 合集二一九〇五 从又从不，《說文》所無。

卜辭人名：[甲骨文]（⿰不又亡疾）合集一三七二六 亦用作無。[甲骨文][甲骨文]（其夲⿰不又）合集五八六九 夲同執。[甲骨文]（于⿰不又出）合集二〇〇四五

⿰不卩

[甲骨文] 合集二一三三〇 从不，从卩，《說文》所無。

卜辭義不明：[甲骨文]……[甲骨文]……（翌己其……⿰不卩惟……）合集二一三三〇。地名：于[甲骨文]（于⿰不卩南）前四‧三六‧七

⿱不廾

□合集二三二〇。从不、从収，《說文》所無。

卜辭疑作祭名：□□□□□□□（戊戌卜，王㞢⿱不廾父乙）合集二三二〇。㞢用作侑，祭名。

⿱⿱不廾止

□合集三〇九五九 从収、从止。構形不明。

卜辭疑作祭名：□□□（勹、歲、⿱⿱不廾止、用）合集三〇九五九勹用作礿，礿、歲均祭名。

秅

□合集二六八九八 □屯八八〇。从不、从乇，《說文》所無。

卜辭作祭名：□□□□□（辛丑，酌，秅亡𧊒）合集二五九六一 酌：祭名；亡用作無；𧊒：禍害。□□□□□□□□□□□□（王賓秅自上甲至于多毓，衣亡尤）合集二三六二三 賓：親自參加；多毓：即多后，如毓（后）祖丁、毓（后）祖乙等，均為商代先王；衣：祭名；亡用作無；尤：災害。

至

□屯四五八二 □象倒矢，一象地平，矢落地上，以示至義。

周早盂鼎作□，周晚克鼎作□，春秋齊鎛作□。

□

《說文》：「至，鳥飛从高下至地也，从一，一猶地也。象形。不上去而至下來也。，古文至」。誤矢為鳥。

卜辭作至之本義，到也：（自今至于庚戌，不其雨）英一〇一一（自瀼至于膏，亡災）合集二八一八八 亦用作無。祭名：（弜至祖乙）合集二七二三八 弜用如勿。（至羊于妣己，賓歲）英一八九二（弜至日）京四八九〇。可釋至為𨿅或雉、矢，陳牲以祭。

⿱𦤳來

合集六〇五七 从二倒矢，从來，《說文》所無。

卜辭地名：（方出，侵我示⿱𦤳來田，七十人五）合集六〇五七

⿱𦤳弗

合集一六一六七 从二倒矢，从弗，《說文》所無。

卜辭義不明：（⋯⋯惟⿱𦤳弗⋯⋯敗）合集一六一六七

⿱至皀

合集二七八三 从至，从皀，疑即《篇海》䬳字。从食，至聲。

《篇海》釋䬳：「地名，一曰，刈禾人」。《史記·秦本紀》：「百里傒曰：

臣常遊囷于齊，乞食餁人」。《類篇》：「與餁同」。餁：割禾用鐮刀。

餁

卜辭作動詞：（勿餁婦娘子子）合集二七八三

婦娘：人名。

西

英三三九 英八六 屯四五二九 懷九五四 象鳥巢形。

周早戍甬鼎作。周晚散盤作。春秋秦公毀作。

《說文》：「西，鳥在巢上，象形，日在西方而鳥棲，故以為東西之西。西或从木、妻。，古文西。，籀文西」。

卜辭方位名：（西亡戈）屯一〇四九 亡用作無。（王自往西）合集六九二八 西單為臺名，為東西南北四臺之一：（西單）合集九五七二 西母為神祇名，與東母相對：（㞢于東母、西母）合集一四三三五 㞢用作侑，祭名。西史為派往西部之使，官名，與東史、北史相對：（令西史）合集九五六。

西不

合集三三〇八四 合集三三〇八二 从西，从不，構形不明。

卜辭方國名：（王翌壬戌𢦏西不，十

二月）合集三三〇八二 𢦏：動詞，打伐。□：□□□□（王：：𦎫酥𢦏，十二月）合集三三〇八三 𦎫用作敦，敦迫，打伐。□□□□（王𢦏酥，十月）合集三三〇八四

𨠔

□ 粹九〇〇 从酉，从丑。《說文》所無。

卜辭動詞：□□□□□（王𨠔禾受禾）粹九〇〇 受禾同受年。（卜辭另有□（同□）字，直釋作𢎗即遷字古文。□、□均手形，□、□、□一字通用。看來，□、□、□當是一字。參見七九九頁𢎗字註。）

𡘋

□ 合集三六九三五 从大，从迺，構形不明。

卜辭地名：□□□（在𡘋貞）合集三六九三五

鹵

□ 合集七〇二三 □ 合集五九六 □ 合集一九四九七 象器中有鹽之形。與金文鹵字近似，免盤銘文有：「王在周，命作册内史免鹵百隩匕。」百隩即百隩，樽也。《說文》釋鹵為「西方鹹地也」，看來鹵與鹽有同源關係。音魯。

上 □

户（戾）

周中免盤作□。

《說文》：「鹵，西方鹹地也，从西省，象鹽形。安定有鹵縣。東方謂之㡿，西方謂之鹵」。

卜辭地名：□□□□□（王迖鹵，雨）合集二六七五六 乢：動詞，巡遊。疑方國名：：□□：：（：：鹵出：：）合集一八五五一 疑用牲法：□□：□□□十（燎酌鹵冊大甲）合集一四〇一 燎、酌均祭名，冊用作删，砍也，用牲法。鹵小臣為負責鹽鹵之官員，□小□□□□（鹵小臣其出邑）合集五五九六 出用作有。鹽鹵之本義：□：：□□二□（令：：取鹵，二月）合集七〇二二

□ 屯三八五 □ 懷一二六七 象單扇門形。釋户，同戾。

戰國陳貽戈作□。

《說文》：「户，護也，半門曰户，象形。□，古文户从木」。《集韻》：「户古作戾」。

卜辭户與門同：□□□□□□□（其啓廳西

戶

戶，祝于妣辛）合集二七五五五 于（于南戶）屯二○四四 南戶與南門同。于（于宗戶）屯三一八五 宗戶即宗門。三戶亦作三門，地名（史記·項羽本紀：「引兵度三戶」。）（岳于三戶）合集三二八三三 岳，神祇名，此為動詞，當是燎岳或聚岳之省文。

⿸戶爾

合集三二九七 从戶，从爾，《說文》所無。

卜辭地名。（呼宅⿸戶爾）合集三二九七 宅，動詞，作宅或宅居。

⿸戶商

合集一○九五○ 合集一九三三六 从戶，从商，《說文》所無。

卜辭義不明。（我惟七鹿逐七鹿不⿸戶商）合集一○九五○

⿸戶黃

合集一八六六二 合集一八六六三 英七二五 从戶，从黃，《說文》所無。

卜辭疑祭名。（貞，⿸戶黃，若）英七二五 若，順利。

户　門（户）

□合集二〇四一五　从冂，从户，構形不明。

卜辭義不明：……□□（……户氏）合集二〇四一五

□合集一三六〇六　門英二三八二　象兩扇門形。

周早祖丁毁作門，周晚師酉毁作□，周晚散盤作門。

《說文》：「門，聞也，从二户，象形」

卜辭作宗廟或宮室之門：□□□□于門□（□氏羌，王于門逆）合集二六一　□：人名，武官，氏帶來；羌指羌俘；逆：迎接。大意是：王在宗廟門前迎接獲羌俘而歸的□。

□于□門□（王于宗門逆羌）合集三二〇三五　宗門：宗廟門前；逆：迎接，逆羌為「迎接獲羌俘而歸之將領」的省詞。

于□十□門用（于父甲宗門用）屯二三三四

于□門□□□……（于廳門𦎫、酓飲……）合集三〇二八五　𦎫、酓均祭名。

于□門□（于南門逆）懷一五七六　地名：□□于

三門（取岳于三門）合集三四二一九　取用作聚，祭名；岳：神祇名。

□田門□□（弜田門，其雨）屯二一七　弜用如勿；田：田獵。　三户即

門

三門，卜辭戶、門無別，三門、三戶同。𡵂于三日（岳于三戶）合集三二八三三

岳，神祇名，此為動詞，當是燎岳或取岳……之省文。

閔

閔 合集一八〇六四 从門，从文，《說文》所無。

《字彙》：「音趣，从門出入貌」。趣同趨。

卜辭祭名：[glyph]閔[glyph]十一（貞，其閔，牝，十一月）合集二六〇六五

閑

[glyph] 合集八九六二 [glyph] 合集三六七七三 从門，从來或𣎾，義同，《說文》所無。

卜辭疑地名：……[glyph]……王[glyph]……[glyph]……（……在元……王步……閑……）合集三六七七二 ……[glyph]……[glyph]……（……陝从……閑羽……）合集八九六二

闁（扉）

闁 合集一五八四四 从門，非聲。釋闁，卜辭門、戶一字，故又可作扉。

《篇海》釋闁：「同扉」。《說文》：「扉，戶扇也，从戶，非聲」。

卜辭疑地名：[glyph]A福于[glyph]闁……（貞，今福于𣪠旁闁……）合集一五八四四 福，祭名，同福福。

闁 （扉）

閺

閺 合集三〇二三 屯三〇〇四 从門，从攴，《說文》所無。疑同啟。

卜辭用牲法：（其奏庸閺，美又足）合集三〇二三 奏庸：奏大鐘，祭祀活動，又用作有，又正即有足，卜辭正足一字。（弜屯，其閺，新束有足）屯三〇〇四 弜用如勿。

牜門

合集一二六四 象牛疑牛字被關門外，《說文》所無。權作牜門。

卜辭疑神祇名：（貞，牜門不惟禍）合集一二一六四

⿵門豕

⿵門豩 甲二〇〇二 从門，从二豕，象門有二豕之形，《說文》所無。疑即金文之⿵門豩、《篇海》之⿵門豕。卜辭偏旁从夕从少每無別，如漁字作

（⿵門豩 ⿵門豩）

亦作 、 。

商婦⿵門豩獻作 ，婦⿵門豩卣作 。

《篇海》釋⿵門豕：「音始，門也」。

卜辭方國名：⿵門豩才……（⿵門豩方……）甲二〇〇二

⿵門豕

⿵門豕 乙四〇二四 从門，从豕，《說文》所無。

閤 「閤」乇三七四 从亼，从門，从口，釋閤。卜辭門、户一字，如扉字从門作□，闢，故可釋「閤」為「倉」倉之異文。（見三○七頁倉字註）

倉 卜辭疑人名：□□□□□「閤」□□□田（丁丑貞，

） 王令倉歸侯以田）乇三七三

闢 □ 合集二二二六八 从門，从□（疑□（□）毋之省），卜辭□女□通用，如司母作□□亦作□□，侑母庚作□□亦作□□，王亥母作□□□等。可見从母从女通用無別（見七八六頁闢字註）。

卜辭句殘，義不明：□（闢）合集

耳 □ 英二三五一 □ 合集二○三三八 □ 合集二○九九 象人耳形。

商□耳卣作□，商亞耳毁作□，周中耳卣作□。

《說文》：「耳，主聽也，象形。」

卜辭人名：□□丁三□□（邑示四乇耳）合集一七五六三 示：整治；乇：量詞，一對骨版；耳為簽收人。貞人名：□□□□

（癸卯卜，耳貞）綜述三六五　口耳之耳：□□（疾耳）合集一三六三〇

□（耳鳴）合集二〇九九

聖

□英一八〇二　□合集一四二九五　□象突出其耳的人形，所从之口示聽覺之靈敏，與⿸疒興鐘聖字同。辛巳毁聖字不从人作⿰耳口，與⿱耳壬子聽觚之聽同。⿰耳口為會意字，口有所言，耳得之為聲，其得聲之動作則為聽。聽與聖實為同源之字。

周中⿸疒興鐘作□。周中牆盤作□。周中師望鼎作□。

春秋齊鎛作□。所从之壬作聲，為《說文》所本。

《說文》：「聖，通也，从耳，呈聲」。「呈聲」有失。

卜辭用作聽聞之聽：□□□□（戕亡其聽）合集一四二九五

戕：傷害；亡用作無。□□□□（戕出聽）同版　出用作有。

□

聽

□合集九三七六　□合集五二九八　□合集一一〇一八　从耳，从一口或二口。義同。會意字，口有所言，以耳得之為聲，其得聲之動作為聽。

周早壬子耶鼎作□。周早辛巳毁作□。春秋齊侯壺作□。

□

《說文》：「聽，聆也，从耳、悳，壬聲」。
卜辭人名：……□□(……□聽)遺七九 方國名：□□□□(聽亡
其出)乙一二六三 疑祭名：□□□(王聽凡戊)合集二〇一七 聽聞
之聽：□□□(方亡聽)合集八六六九 方指方國，亡用作無。即：沒聽到
方國的情況。……□□□(……婦無聽)合集二三四六六 聽治、聽政之
義：□□□□(王聽惟禍)合集八〇八 □□□□□(王聽不
惟禍)合集五二九八

聲

□ 屯三五五一 □ 合集二七六三六 从磬、从殳、从聽，會以鐘
磬、磬聲傳聞於耳之義。□ 聲為省文。
《說文》：「聲，音也，从耳，殸聲，殸，籀文磬」。

（馨）

卜辭地名：□□□□□□□□……(丁丑貞，聲又犀，其
……)屯三五五一 又用作香。假作馨香之馨：□□□□□
(馨穧齋其烝凡辛)合集二七六三三 烝：祭名。

聞

□ 合集一〇七五 □ 英九〇五 □ 合集九一〇〇 □ 合集五〇〇四

聲 聞

（婚聒）

合集四三八八 象突出其耳的人形，亦象以手附耳聳耳聽聞之形。古文聞或作聒，均形聲字，又與婚通用。

周早盂鼎「我聞殷墜命」作，周中乖伯段作，春秋邾子鐘「聞于四方」作，戰國中山王嚳鼎「寡人聞之」作。

《說文》：「聞，知聞也。从耳門聲。，古文从昏」。

卜辭作動詞，使神祖知聞：：虫曰虫（虫疾齒，父乙惟有聞）合集一三六五一

聽聞，消息也：：（舌方亡聞）合集六〇七七 亡用作無。：：虫曰：：（：：貞，有聞曰：：）合集七二一五

身份相當於奴隸之人，祭祀用人牲：：虫竹（姣聞，有从雨）合集一一三六 从角作縱，縱雨指大暴雨。（勿姣聞）同版 姣：焚人祈雨之祭。

聾

佚三三四 从耳从（不知所象），或釋龔，權宜从之。

卜辭義不明：：：又卜：：（：：五卜，：：）佚二三四

聾

聯	（聮	⿰耳系）

聯 合集三二一七六 合集三二七二一 合集四〇七〇。从耳，从（糸或省作）義同。與金文⿰耳系同，即後世聯字。或釋作緝，但與卜辭文義不符。

考母壺作，作医⿰耳系甬作，戰國印作。

《說文》：「聯，連也。从耳，耳連於頰也；从絲，絲連不絕也」。

卜辭作連綿不絕：（其聯甬）合集三二一七六 人名：（皁示十屯 聯）合集四〇七〇 皁：人名；示：整治；屯：量詞，一對骨版；聯是簽收人。

聝	（⿰耳戈	馘）

合集六六一九 从耳，从戈，示斷耳之義。釋⿰耳戈，即後世之聝，通作馘。音戈。

周早小盂鼎作，周中虢季子白盤「獻聝于王」作。

《說文》：「聝，軍戰斷耳也。春秋傳曰：以為俘聝。从耳，或聲。，聝或从首」。《字林》：「截耳則作耳傍，獻首則作首傍」。

卜辭人名：（呼⿰耳戈伐羌）合集六六一九 呼：命令。

聑

□ 簠地二 象人耳左右並列之形。有豎耳靜聽以示安靜之義。

《說文》：「聑，安也，从二耳」。《集韻》：「音摘，耳豎貌」。

卜辭地名：□□（在聑）簠地二

⿱聑卩

□ 合集二三八三 □ 合集二三八二 象突出兩耳的人形，有聆聽之義，疑與□聑同。

卜辭疑祭名：□□□□□□（乙卯卜貞，⿱聑卩先妣，牛）乙八七二八 □□□□（乙卯卜貞，⿱聑卩）合集二三二八三

⿱聑各

□ 合集一八〇九一 □ 合集一〇九九五 □ 英一五九四 从聑，从□各，□象倒各。《說文》所無。

卜辭地名：□□□□□□□□（貞，弗其擒，十月，在⿱聑各）合集一〇九九五 □□（在⿱聑各）合集八二五六

⿰耳单

□ 合集六九六。从耳，从单，會意不明。

卜辭人名：□□□□□□（王令雀聕伐畀）合集六九六。

⿰耳巾

合集二〇三三〇 从耳、从巾，所象不明。

卜辭祭祀用語：⋯⋯于⋯⋯(庚午卜，王余⋯⋯示⿰耳巾于甫⋯⋯禍終)合集二〇三三〇。

取

合集七二三八 从聞、从又，構形不明。

卜辭疑祭祀用語：⋯⋯(⋯⋯取牛)前三·二八 義不明：⋯⋯

⋯⋯于⋯⋯(⋯⋯王勿奏，往取⋯⋯往于⋯⋯)合集七三八

⿰耳林

合集二九二三七 从聽、从林，構形不明。

卜辭地名：田(惟⿰耳林田，湄日亡災)合集二九二三七。田，田獵；湄用作彌，彌日，終日也；亡用作無。

⿰耳犮

合集一三〇二七 从耳、从犮，會意不明。

卜辭疑動詞：⋯⋯(⋯⋯固曰：⿰耳犮其雨，惟⋯⋯)合集一三〇二七 義不名：

(今秋王令眾⿰耳犮作虎)屯四三三〇。

⿰耳聿

合集六 从耳、从聿，疑與同。

⿱耳土

卜辭疑作動詞：□□□□□□□□田（令眾人肆入羌方⿱耳土田）合集六 ⿱耳土即今墾字。

□ 南明六一四 从耳、从土，會意不明。

卜辭祭祀用語：□□□□□□□□（王其爯朋⿱耳土，燎三宰）南明六二四 爯，同稱，舉起；朋，一串貝；燎，祭名；宰，圈養的祭祀用羊。

⿱耳廾

□ 合集五三八二 象兩手舉耳形。《說文》所無。

卜辭義不明：□□□□□□（王其有⿱耳廾正）合集五三八二

⿰耳虫（蛕、餌）

□ 合集一八二一 □ 同版 从耳、从虫，疑即蛕字初文，今作餌。《類篇》釋蛕：「釣魚食也」。《孔叢子》：「鯀雖難得，貪以死餌」，鯀：魚也。《說文》：「鬻，粉餅也，从鬻，耳聲。⿰鬻耳，鬻或从食，耳聲」。

卜辭人名或方國名：□□□□（⿰耳虫亡其㞢）合集一八二一 亡用作無。□ □□□□□（⿰耳虫惟其㞢出自之）同版 㞢用作有。

⿰鬻耳 餌

聘　（䏁）　摧　（敳　嗷）　摯

□ 周探一坑 □ 周探一坑九八 从兄，甹聲，直釋作䏁，疑即聘字初文。

《說文》：「聘，訪也，从耳，甹聲」。

卜辭疑作聘禮之義：□□用□（汝公用聘）周探一坑九八

公：公爵，疑指周公；聘：疑指嫁女所用之聘禮。

□ 懷五三 □ 英三七 □ 合集二一三七九 从隹，从攴，釋敳，其用如摧。有災害、挫折、壓抑之義。

《廣韻》釋敳：「音饒，鳥敳物也」。《增韻》釋摧：「挫也，抑也」。《說文》：「摧，擠也，从手，崔聲，一曰挏也，一曰折也」。

卜辭作災害之義：……㞢□大□（……㞢降大摧）合集一七三三七

㞢用作有。□□□□（帝其降摧）合集一四一七三 人名：□所

□（其从摧）合集三一三七九 从：隨同。□ 丁二□ 小□（摧示二屯，小掃）合集一四四三三 示：整治；屯：量詞，一對骨版；小掃為簽收人。

□ 京四一四一 釋摯，同 □ 執。（見六七七頁執字註）。

嗷：□ 合集一八三四六 从鳴，从攴，疑同 □、□，即敳字。卜辭殘句，義不明：……□……□……（……汉……嗷……）合集一八三四六 嗷尊作 □。

聘　摧　（敳）　摯

揮

合集二七三〇二　合集三一七八七　从又，單聲。又與手同，即今日

揮字。

《說文》：「揮，提持也，从手，單聲。讀若行遲驒驒」。

卜辭地名：……（又來執自揮……）合集二七三〇二

又用作有，執指俘虜。……（……執自揮）合集三一七八七

擊

屯二〇一五　屯七四〇　合集三三一〇三　合集二七七五四　象兩手引

目形，釋𡕥。後世作擥，擥字所从之臣乃豎目形。擥與㩳通。

《說文》：「擊，固也，从手，臤聲。讀若詩：赤舄擊擊」。

《集韻》釋擊：「音㩳」。《史記·鄭世家》：「鄭襄公肉袒，擊

羊以迎」。鼎文作 。

卜辭人名：田干……（令擊墾田于……）合集二二

地名：井干（婦井于擊）合集三二七六五

扔

合集二〇五〇。从又，乃聲，又與手同，即今扔字。音仍。

《說文》：「扔，因也，从手，乃聲」。

卜辭義不明：□□□□□□□□（令羌人石祟㞢扔友）合集二○五○。㞢用作有。

拕（拖　扡）

□ 英一七○四 □ 合集二二三八 象以毛拕蛇形，為拕、拖之初文。

《說文》：「拕，曳也，从手，它聲」。《前漢嚴助傳》：「拕舟而入水」。《集韻》：「或作拖，又作扡」。

卜辭人名：……□□……□□（……勿令……从拕）合集四八九。

从之偕同、隨同。□□：……□……□……□：（辛酉：……拕……余……）合集二一二三八

□

扞（擀　捍　𣪩）

□ 合集六五五 象以手執干形，卜辭偏旁之□或□，又為手形，後世多作扌，所以可釋□為扞。河南方言作動詞，如「扞麵」、「扞碎」等，同擀；後世或假作捍、𣪩等。

《說文》：「扞，忮也，从手，干聲」。《正韻》：「以手扞也」。《集韻》：「與擀同」。《集韻》：「或作捍，別作𣪩」。《前漢刑法志》：「手足之扞頭目」註曰：「扞，衛難也」。

卜辭疑地名：……□□（……山于扞）合集六五五

□

搯

合集一八五五二 从又，卤聲。卜辭偏旁之又為手形，後世多作扌，所以可釋从卤之為搯。

《集韻》：「音魯」。《博雅》：「强也，一曰動搖也」。

卜辭義不明：十……………（甲：敦：搯：龜：）合集一八五五二

插

合集二〇二九 合集一八八〇四二 从又，西聲，直釋作插，與遷之古文同，可釋遷。

(遷)

《說文》：「遷，登也，从辵，䙴聲。，古文遷从手西」。

卜辭動詞，遷移也：……（：弜插）合集二〇二九 弜用如勿。

攏

合集九七七三 合集四九二八 从又，龍聲，《說文》所無。古文偏旁中从又从手扌每可通用，故可釋為攏，龔之初文。

(龔)

《集韻》、《韻會》訓攏謂：「持也，掠也」。《正字通》訓龔，攏為一字。

卜辭地名：（貞舟攏叉年）合集九七七三

扰

乙五〇四七 象以手持戊形，戊象斧鉞形，釋扰。

《集韻》：「音怪，擾也」。

卜辭疑作動詞：：四：二：（：丙：二月，扰：）乙五〇四七

捺：卜辭桼、搽（拜）一字，見六八一頁桼字註。

捈

□ 合集二〇六一〇。从𠂇又□余聲。□乃□之省，與□廿途字所从之余同，𠂇又乃手形，在偏旁中後世多作扌。所以可釋作捈，余音塗，非于音。

《說文》：「捈，卧引也，从手，余聲」。《博雅》：「引也，抒也」。

卜辭舒坦之義：：□□□□〔：捈行東至河〕合集二〇六一〇。

女

□ 乙三七〇。□ 英一二六五 □ 乙二四一三 象兩手相交，席地而坐之婦女側面形。卜辭女、母每通用無別。母有專字作□，兩點是乳房。母之通稱可作□、□，但子女、初生之女不能作□。司母辛鼎作□。盂文作□。方監作□。文帚卣作□。

《說文》：「女，婦女也，象形」。

卜辭作子女之女：：□□□□□〔：：娩允不𡥧、惟女〕合集一四〇〇二。允：果然。𡥧即嘉，嘉好，生女曰不嘉。

用作母，指先王之配偶：：㞢于□□□〔㞢于王亥母〕合集六七二

㞢用作侑，祭名。（拜生于祖丁母妣己）

合集三四〇八三

姓

合集一九一四二 合集一八〇五二 从女，生聲。

春秋齊鎛作，从人不从女。兮甲盤作，不从女。

《說文》：「姓，人所生也，古之神聖母感天而生子，故稱天子。从女、从生，生亦聲。春秋傳曰：天子因生以賜姓」。

卜辭人名：……（……姓娩其幼）合集一四〇二七

幼即嘉，好也，生男曰嘉，生女則曰不嘉。……（婦姓……）

合集二八六一

㚹

合集一七四〇七 合集七二八七 从女、从羊，《說文》所無。應為从女羊聲之字。

卜辭人名：（婦㚹示十屯爭）合集七二八七

示，整治；屯，量詞，一對骨版，爭為簽收人。（婦㚹娩，嘉）合集九七四 生男曰嘉。

姜

京七七一 乙四五〇五 从羊从，象雙手被反綁之婦女形。釋姜。合殷作，己侯殷作。

《說文》：「姜神農居姜水以為姓，从女，羊聲」。

卜辭與僕、及同等用作祭牲：于小乙三（寢于小乙，三姜）京七七一 寢：祭名。

姬

合集三四二一七 合集三五九六五 从女或每義同，从或，象梳篦形，為从女、臣聲之字。姬妾之姬。

憻季遽父卣作。周早遣小子殷作。

《說文》：「姬，黃帝居姬水以為姓，从女，臣聲」。

卜辭疑地名：⋯⋯王⋯⋯⋯⋯（⋯⋯王其⋯⋯姬麓⋯⋯）合集三五九六五 神祇名：（惟姬蚩雨）合集三四二一七 蚩：動詞，為害。疑作人牲：王（王賓母癸、姬，亡尤）合集三六三一九 賓：親臨參加；亡用作無，尤：災害。

娶

菁七 从女，取聲，釋娶。

妻

《說文》：「娶，娶婦也，从女，从取，取亦聲」。

卜辭人名，……（……娶娩……）菁七

合集四五四七　合集六九五　後下三八·一　象一手或兩手抓一婦女頭髮形。冉父丁方罍作，農卣作。

《說文》：「妻，婦與夫齊者也，从女，从屮，从又，又持事妻職也。，古文妻从肖、女，肖，古文貴字」。

卜辭作配偶之義：……（王夢妻……不惟……）合集一七三八二　……（㞢于示壬妻妣庚……）合集九三八　㞢用作侑，祭名。

婦（帚）

合集一四〇二五　象一婦女持帚形。卜辭多以帚代婦，當是省文。

《說文》：「婦，服也，从女持帚灑掃也」。

卜辭作王之配偶：……（……王婦）存一·一〇四　疑人名：……（……婦娩……妫）合集一四〇二五　妫即嘉，好也，生

男曰嘉，生女則曰不嘉。

妃

合集二八六六合集二二四六。从女，从巳，與金文之妃同。金文另有妃字，與妃似有別。《說文》分妃、改兩字，皆已聲，釋妃為「匹也」，釋改為「女字也」。卜辭中，妃為匹配（配偶）之義，與《說文》之妃無別看來，《說文》妃字从已，本來當从巳作妃。妃音肥。

春秋鄦侯毁作，戰國陳侯午錞「作皇妣孝大妃祭器」作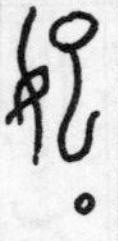。

《說文》：「妃，匹也，从女，己聲」。《正韻》釋妃：「音霏」。

卜辭需妃之需為壬妃的私名：（需妃不死）合集六一九七 疑人名：……（……午貞，妃力）合集二二四六。

妊

合集二七九九 从女，壬聲。

周中格伯毁作，春秋穌指妊鼎作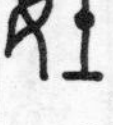。

《說文》：「妊，孕也，从女，从壬，壬亦聲」。

卜辭人名：□□□□□（御婦妊妣壬）前八、一四、三　御用作禦，祭名，即向妣壬進行攘除婦妊災禍之禦祭。□□□（貞，婦妊）陳一〇一　□□□（將婦妊）合集二七九九　將：動詞，奉享之義。

娠

□　甲三七三七　从女，辰聲。

《說文》：「娠，女妊身動也，从女，辰聲。春秋傳曰：后緡方娠。一曰：宮婢女隸謂之娠」。

卜辭疑人名：……□□□（……娠其妨）甲三七三七　妨即嘉，佳也，生男曰嘉，生女則曰不嘉。

□

媰

□　合集一二五〇〇　□　合集三六八三一　从女、从□（□為芻之省）即《說文》媰字。

《說文》：「媰，婦人妊身也，从女，芻聲。周書曰：至于媰婦」。

卜辭地名：中□□（在媰貞）合集三六八三一　……□□……

□……（……使人……媰……）合集一二五〇〇

□

母

（毋）

▢ 英七一九 ▢ 合集二七六三八 ▢ 合集一九九六三 象有乳房之婦女形，或省作女，卜辭母、女通用，但用作子女之女不能作▢。母亦用作毋。

商司母戊鼎作▢，周早母癸卣作▢，戰國中山王譽鼎「毋忘爾邦」作▢。

《說文》：「母，牧也，从女，象褱子形，一曰：象乳子也」。說形不確。

卜辭作母輩之通稱：▢（勿㞢于母）合集二五八八 㞢用作侑，祭名。▢（惟多母禦）英一一三 多母：諸多母輩；禦：祭名。▢（㞢于王亥母）合集六七二 公母之母、▢（毋彖）合集二〇六八五 用作毋：▢（今日毋田）合集一〇五六五 毋用如勿；田：田獵。▢（壬，毋其雨）合集二九九〇一 毋用如無。▢（毋㞢于祖辛與母辛）合集二二九七一 東母、西母為神祇名；▢（㞢于東母、西母）後上二八、五 㞢用作侑，祭名。

或釋「王亥女」，即王亥之配偶，可參。

妣（匕）

乙一〇七〇　乙二三九八　乙六〇八　象人作揖或匍伏在地之側面形。釋匕，卜辭中匕用作妣，多作祖妣之妣。匕、妣乃古今字。卜辭中，妣指祖母輩，與後世指去世之父母「考妣」之義不同。

豕妣辛簋作。作義妣鬲作。鄦侯簋作。䋭鎛作，从示。

《說文》：「妣，歿母也，从女，比聲。，籀文妣省」。

卜辭用作妣，先祖之配偶：于（禦于妣）合集二五三二　禦：祭名。于（其拜于妣）乙二三九二　拜：拜求之祭；多妣：諸多先妣。用作比，有連續之義（《史記·呂后本紀》：又比殺三趙王）：于田（于辛田擒，王匕擒）合集二九三五四　田：田獵。或曰：匕假作畢，為掩雉兔之网，《詩·鴛鴦》有「畢之羅之」。可參。

妹

英二五九二　英一七九。从女，未聲。釋妹，卜辭假作昧。

周早盂鼎作。

(昧)

《說文》:「妹,女弟也,从女,未聲」。
卜辭用作爽昧之昧,指天將明未明之時:(妹雨)合集
三八一三七 即:天明之前下雨。妹、昧同音,為借音。
(妹延雨)合集三八一九一 延:連綿不斷。(妹霎)合集
三八二〇四 霎:霽也,雨止。(妹其餗)合集三五九八二 餗:
祭名。(妹工典)合集三七八四。工用作貢,貢典即貢
獻典冊之祭。疑作兄妹之妹:(貞,妹
其至,在二月)合集二三六七三 ……小……(貞……小……妹
三)懷一三八

姪

合集二〇六六 合集一八〇五五 从女,至聲。
戰國王子姪鼎作。
《說文》:「姪,兄之女也,从女,至聲」。
卜辭人名(與後代姪女之姪不同):……(婦姪……
妿)合集二〇六六 妿即嘉,佳也,生男曰嘉,生女則曰不嘉。……

（王：余弗其子婦姪子）合集二一〇六五

余：王自稱；子：上一子為動詞，疼愛之義。

㚤

英一八五六　英一二二　从女，从力，釋㚤，多與娩連用，指生男育女之事，用如嘉，佳好之義。當時重男輕女，生男曰㚤，生女則曰不㚤。

（嘉）

卜辭用作嘉，良好也：（王良㚤）懷四九五　（魯㚤）合集三二〇二　言魯嘉好之義。指生毓之事，生男曰㚤，生女則曰不㚤：（婦好娩，㚤）合集一三九九七　（婦好娩，不其㚤）合集六九四八　人名：……（……御婦㚤齵）合二三二　御用作禦，祭名；齵同䶍，牙病。

姼

合集一三九九五　合集二二五四　从女，多聲。

《說文》：「姼，美女也，从女，多聲。，姼或从氏」。

卜辭人名：（婦姼亡禍）合集二三四六　亡用作無。

奵

（呼爰婦奵乳）合集二二二四七　爰同援，援助。

（貞，奵亡禍）合集二二二五九　亡用作無。

合集二二三二四　从女，从夕，《說文》所無。卜辭人名；

（婦奵子疾不延）合集二二二四六　延：延長，連續。

（奵禍出）合集二二二六一

（奵師毓）合集二二三二四　毓同育，生育。

婢

合集二六九五六　合集三五三六一　合集三五三六一　从妾，卑聲。妾，女偏旁可通，故可釋作婢。

（□）

《說文》：「婢，女之卑者也，从女，从卑，卑亦聲」。卜辭作人牲，與牲畜並列：二

（王賓祖乙奭妣己，姬，婢二人，㲋二人，卯二牢，亡尤）合集三五三六一　賓：親自參加；奭：配偶；㲋、卯均祭名，示用牲法。牢：圈養的祭祀用牛；亡用作無；尤：災害。

奴

合集八二五一　英六四六　象手抓一女，象一女雙手被

或釋亦女字，可參。

反綁，均為被奴役之女性，可釋作奴隸之奴。

周早農卣作。周中𢦏奴甗作。父鼎作。

《說文》：「奴，奴婢皆古之辠人也。周禮曰：其奴，男子入于辠隸，女子入于舂藁。从女，从又。，古文奴从人」。辠同罪。

卜辭句殘義不明：……早〈……固曰：吉，奴……曰往沐……毓……子入〉合集八二五一 ……（……奴……〉英六四六 𢦏厥奴即其奴：（𢦏奴）周探二坑一〇五

娥

懷一五 合集五四七七 合集一八二一 乙八八九六 从女，我聲。

《說文》：「娥，帝堯之女，舜妻，娥皇字也。秦晉謂好曰娙娥。从女，我聲」。

卜辭人名：（王貞，占，娥子余子）合集二〇六七 余：王自稱。（王占，娥娩）合集二〇六八 娩：分娩。地名：（今日狩娥，擒）屯二一三 神祇名：㞢于（㞢于娥）英一八五 㞢用作侑，祭名。㞢于

（㞢㲋于娥）合集一四七八四 㞢用作侑，祭名；㲋，野豕。即：向娥進行侑祭時，用㲋作祭牲。（娥蚩王）合集七三八 蚩：動詞，為害于人。

妸（娿）

合集一三三六 甲二六八五 象一婦女荷戈形。卜辭象人荷戈形，為荷、何之初文，所从之丁與之所从同。从亻作何，从作妸，其理明顯。典籍妸、娿一字。

《說文》：「妸，女字也，从女，可聲。讀若阿」。

卜辭人名：丁二（婦妸示二屯 𡆥）合集一七五三三 示：整治；屯：量詞，一對骨版；𡆥：簽收人。

𡛷（娘）

前三、二四、四 合集二○九九 从女，从衣或衣，衣、衣音似，均為聲，𡛷、娘可能一字。《說文》有𡛷無娘。

《說文》：「𡛷，女字也，从女，衣聲」。文字即婦女名字。

卜辭人名：（戊午卜，𡛷力）合集二○九九

婤

屯三一一○ 从女，周聲。春秋陳伯元匜作。

《說文》：「婤，文字也，从女周聲」。

卜辭義不明：……于叱……毌 （……于妣丁……婤祟）屯三一一。

媚

 合集一〇四〇五 合集七〇七 合集一四七九九 从女，眉聲。與媚

金文媚同。

周早子媚爵作 ，周早媚觚作 。

《說文》：「媚，說也，从女，眉聲」。

卜辭人名： （子媚娩，不其幼）合集一四〇三五 幼：即嘉，佳好也；生男曰嘉，生女則曰不嘉。 …… ……（……婦媚㞢……）合集二八〇九 㞢用作侑，祭名。 疑作人牲，身份與女奴同，與妾並列：㞢   （㞢伐、奴、媚）合集六五五 㞢用作侑，侑、伐均祭名。   （三十妾媚）同版   （貞，父乙卯媚）合集八二一 卯，祭名，剖開祭牲之祭。大意是：向父乙進行卯祭時，用媚作人牲。

好

 英一五七 英一五三 象母抱子形，示母子關係之好。

商婦好瓿作，春秋鞄氏鐘作，戰國姝氏壺作。

《說文》：「好，美也，从女子。」

卜辭人名：（婦好娩）合集一三九四五 即：婦好分娩。婦好是諸婦中地位較高的一位。 （呼婦好伐土方）合集六四一二 呼：命令。 （婦好亡禍）合集三二七五六 亡：用作無。 （賓婦好）合集三六三八 賓：祭名，此時婦好已死，故對其進行賓祭。 （御婦好）合集二六三二 御用作禦，祭名。

笶

合集二〇九九 合集三〇〇 从女，从竹，《說文》所無。應為从女竹聲之字。或釋姘，可參。

卜辭人名：（婦笶示五屯小掃）合集七三四八 示：整治，屯：量詞，一對骨版，小掃為收到者的簽名。 ……曰……（……嫂妻笶告曰……）合集六〇五七 嫂：人名。

⿱竹婦

合集一七五一。 从竹，从婦，《說文》所無。疑與笶同。

小中（婦⿱竹婦示四屯 小掃中）合集一七五一〇

小掃：人名，中為小掃畫的押，河南民間立約寫據時有在名下畫押（民國時，其形作十，與中義同，十、中有中正、中間、作證之義）之習慣。

委

合集一八〇五一　合集七〇七六　同版　从女从禾，象禾穗捲曲之形，有委曲之義，與一般之不同。

《說文》：「委，委隨也，从女从禾」。臣鉉曰：「委，曲也，取其禾穀垂穗委曲之皃」。皃、貌為古今字。

卜辭義不明：（不其啓委）合集七〇七六　（允其啓委）同版　允：果然。

姘

合集一八〇　英一六二　从女，井聲。

《說文》：「姘，靜也，从女，井聲」。

卜辭人名：（婦姘娩）合集一三九五。娩：分娩。

（勿呼婦姘伐龍方）合集六五八五　呼：命令。

（呼婦姘往黍）合集九五三三　黍：動詞，種

五 文（惟妣戊姘小宰，王受佑）屯四〇三

黍或收黍。三（三婦姘其死）合集一七〇六二

如

合集三三二七 懷一五二七 从口，女汝聲。（古文女、汝通用，汝為第二人稱）與《說文》如字同。

㚸尊「㚸從王如南」作，如不从口，當是借聲字。

《說文》：「如，从隨也，从女，从口」。

卜辭疑人名：（如壴）屯二六七三 壴即鼓，動詞，擊鼓以祭也。（如侑、礿、伐享妣己）合集三二二七

婐

合集一三九五七 英一七〇 懷一〇〇 从女，果聲。

《說文》：「婐，妮也，一曰女侍曰婐。讀若騧或若委。从女果聲。孟軻曰：舜為天子，二女婐」。

卜辭人名：（婦婐娩）合集一三九五八 娩：分娩。

（御婦婐）合集一七七三 御用作禦，祭名。

嬪

卜辭賓、儐、嬪一字（見三七五頁賓字註）。

姷

典籍姷、侑一字，卜辭中㞢、又可用作侑，祭名，侑祭是為了求得

福祐。（見五〇二頁侑字註）

《說文》：「婠，耦也，从女，有聲，讀若祐。婠或从人」。

卜辭又用作侑，祭名：于（侑于上甲）屯三三九一 出日入日（侑出日入日）懷一五六九 㞢用作侑，祭名：㞢于（侑于祖辛）懷五四 㞢于大十（侑于大甲）英五四六

嫊

合集一三九六一 合集七一五三 从女，从索，象繩索，故應為从女索聲之字，从文字由繁就簡之趨勢來看，疑即《說文》妹、《集韻》嫊之初文。所从之索、束、素音同義亦相關。

（嫊　妹）

《說文》：「妹，謹也，从女，束聲」。《集韻》釋嫊：「音素，女字」。

卜辭人名：（婦妹婏）合集一三九六一 娩：分娩。（婦妹子其死）合集一七〇六八

妝

合集五六五二 从女，爿省聲。釋妝，同粧、娤。

春秋鄦子妝匜作。

（枚）

《說文》：「妝，飾也，从女，爿省聲」。

卜辭用義不明：[甲骨文][甲骨文][甲骨文][甲骨文][甲骨文]（貞，巫妝不御）合集五六五二　御

[甲骨文]

用作禦，祭名。

妓

[甲骨文] 屯一〇〇　从女，奴省聲，為妓、嫛之初文。

《說文》：「妓，三女為妓，妓美也，从女，奴省聲」。古風，三女為嫛，一妻二妾也。

（嫛）

卜辭疑人牲名：[甲骨文]于：[甲骨文][甲骨文]（烄于：京，奴）屯一〇〇　烄：焚人祈雨之祭。

奸

[甲骨文] 合集六五六　[甲骨文] 合集一〇七六　从女執午杵形，有駕御之義，从卜辭文義分析，當是[甲骨文]御之異文，用作禦，祭名。或釋作㚻、妶，或視作人名，皆不可信。

（御）

卜辭[甲骨文]、[甲骨文]（或作[甲骨文]、[甲骨文]）一字，用御為禦，祭名：[甲骨文]于[甲骨文]～三[甲骨文]（御于祖乙，三牛）合集一〇七六　即：向祖乙進行禦祭，用了三頭牛。

[甲骨文][甲骨文]（勿御）合集六五六

[女旱]

[甲骨文] 合集二八〇二　从女、从旱，構義不明。

婪

卜辭人名：…………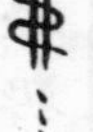……（……婦婪：冊……）合集二八〇二

 合集一〇二九八 从女，林聲。音蘭。

《說文》：「婪，貪也，从女，林聲」。

卜辭疑地名：……（……婪，獲鹿）合集一〇二九八

奻

 合集九〇二三  合集二六九二 从二女，與《說文》奻同。音南。

周早奻作乙公甗作。

《說文》：「奻，訟也，从二女」。

卜辭人名：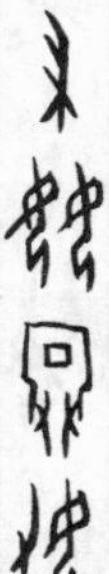（婦奻娩，㚥）合集四五四 㚥即嘉，佳好也，生男曰嘉，生女則曰不嘉。

娘（孃）

 懷九六六〇。 合集一一四三三 从女，良聲。本為少女之美稱，後世用作爹娘之娘。與孃通用，如《古樂府》詩：「不聞耶孃哭子聲」，耶孃即爺娘。

《集韻》釋娘：「同孃，少女之號」。

卜辭人名：丁十曰（婦娘示七屯 亘）懷九六六〇 示：整

 ） （

治；乇：量詞，一對骨版；亘為簽收人。

妥（綏） 妥

合集三六九六六 合集一四〇六九 象以手按抑一婦女形，為妥、綏之初文。《說文》失收。周早沈子設作，周晚蔡姞設作。

綏（） 綏

《爾雅》：「妥、安、按、止也」。《儀禮·士相見禮》注曰：「古文妥為綏」。

卜辭人名：（小臣妥）合集五五七八 小臣：職官名。（婦妥子亡若）粹一二四。亡：用作無；若：順利。疑作按抑、綏靖之義：（勿令綏南）合集九四五

鄭（如） 鄭

合集六六四 合集三二一六一 卜八三。从卩、从妾或女義同。《說文》所無。

卜辭作人牲，與牛羊地位相當：（其燎于河，宰沈鄭）合集三二一六三 燎：祭名；河：神祇名；宰：圈養的專供祭祀用牛；沈：用牲法，沈祭牲于水中。（其冊鄭）

倿

合集三三一六二 冊用作刪，砍也，祭名亦用牲法。

合集三四○九五 合集三三一六六 从人，从妾，《說文》所無。

卜辭用義不明：（甲申貞，其倿）合集三四○九五

（弜倿）合集三三一六六 弜用如勿。

婞

合集二二二二六。从女，从幸，構形不明。

卜辭人名：（婞亡疾）乙八八九二 亡用作無。

（婦婞允亡禍）合集二二二五九 允：果然之義；亡用作無。

⿱火女

合集二三一五七 从火，从女。

卜辭疑作人牲：（丁卯酘⿱火女）合集二三一五七

酘，用牲法亦祭名。

⿱⺌冂妾

合集二一六八四 从妾，从⺌冂戠，構形不明，權作⿱⺌冂妾。

卜辭地名：（在⿱⺌冂妾卜）合集二一六八四

⿱吅女

合集二二二四八 从女，从吅，構形不明。

卜辭人名：（婦娶亡疾）合集二二二四九 亡用作無。

合集一一三三 从女、从，疑同襄（參見五一七頁襄字註）。

妄

卜辭地名：（在妄）英五九三

婡

合集一三七六 合集一四〇一七 从女，來聲，《說文》所無。《集韻》：「音來，女字」。

卜辭人名：（婦婡不太疾）合集一三七一六 （婦婡允娩，幼）合集一四〇一七 允：果然；幼即嘉，佳好，生男曰嘉，生女則曰不嘉。

⿰女桑

合集二七八二 合集二七八一 合集三六九六一 合集三六九四八 从女，桑聲，或从口義同。《說文》所無。

卜辭人名：（令⿰女桑）合集二七八二 地名：（在⿰女桑）合集三六九六一 （在⿰女桑）合集三六九四八

媒

□合集一〇八八 □合集一〇八九 □合集一四〇六八 从女，從某，所从之□同□，應為从女某聲之字。《說文》：「媒，謀也，謀合二姓」。

卜辭人名：□□（婦媒㚤）合集一四〇六八 㚤：疑為娩㚤之省，㚤即嘉，佳好也，生男曰嘉，生女則曰不嘉。疑人名：……□□

□□□（……執，弗其氏媒）合集一〇八八 氏：帶來。

媒

姰

□英八〇八 □合集四一八 从女，自聲，為姰、嫉、[亻疾]、[疾心]之初文。《集韻》：「音自，妒也」。《屈原離騷註》：「害色曰妒，害賢曰嫉」。

卜辭人名：……□……□下□（……子……姰示 爭）合集二七三三 七臼

示：入貢，爭為簽收人（凡骨臼刻辭，多為某人入貢骨版之記事用語）。地名：□□□下□□□（甫耤于姰，受年）合集一三五〇五

耤：耕作。

姰

（嫉）

（嫉）

[女才]

□合集一一三二 □合集五六八二 从女，从才，《說文》所無。應為从女才聲之字。另有从□倒才之□，義同。

卜辭疑女罪隸名、人牲：「□□□□（勿烄妏，無其雨）」合集一一二一 烄，焚人祈雨之祭。人名：「□□□□（亞妏夢又禍）」合集五六八二 又用作有。

⿰女宰

□ 合集一二三九 □ 合集一一二一 从女、从宰，《說文》所無。

卜辭疑罪隸名、人牲：「□□□□（烄⿰女宰，㞢雨）」合集一一二一 㞢用作有。

⿰女牛

□ 合集二〇六七三 从女、从牛，《說文》所無。應為从女牛聲之字。

卜辭人名或方國名：「□□□（……⿰女牛其來）」合二〇四三 ……□（……⿰女牛）合集二〇六七三

⿰女豖

□ 合集一三七五八 从女、从豖，《說文》所無。應為从女豖聲之字。

卜辭疑人名：「……□□□□干……（……葬㞢老⿰女豖于……）」合集一三七五 㞢用作侑，祭名。

⿰女羊

□ 合集三二二八九 □□同版 □ 合集二二三〇一 从女，从羊羊或□義同、川象圈羊之欄。疑與□、□同（見八〇二頁⿰女羊字註）。

卜辭女罪隸名、人牲：□□（烄娥）合集三二二八九 烄：祈雨之祭。

疑先妣名：□□（妣辛娥）合集二二三〇一 □□與□□娥疑為一

字（見八二四頁娥字註）。

⿰女鼄

□□合集一四一六 □□菁四 □□合集五八〇七 □□合集二〇〇四 从□女或□母

（卜辭女、母通用）、从□（象蜘蛛在网上）或省作□，故可通作

⿰女鼄。《說文》所無。（參見八九五頁鼄字註）

卜辭疑吉凶用語，有災禍之義：□□□□□□□□□

□□三□（王固曰，有祟，旬壬申，中師⿰女鼄，四月）合集五八〇七 祟：禍

害，中師為部隊編制，為左、中、右三師之一。□□□□（帝

令惟⿰女鼄）合集一四一六一 □□□□……□□□（五日丁卯子……

⿰女鼄不死）菁四

⿰女黽

□□合集二二三〇一 从女、从□黽（象蛙類），釋⿰女黽，《說文》所無。

應是从女黽聲之字。《集韻》：「同孕」，可參。

卜辭人名，疑作人牲：□□（妣癸⿰女黽）合集二二三〇一 妣癸

卜辭有□□□（母庚豭）之辭（見合集二三〇二），即向母庚祭祀時用公豬作祭牲。豭乃用豭之省。「母庚豭」與「妣癸⿰女黽」「妃甲⿰女龍」等義同，只是祭牲有別罷了。

	⿰女龍		（	⿰女龔	）			婋			⿲女木虎		
為先王中丁之配偶。□□□□（妣癸⿰女黽，妣辛□）	乙四六七七	□ 合集一八〇四九 □ 合集一八〇四八 □ 英二三七一 从女，从龍或龏作	聲。《說文》所無。或釋作龍母合文，非也。	周中伯梁父𣪘作□、□。	卜辭人名，疑作人牲：「囗米□□十□叀」（其奉妣癸、	⿰女哭，妣甲⿰女龔，惟」）英二三七一 奉即拜，拜求之祭；⿰女哭、⿰女龔均人牲，為用	⿰女哭、用⿰女龔之省。	□ 合集一一四〇五 从女，从虎，《說文》所無。疑即《玉篇》之婋。	《玉篇》：「婋，女心俊慧也」。音哮。	卜辭人名：□□（婋娩）合集一一四〇五 娩：分娩。	□ 合集二八二六五 从木，从婋，《說文》所無。	卜辭神祇名：「囗米□于□叀□〇酌□□（其奉	年于⿲女木虎，惟今日酌，又雨」）合集二八二六五 奉同拜，拜求之祭；酌，祭名；
	□		（	□	）			□					

又用作有。

蛇

合集五八○　从（象一長髮女子形）从（蛇形，同它虫也）權宜作蛇。

卜辭疑作婦女名：丁（蛇示六）合集五八○　亦：整治骨版，亦可釋作入貢。

娑

合集二○○五　从女，从沚，《說文》所無。

卜辭義不明：十……（甲寅……貞……娑……）合集二○○五

⿱夂女

合集一八○四一　合集一八○四二　从女，从夂，《說文》所無。疑與⿰女各同。

卜辭義不明：于……（貞于……⿱夂女……）合集一八○四一……口……（……丁用日⿱夂女……）合集一八○四二

⿰女各

合集八六○四　合集一一五○一　从女，从各，《說文》所無。

卜辭⿰女各云疑同各云：……（……采，⿰女各

雲自北……）合集一一五〇一 各云為各種顏色之云，或釋作來云，可參。

姃

□ 合集二八〇三 □ 合集七一四五 从女、从正，《說文》所無。

《集韻》：「音征，女字」。

卜辭人名：……□□……（……婦姃……）合集二八〇三 ……□□

……（……子姃……）合集七一四五

⿰女念

□ 英三四六 从女、从念，《說文》所無。

卜辭義不明：……□……□……（……卜爭……⿰女念……）英三四六

⿱女心（恕）

□ 合集二七六 从女、从心，與《說文》恕之古文⿱女心同

《集韻》：「恕，古作⿱女心」。《說文》：「恕，仁也，从心，如聲。□古文省」。

卜辭義不明：□……（⿱女心……）合集二七六。

⿰女⿱吅大

□ 英二三七一 从女、从⿱吅大，《說文》所無。

卜辭人名，疑作祭牲：□□□□□□□……（其𠦪妣癸⿰女⿱吅大、妣甲⿰女龔、惟……）英二三七一 𠦪同拜，拜，求之祭；⿰女⿱吅大、⿰女龔均為人

名。

帤

[glyph]合集三四〇四三 从女，从卩，疑同[glyph]、𡣪、如（見合貞𡣪字註）。

卜辭疑作動詞：：[glyph][glyph][glyph][glyph]（：弜女帤作宗）合集三四〇四三。

婚

[glyph]合集三一七四 从[glyph]女每从[glyph]从[glyph]卣（疑為倒子[glyph]形之殘），直釋作婚或𡠻。《說文》所無。

卜辭疑人名，辭義不明：：[glyph][glyph][glyph]（[glyph][glyph]婚）合集三二一七四 [glyph]：動詞，乞求或災害之義。

〔女从〕

（嬲）

[glyph]合集一四五八八 从女，从二人，疑為嬲之初文。[glyph]中均人形，中已知為女，兩邊之[glyph]當為男人也。有戲弄相擾之義。

《廣韻》釋嬲：：「音嬈，擾也」。

卜辭義不明：：[glyph][glyph][glyph][glyph][glyph]（貞，〔女从〕珏彰河）合集一四五八八

〔女从〕：用為人牲，珏：：兩串玉，祭品，彰：：祭名，河：：神、祖名，某位殷先公。

姫

[glyph]合集二〇八一五 从女、从臣、《說文》所無。

姫　嬲

《集韻》：「音軫，慎也」。

卜辭疑女罪隸名，祭祀用人牲：：□□□□（：：御姫，九月）合集六八一五

⿰女缶

□ 英三一〇。从女，从缶，《說文》所無。

《集韻》：「音缶，好色貌，一曰女儀也」。

卜辭人名：□□月㞢□（⿰女缶骨風有疾）合集一三八六八 骨風即骨頭受了風。

⿰女豐

□ 合集一二〇三〇。从女，从豐，《說文》所無。

卜辭人名：□□丁一□□（婦⿰女豐示一屯掃）林二·二八 示：整治；屯：量詞，一對骨版；掃為簽收人。

⿰女回

□ 合集二五六二 □ 合集一四〇二三 □ 合集一四〇二二 从女，从回或省作回，與□義同。

卜辭人名：□□□□（貞，婦⿰女回娸）乙六三七五 娸：同娩。□□□（婦⿰女回冥）合集一四〇二三 冥，娸之省文。□□□□：□□□：（戊午卜貞：：⿰女回冥，嘉：）合集一四〇二二 ：：卜□：□（：卜，爭：⿰女回）合集二五六二

娃

⿰女坴

□ 合集三六三四四 从女，从坴，構形不明。

卜辭疑人名，用作人牲：「……□□……□二□……□……（……乙巳，王……暨二娃……爰又又……）」合集三六三五五 又又即有祐。

⿰女臤

□ 合集三二四六 □ 同版 从女，从臤，《說文》所無。或釋作嬰，可參。

卜辭疑人名：□□ □（㞢⿰女臤）乙八八九六 㞢：災害之義。□□

□（匃何⿰女臤）合集三二四六 匃：乞求之義。

（嬰）

⿰女食

□ 合集二七八八 □ 合集二七八五 □ 合集四四六五 从女，从食，《說文》所無。

卜辭人名：□□□□□□（婦⿰女食娩，不其妿）後下三四、四

如用作嘉。□□ 呼呼（婦⿰女食子子）合集二七八三 子：上一子作動詞，疼愛之義；下一子指兒子。□□□□□（令召⿰女食亡禍）合集四四六五 亡用作無。

（⿰女食 篆文）

⿰女宜

□ 合集一二四三一 从女，从宜，疑與⿰女食同字。

卜辭義不明：□□（惟⿰女宜）合集一二四三一

或釋娍，乃逆迎對象，非人牲。可參。

[女芳]

□ 合集一〇九三五　从女，从芳，構形不明。

卜辭人名：□出子（[女芳]出子）合集一〇九　出用作有。

[女戈]

□ 英一二九一　□ 合集二七八八　从女，从戈，《說文》所無。

卜辭人名：□□□（婦[女戈]□）合集二七八八

娍

□ 合集二二四六　从女，从成，《說文》所無。

卜辭人名，身份不明：□□□（勻弗娍）合集二二四六　勻：祭名；弗同逆，迎也。亦祭名。疑為人牲。

嬂

□ 合集二二四六　从女，从戠，《說文》所無。《集韻》：「音職，文字」。

卜辭人名，身份不明：□□□（勻弗嬂）合集二二四六　——疑為人牲。

[女肇]

□ 合集二五三七　从女，从肇，《說文》所無。

卜辭疑地名：干□□（于[女肇]御）合集二五三七　御用作禦，祭名。

[女皿]

□ 合集二二四六　从女，从皿，《說文》所無。

卜辭人名，身份不明：□□□（勻弗[女皿]）合集二二四六　——疑為人牲。

嫀

□ 合集一〇八六　从女，秦聲。《說文》所無。

《類編》：「音泰，女字」。

卜辭疑為女俘名：（貞，周氏嫀）合集一〇八六 氏：動詞，致送貢納，帶來之義。

奺（媻）

合集一一三九 从女，从日凡，卜辭凡、盤、般一字，故可作从女、般聲之字。可釋作《說文》之媻。（日象豎盤形）

《說文》：「媻，奢也，从女，般聲」。

卜辭人名，疑祭祀用人牲：（烄媻）合集一一三九 烄：祭名。

嫃

合集一三八六六 从女，从真，《說文》所無。應是从女真聲之字。

卜辭人名：……（……嫃骨風出疾）合集一三八六六 骨風即骨頭受風，出用作有。

嫀

懷四三二 合集一八〇三七 从女，从奏，《說文》所無。應是从女奏聲之字。

卜辭人名：……（……婦嫀……）懷四三二

婍

合集二七六〇五 从女，从奇，《說文》所無。

或曰：先妣下之妌、婭、媓等為先妣之私名，但卜辭有妣戊妌、妣戊婭、妣戊媓等，一人不可能有多名，可見其說不妥。

⿰女冬

□ 合集二八二三五 从□女从□冬、終，《說文》所無。釋⿰女冬。

卜辭人名：□□□□□□（其至司嫱又正）合集二七六〇五

《集韻》：「音冬，女字」。

卜辭疑作人名：□□……□□□……（丁亥卜，……御⿰女冬曾……）合集二八二三五 御用作禦，祭名。

⿰女⿶凵亞

□ 合集二二二四七 从女，从⿶凵亞，疑與婭同。《說文》所無。

卜辭人名，身份不明：□□□（匄⿰女⿶凵亞）合集二二二四七 匄：本義為乞求，此作祭名。疑為人牲。

婭

□ 合集二二三〇一 □□同版

《爾雅·釋親》：「兩婿相謂曰婭，言相亞次也」。

卜辭人名，疑作人牲：□□□（妣戊婭）合集二二三〇一 即：用婭祭祀妣戊。

□□□（妣乙婭）同版

媓

□ 合集二二三〇一 从女，从皇，《說文》所無。

卜辭人名，疑作人牲：□□□（妣戊媓）合集二二三〇一

⿰女步

□ 合集一二四三一 从女，从步，《說文》所無。應為从女步聲之字。

□ □ □

字頭	釋文
□	卜辭義不明：……□（……妹）合集一二四三一
	□合集一九九八六 □佚九四三 □□合集一〇一一五 从女，从□或□，屋、廡作聲。
（□）	卜辭義不明，疑人名：□□……于□……□……（御子……于婦鼠，□）合集一九九八六 御用作禦，祭名，婦鼠：商代地位較高的婦女名，此時已去世。
	義不明：……□……□……□（……令……狩……□）合集二〇一一五
□	□合集一三七 从女，从□，《說文》所無。
	卜辭人名：……□□□……（……子□告曰：……）合集一三七
娆	□合集一八〇四七 从女，姜聲，即《字彙》娆字。
	《字彙》：「亂貌」。
	卜辭義不明：……□……（……娆……）合集一八〇四七
□	□合集三〇九六 从女，魚聲，《說文》所無。
	卜辭人名：……□□□□□不□……（……貞，效丁人□不死……）合集三〇九六
□	□合集一八一二七 从女，从咎，《說文》所無。

□

妞

卜辭義不明：……（……）合集一八一二七

合集三七四八五 从女、从丑，釋妞，今多稱女孩為妞。古文作⿰丑女，音好，與今之用義不同。或釋⿰丑女、好一字，與卜辭無關。

（⿰丑女）

《說文》：「⿰丑女，人姓也，从女丑聲。商書曰：無有作⿰丑女。呼到切」。呼到切音即好。

卜辭地名：王田于（王田于妞麓）合集三七四八五 田，田獵。

⿰女萑

合集二二二七一 从女、萑聲。《說文》所無。

卜辭義不明，疑人名：……（……⿰女萑牢在𠂤用）

合集二二二七一 牢，圈養的專供祭祀用牛。

妦

合集二五六八 从女、丰聲，《說文》所無。為妦、⿰女夆之初文。

（⿰女夆）

《集韻》釋⿰女夆：「同妦」。《揚子方言》：「凡好而輕者，趙、魏、燕、代之間曰妦」。

卜辭疑人名：……（……巫妦……）合集二一五六八

奴

懷一五一五 从女、又爪聲，《說文》所無。

妹

卜辭人名：……[甲骨文]……[甲骨文][甲骨文][甲骨文]（……奴……不其妨）懷一五一五

妨即嘉、好也。生男曰嘉，生女則曰不嘉。

[甲骨文]合集三八七六一 从女、本聲。《說文》所無。

卜辭疑人名：[甲骨文][甲骨文]（殼妹）合集三八七六

⿱八⿰女飞

[甲骨文]合集三六八二七 从八、从[甲骨文]、奴从飞、飞，構形不明。

卜辭地名：王[甲骨文][甲骨文][甲骨文]（王步⿱八⿰女飞亡災）合集三六八二七 亡用作無。

⿰女戚

[甲骨文]合集三二六一二 从女、戚聲。《說文》所無。

卜辭疑女奴隸名、人牲：……[甲骨文]小[甲骨文]（……⿰女戚小辛）合集三二六一二

即用⿰女戚來祭祀小辛。

⿰女香

[甲骨文]合集三六七五一 从女、香聲。《說文》所無。

卜辭地名：[甲骨文][甲骨文][甲骨文]（在⿰女香貞）合集三六七五一

⿰女王

[甲骨文]合集一八〇四五 从女、王聲。《說文》所無。

卜辭義不明：……[甲骨文]……（……⿰女王……）合集一八〇四五

[女卜]

[甲骨文] 合集二一七三 从女、从卜，《說文》所無。

卜辭疑作人名：……[甲骨文]（……[甲骨文]……[甲骨文]（……生月……御[女卜]）合集二一七二 御用作禦，祭名。

[女戔]

[甲骨文] 合集九七三 从女、从戔，《說文》所無。

卜辭義不明：……[甲骨文] [甲骨文] [甲骨文]（……唐子[女戔]父乙）合集九七三

嬙

[甲骨文] 合集三二二九九 从女、从嗇，《說文》所無。

卜辭女罪隸名，人牲：[甲骨文] [甲骨文] [甲骨文]（烄嬙，雨）合集三二二九九 烄：焚人祈雨之祭。

[虍女]

[甲骨文] 懷一五〇九 从女、虍，虍聲。疑與娏同（見八二六頁娏字註）。

卜辭義不明：……十月……[甲骨文]……[甲骨文]……（……甲子……惟……[虍女]……）懷一五〇九

姈

[甲骨文] 合集一四六三 从女、令聲。《說文》所無。《集韻》：「音靈，女字，一曰女巧慧也」。

卜辭義不明：……[甲骨文]……（……姈……）合集一四六三

[篆文：姈]

⿰女彡

英三〇　合集二三〇九八　从女、从彡。《說文》所無。

卜辭人名：　㞢疒（⿰女彡㞢疾）合集二三〇九八　㞢用作有。……

……（……婦⿰女彡……）合集一〇八一六　……　丁八（……⿰女彡示八）英三〇。示：整治。

安（夨）

合集一九。从　女，从乚，乚為指事符號，以乚指其部位，與

臂之構形同義。　與　實為一字，可釋作項、頸之初

文（見六七〇頁夨項、頸字註）。

卜辭人名：　丁二　（婦安示二屯）合集一七五四一　示：整治；屯：一對骨版。

嬉

合集三〇九七　从女，喜聲，《說文》所無。

《博雅》：「戲也」。

卜辭人名：　丁……（嬉示……）合集二七二六　示：動詞，整治。……

口夕　（……取放丁人嬉）合集三〇九七

⿰女壴

英六五一　英二〇四　英六三七　合集一九九　四　合集二四二〇。

从壴鼓，从女或卩、堇，義同，女、卩、堇均人形。釋⿰女壴或⿰壴堇，卜辭均用

如艱，有災禍之義。（或从人作　合集二四〇〇六）

）艱囍僖（

周晚毛公厝鼎「家湛于艱」作、「召于艱」作。召同昭，湛

古文同沈。

《說文》：「艱，土難治也，从堇，艮聲。，籀文艱从喜」。

卜辭用作艱，災禍之義：（今日亡來艱自方）合集二四一四九 亡用作無，方：方國。（其自南出艱）合集二四一四七 出用作有。（今日亡來艱）英二〇三四

亡用作無。（：艱，死）合集一〇〇六 （王固曰：有祟，其有來艱。迄至九日，允有來艱自北，𢼸妻安告曰：土方侵我田，十人：）合集六〇五七

妭

屯四〇四九 合集一九九八三 从女旁有：，構形不明。

卜辭女奴隸名：人牲：（烄妭雨）合集三二二九〇

烄：焚人祈雨之祭。 地名：（商于妭奠）屯四〇四九

奠：祭名。

艱

妟

□ 合集五八四。□ 英一二七五 □ 英八二 象突出頭部之婦女形。

或釋晏（晏已有之，作□或□），不可信。

卜辭人名：□乎□白□□（妟呼取白馬氏）合集九四五

氏：送來、帶來之義。□示三屯出一□（妟示四屯出一骨）合集一七六二八

示：整治，屯：量詞，一對骨版，出用作有。……□……□（……婦妟……屯）合集五八四。

妬

□ 合集二八二 从女，从石，《說文》所無。釋妬。

《集韻》釋妬：「同妒」。

卜辭人名：□□□□（妬其氏羌）合集二八二 氏：動詞，帶來之義；羌指羌俘。

（妒）

姛

□ 合集三六一七五 从女，司聲。《說文》所無。

《集韻》：「音思，女字」。

周早者姛尊作□，周早馬𩣡祠𣪘作□，周中姛𣪘作□。

卜辭義不明，疑與祀同，祭名：……□□……□□□……□

妬 （妒）

于[glyph][glyph]（…娟其…文武帝呼…娟于癸宗，若）合集三六一七六
呼，命令；宗，宗廟；若，順心。[glyph]（其唯娟祏正）合集三八七二九 祏、正均祭名。

嬣

[glyph] 合集一八六○五 [glyph] 合集一四○二三 [glyph] 合集二一七二七 金文从女，寧聲，《說文》所無。伯疑父毀作[glyph]。《集韻》：「音寧，女字」。
卜辭人名：[glyph]（婦嬣娩，幼）合集一四○二三 幼即嘉，佳也，生男曰嘉，生女則曰不嘉。[glyph]（婦嬣子曰戠）合集二一七二七 …戊卜…[glyph]…（…戊卜，嬣…衣逐…）合集三七五六三

[女+雝]

[glyph] 後下二五、一五 从女雍聲。《說文》所無。
卜辭人名：…[glyph]（…[女+雝]毓育）後下二五、一五 毓，生毓。

[女+星]

[glyph] 柏一二 从女，星聲，《說文》所無。
卜辭義不明：…[glyph][glyph]…（…戊申，[女+星]其…）柏一二

[女+纍+心]

[glyph] 甲二二 从女，从纍，从心，《說文》所無。
卜辭人名：[glyph]（丁丑卜，婦[女+纍+心]力）人三一六六 疑為

□妿之省，即嘉，生男曰嘉。

嫇（冥 娩）

□ 乙六三七五 □ 同版 □ 前六、二八、四，从女，冥聲，釋嫇，或省作冥，為娩之初文。

《說文》：「嫇，嬰嫇也，从女冥聲，一曰嫇嫇，小人皃」。嬰嫇：生小孩。

卜辭作動詞，分娩也：□□□（貞，婦姮嫇）乙六三七五 ：：丁丫

□（：：亥卜，嫇）前六、二八、四 □□□□□（婦姮冥，不其嘉）乙六三七五

妟

□ 合集二六六八 从□、从㗊，疑與□ 妟同（見八二一頁妟字註）。

卜辭疑人名：□□ ：：□ ：：干 □（貞，妟：：好：：千章）

合集二六六八

妟

□ 合集八〇八 □ 合集一八八〇。象一女子頭扭向後形，疑與□死同（見五五八頁死字註）。

卜辭義不明：□□□□□（貞呂不𩵋妟）乙三三八九

□

□ 合集三八二四四，从女，从戊，或釋娍，可參。

卜辭人名：：：□□□（：：戊女□，妿）合集三八二四四 妿即

□

嘉，生男曰嘉，生女曰不嘉。𡟰疑形聲字，為毓育之繁文。

嫂

[甲骨文字形] 粹一二三七 从女、从叟，《說文》所無。

卜辭人名：[甲骨文字形]（嫂娩）粹一二三七 娩，分娩。

[女殳]

[甲骨文字形] 甲三六八三 从女、从殳迎，《說文》所無。

卜辭義不明：……[甲骨文字形]……[甲骨文字形]……（……豖……[女殳]……）甲三六八三

妹

[甲骨文字形] 合集六五二四 从女、木聲，《說文》所無。

卜辭人名：[甲骨文字形]（乙未，婦妹示屯，爭）合集六五五二 示，整治；屯，量詞，一對骨版；爭為簽收人。

[女亼丘]

[甲骨文字形] 人三一七。从女、从亼、从丘，《說文》所無。

卜辭疑人名：[甲骨文字形]……[甲骨文字形]……[甲骨文字形]（弜……[女亼丘]婦……子）人三一七。弜用如勿。

[女子止]

[甲骨文字形] 佚四一四 从女、从子、从止，《說文》所無。

卜辭義不明：曰[甲骨文字形]（曰[女子止]）佚四一四

[女它]

[甲骨文字形] 乙四六七七 从女、从它，釋[女它]，《說文》所無。

[篆文字形：妹] [篆文字形：[女它]]

[女告]：

[glyph] 乙四八八五

从女，告聲。《集韻》：「音誥，女名」。卜辭殘句，義不明：[glyph]（[女告]）乙四八八五

卜辭疑人名，人牲：[glyph]（妣辛姼）乙四六七七 即用姼來祭祀妣辛。

摯

[glyph] 合集二八〇一 从女、从執，即《說文》摯字。《說文》：「摯，至也，从女，執聲。周書曰：大命不摯。讀若摯同。一曰虞書雉摯」。

卜辭人名：[glyph]（甲辰卜，婦摯：）合集二八〇一

嬂（蔑）

[glyph] 懷一六三三 [glyph] 合集一七三五八 从蔑、从女、从戈作蔑，或从苗、从女、从芍作[glyph]，通作嬂。與[glyph]蔑之用同（見三七頁蔑字註）

卜辭某神祖名，為祭祀對象：[glyph]（出伐于黃尹亦出于嬂）合集九七〇。出用作侑，侑代均祭名；黃尹為商代舊臣。[glyph]（出于嬂）合集一七三〇二 [glyph]（我其出嬂）合集一七三五八 [glyph]（其又蔑暨伊尹）合集三〇四五一 又用作侑，祭名；伊尹：商代舊臣（此句之蔑與嬂無別）。

《集韻》：「音尒，姊謂之嬭」。《博雅》：「母也，楚人呼母曰嬭」。《風土歲時記》釋嬭：「一作妳」。

㚶（御）

□合集一五五六二 从女，从丨，疑即□御之異文（見一〇一頁御字註）

卜辭人名：□子曰□（婦㚶子曰啚）合二八七 ：：□丁一（：：㚶示一）合集一五五六二 示：整治骨版。

嬭（妳）

□合集一八〇五四 从女，从㒼，疑即後世之嬭字，通作妳。

卜辭義不明：：□：：（：：嬭：：）合集一八〇五四

民（盲泯）

□合集一八二七二 象以物刺人目形，示為罪隸也。與金文民同。典籍民、盲、泯一字。

周早盂鼎作□。春秋王孫鐘作□。何尊作□。

《說文》：「民，眾萌也，从古文之象。□，古文民」。《說文》：「泯，民也，从民，亡聲。讀若盲」。

卜辭作罪隸，人牲：：：□□□□□□□□□□□□（：：卯民其奠王次䰙甾，卯民奠王次）合集二〇三三一 卯：用牲法；次：从師，从𠂤，表示師旅駐紮；䰙甾：地名。□：：□：：（王役役：：民：：）合集一八二七二 役：驅使。

民　盲　泯

丿（片）：合集九六六九
（　）合集一三四四三
丿為抽象字，泛指某物之一件，卜辭作計量單位，與書法之撇捺之丿不同，可視為片字初文。
卜辭計量單位，用作片，與件、個義同：□□丁□（一丿）□（婦妸示□丿，□）合集九六六九 示：整治，屯：一對骨版，□：簽收人。□□□丁十□□一（婦杞示七屯又一丿）合集一七五三五 □丁丨□出二（（□示十屯有一丿）合集一七五七九

乂（刈）

□ 屯五三二 □ 合集一〇九六九 象剪刀形，為刈之初文。

《說文》：「芟艸也，从丿从乁相交。刈，乂或从刀」。

卜辭地名：□于□（王狩于乂）合集一〇九六九 祭名：□□□（其乂大乙，彡）屯五三二 彡，擊鼓而祭。

弗

□ 英一八一 □ 合集三三〇四三 象以繩束‖使其平直，有矯正之義。

周中師旅鼎作□。易鼎作□。盤壺作□。

《說文》：「弗，撟也，从丿从乁从韋省」。

卜辭作副詞，表示否定：□□□（貞，弗雨）合集一二四一七 □□□（弗其獲）英七九三

棘

□ 粹一五八一 象以繳纏繞二木形，有使其直正之義，疑為弗之異文。

卜辭貞人名：三卜，□□（三卜，棘貞三）粹一五八一

弋

□ 合集三九八三 □ 合集三七四七三 □ 懷九六一 象一尖銳之物，本

為獵具，後世視作木橛形或用作弋獵之專字。卜辭弋，一字二形，與金文、戰國印之弋並同。

周早睘卣作，周晚召伯簋作，戰國印作。

《說文》：「弋，橜也，象折木衺銳著形。从厂，象物挂之也」，象物挂之訓有失。《詩·鄭風》：「弋鳧與鴈」，疏曰：「弋，射也，射而取之，故弋為取也」。《周禮·夏官司弓矢》：「矰矢、茀矢，用諸弋射」。《韻會》：「弋，繳射飛鳥也」。

卜辭人名：（惟弋令）合集三二八三五　地名：田弋

（貞，田弋，往來亡災）合集三七四七三　田：田獵，亡用作無。

弋獵也：（王其弋）合集一〇三四

弋弋

懷三七九　象二弋相交形，釋弋弋，疑與弋弋同（見八五六頁弋弋字註）。《說文》無弋弋字。

卜辭地名：……于……（……王……于弋弋……）懷三七九

氏

合集五〇　英五二八　象人提物之形，有致送、帶領、帶來

氐

（氏 抵 ）　氐　（厥 乙）

之義。或用如氐、抵、至、達之義。

周早令殷作[illegible]。公貿鼎作[illegible]。嬴氏鼎作[illegible]。

《說文》：「氏，巴蜀山名，岸脅之旁箸欲落墮者曰氏，氏崩聞數百里。象形，乀聲。楊雄賦：響若氏隤」。《說文》：「氐，至也，下箸一，一地也」。

卜辭動詞，致也：[illegible]（茲此甫氏擢）合集一三八九六

帶領也：[illegible]（王勿令上甲氏眾伐舌方）合集二八 帶來也：[illegible]（围氏嫀）合集一〇八六 嫀：秦地女俘名。

[illegible]（出來自南，氏龜）合集七〇七六 祭名：[illegible]

[illegible]（勿氏丁示）合集一四九〇八

氒

[illegible] 菁一 [illegible] 甲二九〇八 [illegible] 佚一一九 與金文氒同，古文氒、厥同字。

《尚書》厥皆作氒，《史記》引《尚書》多改作其。看來氐、氒、厥之用義如今之其也。

周早盂鼎作[illegible]，周中曶鼎作[illegible]，春秋攻吳王鑑作[illegible]。

氐　氒

乍奴即其奴也。□（乍奴）甲探一〇五

《說文》：「乍，木本，从氏大於末，讀若厥」。厥同橛、橛。

卜辭疑用如厥，其也。……□中□……

（王賓中口，乍陰在廳阜）菁一　賓，親臨參加祭祀；廳阜，地名。

……□……（乍賓）佚一一九　地名：□（在□）懷一五八八

戈

□ 乙二一九四 □ 乙九九一 □ 珠四五八 象古代兵器戈形。

商父丁毀作□，周早宅毀作□。

《說文》：「戈，平頭戟也，从弋一橫之，象形」。

卜辭人名：子□（子戈亡禍）京三一四七　亡用作無。方國名：

□（合戈方）合集八三九七　義不明：□下□（癸亥卜，

壬戈受年）合集八八八四　兵器名：□（其𢦏戈

一，斧九）合集二九七八三　𢦏：獻戈，投獻之義。

肇（肇肇）

□ 合集二九六九三 □ 合集三一一八一 □ 合集二一六〇一　象用戈破戶

（甲骨文戶、門通用），示破戶為破國之始也。為肇、肇、肁之初文。

牆盤作□，从郭，城邑也。滕虎毀作□。服尊作□。

（肁）

或釋弁與車、車等為一字，均為戎字，可參。

戎（戎）

《說文》：「肇，上諱」。肇乃後漢和帝名。《廣韻》：「始也」。《集韻》：「擊也」。《說文．戶部》釋肁：「始開也」。

卜辭疑為國族名：□□□（不遘肇）合集二七三七。始也，引申作先鋒之義：□□□□□□□（肇馬左右中人三百）合集五八二五 馬：馬隊，騎兵。祭名：□于□（肇于唐）存一．三二 動詞：作也：□□□□□（惟帝肇王疾）合集一四二二二

□ 屯二二八六 □ 合集二一八九七 从戈，从十甲，甲本盾也。釋戎。卜辭有一□字，象一手持戈，一手持盾之形，直釋作𢦏，疑即戎之繁文（見六七三頁𢦏字註）。□

周早盂鼎作□，周中不㝨𣪕作□。

《說文》：「戎，兵也，从戈，从甲」。甲即堅硬之盾。《揚子方言》：「江淮南楚之間謂拔曰戎」。

卜辭國族名：□□□□□（王其呼𦎫戎）屯二二八六 呼：命令；𦎫用作敦，敦迫，打伐。 拔除：□□（戎缶）合集二一八九七 缶：方國名。

戍

乙二三二。 乙二六五 象人立戈下，疑與人持戈形之同（見六七二頁 狀字註）。

周早令毁作，周中競卣作。

《說文》："戍，守邊也，从人持戈。"

卜辭作動詞，守衛也："（戍咨其遘捍）"合集二八〇三八 "（令五族戍羌方）"合集二八〇五三 "族"為單事組織。

職官名："（惟戍馬、𦣻呼）"粹一一五六 即呼戍、馬、𦣻；呼、命、令、戍、馬、𦣻均職官。

戓（或 國）

乙八一 合集一四二 从口，戈聲，《說文》所無，見於《佩觿集》。

卜辭或多作人名，其中"从今或無禍"為罕見之辭，"或無禍"有人疑即"國無禍"，音義可通。《說文》、金文均以或作邦國之國，或是否可作或、國之初文，待考無定。有人疑名將沚或簡稱或，可參。

周早何尊"余其宅茲中國"國字作，周晚毛公鼎"康能四國"作，秦鎛"勿或逾改"或字作。

戍 戓 或 國

或釋戓等與戕同，均戕字。可參。

《佩觿集》釋戓：「音歌，地名」。

《說文》：「或，邦也。从口，从戈以守一，一，地也。域，或又从土」。

卜辭人名：□□□□（王比沚戓伐召方）屯八一

□□□□（惟今日令戓）屯九三五　疑地名或作邦國之

國：□□□□□（庚辰貞，己亥，

左聳登，从今戓亡禍）合集三二八四　乍用作無。

戕

□ 合集三五三〇一　从戈，爿聲。

《說文》：「戕，搶也，他國臣來弒君曰戕，从戈，爿聲」。

卜辭人名：：□□□□（……其遣戕）合集三五三〇一

戰

□ 英六二二　□ 合集二〇四四九　□ 合集二三〇二　从戈，从回或口，回為盾形，以戈和盾示

抵禦、戰衛之義，釋戰，今多以捍代之。戰、捍均形聲也。

（捍）

《說文》：「戰，盾也，从戈，旱聲」。

卜辭作抵禦、捍衛本義：□□□□（王令捍大方）

南北坊三、六二　□□□□（令馬捍人北）屯一九　馬：司馬官。

戕　戰

𢦏為方國名。

𢦏

𢦏屯四五三 从戈，才在聲。即《說文》之𢦏。卜辭中多作災害之義，與𡿧或巛之用近似，如亡𢦏與亡災𡿧，一般均作無災之義。另有𢦔字作動詞，作傷害之義，與𢦏𢦔有明顯區別。

周早盂鼎作𢦏。

《說文》：「𢦏，傷也，从戈，才聲」。

卜辭災害之義：于宮亡𢦏（于宮亡𢦏）合集二八九○三

亡用作無。狩亡𢦏（狩亡𢦏）合集二八六四一 狩：狩獵。

田濮亡𢦏擒（田濮亡𢦏，擒）合集二八四九七 田：田獵。

𢦔

𢦔英五○五 𢦔屯三七○六 𢦔合集一二四九五 从戈，屮才聲。

與𢦏𢦏形近音同，但兩字之義有別。

卜辭動辭，有打擊、傷害之義：吾方允𢦔𢦏（吾方允𢦔戌）合集六三七三 允：果然。𢦔𢦏方（𢦔𢦏方）合集六六四九

𢦓

𢦓屯六六○ 𢦓合集一○八六 象以戈擊殺二人形。

戠（識）：□字从言，卜辭言、音一字。《集韻》釋戠或識均為「音熾，義同」。可見戠、識乃同源或通假之字。典籍戠音職或幟，但卜辭戠假作食或蝕，如「日有蝕」、「月有戠」等。食蝕讀音與識同。

（殲）

有滅絕之義，疑即殲字初文。《說文》：「𢦏，絕也。一曰田器，从从持戈。古文讀若咸，讀若詩云：攕攕女手」。

卜辭作滅絕：□出□（𢦏出擒）合集四七六三 出用作有。□ □（王令𢦏）合集三二九九六

武

□ 合集四五六 □ 懷一六九二 从戈从止，止本足形，示征伐、動武之義。

商切卣作□，周晚毛公鼎作□。

《說文》：「武，楚莊王曰：夫武定功戢兵，故止戈為武」。

卜辭作文武之武，商王謚號：□□□用……（惟武唐用……）合集二七一五一 □（武乙）前一、二五、五 □（武丁）甲八

□

戠

□ 合集三三六八五 □ 英二一四六 从戈，从□言、音，或省作□，義同。釋戠。

周中豆閉𣪘作□，周中免𣪘作□。

□

戔（殘　剗）

《說文》：「戠，闕。从戈，从音」。音職。

卜辭人名：（婦婞子曰戠）合集二一七二七

用作日食之食或月蝕之蝕，借音字：（日又戠）屯三二二。又用作有。（月又戠）存一·一九四。　用作職，將祭牲晒成乾肉，為用牲法：（王賓，祖辛，戠一牛）佚五六四　顏色名，戠犀即某種顏色之犀：（獲商戠犀）佚五八

商：地名。（戠牛用）合集三〇七八　疑地名：入（王弜入戠）合集三二九五六　弜：否定詞，義如勿；入，進入。

合集四七五八　合集七〇二三　从二戈相交，會意字。為戔、殘、剗之初文。

《說文》：「戔，賊也，从二戈。周書曰：戔戔巧言」。《廣韻》：「傷也，二戈疊加，有賊傷之象，通作殘」。《韻會》釋剗：「攻也，平治也」。

卜辭人名：（戔戔來四十）合集七〇二三　來：進獻。　用作剗：（呼戔舌方）合集六三三五　呼：命令。　商先王

戔

⿱或孛（誖）：《說文》：「誖，亂也，从言，孛聲。悖，誖或从心。⿰或或籀文誖从二或」。段玉裁說文注：「兩國相違，舉戈相向，亂之意也」。《集韻》：「誖，古作⿱或孛」。

从⿱或孛之⿱或孛或為地名。

廟號，戔甲即河亶甲：□□十（祭戔甲）遺二〇六 疑作地名。□□□□（呼从戔侯）乙四六四五 呼，命令；侯，地方長官。

⿰目戈

□ 合集三一一三。疑與□聲同（見八五〇頁□字註）。

卜辭作動詞：□□□□□（呼雍⿰目戈師萬）合集三一一三。

呼，命令；師萬，疑地名。

睃

□ 合集二二五四一 疑與□⿰目戈同。

卜辭義不明：□□□□□（惟御睃祖，若）合集二二五四一

御用作禦，祭名；若，順利。

⿱⿰目戈⿰目戈

□ 英二三 从二⿰目戈聲。《說文》所無。

卜辭義不明：□□□□□□□（呼禦羌，不⿱⿰目戈⿰目戈）英二三

⿱或孛（誖）

□ 英六七九 □ 合集九六〇八 从二□捍或二□戎，後世訛作⿱或孛，今作誖。

卜辭人名：□□□□□（王往省，从⿱或孛）合集五一一九

省，省察；从，隨同。地名：于□（于⿱或孛）合集九六〇八 □□□

（⿱或孛受年）合集九七七四

[日戔]

□ 合集二〇四二六 □ 合集二〇四二五 从戔、从日，《說文》所無。

卜辭地名：□□□□于□□□（王其往觀于[日戔]，亡災）

亡用作無。

[北戈]

□ 合集二〇四四六 从十戈从北，北象二人相背，疑與□戔同。

卜辭義不明：□□……（曰：[北戈]……）合集二〇四四六

（見八五四頁戔字註）

[戈万]

□ 合集二〇四七一 从戈、从万，疑與□戔同（見八五四頁戔字註）。

卜辭疑與□戔同：……□□□□（……余曰：亡戔）

亡用作無。□□□□（今日丁戔）合集二〇四〇七。

[戈交]

□ 合集一九九 从戈、从交，《說文》所無。

卜辭地名：□□□□□□于□□□（今𠙶田，从[戈交]，至于遘，獲羌）合集一九九 田：田獵；从：隨同。

[戈百]

□ 英六六六 □ 英六六三 从戈、从百，《說文》所無。

卜辭人名：□□□□（王惟沚戠从）合集六四八五 □□（王从戠）同版从，从：偕同，戠即沚戠。□□□□□（从戠伐土方）續三、九、四 □□□□（令沚戠歸）合集三九四八

⿹戈己

□合集二〇四七 □合集二〇六三 从戈，从己，《說文》所無。

卜辭義不明：～□□□□（乙未卜，王⿹戈己？）合集二〇四四七

□□□（癸巳⿹戈己，允？）合集二〇四四七 允：果然。

⿹戈亘

□合集八八 从戈，从亘，《說文》所無。

卜辭義不明：□……□……□□□……（貞：⿹戈亘疇……令𠦪……）南明二〇〇

⿹戈酉

□合集一九七七一 从戈，从酉，《說文》所無。

卜辭疑祭名：□□□□□（勿酌，翌⿹戈酉于黃尹，戠）合集一九七七一 酌：祭名；黃尹：受祀對象，或曰：黃尹即《詩》、《書》中之阿衡、保衡，可參。

⿹戈𠁥

□合集三〇九四六 从戈，从𠁥，《說文》所無，權作⿹戈𠁥。

卜辭義不明：□入：：□彡王□又：（惟入：：戠彡，王受又又）合集三〇九四六。彡：祭名；又又讀有祐。

戎

□合集三八二 □合集二七九九七 □合集二二〇四三 从戈，从中，構形不明。疑同□捍或□、□戎。

卜辭方國名：□□□□（其征戎，翌庚戌）合集三三〇四三

酨

□合集二三五三四 象戈擊人頭形，旁之小點示血滴。《說文》所無。

卜辭動詞：：□□□：：（令、酨子奠：：）合集二三五三四 子奠：：人名。

⿰辛戈

□屯一〇三 从辛在戈上，《說文》所無。周早⿰辛戈毀作□。

卜辭義不明：于：□（于：：⿰辛戈）屯一〇三

⿹𢦏米

□屯四三二五 从𢦏，从米，構形不明，權作⿹𢦏米。

卜辭義不明：□：：于□：：□用□（其：：于⿹𢦏米：：羌用剛）屯四三二五 羌：指羌俘，人牲；剛：用牲法。□于□：：（⿹𢦏米于⿰米殳：：）同版

戉

□ 英一七七七 从戈、从丨，《說文》所無。疑與□成同。

卜辭義不明：□□□□□□□□（弜□宋丕正戉徝果，若）英一七七七 弜用如勿；徝：巡視；若：順利。

□

□ 屯二三八六 从戈，从女，从帚，構形不明。

卜辭地名：□□□□：□□□□□□（□呼□戉：王受又又，在□）屯二二八六 呼：命令；□用作敦；戉：國族名；又讀有祐。

戳（截）

□ 屯二三三 从戈，雀聲。為截之初文。

《說文》：「戳，斷也，从戈，雀聲」。

卜辭作截止之義：□□□□□□□□□□□□（王其觀日出，其截于日剛）屯二三三 剛：方始，日剛指日剛剛出來。

□

□ 合集一三六七五 从戈，网（岡）聲，應與剛同（見二五七頁剛字註）。

卜辭人名：□□□□□（呼般从□）合集一三六七五 从：隨同。

□

□ 合集三〇七二 从彳，从戠，疑為□戠之異文（見八五五頁戠字註）。

戳

卜辭同戠，用作膱，將祭牲晒成乾肉，用牲法也：……□用
（……膱用）合集三〇七二

□

□ 陳一六。从戈，从口，《說文》所無。
卜辭義不明：□……□□……□□……□作
……□……（癸丑卜，賓……鼒之日正……延□……亦疾……□……）陳一六。

戚

□ 甲二二四九 从戈，从戊，《說文》所無。
卜辭義不明：□……□……□……（戊……戚……□……）甲二二四九

□

□ 懷三二 从戠，从廾，釋□。疑為戠之異文。
卜辭同戠，用作膱，將祭牲晒成乾肉，用牲法也：□□□□
□用□□（貞，戍其使酘用之□）懷一三二 酘：祭名。

□

□ 人二五四一 从□□ 从□□之省，□為動詞，傷害之義。
□在心上，會意字。
卜辭疑用牲法：□□□□（惟□□用，若）
人二五四一

戉（鉞）

… 英四〇四 象古兵器形，為戉、鉞之初文。

商戉父癸甗作 …，周中虢季子白盤作 …。

《說文》：「戉，斧也，从戈，𠄌聲。司馬法曰：夏執玄戉，殷執白戚，周左杖黃戉，右秉白髦」。从戈𠄌聲之說非本義。

卜辭人名：……（令戉來歸）合集四二六八 方國名：……（吾方允𢦏戉）合集六三七三 允：果然；𢦏：傷害，侵犯之義。

戚

… 屯三五七二 … 屯四五五四 … 合集三五三三五 象斧戉類。

周中戚姬毁作 …。

《說文》：「戚，戉也，从戉尗聲」。初文非形聲字。

卜辭作祭祀之禮器：……用（惟戚，庸用）屯四五五四

庸，同鏞，大鐘也。……（于丁亥，奏，戚不雨）合集三一〇三六 奏：祈雨之祭祀活動。……用（惟茲戚用）屯三五七二

⿸戉月

合集七四一二 合集七四一三 英一九七 从戉、从月，《說文》所無。

卜辭作動詞：（王惟昜伯⿱止㚸⿸戉月）英一九七 昜伯：昜方伯長；⿱止㚸：昜伯私名。（貞，王⿸戉月）合集七四〇八

我

英七九七 合集三六五二四 屯二三七三 象長柄有齒之兵器，卜辭借作你我之我。

周早盂鼎作，周中舀鼎作，春秋邾公釛鐘作。

《說文》：「我，施身自謂也。或說，我頃頓也，从戈，从禾。禾，或說古垂字，一曰古殺字。，古文我」。

卜辭貞人名：（辛巳卜，我貞：）前八、一八 疑地名：（貞在我）人七〇六 借作你我之我：（今日我又事）英一八九九 又用作有。（我受又）英五五三 又用作祐。動詞：（指用我這種屠具）屠殺：（二十牛不我）甲二三八二

義

義 屯二一七九 義 屯三〇四。義 合集三八七六二 从羊，从我，羊有美善意。金文義用作儀。師旂鼎作[glyph]，中義鐘作[glyph]，癲鐘「威儀」作[glyph]。《說文》：「義，己之威儀也。从我羊。[glyph]，墨翟書義从弗，魏郡有𦏳陽鄉。讀若錡，今屬鄴，本內黃北二十里」。

卜辭地名：中效于義（中效于義：）合集三二九八二 于義（于義）屯四一九七

（儀）

用作儀：儀仗也：弜用義行弗遘方（弜用義行，弗遘方）合集二七九七九 弜用如勿；方：方國。

{我口}

{我口} 合集七一八 {我口} 合集三四三九九 从我从口，《說文》所無。卜辭疑人名：貞{我口}弜丮戠禾（貞，{我口}弜丮戠禾）合集三四三九九 弜用如勿；丮：祭名；戠用作職，用牲法；禾：在此與年同。：：：{我口}其丮（：：{我口}其丮）同版

{我圖}

{我圖} 合集六〇五七 从我从圖宜，《說文》所無。

[我芳]

卜辭地名：□□□□（王步自□）合集六〇五七

□ 合集三七五〇四 从我、从芳，構形不明。

卜辭地名：……□□……王□于……（……在[我芳]，……王步于……）合集三七五〇四

[我盾]

□ 合集六七六四 从我、从盾，疑與□捍同（見八五三頁捍字註）

卜辭義不明：□□□□□□□□（戊戌卜，殼貞，戉得方[我盾]戦）合集六七六四

[義子]

□ 合集三六五三三 从子、从義，《說文》所無。

卜辭地名：□□□……（在[義子]貞……）合集三六五三三

[我象]

□ 佚六八五 从我、从象，《說文》所無。

卜辭義不明：……□……（……[我象]……）佚六八五

直

□ 合集二七二七 □ 合集二〇四八 从目、从丨，丨表視綫，由目直視示曲直之直。

恒毀作□。

《說文》："直，正見也，从乚、从十、从目。□，古文直"。《增韻》

直

「當也」。

卜辭疑祭名：……□于□□（：：直于父辛）合集二〇四八……

□□（：：直大乙）掇一、五四九　當也：□□□□□（庚申，王直出）

佚五七

亡

□ 英九九六　□ 英一一五三　構形不明。卜辭亡用作有無之無。

周早天亡毀作□，周晚鈇鐘作□，春秋杞伯毀作□。

《說文》：「亡，逃也，从入，从乚」。

卜辭用作有無之無：□□□□（今夕亡禍）合集一三三二

□□（亡事）合集二一七〇三　□□（亡雨）懷一六〇三

□

匄

□ 英五五八　从人、从亡，會意字，人有亡失，求乞於人也。

周中師寰方彝作□，周晚蔡姞毀作□，春秋季良父壺作□。

《說文》：「匄，气也，逯安說：亡人為匄」。气同乞。

卜辭乞求之義：□□于□□（出匄于祖丁）合集九三〇。出用作有。

災害也，亡匄即無害：□□□□□□□□（勿見其有棌，亡

□

區

□）合集一七三三。勿即物，指雲色；㭊用作渝，變化。

□屯三。□屯六二九　□合集六八五　从品在匸中

戰國子禾子釜作□。

《說文》：「區，踦區藏匿也，从品在匸中。品，眾也」。

卜辭地名：□（王其狩區）合集六八五　狩：狩獵。

祭名：□（庚寅卜，其區，㲇）屯六二九　區、㲇均祭名。□（弜區，㲇）同版　弜用如勿。

医

□文九　象矢在匸中。與考母鬲之□医同。

《說文》：「医，盛弓弩矢器也，从匸从矢。國語曰：兵不解医」。

解医即解翳。《齊語》：「兵不解医翳」韋注：「翳所以蔽兵也」。

卜辭地名：田于□（田于医）文九　田：田獵。

匸

□屯二二六五　□屯一八二　□英三三九八　象側面神龕形，供放神主牌位。讀作報。作為祭名，即報塞之祭，報答神靈之祐助也。

周早祖己鼎作□，匸賓鼎作□。

區　医　匸

匚乙：□ 綴新四〇七
即《史記.殷本紀》世序之報乙，為直系先王。

匚丙：□ 明一五八
即《史記.殷本紀》世序之報丙，為直系先王。

匚丁：□ 後上八.五
即《史記.殷本紀》世序之報丁，為直系先王。

匚三：□ 合集二七〇八三
三報合文。

匬（斞）

《說文》：「匚，受物之器，象形，讀若方。□，籀文匚」。王國維：「匚乙、匚丙、匚丁，《史記》謂之報乙、報丙、報丁，誼當《魯語》『商人報焉』之報」。三報或省作匚三。

卜辭祭名，報答神靈祐助之祭：□□□（彡匚于上甲）合集三五六 彡亦祭名。□□□（匚于河）合集一四五三。河：先公名。□□□□□（王惟匚于唐）合集一二八六。唐即湯，稱成湯、商湯，為商代直系先王大乙之私名。三匚即殷先公匚乙、匚丙、匚丁之集合廟主：□□□□（祝三匚惟羊）合集三〇八二 □□□□：：（三匚，二示，卯：：）合集二七〇八三 二示指兩位先王，卯，祭名，剖牲之祭。

□ 合集六七七 □ 合集五七三 □ 合集一三八八九 从匚，余聲，即从匚俞聲之匬。古量器，同斞，器受十六斗。

《說文》：「匬，甌器也，从匚，俞聲」。《集韻》：「音庾，同斞」。

卜辭人名：□□月：：□（匬骨凡有疾）合集一三八八九 凡用作風，指受風。地名：□□□□（方出于匬）合集六七一七 方指方國。

……多□衛□（……多馬衛□）合集五七二二 多馬：兩個以上馬官。

匩

□合集一八六五二 □合集四七四 象羊在匚中，《說文》所無。
卜辭疑人名：□□匩于……（貞好匩于……），庫一五一七 ……□□
……（……令匩……）合集一八六五二

[匚秉]

□乙四五二七 从秉在匚中，《說文》所無。
卜辭人名：……□□入二（乙未，[匚秉]入二）乙四五二七 入：貢納。

[匚隻]

□乙四五二二 从匚，从隻獲，《說文》所無。
卜辭義不明：□□□（不惟[匚隻]）乙四五二二 □□十……□
□□……（[匚隻]在甲……啓于不……）合集二二〇五。

[匚黔]

□粹九一六 从匩，从今，《說文》所無。
卜辭地名或方國名：……□□□（……[匚黔]其受又）粹九一六
又用作祐。

匰

《說文》：「匰，宗廟盛主器也。周禮曰：祭祀共匰主，从匚，單聲」。

匰

㔷

匚即盛主器，象盛放神主牌位之神龕側面形。《說文》匸之釋義與匚無別，疑為同源之字。

□ 合集二二六一 為匚、示合文。

卜辭為匚、示合文：……□□……□……□（……出自上甲……㔷）合集二二六一 出用作侑，祭名；上甲：或讀作報甲，即上甲微，殷直系先王。

曲

□ 合集一〇二三 象曲器，與直相對，即彎曲、歌曲之曲之初文。

曲父丁爵作□，曾子斿鼎「惠于剌曲」作□。

《說文》：「曲，象器曲受物之形，或說曲蠶薄也。□，古文曲」。

卜辭義不明：□□（貞曲）合集一〇二二

甾

□ 英三四一 □ 合集五四九一 □ 合集五四九三 □ 合集五四九二 □ 陳九二 構形不明。

子陵鼎作□、訇毀作□。

《說文》：「甾，東楚名缶曰甾，象形。□，古文」。

卜辭作動詞：處理、辦理之義：□□□□（行甾王事）合集

五四五四 駕馭之義。「……」（王往逐犀，小臣甾車馬。）合集一〇四〇五 助詞，用在句首，無義，與載之用作語首義同。「……于……」（甲子卜，甾燎于夒）續一、一二 燎，祭名。地名。田甾（田甾）合集三六五一四 田，田獵。方國名。「……于……」（三甾方于西）英五七三 「……于……」（甾伯于……）英一九七七 甾伯，甾方伯長。

弓

合集六八五 合集二一六五九 英二四〇三 象弓形。

商父癸觶作……，周中趞曹鼎作……。

《說文》：「弓，以近窮遠，象形。古者揮作弓。周禮六弓：王弓、弧弓以射甲革甚質；夾弓、庾弓以射干侯鳥獸；唐弓、大弓以授學射者。」

卜辭作人名。「……于……」（弓芻于戓）合集二四八 芻，本義為取草。……（弓歸）合集二一六五九 弓之本義。……（取弓）合集九八二七

弘

乙二九五 乙二四四三 从弓上有短橫之形，與金文弘同。

周中頌鼎作□，周晚毛公鼎作□。
《說文》：「弘，弓聲也，从弓，厶聲。厶，古文肱字」。《正韻》：「大之也」。
卜辭人名：□□□（勿令弘）合集二三六九九 □□□□（弘不其獲）合集四八二 大也：□□□□□（令日雨，庚弘）合集一二〇一五 □□（弘吉）合集三七六 □□□……（弘吉，在三月：）英二五〇三 祭名：□□□□：（貞，弘祖辛：）合集一七五二 □□（弘上甲）合集三三三四三 □□□□：□（弘自祖乙，歲三牛）合集三二五三 歲用作劌，用牲法。

彊（強）

彊 後下六．一七 从弓，畕聲，為彊之初文，即今強字。金文疆或作彊。
周早盂鼎作□，周中頌鼎作□。周晚毛伯𣪘作□。—秦公𣪘作□。
《說文》：「彊，弓有力也，从弓，畺聲」。
卜辭義不明：：彊：：（：彊：：）後下六．一七

引

□ 合集八二七六 □ 懷三八四 从大从弓，大乃人形，示人挽弓之義。

彊 引

扶：（合集一一二）（合集二一三七〇）象突出一手之人形，會有所扶之意。疑即《說文》手部之扶。周中扶卣作。《說文》：「扶，左也，从手，夫聲。」左同佐。
卜辭貞人名：（甲申卜，扶貞）佚五九九 扶占貝占卜也：（王占曰：有孕，嘉，扶占曰：嘉）合集二〇七一

（弘 弜）	彈（㢸）

與金文、廣韻引字同。
商毁作。耳毁作。
《說文》：「引，開弓也，从弓丨」。《玉篇》釋弘：「與引同」。《廣韻》：「引同弜」。
卜辭人名：（引弗其甾王事）合集六八三四 甾：辦理。地名：于（于引）合集八二七六

彈

合集二五 合集九四一〇 合集四七三四 合集三〇四一四 从弓有彈丸之形，或从攴文作擊打之狀。釋彈，有彈擊之義。
《說文》：「彈，行丸也，从弓，單聲。」，彈或从弓持丸」。
卜辭人名：子（子彈死）合集一〇四〇五 入（呼彈入御事）合集五五五八 呼：命令；御事：辦事。用牲法：（其彈二十人）合集二七〇一七 三（彈鬯百牛三）合集一三五三三 鬯：祭品。（彈，王受又）合集三〇四一四 又用作祐。

⿰弓収	合集二八〇二　从弓、从収，《說文》所無。 卜辭疑地名：（貞，其⿰豙又在不⿰弓収）合集二八〇二
引	存一、一四四五　从弓从丨、，構形不明。疑同、彈。 卜辭疑人名：（扶令引）存一、一四四五
㢸	合集二〇〇四二　英一九。从又持弓，《說文》所無，與石鼓文之䠶同。 《正字通》釋㢸：「射本字」。 卜辭疑人名：（令子射）合集二〇〇四二
弜	合集一七九七。象一人兩手持弓形，疑為引⿰弓小⿰弓張之異構。 卜辭疑人名：口（丁丑卜，弜于）合集一七九七。
䠶	合集二三七九六　象射目之形，疑與《集韻》眹同。（應在目部） 卜辭義不明：（步䠶無）合集二三七九六
弜	英二四五三　屯四四三二　合集三三五三三　合集二三一七八　从二弓，象弓檠。 商父丁觶作，周中𩏂毁作。

卜辭中□、□與□、□同，均弜字，作為否定詞時，其用如□(勿)。如：□□三□(弜黍三雨)合集一八四三 黍：動詞，收黍。□田三□(弜田三啟雨)合集三〇七四〇 田用作畋。畋獵。方國名：…□□(三三敦弜)合集七〇二九 敦：打伐。…□□(三三弗敦弜)英一八三

糸

《說文》：「弜，彊也，从二弓」。《集韻》：「音强」。

卜辭否定詞，義如勿、弗：□□田□□(王弜田其雨)合集三三五三三 田：田獵。□□(弜御)懷一五八一 御用作禦，祭名。□□□(貞，勿用)合集二六八九六

地名：□□□□□(祖丁否在弜，王受又)合集三〇三二五

否：用牲法亦祭名，又用作祐。于□□□□(于弜兕又雨)合集三四二六五 又用作有。

□合集六 □合集一一五二一 □合集一六三三八 □五 合集三九四二 彖□

手持相聯之絲形。

商糸爵作□，周早小臣糸卣作□。

《說文》：「糸，繫也，从糸，丿聲。□，糸或从毄處。□，籀文糸从爪絲」。

卜辭人名：三□□□□□□□□(乞自□二十屯，小臣中示，三糸)合集五五七四 屯：量詞，一對骨版。示：教正治之義。糸為簽收人。地名：□□(在糸)明九二九 方國名：□□(糸方)合集

二七九九七 祭名。于(勿奏、糸于東)合集一四三一 奏糸均祭名。東,東方土神。

四酒(丙寅貞,彡、糸)合集三四五三二

彡,祭名。

孫

合集三二一七 合集一○五五四 懷四三四 从子,从8,8為繩形,示結繩以紀世系之義。

周早祖己鼎作。周中頌鼎作。舍父鼎作。

《說文》:「孫,子之子曰孫。从子,从系。系,續也」。

卜辭地名:……(……余勿在孫)懷四三四

義不明:……(……卜……孫……)合集三一二一七 又用作祐。……田(……多子……孫……田)合集一○五五四

糸

甲三五七六 乙六七三三 合集三三五 合集二一三○六 象絲束形。

商糸父壬爵作。周早子糸爵作。

《說文》:「糸,細絲也。象束絲之形。讀若覛。,古文糸」。

卜辭人名：（貞从糸責亡禍）合集二一三〇六

亡用作無。

𢇍（絕、繼）

合集一四九六一　合集一六三三五　象二束中間斷絕，不連體之絲形。為𢇍、絕之初文。或以「反𢇍為繼（或作繼）」，非是。

戰國中山王方壺「內絕邵公之業」作絕，春秋拍敦蓋「繼母星用祀」作繼。

《說文》：「絕，斷絲也，从糸，从刀，从卩。，古文絕，象不連體，絕二絲」。《說文》：「繼，續也，从糸、𢇍。一曰：反𢇍為繼」。「反𢇍為繼」之論與卜辭無關。《五經文字》：「繼从𢇍，反𢇍為𢇍，俗作繼，非」。

卜辭疑用作繼：（貞，子商無繼才禍）合集二九四〇。才用作𢦏，同災。：（貞，有繼：）合集一四九六。

紊

合集二七四五六　从糸，文聲。

《說文》：「紊，亂也，从糸，文聲。商書曰：有條而不紊」。

終

卜辭義不明：「……」（貞，条……人其之……豕）合集二七四五六

英七二　英一七八四　象繩端終結之形，有極、盡之義。

周早井侯簋「帝無終命」作，周中「霝終」作。

《說文》：「終，絿絲也，从糸、冬聲。，古文終」。

卜辭終作整、盡之義：「（終日陰）」合集一三一四〇。

（終夕雨）合集一二九九八　終絕也：「（帝弗終茲邑）」

合集一四二一〇。

緣

河八〇〇。从糸、彖聲。

《說文》：「緣，帛青黃色也，从糸、彖聲」。

卜辭義不明：（緣）河八〇〇。

⿰糸冊

《正字通》：「綸巾俗作⿰糸冊」。

合集二六八〇一　从糸、从冊，《說文》所無。或疑為編字，可參。

（綸）

卜辭義不明：「……（……今日益⿰糸冊……之日允……衣）」合集二六八〇一　古文⿰糸冊、綸通用。《字彙補》：「⿰糸冊音關」。

彝

合集三八二二五　合集三六五一二　象兩手捧鳥形，以鳥獻祭

古文字中志每作止，如侯馬盟書「敢有志復趙尼及其子孫於晉邦之地者」志作止。楚簡人名志亦作止。另外，卜辭中既有絲、帛兩字，紡織用字就必然有之。

紕（紩　織）

之義。後稱宗廟中一種祭器曰彝，為常用之祭器。

周早矢方彝作〔古文字〕，周中頌段作〔古文字〕。

《說文》：「彝，宗廟常器也。从糸，糸綦也；廾持米，器中寶也；彑聲，此與爵相似。《周禮》六彝：雞彝、鳥彝、黃彝、虎彝、蟲彝、斝彝，以待祼將之禮。〔古文字〕、〔古文字〕皆文文彝」。

卜辭方位名，表示西方的專用名詞：〔古文字〕（西方曰彝）

合集一四二九五

祭名，供奉雞、鳥之祭：〔古文字〕中〔古文字〕（彝在中丁宗）

合集三八二三

〔古文字〕于〔古文字〕（王彝于祖乙）　佚七一四

〔古文字〕合集二四九四二　〔古文字〕合集二五九五一　从止，从糸或从収義同。

象雙手搓捻糸綫或麻繩之狀。〔古文字〕止乃足形，在此表示轉動，也是聲符。釋紕，疑為紩、織之初文。三字均形聲字，音義亦相當。

《類篇》：「績苧一端謂之紕」。績：緝也，搓捻；苧：苧麻；績苧即搓捻麻繩。《玉篇》：「紩，古文織字」。

卜辭祭名，求祐紡績之祭也：三口〔古文字〕〔古文字〕八〔古文字〕（三丁

紕

卯紐、若、八月）合集二三八〇五 若：順利。 [甲骨文]

（彝告盟室其紐）合集二四九二

紉

[甲骨文] 合集二一四七七 [甲骨文] 合集四二四八 [甲骨文] 合集一五一二 从糸，从刀，或釋紉

作紹，可參。 紉亦可作紃。

（紃）

卜辭地名：[甲骨文]于[甲骨文][甲骨文]（奠于丘紃）合集四二四八 奠：祭奠。[甲骨文]

[甲骨文]于[甲骨文][甲骨文]（朕芻于丘紃）合集一五一二 朕：我也；芻：本義為取草。

[甲骨文][甲骨文]（至紃）合集二一四七七

緈

[甲骨文] 合集三六九三八 从糸，从[甲骨文]，《說文》所無。

卜辭地名：[甲骨文][甲骨文][甲骨文][甲骨文]（在緈師貞）合集三六九三八 緈

師即結師。

絧

[甲骨文] 合集三二〇四九 从糸，司聲，《說文》所無。《博雅》：「絧，補也」。

卜辭作動詞，用牲法：[甲骨文]

（又伐于司，絧三十羌，卯三十豕）合集三二〇五〇 又用作侑，侑、伐均祭

名；司：神祇名；絧、卯均用牲法。

盥凡

合集二三六九　合集三三九　合集三三六　从盥，从凡，《說文》所無。

卜辭作用牲法：一牛一冊（貞，盥凡十牛、羌十人，用）合集三三九

糸尸

合集四五五〇　合集六七七一　合集八〇八四　合集二一三八

从糸，从尸，《說文》所無。

卜辭人名：三（王勿令糸尸三）合集四五四八

（令从糸尸）合集八〇八四　職官名：

（令多糸尸从望乘伐下危）合集六五二五　从：隨同；多：指兩個以上之糸尸。卜辭多亞、多馬、多尹等均指某種職官。

糸殳

合集四〇二五　屯四五八四　从糸，从殳或攴，義同。《說文》所無。

卜辭人名：（令比糸殳）合集四〇二五　（王惟糸殳犬比）屯四五八四　地名：（在糸殳貞）合集三六八三九

糸斤

合集三一八〇一　合集九〇〇二　从糸，从斤，《說文》所無。

《字彙補》：「糸斤，鏡也」。音糺。

給

卜辭疑地名：：□于□□入□（：至于紤，廼入甫）合集三〇二七三。廼同乃。□□□□（貞，蚰氏紤）合集九〇〇二 氏同抵，達也。

□ 合集二七八八七 □ 合集一三七五一 从糸，合聲，《說文》所無。
《玉篇》：「緝絲繐」。緝同綼，亦作紕，衣裳緣邊也。
卜辭人名：□□□作（給骨風有疾）合集一三九〇二 風，受風。□□□□：（令給从元：）合集四四八九 从：隨同。

⿰糸鬼

□ 合集五八六 从糸，鬼聲。《說文》所無。
《類篇》：「繪也」。
卜辭人名：□□□：（惟⿰糸鬼呼：）合集五八六 呼，命令，⿰糸鬼呼即呼⿰糸鬼。

縏

□ 合集三三五八 从糸，从凡。《說文》所無。□象豎盤形，卜辭□凡、般、盤一字，故拙釋□為縏，从糸，般聲。
《類篇》：「小囊也」。
卜辭疑作動詞：□□□□□□（惟縏人侯光使）

⿰糸勿			縯				紷	）	紷	（

合集三三五八人侯，人地長官；光，人侯私名。

合集二八五七 从糸从勿，《說文》所無。權作⿰糸勿。

卜辭義不明：……中（……卜……⿰糸勿中婦）合集二八五七

縯

鐵八八、四 合集三七一 从8或88，8乃糸形，多少無別；同，寅字，从矢 與身佩玉璜之人形或黄有別。縯字《說文》所無。

《集韻》：「音演，長也」。

卜辭疑地名：中（立縯使）鐵八八、四 中（立縯使）合集五五三 疑人名：月（呼縯凡龍）合集三七一

紷

合集二七八八八 合集二一四七〇 合集三二九一九 从素或索義同，令聲。卜辭糸、索素形近義近，在偏旁中每通用無別。紷、䉹、給當是同源一字（見八八三頁給字註）。

卜辭人名：（惟紷令）合集二七八八八 紷令即令紷。月（紷骨風有疾）合集一三九〇二 風，受風。……

縯							紷	）	紷	（

絲

□（鈴其奠三五）合集二一四七。
□合集三三三七 □合集三三三六 象二束糸形。
周中爯鼎作□。
《說文》：「絲，蠶所吐也，从二糸」。
卜辭上絲疑職官名：□□二□二□□眔□□（其令二侯、上絲眔𠂤侯）合集三三五六。眔用作暨，連詞。

□

轡

□屯二六一三 □合集八一七三 □合集八一七五 象三束絲連結一起之形。音必。
周早公貿鼎作□。
《說文》：「轡，馬轡也，从絲，从軎，與連同意。詩曰：六轡如絲」。
卜辭地名：□于□（至于轡）合集六九三九 □□□于□（王步于轡）合集三三一四八 方國名：□才（轡方）

□

率

□屯四二三三 □合集三四一八五 从□旁有□，構形不明。
周早盂鼎作□，周晚毛公鼎作□。

□

《說文》：「率，捕鳥畢也，象絲罔，上下其竿柄也」。不確。

卜辭用牲法：□□□□□□（貞，衛氏隸，率用）合集五五五 氏：帶來，押送來；隸：罪隸。□□□□□（今來羌，率用）合集二四八 □□□（弜率，教）合集二五七三 弜用如勿；教，祭名。

虫

卜辭虫，它一字（見八九〇頁它字注）。

□ 合集二四六五 □ 合集一八〇八〇 □ 英四二 □ 先周周甲六八

蜀

商卜辭象爬蟲類動物形，後來增一形符虫作蜀，為从虫罒聲之蜀。疑同□□（見八八九頁□字注）。

周早班毀作□。

《說文》：「蜀，葵中蠶也，从虫，上目象蜀頭形，中象其身蜎蜎。詩曰：蜎蜎若蜀」。

卜辭人名：□□□□□□□（王族比蜀甾王事）合集一四九一二 比：偕同；甾：辦理。 地名：□□□□（至蜀亡禍）

合集二七三一 亦用作典。（在蜀）合集二〇五八四（蜀受年）合集九七七四 方國名：（伐蜀）周探二坑六八

㞢

屯二一四三 合集三六五二 英二四六六 象蛇嚙足之形，為㞢、㞢之初文。釋㞢為宜，㞢為訛變。音趾。或从彳作動符。

戰國蚩尤魚鼎匕作。

蚩（徃）

《說文》：「蚩，蟲也，从虫，之聲」，非象形字本義。《集韻》訛作蚳：「音耻」。《類篇》：「蟲伸行，或作蚩」。蟲，河南人稱蛇為長蟲。

卜辭義如害，動詞，神鬼為害：（祖丁蚩王）合集七七五

（疾身惟有蚩）合集一三六六六

～（疾齒，惟父乙蚩）合集一三六四九

（惟帝蚩我年）合集一〇一二四（大邑商無蚩）合集三六五一一

虹

合集一三四四三 同版 合集一〇二二五 象雙首動物形。

《說文》：「虹，螮蝀也，狀似蟲，从虫，工聲」。《釋名·釋天》：「蝃蝀，其見每於日在西而見於東，啜飲東方之水氣也」。蝃同螮：見

蚰

同現，出現。《山海經·海外東經》：「𧈢在其北，各有兩首」。𧈢即虹。卜辭作彩虹本義：□□□于□（有設虹于西）合集一三四四四

設：設置，示神靈有意安排。□□□□□□于□（有出虹自北，飲于河）合集一〇四〇五 ：□□□□□□□□東⋯⋯⋯□□：（：九日辛亥旦大雨自東少：虹西：）合集二一〇二五

旦：早晨，日剛出時。□□□□□□□□□（庚寅卜，古貞，虹惟年）合集一三四四三

□合集一一四。□合集二一九〇六 □合集一四七〇五 从二虫。

戰國魚鼎匕作□。

《說文》：「蚰，蟲之總名也，从二虫。讀若昆」。二虫有昆弟之義。

卜辭地名：□□□□□□□□□（王其逐在蚰，鹿獲，允獲）合集一〇九五一 鹿獲即獲鹿；允：果然。

神祇名：□□于□（呼舞于蚰）合集一一〇四。呼：命令；舞：祈雨之舞蹈祭祀活動。□于□□□（燎于蚰，有雨）同版。

□

⿱止䖵

合集一三六二七　合集一四〇六八　从止，从二虫，疑與蚩同（見八八七頁蚩字註）。

卜辭義不明：（⿱止䖵）合集一三六二七　義不明：（丙子卜，⿱止䖵，婦⿰女力）合集一四〇六八　⿰女力即嘉，生男曰嘉，好也。

⿱目䖵

英三五八　合集一〇二三九　从目，从䖵，《說文》所無。疑同

卜辭地名：（在⿱目䖵）合集一〇二三九　（見八八六頁蜀字註）。

蠱

合集二五三。　合集六〇一六　合集一七一九一　从䖵或虫在皿中，即蠱之初文。

《說文》：「蠱，腹中蟲也。春秋傳曰：皿蟲為蠱，晦淫之所生也。梟桀死之鬼亦為蠱。从蟲从皿，皿，物之用也」。

卜辭動詞，禍祟之義：四屮干：：（毋丙有蠱于：）合集二五三。（惟媚蠱）合集一一九一　屮作（有疾齒惟蠱）合集一三六五八

蠆

□合集九〇二 □合集三七三八六 □合集二一一六 从土，从蠆或蚰 □

義同，《說文》所無。師觀鼎作□。

卜辭人名：□□（蠆氏縣）合集九〇二 氏用作抵，抵

達。……□□□……（卜，蠆告……）合集二一一六 □□□□

□（弜蠆呼，王其悔）合集二七九九。弜用如勿，蠆呼即呼蠆。

□□□□□（貞，蠆不其氏縣）合集九〇二 義不

明。□□□□□……□……（貞，衣，肜日，亡大蠆

祝……犀……）合集三七三八六 衣、肜均祭名。

它（虫也蛇）

□合集三〇三三 □合集六七二 □合集三二六二 □合集二二三九六 □

象蛇形，今河南人俗稱長蟲。為虫、也、它、蛇之初文。

周早沈子它毀作□。周晚䒞伯毀作□。春秋齊侯敦作□

□。

《說文》：「它，虫也，从虫而長，象冤曲垂尾形。上古艸居患它，

故相問無它乎？□，它或从虫」。《說文》：「虫，一名蝮，博三寸，

□ □ □ □

首大如擘指，象其臥形」。虺：中原人稱土公蛇。《說文》也字篆文作

別體作、金文作、均蛇形。

卜辭疑人名：：：：（：貞，令它：：）合集一〇〇六一 疑地名：

（令霝以在它祟交得）合集三三五〇九

疑為蛇之本義：：（丙戌卜，三十蛇）合集二〇三三三

動詞，與𡆥同，為祟、為禍之義，（河它禾）粹二

河指河神。代詞，它示亦作𢓊示，指直系以外的旁系先王：：

（貞，元示五牛，它示三牛）合集一四三五四 示

指神祖，元示指殷先王（直系）集合廟主。

（貞，勿于它示㚔）續三二一 㚔：同拜。：：（：𢓊示一牛）

人二九七九 𢓊同它。亡它即無害，亡它亦作亡𡆥𢓊 可見它、

𢓊通用：：（戊寅卜，亡它）合集二八二五

（貞，子漁亡𢓊）合集一四五三六

𢓊（大邑商亡𢓊）合集三六五二一 虫伯即崇伯：：（虫伯）周探一一坑三

龜

合集八九九六　合集九二六　合集九一八二　合集一〇七六　象龜形。

商龜父丙鼎作　，龜父丁爵作　。

《說文》：「龜，舊也，外骨內肉者也，从它，龜頭與它同，天地之性，廣肩無雄，龜鼈之類以它為雄。象足甲尾之形。　，古文龜」。無雄之說有失。

卜辭人名：　于三　（龜示四屯　岳）合集一七五九一　示：整治；屯：量詞，一對骨版；岳為簽收人。龜之本義：　（用龜）合集九〇二　（龜五）合集九一八二　（有來自南，氐龜）乙六六七。氐：送來、帶來。

（龜）

合集三一八六　合集一八二四　象兩手執龜之形，《說文》所無。或釋元龜，曰龜示即元示，可參。

⿱臼龜

卜辭⿱臼龜示疑即元示，殷先王集合廟主：　于　（三以鬯侑伊尹、⿱臼龜示　茲用）屯二五六七　鬯：香酒；伊尹：商之舊臣。　（勹伐⿱臼龜示五羌三牢）

合集三二〇八六 勺用作礿，礿、伐均祭名。 于□于又（于𤞷龜示又）

合集三四二二七 又用作侑，祭名。即向𤞷龜示進行侑祭。

龜又

□ 合集八九五六 从又持龜，《說文》所無。

卜辭義不明：□（龜又）合集八九五六

龜攵

□ 合集一〇一九八 从龜，从攵，《說文》所無。

卜辭義不明：□□□□□□□（我狩龜攵，擒；之日允擒）

合集一〇一九八 允：果然。

彳龜

□ 合集一八七〇六 从彳，从龜，《說文》所無。

卜辭義不明：……□……□……（……彳龜……若……）合集一八七〇六

弋益龜

□ 合集八九九六 从弋益，从龜，《說文》所無。或釋鼈，可參。

卜辭龜類動物名：……□□□……□□□□八□

（鼈）

□（……惟來五……允至，氏龜、霝龜八，弋益龜五百）合集八九九六 氏：送來，帶來，霝龜亦龜類動物。

益龜

□ 合集三三六一二 从益，从龜，《說文》所無。

卜辭龜類動物名：「□□□□□□□□□□」（三卜，出貞，鼄龜句不□，不三）合集三三六一二 □為動詞，應為从火、从南、郭聲之字。

□（龜匕）

□ 合集八八二 从龜，从匕，《說文》所無。應為从龜，匕聲之字。卜辭疑地名：「□□□□□□□□□」（呼究取羊不于龜匕）合集八八二

□（八龜）

□ 合集一三九 □ 合集一三八 从八，从龜，構形不明。卜辭隸、八龜、匄等皆地位低下的罪隸：「□□□□□、□□□□□□□□□□□」（三己未，隸八龜匄逃自交圉）合集一三八 逃：逃亡，圉：抓捕、囚禁。「□□□□□□□□□□□」（三八龜匄奉自交奉六人，八月）合集一三九 从上兩例相似之辭中分析：可知□與□、□與□、□與□六字可以通用，即八龜殳（八龜）、奉（逃）、圉（奉圉）是也。八龜殳字所从之龜殳疑即□龜殳之異文（見八九三頁龜殳字註）。

□（龜殳）

黽	)	鼃	蛙	(	鼉				⿱田黽

 合集五九四七  前四、五六二 象無尾巴之蛙形，為黽鼃蛙之初文。

師同鼎「王羞于黽」作，鄂君啟車節作。

《說文》：「黽，鼃黽也，从它，象形。黽頭與它頭同。，籀文黽」。鼃黽同鼃、蛙。一地名，疑即今河南澠池：(出自黽)周探一八

卜辭句殘，義不明：「…………(……黽……執)合集五九四七

 合集六一六三  合集三八五〇六 从黽，單聲。

春秋邵鐘「王鑄鼉鼓」作。鼉鼓即鼉皮鼓。

《說文》：「鼉，水蟲，似蜥易，長大。从黽，單聲」。疑鱷類。

卜辭地名：(在鼉貞)合集三八三〇六 水族動物名、祭物也：「(……曰、吉，不鼉)合集六一六三 不鼉即不用鼉。

 合集二九三五一 从田，从黽，《說文》所無。

卜辭地名：合集二九三五一 田，田獵。

(呼戈人崩⿱田黽)合集八四〇一 呼，命令。

黽					鼉				⿱田黽

鼄　（蛛）

□ 合集一七〇五七 象蜘蛛停在網上，或者作 □。釋鼄，省作蛛。黽本蛙形，作 □，或 □，後人以蜘蛛形作黽有誤。

春秋 □， 春秋邾公華鐘作 □。

《說文》：「鼄，鼅鼄也，从黽，朱聲。咮，鼄或从虫」。

卜辭疑祭物名：……□ □ □：（：我鼄五十：）合集九一八七

吉凶用語：□□□□□□□□（王固曰：吉鼄，勿余蚩）合集八〇九 余蚩即蚩余；蚩：神鬼為害。……□□□□（：師夕死鼄）合集一七〇五五 師：軍隊、部隊。卜辭習見成語有「□□□」，或者作「□□□」，用義不明，衆說不一，如不午黽（即不牾冥，不冥闇），不才黽（讀不再罣），不玄冥（兆璺清晰明白，不需再卜）……等，都不能使人信服。可釋 □ 為許，从 □（□言之省），从8午，讀 □ 為朱，讀 □ 為罣。這樣「不許朱」（不許塗朱）、「不許罣」（不許塗罣）之義就明朗了。

鼄（bottom cell）

𪔂

□ 合集二七三八〇 □ 合集三七三七五 □ 合集三六四一七 从 □ 橐、

東从□龜，从于戈，構形不明，權作⿰龜戈。

卜辭祭名：□彡□于□（其彡⿰龜戈于河）合集三〇四二八 彡亦祭名；河，殷先公名，即向河進行彡祭和⿰龜戈祭。□□□（惟⿰龜戈吉）合集二七六三二

龜

□ 合集三三三〇四 从三，从□，構形不明，權作龜。

卜辭神祇名：□□于□（拜禾于三龜）合集三三三四。拜：拜求之祭。

二

二 合集三三五九。卜辭積畫為數，一二三四作一二三三，長短相等，與二上二下有別。二為指事字，記數詞，數詞。

周早盂鼎作二，春秋秦公𣪘作二。

《說文》：「二，地之數也，从偶一。弍，古文」。

卜辭數詞：□二（牛二）合集二〇四八 □二□（今二月）合集三二四六

亟

□ 合集一三六三七 □ 合集一六九三六 象一人頂天立地，示頂、極之義，為亟、極之初文。

（極）

周中牆盤作[glyph]，周晚毛公鼎作[glyph]。

《說文》：「亟，敏疾也，从人，从口，从又，从二，二，天地也」。

卜辭亟同極，盡也，甚也：：[glyph]出[glyph][glyph][glyph]出：（：：曰，出祟，亟其出）合集一六九三六 出用作有；祟，神鬼為祟。 殺也：：[glyph][glyph]：[glyph][glyph]（：：王惟：亟豕）天八。

亘（回）

[glyph] 英三八四 [glyph] 合集六九四三 象亘回曲轉之形。卜辭宣字作[glyph]，金文作[glyph]，小篆作[glyph]。可知[glyph]、[glyph]一字，[glyph]即小篆之[glyph] 亘。《說文》回字古文作[glyph]，與卜辭[glyph]字之[glyph]大同，可見亘、回亦同源之字。

商父丁爵作[glyph]。曾侯乙鐘作[glyph]。

《說文》：「亘，求亘也，从二从回。回，古文回，象亘回形，上下所求物也」。非初義。

卜辭人名：[glyph][glyph]（丁三[glyph]）[glyph]（婦喜示四屯亘）合集六〇四〇 示：整治：屯，量詞，一對骨版；亘為驗收人。 貞人名：[glyph][glyph][glyph][glyph][glyph]（己酉卜，亘貞）合集一〇一七四 地名：[glyph]于[glyph][glyph]（貞于亘，十月）合集六八八七

（[glyph]） [glyph]

方國名：「曰于（：亘方）」合集三三一八。

凡

凡 屯一〇〇八 凡 英一二二八 凡 合集三四二二四 象豎盤形，釋凡。與盤、槃、般通用（見五三〇頁般字註）。

周早天亡毁作凡，周晚𠕓从盨作凡。

《說文》：「凡，最括也，从二，二偶也，从乃，乃古文及。」說形不確。

卜辭地名：才凡（在凡）合集三三五六八 用作侵犯之犯（當是借音）：「：方由今春凡（：方由今春凡）」合集四五九六 「：雀其有凡（雀其有凡）」合集四一二七 用作判，割也：「：凡牛刺羊（：凡牛，刺羊）」合集七七七三 用作盤，凡庚即般先王盤庚：凡庚（盤庚（合文））前一一六四 用作風：「婦好骨凡有疾（婦好骨風有疾）」合集七〇九 骨風：骨頭受風。 祭名：「凡父乙（凡父乙）」合集九一四 「凡母辛，歲于刌家（凡母辛，歲于刌家）」前六二五六 歲：祭名；刌：祭祀對象，家：祭祀之處。 「其凡于祖丁，舌，王受又（其凡于祖丁，舌，王受又）」合集二七三八一 舌：用牲法；又用作祐。

凡

土　基

土 □ 英一一七。□ 屯五七 □ 合集九七四一 □ 合集八四九一 象地上有土塊形，其旁之小點為土粒。□或省作□。

周早盂鼎作□，周中召鼎作□，周晚散盤作□。

《說文》：「土，地之吐生物者也，二象地下，地之中物出形也。」

卜辭方國名。□□□□（令伐土方）屯一〇一五 疆土也。□□□（西土亡𢦏）屯一〇四九 亡用作無，𢦏，傷也。□□□□（北土受年）合集三六九七五 □□□（在南土）合集二〇五七六 □□（東土人）合集七三〇八 用作社，社神，土地神。□于□□（燎于亳土）屯一〇五 燎，祭名。□于□（燎于土）合集四五六 □□于□□（勿𠦪年于邦土）合集八四六 𠦪同拜。四土指四方土神。□三□于□（奏四土于茍）合集二一〇九一 奏，祭名，奏樂、跳舞之祈雨活動。

基 □ 英六〇五 从土，其聲。

春秋子璋鐘作□。子璋鐘又省土作□。

土　基

坐（㘸）：合集二〇三五 象一人坐於土堆之上。卜辭从多从步毎無別，故可釋坐。《說文》：「㘸，止也，从土从留省，土所止也。此與留同意。古文坐」。从留省之訓非初義。卜辭疑作坐之本義：

（三丑卜坐：其骨凡有疾：）合集二〇三五 凡用作風，動詞，受風也。

《說文》：「基，牆始也，从土，其聲」。

卜辭方國名：（子商𢦏基方）合集六五七八

𢦏：動詞，打擊之義。（基方缶）合集八四四五

缶：獻戈投降。

埽（掃、㲋）

合集三〇一三 合集五八三 合集六七七八 合集一八〇八一

从又持帚，會意字，象一手持帚，一手持箕，示掃向箕中，其義更明。《說文》埽从土，示掃土。埽、掃為古今字。

《說文》：「埽，棄也，从土，从帚」。

卜辭人名：□□卜□貞（邑示二屯 小掃）粹一五〇一 示：整治：屯，量詞，一對骨版；小掃：簽收人。□□卜□十□（邑示七屯 掃）佚八六六 貞人名：（掃貞）乙八三一九

圣（壆）（貇土）

合集五八〇四 屯四二五一 合集三三二一 合集九四七四 合集九四八五 象單手或雙手起土，或从用，用乃桶形，有用桶去土之義。為圣、墾之初文。又假作貇，即今懇求之懇。

圣（墾）

城（䵺）：䵺（周探三一坑五）从𩫖，成聲，為䵺，城初文。周早班毁作[glyph]，春秋城虢遣生毁作[glyph]，春秋邾𧮫尹鉦作[glyph]。《說文》：「城，以盛民也，从土从成，成亦聲。䵺，籒文城，从𩫖」。卜辭作城之本義，𡨧由城即𡨧須城：[glyph]（𡨧由䵺（周探三一坑五）

（貇　懇）

《說文》：「坙，汝潁之間，謂致力於地曰坙。从土，从又，讀若兔窟」。《說文》：「墾，耕也，从土，貇聲」。墾即今墾字。

卜辭作墾田，開墾荒地：[glyph][glyph][glyph]田于[glyph]（王令坙田于京）合集三三二〇九　[glyph][glyph][glyph][glyph]田（㞢，𡰥有足乃坙田）合集九四八。[glyph][glyph][glyph]田于[glyph]（令𡕥坙田于[glyph]）前七、三、二

掘阱陷獸：[glyph][glyph][glyph][glyph][glyph][glyph][glyph]（[glyph]犀來羞，王惟今日坙土，亡災，擒）前二、二一、一　[glyph][glyph][glyph][glyph][glyph]（王其坙大犀）前二、五七

用作貇，祭名：[glyph][glyph][glyph][glyph][glyph][glyph]（其坙父庚爽酉于宗）粹三　貇同懇，懇求。

地名：[glyph][glyph][glyph]（方弗戕坙）合集六七七三　戕：動詞，傷害，侵犯。

[廴+坴+攴]

[glyph]合集三三二一三　[glyph]屯二二六〇　从二坙在[glyph]中，[glyph]象地界，疑即[glyph]、[glyph]之異文。（見上頁坙字註）

卜辭作墾田，開墾荒地：[glyph][glyph]田[glyph]（[glyph][glyph]田在[glyph]）合集三三二一三　[glyph][glyph]田于[glyph]（王[glyph][glyph]田于[glyph]）屯二二六〇

舉土

□ 合集一八二二九 从臼、从冉、从土，《說文》所無。舉土方鼎作□。

卜辭疑同舉土，□□□□叀于□東（王其令舉土叀于□東）

懷一六四八（見九〇一頁舉土字註）

𡌨

□ 合集三四〇七五 从冉、从土，《說文》所無。

卜辭疑作動詞，□□（弜𡌨）合集三四〇七五 弜用如勿。

墀

□ 合集一五三九六 从土、从犀，《說文》：「墀，涂地也。从土，犀聲。禮天子赤墀」。赤墀即丹墀，階上地也。

（坭）

卜辭地名，……于□（……于墀）合集一五三九六

甫

□ 合集二三九六 从土、从用，《說文》所無。疑同甫。

卜辭方國名，□□……□□……（貞，呼……甫伯……）合集二三九六 甫伯即甫方伯長。

坐

□ 合集一四五三五 从兩人執銳器墾土，疑同坐。

卜辭疑祭名，□□□□……（貞，其坐河……）合集一四五三五

土犀

⿱𦘒土　合集五七四九　、合集九五五五　合集九五五四　合集二七八三三

象雙手植樹形，疑即植字初文。

《說文》：「植，戶植也，从木，直聲。」《韻會》：「種也。」

（植）

卜辭動詞，疑作種植樹木：（王其有植）合集五九〇八　：（：植木）合集五七四九　：（：：植不其生）合集九五五五　生：成活也。

⿱甫土　合集八四〇一　从用、从土、从止。止為足形，動符，疑與　圣、墾、⿱𦘒土同（見九〇一頁圣字註）。

卜辭動詞，疑與⿱𦘒土同：（呼戈人⿱甫土龜）合集八四〇一　呼：命令；龜：地名。

圣　京三〇三二　从又、从土，構形不明。

卜辭疑人名：：（戊寅：圣令：）京三〇三二

⿰土丮　京二八四三　从土，从丮，《說文》所無。疑與　圣同。

卜辭義不明：：（：⿰土丮：）京二八四三

植

侸

[甲骨文] 合集一七九五二 从圡王 从亼土 从𠂆 𠂆或人，卜辭𠂆亦人形 構形不明，權作侸。

[㫃土]

[甲骨文] 合集一八五二一 从旗立土上，《說文》所無。

卜辭疑動詞：[甲骨文]……[甲骨文]于……（殼貞，[㫃土]于……）合集一八五二一

[禾土]

[甲骨文] 合集二〇四三 从禾、从土，《說文》所無。

卜辭義不明：[甲骨文]……[甲骨文]……（庚申……其[禾土]……）合集二〇四三

[首土]（梟）

[甲骨文] 合集三三八六 [甲骨文] 合集一八九一八 [甲骨文] 合集一八〇七二 合集一象立杆懸首之狀。

[甲骨文] 首从[甲骨文]从（象綁接二木形）从土，示懸首于高杆之上，所从之土為土臺或以土封栽之義。《前漢高帝紀》：「梟故塞王欣頭櫟陽市」。此為梟首示眾，為卜辭本義之引伸。卜辭亦作祭名亦用牲法。

卜辭作梟首：[甲骨文][甲骨文][甲骨文]……（亘貞，[首土]禦……）合集三三八六

[甲骨文]……[甲骨文]于……（貞……[首土]于……）合集一八〇七二 御用作禦，祭名。

牡

[甲骨文] 合集一九九八七 為牡、牝合文。丄為雄性之標誌。丄士勢也，後世偏旁中誤从土，如牡字之土便是。（應在牛部）

卜辭為牡、牝合文：……[甲骨文][甲骨文][甲骨文][甲骨文][甲骨文]（……禦婦鼠，妣己二牝、牡）合集一九九八七 禦，祭名。

堯

合集九三七九 合集四四八〇。从〇〇土从兀，為堯之初文。

《說文》：「堯，高也，从垚在兀上。高遠也。古文堯」。

卜辭人名：人（堯入）合集九三七九 令（堯令）

合集四四七九 堯令即令堯。

堇

合集二五三七。英一一〇三 屯一五八 召伯毁作，从火。戱

鐘作，訛作从土。為堇、熯、嘆、旱之初文（見六四一頁熯字

註）。《說文》：「堇，黏土也，从土，从黄省」。非本義。

野

合集一七一七三 合集三〇一七三 从林，从土，與金文野同。

周晚克鼎作，戰國冶盤匕作。

《說文》：「野，郊外也，从里，予聲。古文野，从里省，从林」。

卜辭人名：入：（貞，野入三）前四、三三、六 義不明：

于入（野丁至于䖵，廼入甫）合集三〇一七三

田

合集三三二〇六 屯一〇二 合集三三二一三 田 英二三一八 象農田中

有所陌形。

疇（壽 檮）

商契卣作田，周早令鼎作田。

《說文》：「田，陳也，樹穀曰田，象四口十阡陌之制也」。

卜辭作農田：墾田于京（墾田于京）合集九四七三　大令眾人曰劦田（大令眾人曰劦田）合集一劦同協，協田：協力耕作。田用作畋，畋獵：王田榛，往來亡災（王田榛，往來亡災）英二五四七　亡用作無。王其田盂，亡𢦏（王其田盂，亡𢦏）合集三七五七三　𢦏同災。官職名：从多田于多伯，正盂方伯（从多田于多伯，正盂方伯）甲二四一六　多田：兩個以上田官；于用作與，有和、同之義；多伯：兩個以上方國伯長；正用作征，征伐；盂方伯：盂國伯長。

[字形] 合集二三六一四　[字形] 合集二七二三三　[字形] 合集一三六九六　象耕犁溝間有牛蹄印形。與《說文》疇之古文同。後世用作壽。

《說文》：「疇，耕治之田也，从田，象耕屈之形。[字形]，疇或省」。

[字形]

卜辭用作禱，祭名。□□□□□于□（其又小乙，禱祭于祖乙）合集二七三三 又用作侑，祭名。□□□□□□于□

□□㞢□□□（庚子卜，爭貞，翌，其酌于祖辛，禱，㞢，勹，歲上甲）合集一六五四 翌、酌、㞢侑、勹礿、歲均祭名。□

□（禱□）合集一五三八乙 讀報，報塞之祭，即報答鬼神之福祐。

畯

□ 合集五六〇九 □ 合集五六〇五 □ 合集三〇一九 从田，允聲。

周早盂鼎作□，春秋秦公𣪘作□。與卜辭同。

《說文》「畯，農夫也，从田，夋聲」。允訛作夋，允、夋同源之字。

卜辭義不明□□□□□（勿將戈人㞢正畯）遺四五八

有用作有。

畜

□ 合集二九四一五 □ 合集二九四一六 □ 屯三一二一 从□幺 从□或□義同，□象田有艸木。後世演化成从田玄聲之字，即畜 音許 產、畜牧事業和家畜 音出 牲畜之畜也。

春秋秦公𣪘作[glyph]，春秋欒書缶作[glyph]。

《說文》：「畜，田畜也，淮南子曰：玄田為畜。[glyph]，魯郊禮畜从田，从茲，茲益也」。音出

卜辭作畜養、豢養之義：王畜馬在茲廄：（王畜馬在茲廄：）合集二九四一五 廄：馬廄、馬圈。

畜封，義不明：畜封人（畜封人）屯三三九八

[glyph]

[glyph] 合集一八四三三 从田、从二片步，《說文》所無。

卜辭義不明：：[glyph]：（：[glyph]：）合集一八四三三

画

画 合集二七八七九 象田有畺界之形，疑即畺、疆之省文（見九二一頁畺字註）。

卜辭疑同畺，画小臣疑為主管疆界之職官，：画小臣：（：画小臣：）甲一二六七

[glyph]

[glyph] 合集九九四六 象田有禾穗之形，或疑為[glyph]字，可參。

卜辭某種農作物名：我受[glyph]年（我受[glyph]年）

明 明 合集八一〇四 明 合集一六〇五七 从月，从田。田非田地之田，乃囧牖形，與囧形同。明乃明之異文（見四〇一頁明字註）。

明 卜辭同明，明日也。⋯明⋯（明陰）合集一六〇五七 地名。⋯

明 明（在明）合集八一〇四 卜辭另有明陰作明陰。合集一三四五

朙 于明作于朙 合集一四，可見明、朙一字無別。明亦作朙。⋯

（ ⋯⋯⋯（⋯明⋯來⋯）合集一九四二 明亦作朙，⋯

⋯⋯（戊戌卜貞，丁目不喪明⋯六月）合集二〇三七

目不喪明，眼不喪失視力。⋯⋯⋯⋯（⋯酌⋯朙五日⋯宜⋯）合集一一七〇八 酌，祭名。

畕 畕 英七七四 从二田，與金文畕字同。卜辭畕、畺、畕每通用無別。

深伯鼎「萬年無畕疆」作畕，車鼎作畕、畕。

《說文》：「畕，比田也，从二田」。

卜辭地名。⋯⋯于畕（⋯勺⋯于畕）英七四四 勺用作礿，祭名。

畕

或釋□為爽，即□、□一字，可參。

畺 □

畺之或體作疆，金文疆或作彊、畕、畺。卜辭□、□、□、□、□、□當通用無別。《說文》：「畺，界也，从畕，三其界畫也。疆，畺或从彊土」。（見八七三頁彊字註）

黃 □

□英二八七 □懷一一 象人佩有玉璜之形，假作黃白之黃。

周中免卣作□，周中師艅毀作□。

《說文》：「黃，地之色也，从田，从炗，炗亦聲」。不確。

卜辭作黃色之黃，□（黃牛）合集一一六七 黃尹、黃奭為舊臣名，□（酌黃尹）合集九四五 酌，祭名。□（㞢于黃奭）合集四〇九 㞢用作侑，祭名。地名，□（在黃師）屯二八二

男 □

□合集三四五七 □合集二一九五四 □合集三四五四 从田，从力，示男子用力于田也。或以□為耒，示以耒在田中耕作之義。

周早矢方彝作□，春秋齊侯敦作□。

《說文》：「男，丈夫也，从田，从力，言男用力于田也」。

□：：于□□（貞，勿于壺力）英七五一

力

卜辭義不明：□田□：：□（貞，男苟：：亡禍）前八.七.一

：：卜□：：田□：：□：：（：：卜，惟：男克：：）合集三四五七 ：：□

□：：□：：（：：雀男：：受：：）合集三四五三 □田□□□（貞，男不其）合集三四五一 十丙出田□：：（甲辰，出上甲男：：）合集三四五三

：：□□田：：（：：受男：：）合集三四五五

□ 英七五一 □ 合集二二六九 象大臂形，示用力、力氣之義。或曰象耒形。

戰國𠫑羌鐘作□，戰國中山王鼎作□。

《說文》：「力，筋也，象人筋之形。治功曰力，能圉大災」。說形不確。《前漢司馬遷傳》「力誦聖德」註曰：「力，勤也」。

卜辭作動詞。四□□（丙子力）合集二〇六八六 □□□□三（婦石力，十三月）合集二〇九九 ：：□□□□（：：午貞，妃力）合集二二四六〇

敕

□ 合集二〇六四六 □ 合集二〇五七六 □ 庫一五八三 □ 合集一八一六 □ 庫一八六七 象以手抓動橐橐之形。□與金文勅字形近似。

（動）　勵　（恊 協 㗅）劦

、所从之、均手形，與力形近易混；所从之東亦作聲；疑
為形聲字動之初文。毛公㫆鼎作。動不从力。
《説文》：「動，作也，从力，重聲。，古文動从辵」。
卜辭人名：（丁丑，敕入七）合集二〇六四六 入：入貞。
祭名：（辛巳，敕祖辛父）合集二〇五七六
（其敕）合集一八一六〇 （其動）庫一八六七 所舉、
之用義同，且均以東作聲，當是一字。
合集二二四七九 从力，从辰，《説文》所無。
卜辭疑作動詞：（丁酉卜，呼多
方勵）合集二二四七九
英三五三 屯二八四四 象耒耜並列之形，或从口義同，亦協力
耕作之義。為劦、協、恊之初文。
周中𩛥𣪘作。
《説文》：「劦，同力也，从三力。山海經曰：惟號之山，其風若劦」。《説

（）　劦　（）

文》：「協，眾之同和也，从劦，从十。叶，古文協从日十，叶或从口」。《說文》：「恊，同心之和，从劦，从心」。皆有同心協力之義。

卜辭動詞，劦田為協力耕作：「……大令眾人曰：劦田……」（王大令眾人曰：劦田……）合集一

祭名，協合之祭，在最後舉行，或同時聯合他種祀典一並舉行之也：王賓劦亡尤（王賓上甲劦亡尤）合集三七○四二 賓：親臨參加；亡：用作無；尤：災害。劦于祖丁亡蚩（劦于祖丁，亡蚩）合集二三○○四 亡蚩即無害。其彡劦日大乙其舌于祖乙（其彡劦日，大乙，其舌于祖乙）屯九二三 彡、舌均祭名。

風名：東方曰析風曰劦（東方曰析，風曰劦）屯九二三

𦓤

𦓤 南坊五、四九 𦓤 合集三四一五 从二耒相並，當與劦劦同。

卜辭人名或祭名：勿令𦓤（勿令𦓤）南坊五、四九 義不明：王伯臭曰：𦓤徝其受出又（王伯臭曰：𦓤徝其受出又）合集三四一五 出又即有祐。

加又

□ 合集五三四五 □ 合集一〇四〇 从耒加从又，或釋耤，但與辭義不符，義與劦同。（見九一三頁劦字註）

卜辭祭名：：□□□于□□（：：加又毋巳于豕）合集七〇〇二

：：日□（：：祖乙加又）合集一〇四〇 □□：：（王加又：：）合集五三四五

：：□□□□：：□□□（：：取、加又以又示：：迺□征方）合集六七五三 取用作聚，焚燒木柴祈雨之祭；方：方國。

鑄

□ 英二五六七 象兩手倒持坩鍋作澆灌鑄造之狀，□皿為所鑄之器，□止為聲。或作□義同。

周早作冊大鼎作□，周中守毀作□，春秋余義鐘作□。

《說文》：「鑄，銷金也，从金，壽聲」。音住。卜辭作鑄造之義。

卜辭作鑄造：□□□□□□□□□□□□（王其鑄黃呂，奠血，惟今日乙未利）英二五七六 呂用作鑪，此指銅錠，黃呂即黃銅錠，奠血即以血奠祭；利：吉利。

□

鑊（雘、雧）

合集一五九四六　合集一五九四四　屯三四一　从鬲，隻（獲）聲，或从火義同。直釋作雘、雧，即今鑊字。

商引鼎作，戰國哀成叔鼎作。

《說文》：「鑊，鑴也，从金，蒦聲」。《增韻》：「釜屬」。《周禮·天官亨人》：「掌共鼎鑊」註曰：「鑊所以煮肉及魚腊之器」。

卜辭人名：（王令鑊以子尹立于帛）屯二四一　（惟鑊令田）合集三三二八

即惟令鑊田獵。

鐙（豋、剅、䟫、鋀）

英八八五　英八八六　乙三三八三　象無蓋罍壺形，為豋、鐙之初文，亦用作剅、䟫、鋀等。

《說文》：「鐙，酒器也，从金豋，象器形。豋，豋或省金」。

卜辭人名：（婦豋示十三）續五、二六、五　示：整治。

地名：（呼田于豋）庫一二六三　呼：命令；田：田獵。

（豋不其受年）合集四四〇

職官名：田

鑊　鐙

（夕盟出田）合集一〇五四七田，田獵。祭名，夕祭也，□□四

□□□□□（夕盟，丙戌允出來入齒）合集一七二九九。

果然，出用作有，入，入貢，齒指象牙。□□□□品

□□（夕盟，出新大星並火）合集一一五〇三並火，靠近火星。

用作剄，砍也，用牲法。□□□□（彰，御，盟十羊）

合集六〇三五御用作禦，彰，禦均祭名，羊，公羊。□□□

□□（盟羊，冊良，垂）合集七一一六冊用作删，砍也，用牲法，

良，垂均人牲。

□合集五六二四□合集二一七七五从貝，戔聲，《說文》所無。即

錢字。古者以貝為幣，故賤字从貝，至秦廢貝行錢，故賤

字从金作錢，賤即後來之錢，錢又與鋝義同。

《說文》：「錢，鋝也，从金，戔聲。《罰書》曰：『列百錢』」。典

籍錢為量名，六兩曰錢，質為黃鐵，即銅。

卜辭錢本量名，此指實物，「～□□□□□□□□」

賤（錢鋝）

曰（乙未卜，爭貞，賏，王𥄉曰：寇）合集五六二四 寇同叟、搜。

合集六八一七 合集六八一四 合集六八二三 合集六八一九 象礦洞中或山巖下雙手執具採玉之形，所从之甴為容器。當是鑿之本字。或釋寇、戭，可參。

《說文》：「鑿，穿木也，从金，糳省聲」。《易林》：「鉛刀攻玉，無不鑽鑿」。

卜辭動詞，打擊、討伐之義：

（令多子族暨犬侯鑿周，甾王事）合集六八一三 周：方國名；甾：辦理。

（令旅从𢍰侯鑿周）合集六八一六 从：隨同；𢍰侯：𢍰地長官。

三二 三二：（令三上絴三侯二三鑿周）合集六八一九

（令旅氏多子族鑿周，甾王事）合集六八一四

（惟𢦏令从，鑿周）合集六八二二

或謂𠣏、ㄗ為不同之字。

勺	[甲骨字形] 英三八 [甲骨字形] 合集四八〇 [甲骨字形] 合集二〇四一 象杓中有實形，為勺、
）	杓之初文，亦用作礿。
杓	《說文》云「勺，挹取也，象形」。《玉篇》云「亦作杓」。
礿	卜辭人名，云 [甲骨字形]（呼勺）合集二〇四一 貞人名，云 [甲骨字形]
（	[甲骨字形]（庚辰卜勺，今夕其雨，允雨小）前四、四三、五 卜勺即
	勺卜，允，果然。 地名，云 [甲骨字形]（壬往于勺，不
	冓雨）合集二七八六六 冓同遘，遇也。 用作礿，祭名，云 [甲骨字形]
	[甲骨字形]（㞢勺于祖辛）合集一七一三 㞢用作侑，祭名。 [甲骨字形]
	[甲骨字形]（勺御于父乙，羊）合集三二七二九 御用作禦，祭名。
㪗	[甲骨字形] 合集一〇九八九 从勺，从攴，《說文》所無。為㪗、⿰暴殳、⿰扌暴初文。
）	《集韻》云「音剝，⿰暴殳或从勺」。《集韻》釋⿰暴殳云「音剝，毃也」。
⿰暴殳	《集韻》釋⿰扌暴云「音剝，與⿰暴殳同」。
⿰扌暴	卜辭地名，云 [甲骨字形]（貞，在㪗田，
（	武其來告）合集一〇九八九 田，田獵。

冘（⿱幾血）

冘 屯二 冘 屯九 冘 屯二五〇 冘 屯四〇五三 冘 合集九九四六 冘 合集一四一七二 象几上有血滴形，示刲取牲血之意，用作祭名，即獻血之祭。其義與《說文》⿱幾血同。

《說文》：「⿱幾血，以血有所刲涂祭也，从血，幾聲」。

卜辭祭名亦用牲法：卑見百牛冘用（卑見百牛冘用）合集一〇二見假作獻。冘用來羌（冘用來羌）合集二四六

田（貞，冘御上甲）合集一二〇三 御用作禦，祭名。

几

𠘧𠘧 乙五三二八 从二几，構形不明。

卜辭貞人名：甲午卜𠘧貞，御于下乙至父戊，牛一（甲午卜𠘧御于下乙至父戊，牛一）丙八五 𠘧為几貞之省；御用作禦，祭名。人名：夊𠘧入二（夊几入二）丙一二 入＝入貢。

且

且，商代後期或增示旁作祖，偶爾作𧙗，即後代之祖（見一八頁祖字註）。

俎

俎 屯四一七八 俎 屯九四五 象置肉於且上。且象置肉之禮器。

俎 且 （⿱幾血）

商切卣作□，周早矢𣪘作□，戰國秦子戈作□。

《說文》：「俎，禮俎也，从半肉在且上」。（三年瘐壺作□。）

卜辭祭名：□□于□（其俎于妣辛）合集二三三九九 □于□□（俎于磬京）合集八〇三五 用牲法：□□□于□（其俎羊于兄庚）合集二三五〇三 祭祀之處：□于□□（勿于俎奠）前一、二七、三

回

□ 乙一六三七 構形不明。

卜辭疑地名：于□：（于回：）乙一六三七

斤（□）

周中天君鼎作□，春秋仕斤戈作□。

《說文》：「斤，斫木也，象形」。

□ 南坊四、二〇四 象曲柄斧形。

卜辭義不明：□□：□：（癸巳：斤：）南坊四、二〇四

斧（□）

□ 合集五八一〇 □ 合集二〇七三 □ 合集二九七八三 □ 从斤，父聲；□ 象橫斧形；□ 从土作聲。均為斧鉞之斧。

商父乙毁作，作父癸鼎作，隹父己毁作。春秋部大叔斧作。

《説文》：「斧，斫也，从斤，父聲」。

卜辭疑人名：（惟斧爯呼帝降食受又）合集二〇七三　斧之本義：（其𢦏戈一、斧九）合集二九七八三　𢦏，動詞，投獻。　義不明：（□斧）合集五八一〇

新

屯三〇〇四　英一三〇一　屯一〇九〇　乙四六〇三　合集三〇九七六

从斤，从辛作聲，或从木示砍木取柴之意。

周早𩢸尊作，周中頌鼎作，春秋部大叔斧作。

《説文》：「新，取木也，从斤，亲聲」。

卜辭地名：（貞使人于新）合集五五二八

新舊之新：（其蒸新鬯二升）合集三〇九七三

蒸：祭名；鬯：香酒。（勿于新宗彭）合集一三五四七

宗：宗廟；酌：祭名。人名：于（御新于父戊，白豕）合集二三○七三 御用作禦，祭名。豕：騸過的公豬。義不明：（弜新）合集三○八○四 弜用如勿。

斨

合集五六七七 乙四一三○ 象以手持斤砍弓形，《說文》所無。

卜辭人名：（殻其㞢疾）乙四一三○。㞢用作有。地名：（斨受年）乙六七五三 動詞，打伐之義：（令多亞斨犬）合集五六七七 多亞：亞為武官，多亞指兩位以上之亞官；犬：疑方國名。

[卜斤]

乙四七五。合集九五九四 从卜，从斤或从兵義同，《說文》所無。

卜辭人名：（勿令[卜斤]歸）合集九五九四 疑動詞，用牲法：（令吳：[卜斤]芻）乙四七五。芻：人牲。

肵

屯一○五一 从肉月斤聲。《說文》所無。

《集韻》：「音靳，敬也」。

訢

卜辭祭名：□□□□（貞，呼取，斦）合集八八三三 取用作聚，聚、斦均祭名。□□□用（惟斦，牛用）屯一〇五一

□ 屯六五五六 □ 屯四五四四 从言，斤聲。釋訢，通欣。（應在言部）

戰國中山王壺作□。

（欣）

《說文》：「訢，喜也，从言，斤聲」。《玉篇》：「樂也，與欣通」。

卜辭動詞，使神祖喜樂之義：□□□□□□□（其告祭，訢祖辛，王受又）屯六五五六 又用作祐。□□□□□：（其告祭，訢至于……）屯四五四四

⿱声斤

□ 合集一八七六一 从声，从斤，疑與□、殸、磬同（見五八九頁磬字註）。

卜辭義不明：……□……□：（……卜，燎……⿱声斤……）合集一八七六一

斫

□ 鐵六九、四 □ 前八、六一 从斤，石聲。《說文》：「斫，擊也」。

卜辭人名：□□□：（斫氏孜君：）前五、二、三 疑用牲法：……□□□（……斫犬侑友）前八、六、一 侑：祭名。

□ （ □ ） □

斗 □

□ 合集二三四九 □ 合集二一三五五 象有柄之斗形，象北斗七星。原似杓而深，乃挹注之器，與後世升斗之形不同。

春秋秦公毁作□，戰國安邑下官鍾作□。

《說文》：「斗，十升也，象形，有柄」。

卜辭星名，北斗星：□□□□（月甲从斗）乙一三四 月亮在甲日和斗星並列。□□□□□（月辛未从斗）乙一七四

斝 □

□ 合集一八五八〇 □ 合集一九七九一 □ 合集二一五〇四 象斝形。象爵而大，無流無尾，上有兩柱，下有三足，有把。為酒具。

商毁作□。

《說文》：「斝，玉爵也，夏曰琖，殷曰斝，从吅，从斗、冂，象形，與爵同意。或說斝受六升」。

卜辭作斝之本義：□□：□：（甲戌：亡斝：）合集二一五〇四 亡用作無，亡斝即無斝。：□□：□□：□：月：（：王貞，□：斝：凡：）合集一九七九一凡即盤，斝、盤並列。

斝　升（祴　禠）

斝 □ 英四一六。从月凡从□斝。月象盤形，為凡、般、盤之初文；□象酒具，即上有兩柱，下有三足之斝。

卜辭義不明：□（貞凡斝）英四一六

升 □ 屯六〇六 □ 屯六一八 □ 英二三六三 □ 屯六四。卜辭斗作□，□升作□。所从之小點為酒滴，斗升之別在有點無點。用作祭名時，□或从示作□。□或从斗作□，當是□之省。

周晚友毀作□，春秋安邑下官鍾作□。

《說文》：「升，十龠也，从斗，亦象形」。

卜辭地名：□□（在升）甲五一五 □□□于□（其又伐于升）合集二七〇〇二 又用作侑、侑、伐均祭名。容量名：□□新□二□一□于三（其蒸新鬯二升一卣于三）合集三〇九七三 蒸：祭名；鬯：香酒；卣：盛酒之容器。祭名，進獻物品之祭：□□□□（王其賓父丁升）合集二三二四九 □□□□□□□（獻羌，其用妣辛升）合集二六九五四 羌：羌俘，人牲。□□（王祴）合集

一九九二九（至祖丁升，王受又）合集三〇三四九。

又用作祐、保祐。

（庚申卜，行貞，其又于妣庚，升，一牛）合集二五〇五六 又用作

侑，祭名。

車

合集五八四 合集一一四四九 合集一一四四八 合集一一四五六

合集一三六二四 繁簡均象兩輪車形。

商車觚作 周早孟鼎作，周晚鑄公匡作車。

《說文》：「車，輿輪之總名，夏后時奚仲所造，象形。𨏥

籀文車」。

卜辭地名：（在車）鐵一六〇．三 車之本義：

（車馬）合集一一四四八：（六車三）合集一一四五二（王

車）合集一〇四〇六

輦

合集二九六九三 象車前有二人形，似為駕車之人，與金文輦字

同。

商妣癸卣作，輦卣作。

《說文》：「輦，輓車也，从車，从㚘在車前引之」。

卜辭作車輦之本義：（呼笛輦又正）合集二九六九三 呼：命令；笛：與茵同，動詞，鋪茵席、準備、備輦之義；又正即有征，有征伐事。

輜

 合集一八六七二 从車，从𠂤，構形不明。所从之𠂤為聲，應與𠬝同，故可釋輜為《說文》⿰車𠬝之初文。

（⿰車𠬝）

《說文》：「⿰車𠬝，轢也，从車，𠬝聲」。《廣韻》：「音輾」。《廣韻》：「車轢物也」。轢：車所踐也」。

卜辭動詞，疑踐輾之義：…（…貞出…輜…）合集一八六七二

𠂤

《說文》：「𠂤，小𠂤也，象形」。卜辭、金文用作師（見三五六頁師字註）。

官

 英二四六六  合集二三〇四五 从宀，从𠂤，示建屋於𠂤之意。為人們止息之處，即客舍。本為館之初文，後世用作職官

⿰車𠬝　𠂤　官

館（館）

通稱。

周中頌鼎作，周中師大壬父鼎作。

《說文》：「官，史事君也，从宀，从𠂤，𠂤猶眾也，此與師同意」。史同吏。《說文》：「館，客舍也」。

卜辭館舍之義：（在官）合集一九一六 （貞，帝官）合集一四二二八 帝官：上帝降臨于館。（帝不官）合集一四二二八 祭祀之處：用于（㞢伐父戊，用牛于官）乙五三二一 㞢用作侑，侑伐均祭名。

𠂤巿（巿）

英二五六三 屯一九九 乙七九六一 合集二二四八六 从𠂤，巿聲，《說文》所無。與金文𠂤巿字同，𠂤巿亦作巿，有止息之義。

商宰父殷作，周早乙亥鼎作。

卜辭地名，或止息之地：（在𦍒𠂤巿，師人亡𢦏）合集二八〇六四 亡用作無；𢦏：傷害。

𠂤

（在齊師）懷一八八六 □□□□于□（王其歸，叀于旃）乙七九六二

叀：臨時止息。 □□田□□□□□（王其田，無災，在黃師）

屯二一八二 于□□（于師彰）合集二三三四八 彰：祭名。 □□田

□□□□□（惟師田省，不遘雨）合集二九三七七 省：省察。

□田于□：（王田于師：）金五七七 田：田獵。 神祖牌位位次：□□

于□十□□□（其剛于大甲師，又正）屯一九九 剛：祭名；又用作

祐，保祐；正用作征，征伐。

（次）

□ 英七一四 □ 懷九四二 □ 合集二〇二三一 从□師从一，示師駐紮某

地之意，音義與次同。古訓：「師止曰次」，恰與□之形義吻合。□、

□為其繁文，義同。□象師之所依也。

《說文》：「次，不前不精也，从欠二聲」。非初義。《左傳·莊三

年》：「凡師一宿為舍，再宿為信，過信為次」。《左傳·襄二十六

年》：「師陳焚次」杜註曰：「次，舍也」。

卜辭動詞，師旅駐紮也：□于：□二□（師于：𠂤，十二月）

𠂤丞卣作□，夾壺作□，父丁盉作□。

合集五八一三 □□＝□□＝（貞，斧＝師次＝）合集五八一四

□□于□（王次于曾）合集六一三一 □□□□＝（王次規淄＝）合集二〇三三一 □于□□□（次于唐邑）同版 地名＝□于

□□（足于果次）合集一九九五六

寰

□ 合集八五五 □ 合集八四九 从宀，从自，从夂，《說文》所無。

卜辭地名＝□□□□□□（州臣有逃自寰得） □□□

合集八四九 州臣＝州地人，受殷人役使＝逃＝指逃亡之人。

□（貞，逃自寰得）合集八五五

敀

□ 合集一三九三四 从白，从攴，《說文》所無。

卜辭人名＝□□□□（婦敀㞢子）合集一三九三四 㞢用作有。

皆

□□ 合集一八二五五 从□止从□白，直釋作皆。卜辭偏旁上下左右每無別，疑與□追同。

卜辭義不明＝□＝□＝□□＝（□并＝皆＝今夕＝）合集一八二五五

𠂤（阜）

□ 懷一四一 □ 合集一九二一五 □ 合集七八五九 □ 合集七八六。

□ 合集二〇六〇 □ 象土山，□、□ 象山崖級階，故陟、降等字从阜。

《說文》：「𠂤，大陸山無石者，象形，□，古文」。《釋名》：「土山曰阜」。

卜辭人名：□ 𢓜（阜亡疾）合集二二三九一 亡用作無。

□□□□（惟阜山令）合集七八五九 即：惟令阜山。□□□（令阜祉）合集二〇六〇。

地名：于□□（于阜西）合集三〇二八四 □□□□（陟在廳阜）合集四〇五 □□□□□□□（其陟在𥄲阜卜）合集二四三五六 廳阜、𥄲阜乃廳、𥄲兩地之阜也。

陰（侌　雈）

□ 合集二〇九六六 □ 屯二八六六 从隹，今聲，釋陰晴之陰。

己其伯遹盨作 □，𩨍羌鐘作 □。

《說文》：「陰，闇也，水之南，山之北，从𠂤，侌聲」。闇同暗。

卜辭作陰晴之陰：□□□□（戊寅陰不?）合集二〇七七一 □□□（丁未，陰）合集九九。□ 英二〇三二 □ 合集二八一四 从冂，从隹，直釋作雈。卜辭冂、A 可通，如倉字作 □ 亦作 □，合字作 □ 亦作 □。或釋 □ 為霧，其實與 □（侌雈）同，均今之陰字。

卜辭作陰晴之陰：□□□□（乙丑不陰，不雨）合集六九四三

𨸏								𨼿			

陸

□ 合集二六八二五 从□（𠂤） 从二□、□（六）亦聲，與商父乙角陸字近似。釋陸。

商父乙角作□，春秋邾公釛鐘作□。

《說文》：「陸，高平地，从𠂤，从坴，坴亦聲。□，籀文陸」。

卜辭義不明：十□：：中：：□：：□：：□□（甲子：：在：：□：：陸：：亡災）合集三六八二五 亡甫作無。□可作□。

□

陮

□ 合集四八三七 □ 合集八七四四 从阜，隹聲。

《說文》：「陮，陮隗，高也，从𠂤，隹聲」。

卜辭地名：□□于□（呼耤于陮）合集九五〇四 耤：耕作。

□□□（陮受年）合集九七八三 ：：□□□□（：：步自果陮）合集三三一五。

□

陟

□ 屯二三九 □ 屯二三八四 □ 英一九六九 □ 屯四三三六 从阜，从步，示步登阜上。與金文陟同。

周早沈子毀作□，周中瘐鐘作□。

□

《說文》：「陟，登也，从阜，从步。[古文字形]，古文陟」。

卜辭貞人名：[甲骨文字形]（己卯卜，陟貞，今夕亡禍）合集二六三九三 亡用作無。

地名：[甲骨文字形]（御方于陟）合集四八八八 御用作禦：防禦、抵禦，方指方國。[甲骨文字形]（雀弗其𢦏陟）合集六九八一 𢦏：動詞，打擊，傷害。

祭名：[甲骨文字形]（其陟于大乙）合集三二〇二九：[甲骨文字形]（其陟于高祖王亥）合集三二九一六

登也：[甲骨文字形]（王陟山）合集二〇二七一 [甲骨文字形]（媚不陟丘）合集一四七九二

隊（墜墮）

[甲骨文字形] 合集一八七五二 [甲骨文字形] 粹一五八〇。象人从阜，阜上隊下，為隊、隊、墜等初文。隊與今日隊伍之隊用義不同。

卯段作[金文字形]隊。

《說文》：「隊，从高隊也，从阜，豕聲」。《集韻》：「本作墜」。

卜辭作墜落本義：……[甲骨文字形]（……碱馬十王車，子央亦墜）合集一〇四〇五 碱：石頭類，馬：絆阻。……[甲骨文字形]

防（迒衜）

（三有災三王隊土）粹一五八。

合集五五六 合集八九六四 合集五五五 粹一五 从行或彳、辵，或从止義同，方聲。為防衛之防。因防衛二字之義相同，所以此从方之字有人釋衛。衛或衜、迒後來被衛字代替，又另造防字與衛字區別開來，這樣防守、捍衛之義就涇渭分明了。可以説衜乃衛之古字，防、衛有同源關係。（見一〇五頁衛字註）。

《說文》：「防，隄也，从𨸏，方聲。𨸏，防或从土。」

卜辭用作防守、防衛之防：（師往防）合集七八八八

師：部隊。（令多射防）粹一五

陶

合集五七八八 合集八八四四 屯二一五四 象二人上下級階形，所从之小點為坭土，示陶工上下窯洞操作之意。與伯陶鼎陶字同。不𡢁毁陶字从土，製陶之義更明。

周中伯陶鼎作，周中不𡢁毁作。

降（夅）

《說文》：「陶，再成丘也，在濟陰，从阜，匋聲。夏書曰：東至于陶丘。陶丘有堯城，堯嘗所居，故堯號陶唐氏」。

卜辭疑地名或國族名：：□□□：：（：：取陶射：：）合集五七八八 □□□□（呼美取陶）合集八八四四 ：：□□□（：：惟陶女）屯二二五九 ：：□□：：（：：五十陶：：）屯二二五四 五十陶疑指陶工。

□ 屯二三○一 □ 合集二○四四○。□ 乙五二九六 从阜，从兩個倒止，止本足形，示从級階上下降，□象从山巖上下來。降、夅異文同字。

周早天亡毁作 □，周中禹鼎作 □。

《說文》：「降，下也，从阜，夅聲」。

卜辭作降落：□□□□□（茲雲其降雨）乙三二九四 降給、降下：□□□□（帝其降禍）合集一四一七八 降臨：□□□□□□（呼帝降食，受祐）乙五二九六 呼：呼籲、呼請；降食：降臨受祭享。降永為吉祥用語：□□□□□□□□□（帝其降永，在祖乙宗，十月卜）屯七二三 投降之降：□□□□（方

䧏

來降，吉）乇二三〇一　方：方國；吉：吉利。

陴

 合集三六九六二  合集三六七七五　从𩫏，卑聲，與《說文》陴之籀文同。與籍陴、埤、𡐦一字。

《說文》：「陴，城上女牆俾倪也，从𨸏，卑聲。，籀文陴从𩫏」。《正韻》釋埤：「埤垷，女牆也，與陴、𡐦、俾同」。女牆：城牆上面呈凹凸形的短牆。

（埤𡐦）

卜辭地名：（在陴貞）合集三六七七五 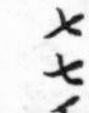

：（王步于陴：）合集三六九六二

陝

 合集三七六  英一一三六 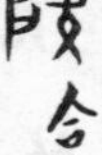 合集三九三五 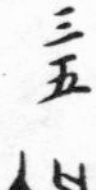 合集五五六　从阜，夷聲，《說文》所無。《合集》一〇六一三片正面有 （陝至）

反面有 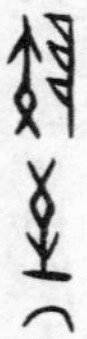（陕至），可見陕為陝之省文。

周晚陝仲盤作 。夷从艸，作聲時，夷、荑無別。

《玉篇》：「地名」。《廣韻》：「陝陝，險阻」。

卜辭疑人名：（生五月，陝至）合集一〇六一三正面

生五月即來五月，此卜當在四月。□□□□□□□（王固曰：吉，曰：陕至）合集一〇六一三反面　□□□（呼陕往：）合集一三八八七　呼：命令。□□□（陕亡疾）合集一三七四八　亡用作無。　疑作地名：□□□□□□（王使人于陕，若）合集三七六　若：順心，順意。

险

□ 合集一〇四〇六　□ 合集二〇二〇九　从阜，从企，《說文》所無。卜辭人名：□□□□□□（戊午卜，石险疾）合集二〇〇九九

险

□ 合集二二〇八三　□ 合集二二〇八三　从阜，从企，《說文》所無。卜辭疑祭名：□□□□□□□□□：（貞，三缶，父乙险用，亡禍：：）合集二二〇八三　缶：古代一種肚大口小的瓦器。一種瓦質的打擊樂器；亡用作無。

阝卩

□ 合集二七六五一　从阜，从卩，《說文》所無。卜辭祭名：□□□□□□□□□□□□（弜阝卩又，其簪于[illegible]壬，王受又）合集二七六五一　弜用如勿，又：上一又用作

□

侑，祭名，下一又用作祐，保祐；𩁹：疑亦祭名；□壬：受祭祀對象。

阪（級）

□ 合集一九七九九 □ 屯一四四五 从阜，及聲，爲阪、級之初文。《集韻》：「阪急，階等也，通作級」。《說文》：「級，絲次弟也，从糸，及聲」。

卜辭疑地名：□□（：从阪）屯一四四五 義不明：□□二□□□□□□（王阪延二人，今夕示途）合集一九七九九

⿰阝桼

□ 前二·二四·六 从阜，从桼，《說文》所無。

卜辭地名：王□□于□□□（王迭于⿰阝桼，亡災）前二·二四·六 迭：或作迭，巡遊；亡用作無。

⿰阝心

□ 屯四一九五 □ 英三二九。□ 合集八〇三九 从阜，从心，《說文》所無。

卜辭地名：□□于□（王往于⿰阝心）合集八〇三九 □□□□□□（惟⿰阝心巘擒）屯四一九五 □□□□□□（王其往，田于⿰阝心）合集二八九〇四 田：田獵。

巘：動詞，某種狩獵方式。

⿰阝⿱羊丙		⿰阝甹		隥				陰		阦		⿰阝發
[oracle form] 合集三六九三七 卜辭地名：[oracle forms]（在隲貞）合集三六九三八 从阜，从羊，从丙，《説文》所無。		[oracle form] 合集二四四五三 [oracle form] 同版 从阜，从甹，《説文》所無。	卜辭地名：[oracle forms]（王其田于隬，往來亡災）合集二四四五三 田：田獵；亡用作無。	[oracle form] 合集二三五九八 从阜，从登，《説文》所無。	卜辭動詞：[oracle forms]（王貞，卯其隥）合集二三五九八	卯：時詞。[oracle forms]（翌辛酉，其隥，饗）合集二三五九八	饗：祭名。	[oracle form] 合集三一二七四 从阜，从今，从吕，構形不明。	卜辭義不明：[oracle forms]（□陰弗悔）合集三一二七四	[oracle form] 合集四七八二 从阜，从大，《説文》所無。	卜辭義不明：[oracle forms]（□卜□阦□）合集四七八二	[oracle form] 合集三六五五一 从陟，从又持斤，《説文》所無。

階　）　陪　暗　（　⿰阝奚　　　　⿰阝尃　）　⿰阝尃　（

卜辭義不明：冄□□⿰阝音□□凵□□（貞□□亡陔，其□□）合集三六五五一 亡用作無。

⿰阝音 合集二八〇〇九 从阜，音聲。古文言、音通用。可釋為階之初文，與暗通。

匕伯陪毀作⿰阝言。从言，與卜辭同。

《集韻》釋階：「不明也，亦作暗」。《爾雅·釋言》：「階，闇也」。

卜辭地名：口亐卜中⿰阝言衛彡：（丁亥卜，在階衛彡□）

合集二八〇〇九 彡：祭名。

⿰阝奚 合集三六四八二 ⿰阝奚 合集四四九四 从阜，从奚，奚作聲，《說文》所無。

卜辭疑某種物品名：□□十⿰阝奚 百□□車二□□（□七十⿰阝奚，百□□車二□）合集三六四八一

安放神祖牌位處：弜中大乙⿰阝奚 凵□（弜在大乙⿰阝奚五□）屯一四三九 凵同亞，疑為屋、廡之借音。

⿰阝尃 合集二八三五二 ⿰阝尃 合集二八九〇〇 从阜，从尃，或从艸，義同。《說文》所無。

卜辭地名：弜田⿰阝尃 凵巛（弜田⿰阝尃，其雨）合集二八九〇〇 弜用如勿，田：田獵。

惟⿰阝尃鹿凵擒（惟⿰阝尃鹿其擒）合集二八三五二

⿰阝言

隝（隯） 陽

□合集一三四一〇。从阜，从鳥，為隝字之初文。通作島、隯。《集韻》：「音擣」。《玉篇》：「今作島，亦作隯」。

卜辭地名：□□□于□（貞，雷祉于隝）合集一三四一〇

祉同止，息也。

阳

□乙一三七七 从阜，从口，《說文》所無。

卜辭義不明：十□：□□：（甲子卜牧阳卜）乙一二七七

陽 陽

□合集九四八 □屯四五二九 □英一九八 □合集二〇六三一 卜辭陽、昜一字（見五九六頁昜字註）。

隮（躋）

□佚六五七 从阜，从亼（亼為□齊之省），可釋為隮、躋之初文。隮、躋均形聲字。

《玉篇》釋隮：「登也」。《廣韻》釋隮：「本作躋」。《正韻》：「音擠」。

卜辭作登上之義：□□（隮對）佚六五七對：疑山阜名。

四

亖 合集一七八七九 積畫為數，故作四橫，與一作一橫義同。

周早盂鼎作亖，春秋邵鐘作四，春秋徐王子鐘作四，

戰國大梁鼎作四。

《說文》：「四，陰數也，象四分之形。四，古文四；亖，籀文四。」

卜辭記數詞：亖[glyph]亖[glyph]（四羊、四豕）合集三○四四八 一亖（十四）合集一七八七九 一㐅亖（十又四）合集二○四六五 [glyph]一亖：（奴十四人）合集二二四六二

宁

宁 甲三六五六 象貯物之器。即貯字，藏貝（貨幣）之宁。

商宁鼎作宁，周中宁未盉作宁。

《說文》：「宁，辨積物也，象形。」

卜辭貞人名：宁占ㄚ宁宁（庚申卜，宁貞）甲一三三八

人名：射宁宁帶（令宁氏射）甲三六五六 氏：帶領；射：射手。

中

中 庫二一○九 構形不明。

亞

卜辭人名：「…卜□□□□…」（「…卜，王从侯卓…」）庫二〇九从：借同、隨同。地名：□□于□（自□于卓）乙三三三一

□英一七〇四 □屯五六九 象四屋相連之形，為建築物之平面圖。或釋□同□（亦作□、□）。□侯即□侯，可參。

商亞方彝作□，周早父辛毁作□，周早亞盉作□。

《說文》：「亞，醜也，象人局背之形。賈侍中說：以為次弟也」。說形不確。

卜辭職官名：□□□□□□（惟亞氏眾人步）合集三五 氏：率領；步：步行。□□□□（呼亞獲豕）合集六九四九 呼：命令。□□□□□□（令馬、亞射麋）合集二六八九九 馬：司馬之官。□□□□□（令多亞弜犬）合集五六七七 多：兩位以上；弜：打伐；犬：國族名。地名：□□田□（惟亞田省）屯八八八 省：省視，省察。□□□（亞受年）合集九七八八 □□□「□（令亞侯）屯五〇二 亞侯：亞地長官。□□□□□于□□

五

（貞，叀立使于亞侯）合集五五〇五　安放牌位並作祭祀之處：亞

[illegible]于[illegible]亞（其禦于父甲亞）合集三〇二九七　禦：祭名。　㞢于亞（㞢

于亞）合集一三五九七　㞢用作侑，祭名。　祭名：[illegible]亞于[illegible]（弜亞

于父）屯二七七五　貞人名：[illegible]亞[illegible]（壬子卜，亞貞）佚八二五

第二也，與今日冠亞之亞義同：亞[illegible]（亞祖乙）卜二五三　亞

[illegible]（亞宗）後下二七、一　隅角、角落之義：[illegible][illegible]于[illegible]亞

[illegible]（其又于室亞方）合集二七四八〇　又用作侑，祭名。

[illegible]粹一三　[illegible]合集二〇三　三林一、一八、三　㐅粹一一四九　[illegible]或[illegible]與金文

五同，三為積書為數，與亖之作四義同；㐅與《說文》古文五同，

在卜辭中㐅之作五者少見。卜辭干支之午作[illegible]，為束絲形，

截去兩端作[illegible]或㐅，這大概是五字之由來。本為絲之相交，《說

文》謂「陰陽在天地間交午也」。或曰：五之本義為收繩器，引

申之則曰交午，可參。

周早小臣謎毀作[illegible]，周晚散盤作[illegible]，春秋鄦侯毀作[illegible]。

五

《說文》三「五，五行也，从二，陰陽在天地間交午也。X，古文五省」。

卜辭數詞、序數詞：燎五牛卯五牛（燎五牛，卯五牛）合集三四五八 燎：祭名；卯：用牲法亦祭名。今五月（今五月）合集三一六三五 五宰（五宰）合集二九五八一 宰：圈養的，專供祭祀用牛。

癸巳卜王其令五族戍斧（癸巳卜，王其令五族戍斧）粹一一四九 五族：指一種軍事性組織，或以為每族一百人，可參；戍：守衛；斧：打伐之義。

㞢于五毓（㞢于五毓）前一·三〇·五 㞢用作侑，祭名；毓：指先人，即先王。

㞢伐于五示上甲成大丁大甲祖乙（㞢伐于五示：上甲、成、大丁、大甲、祖乙）丙三八 㞢用作侑。侑、伐均祭名；示：本神祖之牌位，亦指神祖。

吾

X 乇一一〇四 X 合集三四一二三 吾 粹二二二 从X，从丨，X五為聲。吾或从口義同。卜辭从口與不从口每無別，如石字作厂亦作石。

卜辭中，吾為安放牌位和祭祀之處，疑是廡、屋之初文，廡為

《説文》：「屋，居也，从尸，尸所主也。一曰，尸象屋形」。

（廡）大屋，《説文》釋作「堂下周屋」。

卜辭作安放神祖牌位和祭祀之處：：□ □ □ □干□

□ □ □ □（：：御自上甲至于大示，惟父丁□用）屯二一〇四

御用作禦，祭名。□ □ □ □ □ □ □（辛丑，

：：勿惟母□用）合集一二一七 □ □ □ □ □（惟新□用）佚二二

□ □ □ □ □ □ □ □ □（壬寅卜，𠦪其戍歸，

惟北□用）合集三四一二一 𠦪同拜，拜求之祭；戍：守邊。

□ □ □ □（惟北□用）卜七九六 ：：□ □ ：：□ ：：□

□ □（：：貞，其：：亦：：勿□用）懷一四一

（□）□ 合集一三五一七 从乂在工中，構形不明。

卜辭地名：：：□ □ □ □ □（：：曰：矢自在□）合集一三五一七

（□）□ 英一八七五 从五，从一，疑與□同（見上頁□字註）。

卜辭義不明：：：□ ：：□ ：：（：：申：：□：：）英一八七五

（□）□ 屯二五八二 □ 合集三一四一 从酉，从五或□作聲，義同。

卜辭□亦作□，可見□同□（見八三五頁□字註）。

六（廬）

卜辭祭名：：𠂤𠦪𢓜酒牡三（子𩫖𢓜、酒牡三
合集三二三九 子𩫖：：人名；𢓜：：祭名；牡：：公牛。：：酒彡：：（：：
五酒彡：：）屯二五八二 彡：：祭名。
（戊申卜，其五酒）合集三二一五八

𠆢（合集一三七 𠆢 甲八七二 𠆢 甲一一五九 𠆢 佚七六六 均象簡易𡆧之廬形，借音作數詞之六。其中𠆢形與進入之入、貢入之入字同，可从辭義中區別開來。介即今之偏旁中之宀。

周早保卣作介，周晚克鼎作介，戰國陳侯因資敦作介。

毛𣪘毁「六月初吉」作∩。

《說文》：：「六，易之數，陰變於六，正於八。从入，从八」。今非本義。《說文》：：「宀，交覆深屋也」。屋、廬均房舍也。

卜辭數詞、序數詞：：：：𡆧入一㞢介入介 㞢：：（：：俘人十㞢六人，六月，在：：）合集一三七 㞢用作有。𠆢（合文：：六牛）京津七四一 𠆢入（合文：：六人）後二四三・九 介千（六千）

佚四八三 □（六羊）合集二三五五 用作廬：□介于□（作廬于兆）合集一三五一七

七（切）

十 合集一一四二 十 合集二三七一七 十 佚四四。象一橫被从中切斷之形。或曰即从刀七聲之切字初文，可參。干支之甲字亦作十，七、甲易混，可以辭義中區別開來。

周早小盂鼎作十，戰國大梁鼎作十。

《說文》：「七，陽之正也，从一，微陰从中衺出也」。

卜辭數詞、序數詞：十□（七豕）合集二三三五六 十□（七月）合集二一七二八 十□（七十人）合集六○五七 十□（七日己巳）後下九・一

九（肘）

九 合集一五八二七 九 合集二○○○一 □ 合集一三六七六 象臂肘形，本肘字，借音作九。為肘、九之初文。

周早盂鼎作九，周晚克鐘作九，春秋余義鐘作九。

《說文》：「九，陽之變也，象其屈曲究盡之形」。不確。

卜辭數辭、序數詞：九□（九豕）合集三四一三八 九□

□：：□合集三三四二二象某種口齒發達之虫形。卜辭方國名：：□□□ □□□ □□□ □（己巳貞，□王□伐□方，受佑）合集三三四二二 □（蟬）：：□合集三三〇四二疑同□，或釋蟬，可參。卜辭方國名：：□：：□ □于□ □□：：（：：己：：□ □于□□（□，冓：：）合集三三〇四一

（九月）合集一五八二七 □□（九十□九）合集一〇四〇七 □：：
九十合文；㞢用作又。 用作肘，本義也：：□□（疾肘）
合集一三六七七 □□㞢□□（王肘惟㞢蚩）合集一〇〇八肘
指肘部有疾；㞢用作有；蚩，神鬼為害。 □□□（𠂇丩肘）
同版 𠂇：：同呼，命令；丩：：同糾，纏繞，引申作包紮。 同版兩辭，
其義相連，上辭記王肘有疾，下辭記命令包紮。 肘字之
月乃肉字，非月日之月。

萬

□甲二八六 □合集九八一二 □合集一八三九七 象蝎形，蝎
本蟲類，蟲類繁殖能力强，每見千萬之數，所以从義造字，
以蝎作極數之萬。
商萬戈作□，商萬爵作□，周中𠦝壺作□。
《說文》：「萬，蟲也，从厹，象形」。
卜辭數詞：：□□□□□□□□：：（癸卯
卜，𢦏獲魚，其三萬，不：：）合集一〇四七一 ：：□□□□

□

：：（貞，登婦好三千，登旅萬，呼伐：）英一五○。登：徵召；旅：軍隊。（貞：萬人歸）合集二〇六五一　地名：（貞，毕其往萬）合集八三五三　（萬受年）合集九八一二　受年：得到了豐收之好年成。（王呼萬戒師，九月）合集二〇二五五　呼：命令；戒師：軍隊戒備。（逐鹿于萬執）合集一〇九四六　執：捕獲。（壬午卜，王其逐在萬，鹿獲，允獲五：）合集一〇九五一　鹿獲即獲鹿；允：果然。

子萬

合集一八三九四　合集一八三九五　从子，从萬，《説文》所無。

卜辭義不明：：：：（：：子萬：：）合集一八三九四

東萬

摭一一〇。从萬，从東，東為橐（橐）形，釋東萬。《説文》所

無。卜辭義不明：「……□□」……（「……我□萬……」）摭一〇。

僤

□ 合集八七一三 从人、單聲，釋僤，《說文》所無。（應在人部）《正韻》：「音憚，篤也」。《詩·大雅》：「我生不辰，逢天僤怒」。

卜辭義不明：「……□……」（「……僤……」）合集八七一三

⿱單子

□ 合集三二七一 从單、从子，《說文》所無。卜辭疑人名：「□□□干□□」（「貞，御⿱單子于母庚」）合集三二七一 御用作禦，祭名。

蘄

□ 合集二九三六五 从木、斳聲。卜辭从木从屮艸每無別，如圍字作□亦作□，艸、木多少每無別，如春字作□亦作□，作□亦作□、□等。□當是从艹、斳聲之蘄字。（應在艸部）

《說文》：「蘄，艸也，从艸，斳聲。江夏有蘄春亭」。

僤 蘄

卜辭地名，：：中▯（：：在蘄）合集二九三六五

甲十合集二七九九五　卜辭十一字兩用，一作干支之甲，一作數詞之七，可从辭義中區別開來。另外⊞（亦作⊞、二⊞、⊞）為上甲之專用字，亦讀作報甲，外部之匚為神龕（盛主器），即匚之正面，所从之十即甲乙丙丁之甲。上甲即上甲微，為殷直系先王。

商且甲卣作十，周早矢方彝作十。周中㦰作父母殷作⊞，周晚兮甲盤作⊞，均與卜辭上甲之⊞同。

《説文》：「甲東方之孟陽气萌動，从木戴孚甲之象。一曰人頭宜為甲，甲象人頭。㝁，古文甲。始於十，見於千，成於木之象」。非初文之義。

卜辭作十干之一：：十冎冎：：（甲子貞：：）屯二四二。十內冎：：（甲辰貞，：：）合集三三八六七　作殷先公、先王、先妣之廟號：：平非冎乂从朩干木十自～（辛卯貞，又

宁

勹、伐于大甲、祖乙）合集三二二一九 又用作侑，勹用作礿，侑、礿、伐均祭名。 㞢十囟蚩我（大甲其蚩我）合集一四七三 蚩、動詞，為害、禍害。 㞢于𠂤十（㞢于妣甲）前一、二七、四 㞢用作侑，祭名。 田、匚田、亞田為上甲微之專用字。 乙酉貞又燎于（乙酉貞，又、燎于上甲、大乙、大丁、大甲。）合集三二三八七 又用作侑，侑、燎均祭名。 㞢十囟……（在十二月甲辰，祭大甲，劦上甲）合集三五五二九 劦、同劦、協，祭名。 ……田先彡（惟上甲先彡）合集二八二七二 彡，祭名。 ……彡……田至……（彡自上甲至……）合集二二七〇七八

……彡……田（貞，彡自上甲）合集二二六四五

乙

乙 合集二五 乙 屯三九六一 與父乙鼎乙字同，反、正無別。

周早父乙鼎作乙，周中㫚鼎作乙，戰國禽肯簠作乙。

《說文》：「乙，象春艸木冤曲而出，陰气尚彊，其出乙乙也，與丨同意。乙承甲，象人頸」。

乙

尤

卜辭十干之一〻[甲骨文][甲骨文]（乙酉卜）屯四二八六 [甲骨文][甲骨文][甲骨文]

于[甲骨文][甲骨文][甲骨文]（乙丑卜，酌奉于祖乙，冓雨）懷一六〇四 酌〻祭

名〻奉〻同拜，拜求之祭〻冓同遘，遇也。[甲骨文][甲骨文][甲骨文]

（乙亥卜貞）合集三五六七五 殷先公、先王、先妣之廟號〻[甲骨文]

[甲骨文][甲骨文]（在祖乙宗）合集三四〇五。宗〻宗廟。[甲骨文][甲骨文][甲骨文][甲骨文][甲骨文]

（甲戌卜，又下乙）合集二二一七七 下乙即祖乙，亦稱中（仲）宗祖乙〻

又下乙即侑下乙，侑下乙進行侑祭。[甲骨文]于[甲骨文][甲骨文]（又于下乙）

合集二三一七六 又用作侑。[甲骨文][甲骨文]于[甲骨文][甲骨文]（又歲于高祖乙）

屯二五九一 又用作侑，侑、歲均祭名。[甲骨文][甲骨文]（小乙）綴一五 亦稱[甲骨文][甲骨文]

（小祖乙）即帝小乙。[甲骨文]于[甲骨文][甲骨文]（燎于大乙）合集一五六四六 燎

同尞，祭名。于[甲骨文][甲骨文][甲骨文]（于妣乙用）合集二三〇四五

[甲骨文] 屯二四八 [甲骨文] 合集三八五六八 从又（手形）上一橫，釋尤。

周早𢆶伯毁作[金文]。

《說文》〻「尤，異也，从乙，又聲」。

[甲骨文]

卜辭作災禍、災害之義：貞王亡尤（貞，王亡尤）合集二三九七三 亡用作無。 王賓伐十人亡尤（王賓伐十人，無尤）合集二三六〇六 賓：親臨參加；伐：祭名。 尤缶，地名。○ 【丁丑卜在尤缶一月】（丁丑卜，在尤缶，一月）合集二〇六〇六

丙

丙 英四一四 丙 合集八九八四 丙 前三·八·三 象器物底座或其腿足之形。卜辭中丙、內、兩字形近易混，區別是丙字从八作丙，內字从人作內，可从辭義中區別開來。

周早凡日戈作丙。䢅父丙觶作丙。戰國子禾子缶作丙。

《說文》：「丙，位南方，萬物成炳然，陰气初起，陽气將虧。从一入冂，一者陽也，丙承一，象人肩」。非初義。

卜辭人名：【婦丙來】（婦丙來 完）合集一八九二 來：貢來；完為來物簽收人。 疑神祇名：【勿御婦好】于丙（勿御婦好于丙）合集二六二六 御用作禦，祭名；婦好：王妃名。

計量單位：【馬五十】丙（馬五十丙）合集一一四五九 【車】二丙（車二

丙）合集三六四八一　十干之一：內[glyph]卜[glyph]（丙戌卜、貞）合集三六一六八

內[glyph]卜[glyph][glyph]（丙午卜，㞢貞）屯二一三　殷先公、先王、先妣之廟號：[glyph]（祖丙）合集三五三三七。㞢[glyph]于二[glyph]四[glyph]（㞢戠于下示：父丙、父戊）合集二二〇九八　㞢用作侑、侑、歲均祭名；示：神祖。[glyph]四（妣丙）鄴三、四四、三

丙帀
[glyph]合集三〇二八三　从丙，从帀，《說文》所無。
卜辭疑祭名：[glyph][glyph][glyph][glyph]十[glyph]（其延丙帀父甲門）
合集三〇二八三

凡丙
[glyph]合集二七四五九　从凡、从丙，《說文》所無
卜辭祭名：[glyph][glyph][glyph][glyph]（貞，勿凡丙　吉）合集二七四五九
[glyph][glyph][glyph]（惟凡丙用）同版

夂丙
[glyph]英一三三　从[glyph]，从丙，權作夂丙。
卜辭地名：干[glyph]（于夂丙）英一三三

丙丙
[glyph]英一七八五　从二丙，《說文》所無。

卜辭㗊丙、丙、㒳、字，口口或省作二二、二二，與㖾省作丂相類。卜辭商字作丙，亦作啇，與尚字作㗊丙，丙亦作冋相類。周中𠨘鼎尚作冋，春秋陳公子甗作冋。《說文》：「尚，曾也，庶幾也，从八，向聲」。

字	釋義
	卜辭人名：令丙丙（令㒳）合集二八六 ……白丙丙弗𢦏
	𢦏（……伯㒳弗𢦏接）合集六八四五 伯㒳、方國伯長私名㒳者；𢦏：打擊、傷害。 方國名：我伐丙丙（我伐㒳）合集六八五三
尚	㗊丙 合集二〇七八一 二丙 合集七五六六 一丙 合集七七 从丙，从口或从二、一義同，疑即周甲冋尚字。
	卜辭人名：帚㗊丙丁一 㱿（婦尚示十 㱿）合集六五六六 示：整治，㱿為簽收人。 帚丙丁三（婦尚示四）合集七一〇三
	地名：王其步自丙（王其步自尚）合集二四三九八 在丙（在尚）屯二三 在㗊丙（在尚）合集二九四四四
丙廾	丙廾 英八二四 从丙，从収，《說文》所無。權作丙廾。
	卜辭疑祭名：丙廾弔（丙廾弔）合集九九四一 勿丙廾（勿丙廾）英八二四 貞丙廾侗弔……（貞丙廾侗弔：于亯𦎫祀，若：）合集九八一七 若：順利、順心。

丙廾

□，合集二〇八九 从丙、从乙、从、双，權作丙廾。
卜辭人名：□□□□□（貞，丙廾至師，亡若）
合集二〇八八 亡用作無；若，順利。 地名：□□□于□
（貞，量延于丙廾）合集二〇九二

丙口

□ 合集二三三九六 □ 屯六六二 □ 合集三一七六九 从丙，从口《說文》所
無。或釋□為《說文》之內，內同吶、訥。
卜辭祭名：□□□十□王□□（若丙口祖乙告，王受又）
合集二七二二 告；祭名亦用牲法；又用作祐佑，保祐。□出于
□□□□：（其出于妣辛、丙口、歲，其：）合集二三七一七 出用作
侑，祭名；歲亦祭名。□□□□□（其若丙口、祐祖
乙，又正）合集二七二〇。 祐同告；又正即祐征，祐助征伐。

丙乙

□ 前七、三九、二 从丙，从乙，《說文》所無。疑丙、乙合文。
卜辭人名：□□□（丙乙亡禍）前七、三九、二 亡用作無。

丙子

□ 合集一九七七五 从子、从丙，《說文》所無。

⿱羊丙

卜辭義不明：（羙：羊）合集一九七七五 庫一六七

从羊，从丙，《說文》所無。

卜辭地名：（惟今夕入羙）庫一六七

⿱羊丙（手）

合集二○三一

从丙上有手，構形不明。

卜辭義不明：（貞，羙）合集二○三一

⿰丙卜

鄴三．四○．四

从丙，从卜，《說文》所無。

卜辭義不明：（王先改丙卜歲廼申，茲用）鄴三．四○．四

改：同施，用牲法；歲：祭名。

⿰丙夕

合集一二○二五

从丙，从夕（卜辭月夕同字），《說文》所無。

卜辭義不明：（丙夕）合集一二○二五

疑丙、夕合文。

⿱隹丙

合集二六八四二

从隹，从丙，《說文》所無。

卜辭義不明：（雋：魚：）合集二六八四二

⿱萑丙

合集二九六九四

从萑，从丙，《說文》所無。疑同雋。

卜辭祭牲名：（其唐用，舊臣貝）合集二九六九四

□ 英二三六二 □ 合集三八二三六 □ 合集三四四二二 ● 甲二三三九 ● 佚四二七 象俯視所見釘頭之形，或曰：象人之頭頂，可參。

周早作冊大鼎作● 周中甾壺作●，春秋者減鐘作▽。

《說文》：「丁，夏時萬物皆丁實，象形。丁承丙，象人心」。

卜辭貞人名：〓卜□〓（戊子卜，丁貞）乙四四三 十干之一：□〓〓：（丁卯卜：）合集二一八 丁卯為干支表上第四天。

□〓卜（丁未卜）乙七三七 □〓〓（丁亥卜）合集一〇九六 先公、先王、先妣之廟號：〓□□ 〓〓（武丁丁其宰）合集三五八二四（康祖丁）合集三〇六一三 即康丁，亦簡稱康，商直系先王。

宰：圈養的、專供祭祀用牛。 〓□（大丁）乙二五〇八 〓〓〓干〓□（惟羊于妣丁）合四二三 祭名：〓〓〓

□〓〓（貞，文武丁宗，丁其宰）卜二六七 神祇名：〓〓

□一〓（貞，出于丁，一牛）合集三三九 出用作侑，祭名。

〓干□（酌報于丁）英二一七四 酌、報均祭名。 〓

戊 屯一七五 戊 合集二〇七三 象斧鉞形。

商父戊尊作戊，周早矢方彝作戊，戰國貪肯匜作戊。

《說文》：「戊，中宮也，象六甲五龍相拘絞也。戊承丁，象人脅。」

說形有誤。

卜辭十干之一：戊戌卜（戊戌卜）合集三二八五二 戊辰卜

貞（戊辰卜貞）合集三六二八七 戊辰為干支表上第五天。 般先公、

先王、先妣之廟號：余㞢歲于祖戊三牛（余㞢歲于祖戊、

三牛）合集二二〇七八 余：商王自稱；㞢用作侑，祭名。 勿于大

戊告（勿于大戊告）乙四六二六 王賓妣戊歲宰亡尤（王賓

妣戊歲、宰，亡尤）佚三三六 賓：親臨參加；歲：祭名；宰：圈養

的，專供祭祀用羊；亡用作無；尤：災禍。 咸戊、學戊、戊陟、盡戊

為商代舊臣，戊為官名，咸、學、陟、盡為四者私名：㞢咸戊

學戊（㞢咸戊、學戊）前一、四四、五 㞢用作侑，祭名。

貞戊陟（貞，戊陟 戊學祟）殷古一三、一 祟，動詞，作祟。 戊學

成

□屯二三九 □屯六七二 □乙五三〇三 从戌，从口或丨作聲，口象釘子俯視之形，丨則為側視之形。卜辭成字作□或□，成、咸之區別是：成字从□，咸字則从□。

周早臣辰卣作□，春秋沇兒鐘作□。

《說文》：「成，就也，从戊，丁聲。□，古文成从午」。从午之據，見於沇兒鐘，本失初文之形。

卜辭作商直系先王大乙之私名，又被稱作唐和成，後代又稱作湯、成湯、商湯：□□□于□（勿用羌于成）合二三八 □□□□于□□□□□□□□□（翌乙酉，㞢伐于五示：上甲、成、大丁、大甲、祖乙）丙三八 㞢用作侑，侑、伐均祭名；示：指神祖。 地名：□□□□□□（惟成田亡災，擒）屯四三二七 成田：田獵于成；亡用作無。 □□□□（弜爇成麓）屯七六二 弜用如勿；爇：焚草木，或山林使野獸出來，以便於捕殺。

□

己

己 合集二八八八 己 合集二五八七三 象綸索之形，取約束己身之意；周早作册大鼎作己。辛卣作己。一或象人跽坐之形。

《說文》：「己，中宮也，象萬物辟藏詘形也。己承戊，象人腹。」

卜辭十干之一，己卯卜貞（己卯卜貞）合集三五八六二 己巳卜（己巳卜）合集三一一八 己巳為干支表上第六天。己未卜（己未卜）屯二三九六 殷先公、先王、先妣之廟號：氏于祖己牛（歲于祖己牛）合集二三〇五五 歲：祭名。又氏于中己（又歲于中己）屯一四四六 又用作侑，侑、歲均祭名；中己即仲己。彡：于妣己羌（彡于妣己羌）合集四四一 彡：祭名；羌指羌俘，人牲。

㠱

㠱 合集九五七三 㠱 合集三六五二五 从己，其聲。與金文㠱字同。

周早㠱侯父戊毀作㠱，周晚師寰毀作㠱。

㠱

《說文》：「㠱，長踞也，从己，其聲，讀若杞」。

卜辭地名：庚寅卜在㠱貞（庚寅卜，在㠱貞）合集三六九五六

于㠱（于㠱）甲二三九八

㠱英二五二 㠱合集二三八一七 㠱屯二一四八 㠱合集二七一七三 㠱合集三五六一八 从己，从吕或省作口、曰、二義同。吕即𠙵或𠙴。爲雍己合文，雍己爲商代旁系先王。

卜辭雍己爲商代旁系先王：己丑卜行貞王賓㠱彡亡尤（己丑卜，行貞，王賓雍己彡，亡尤）合集二三八一六 賓：親臨參加；彡即肜，祭名；亡用作無；尤：災禍。

王賓㠱歲亡尤（王賓雍己祭，亡尤）合集三五六一二

又歲于㠱（又歲于雍己）屯三七九四 又用作侑，侑、歲均祭名。

又歲于㠱（又歲于雍己）合集二七一七二

王賓彡日㠱亡尤（王賓雍己彡日亡尤）合集三五六一九

今日㠱夕（今日雍己夕）屯二一四八 夕：祭名。

己丑卜貞王賓㠱[illegible]日亡尤

（己巳卜貞，王賓雍己，〔肜日〕亡尤）合集三五六八　賓：親臨參

加；肜同協、協、祭名；亡用作無，尤：災禍。

[oracle bone forms]（戊午卜，行貞，王賓雍己彡、

夕、亡禍）合集三八七　彡、肜同膨、肜、夕均祭名。

[oracle bone form] 合集六四七六　[oracle bone form] 合集六四七四　[oracle bone form] 合集四一三　象突出人

手之側面人形，所以之小點為扒起的屑物。應為巴、扒、爬之

初文。

《說文》：「巴，蟲也，或曰：食象蛇形。」以改形之字釋字，

不確。

卜辭方國名，[oracle bone forms]（貞，王以沚[口戉]

伐巴方）合集九三　從：隨同。[oracle bone forms]（貞，令婦好從沚[口戉]伐巴方受[有]又）合集

六四七九出用作有，又用作祐。[oracle bone forms]（癸五卜，旦貞，王以[斂]伐巴）合集六四七七 [oracle bone forms]

庚

二𡆩（貞，巴方不其畕　二告）合集八〇二　𡆩同畎，即今

散字。（貞，沚䤈啟巴，王从）合集一三四九。

合集三五八七六　　合集一七七六　　合集二三〇七九　　京三八四。

象雙手執干或杈形。

商父庚卣作，周早庚嬴卣作，周晚庚姬甗作

《說文》：「庚，位西方，象秋時萬物庚庚有實也。庚承

己，象人𦜝」。𦜝即臍。均引申義。

，春秋沇兒鐘作。

卜辭十干之一：（庚午卜，大貞）合集

二三〇九　庚午為干支表上第七天。（庚寅卜）合集

三〇五　殷先公、先王、先妣之廟號：出于日（出于祖庚）

合集二〇三　出用作侑，祭名。（翌庚）

寅，酌大庚）乙六二七三：祭名。（惟妣庚蚩）

廐　　康　　康康　　庚　　廐

乙四二五六　盅：動詞，神鬼為害。

廐
合集三〇六九三
屯二四八
合集二七一　从又从廐（與甹

廐殷（庚形近），權作廐。疑同廐（見九六九頁廐字註）。
卜辭疑樂器名：三
廝（三惟廝廐用）合
三〇六九三　廝：同和、調和、配合、伴奏之義。
疑人名：
（弱呼廐執工其作尤）屯二八　弱用

庚
如勿、呼、命令。
合集二〇五七七　从庚、从大，構形不明。
廐，骨告王）合集二〇五七七
卜辭義不明：
（丁未卜貞

康康
合一五七三　从庚、从二東，東為橐囊形，《說文》所無。
卜辭疑祭名：
用（惟庚棘殷用）合集一五

康
合集二九三五　从庚、从二，構形不明。
用（惟庚棘用）懷一三八

⿰庸攴

卜辭義不明：「[甲骨文]」（乙亥貞，⿸庚兟弜般方）合集三三九三五 弜用如勿；般：動詞；方：方國。

[甲骨文] 合集二七三一〇。从庸、从攴，象奏庸之形。庸同鏞，大鐘。

釋⿰庸攴，同庸（見一九五頁庸字註）。

卜辭祭名，⿰庸攴奏為演奏樂器，庸聲致祭也：「[甲骨文]王[甲骨文]（惟⿰庸攴奏，王永）」合集二七三一〇。永用作咏或詠，朗誦或歌唱。或謂永有永久、長久、永遠之義。

辛（辛 䇂）

[甲骨文] 合集二九二三 [甲骨文] 英二三六四 [甲骨文] 合集三五四三八 象曲刀形，正面作[甲骨文]，側面作[甲骨文]，《說文》之辛、辛、䇂實一字也。

商辛爵作[金文]，商父辛鼎作[金文]，周早臣辰卣作[金文]。

《說文》：「辛，秋時萬物成而孰，金剛味辛，辛痛即泣出。从一从辛，辛，辠也。辛承庚，象人股」。孰即熟，辠即罪。所訓形義不確，惟「辛，辠也」可取。

卜辭作辛之本義，施黥之刑具：「[甲骨文]（其利辛）」

英二三六四 利，鋒利。地名：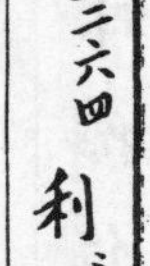（在亞辛）合集二一九一三
十干之一：（辛未卜）合集二三〇〇八 辛未為干支表上第
八天。（辛亥卜）合集二三九〇三 商代先王、先妣之
廟號：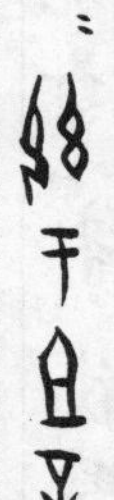（御于祖辛）合集三七六 御用作禦，祭
名。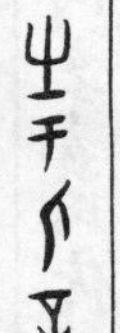（㞢于妣辛）英一〇七 㞢用作侑，祭名。
 英一五六八  合集一七四六三  合集二四八 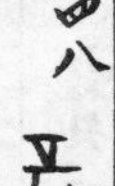 英一五六七
 英八二 从辛从𠂤或月義同，釋辟或朠，同孼、孽。
周晚克鼎作。周晚毛公鼎作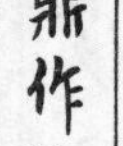。何尊「自延辟民」
作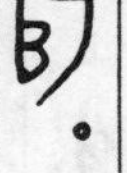。
《說文》：「辪，辠也，从辛，𡴎聲」。《說文》：「孼，庶子也，从
子，辪聲」。《通論》：「妾隸之子曰孼，孼之言蘖也。有罪之女
没之於公，得幸而有所生，若木既伐而生枿，故於文从子辪為
孼。孽，自辛也」。辠即罪。
卜辭動詞，災害、為害之義：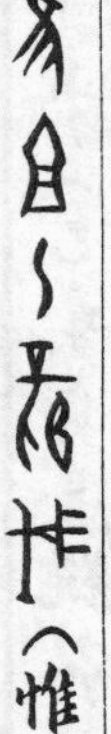（惟祖

乙辪我）合集一六三三 □□□（祖乙𦞅王）合集二四八 □□

□□□（茲雨惟辪）合集一二八九二 ：：□□□□□□（：□

曰：乙其㞢辪𦞅）合集六一三一 □□□□□（于二月又辪）

乙四五七七又用作有。 祭名：□□□□（于南庚御辪）合集二〇一八

南庚：沃甲之子，即帝南庚，商代旁系先王；御用作禦，祭名。

□□□㞢□（勿𦞅辪年，㞢雨）合集一〇〇九 㞢用作侑，祭名。

方國名：□□□□□□□（貞，旨弗其代辪伯）合集六八二七

辪伯：辪方伯長。

亮 □ 合集三六七五一 □ 合集二〇七五 □ 合集一四四三二 □ 合集

四八五一 从凡盤从□或□、□義同，構義不明。

卜辭人名：□□□□ 小□（婦亮示一屯 小𣪘）合集一四四三二

示：整治；屯：量詞，一對骨版；小𣪘掃為簽收人。 地名：□□

□□□□□□□（在亮貞，王步于㓞，亡災）合集三六七五一

亡用作無。

辭（辤辞⿰𤔲司辝詞）

南南一、一八二 从𤔲从乃辛、乃為𢆉辛之側面。釋辭。

辭古文作⿰𤔲辛，所从之辛為乃辛形之訛，⿰𤔲辛應作⿰𤔲乃，與卜辭之同。典籍辭、辤、辞一字，辤、辞實為辭之省文。今詩辭、辭彙、名辭等用字多以詞字代之。另外，《說文》辭之籀文作⿰𤔲司，辤之籀文作辝，所从之司、台（治省聲）皆聲也。

周中司工丁爵作，周晚兮甲盤作。周中𠑇匜作。周早盂鼎作，周中曶鼎作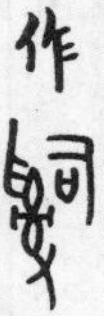。

《說文》：「辭，訟也，从𤔲，𤔲猶理辜也，𤔲，理也。，籀文辭从司」。《魏志・楊修傳》：「絕妙好辤」，好辤即好辭。《正字通》釋辤：「俗辭字」。《說文》：「辤，不受也，从辛，从受，受辛宜辤之。，籀文辤从台」。宜辤之即宜辭之。

卜辭作辭之本義：「卜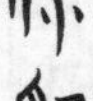」（「申卜，疾辭」）南南一、一八二 疾辭即得了言辭不清之病。

士：丄（合集六一九五）丄即□（刿，騸、劇也）字所从之丄，為□（劇：去陰之刑）字所从之□。釋士，勢也，為雄性之標誌。卜辭作雄性之勢：□□□□□□□□不占（有使入駛士其刿不烈）（合集六一九五）駛：馬名；烈：性子暴烈。

壬

工 英一四 象中間細直，兩端有圓擋的纏綫輪形。

周早宅毁作工，周中趞曹鼎作工，周晚鬲攸从鼎作工，春秋吉日壬午劍作工。

《說文》：「壬，位北方也，陰極陽生，故易曰：龍戰于野。戰者接也，象人褱妊之形。承亥壬以子生之叙也。與巫同意。壬承辛，象人脛，脛任體也」。褱同懷。

卜辭十干之一：工出丫（壬子卜）合集一一四。工冈丫（壬辰卜）合集七七六 殷先公、先王、先妣之廟號：工日（祖壬）合集二二〇四四 工丫（外壬）合集三五六三九 外壬：旁系先王。工（示壬）合集一二五三 示壬：直系先王。

癸

□ 屯二七七一 □ 存二七一二 構形不明。

周早矢方彝作□，周中格伯毁作□，春秋鮇公毁作□。朕尊作卄。

《說文》：「癸，冬時水土平可揆度也，象水從四方流入地中之形。

壬　□

癸承壬，象人足。𤼽，籀文从癸，从矢」。非初義。

卜辭十干之一：□□卜（癸巳卜）合集三○七四 □□卜（癸酉卜）合集二七四三八 癸酉為干支表上第十天。 殷先公、先王、先妣之廟號：□□□□□一（㞢歲于祖癸，羊一）屯二七七一 㞢用作侑，侑、歲均祭名。 □□□□（㞢于示癸）合集一二五七 㞢用作侑，祭名，示癸為直系先王。 □□于□□（勿御于妣癸）合集一三六七五 御用作禦，祭名。

卍

□ 合集二○九七四 □ 合集二一六五九 □ 合集二一六○○ 構形不明。

卜辭疑人名：□□□卜□□□（乙丑子卜貞，卍歸）合集二一六五九 疑祭名：□□□：：□□□□□（丙戌卜：：卍舞雨不雨）合集二○九七四 舞：祭名。 ：：□□□□：：□□：：□□□□（：：衍曰：延雨，：：条卍：：日陰：：庚雨）合集二一○一三 衍：時詞。 義不明：：：□：：□（：：卍：：茲）合集二一六○○

或釋米為小甲合文，可參。

季：□合集二一四七〇从禾从子，釋季。《說文》：「季，少稱也，从子，从稚省，稚亦聲」。卜辭殷先公名：□□于□（貞，出犬于季）合集一四七五季歲為季候性之歲祭，□□□□五□□（旅貞，季歲王其賓）合集三四九七二

□

□屯三五九四 構形不明。

卜辭疑祭名：□□于□□□（□□申貞，□于□又羌，燎宰，□）屯三五九四 又用作侑，祭名；燎：祭名；宰：圈養的，專供祭祀用牛。

子

□合集二一七九三 □英二六七四 □合集三三二五 □英一九一五 □燕二 □甲一八六一 □佚九二 □象小兒側面，即子孫之子，在十二支中，子作巳，如丙子讀丙巳；□或□象小兒正面，為十二支中子之專字，如□又讀子丑。

周早盂鼎作□，周早傳卣作□，周晚召伯毁作□，春秋吳季子逞劍作□。

《說文》：「子，十一月陽气動，萬物滋，人以為偁，象形。□古文子从巛，象髮也。□，籀文子，囟有髮，臂脛在几上也」。臂脛在几上之訓有誤。

卜辭人名：□□□□（子啟亡疾）合集二二三八二 亡用作無。

子妥不葬（子妥不葬）屯四五一四 子弋亡禍（子弋亡禍）合集三二七七九 貞人名：戊申子卜（戊申，子卜）前八、一、六 十二支之一：甲子卜（甲子卜）合集三三三六七 甲子為干支表上第一天。 丙子卜（丙子卜）合集三二五。 子孫之子：婦好生子（婦好生子）合集一三九二七 生用作有。 動詞，撫養、養育之義：婦娘子子（婦娘子子）合集二七八三 用作巳：乙巳卜貞（乙巳卜貞）合集二一七九三 疑方國名：王令果以子方奠并（王令果以子方奠并）屯四三六六

孕

孕 英四九四 孕 合集二〇七一 象人身懷子、有孕之形。《說文》：「孕，裹子也，从子，从几」。裹同懷；几當是身形之訛變。

卜辭用其本義，腹中懷子也：：亥卜自貞王曰生孕㚤（：亥卜，自貞，王曰：生孕，㚤）合集二〇七一 生用作有；㚤即嘉，佳也，生男曰嘉。

孕

娩之初文作或、，从女，冥聲，後來省作冥（見八四三頁娩字註）。

㝃（嬔、娩、冥）

英一二五 懷一五一六 象兩手拉窗幔遮日，表示使室內冥暗之義，卜辭同音假作生子之娩。典籍㝃、嬔、娩一字。

《說文》：「冥，幽也，从日，从六，冖聲。日數十，十六日而月始虧幽也」。《說文》：「㝃，生子免身也，从子，从免」。《通訓定聲》釋㝃：「字亦作娩。纂要云：齊人謂生子曰娩」。

卜辭冥用作㝃（娩），生子也：（婦好娩，㚥）合集六九四八 㚥即嘉，佳也，生男曰嘉，生女則曰不其嘉。

（婦婐娩，不其嘉）合集七八六。

（王固曰：其惟丁娩㚥）合集一四〇〇二

丁：時詞。

劧

合集二一七八七 合集二一七八八 从子，从力，釋劧。與㚥同，其用如嘉，佳也。（見八〇九頁㚥字註）

卜辭用作嘉，生男曰嘉：（克女劧：毓：劧）合集二一七八六 毓：今作育，生育。

[子肉]							[子刀]			[口子]			[子コ]
（婦鼓㚤）合集二一七八七	[甲骨字形] 合集二七九 [甲骨字形] 合集一三九七四 [甲骨字形] 合集五六二四 从子、从肉，《說文》	所無。	卜辭祭名：……[甲骨字形] 貞 [甲骨字形] [甲骨字形] [甲骨字形] 于 [甲骨字形] ……（……允貞，告王	[子肉]于祖乙。）合集一七九九六 貞 [甲骨字形] [甲骨字形] [甲骨字形]（貞，[子肉]不𣶒）合集	一七九九七 𣶒：同潛，災害（卜辭有「吉，不潛」，吉利和不潛並稱，其災害	之義明顯），不𣶒即無災害。	[甲骨字形] 合集八九五 从子、从刀，《說文》所無。（應在刀刂部）	卜辭義不明：[甲骨字形] [甲骨字形]（[子刀]其）合集八九五	[甲骨字形] 合集八二六四 構形不明。	卜辭地名：[甲骨字形] [甲骨字形] [甲骨字形] …… [甲骨字形] [甲骨字形] 二月 [甲骨字形] [甲骨字形]（庚申	貞，……不其得，十二月，在[口子]）合集八二六五 …… [甲骨字形] [甲骨字形] 二月（……	在[口子]，十二月）合集八二六四	[甲骨字形] 合集六六二一 从子之中下部有一コ形，子本小兒形，コ指

其身體部位，部位在腿之上部，疑同卩、臀、尻。卜辭之臀字作卩，所从之卩與𠂤字所从之卩義同，均指事符號也。卩、𠂤即臀、尻之初文。（見五二五頁臀字註）。

（

卜辭義不明：：𠂤二□（：：□，十二月）合集六六二一

𦎫

□ 英二三二七 構形不明。

卜辭地名：于𦎫東：（于𦎫東：）英二三二七 □于□𦎫（弜于𦎫）同版弜用如勿。

𢏚

□ 合集二〇八二四 从子，从孝，《說文》所無。

卜辭義不明：：□□（：：𢏚，十二月）合集二〇八二四

𡥈

□ 合集三二七。 構形不明。

卜辭義不明：：□□：：□□：：（癸丑卜，：：𡥈子辛：）合集三二七。

𡦅

□ 粹一五八三 从子，从克，《說文》所無。

卜辭義不明：□（𡦅）粹一五八三

孾

 合集四八八二 象以手執帚擊子形。《說文》所無。

卜辭疑作動詞：……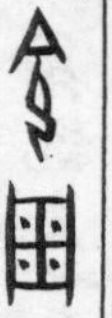……（……令周：孾：）䲒

四八八二 周：方國名。

㝵

 合集一八一七九 从子、从㝵得，《說文》所無。

卜辭義不明：…………（……辰卜，㱿貞，㝵：）

合集一八一七九

𬁇

 合集二七八八九 从子、从盧，《說文》所無。

卜辭義不明：（惟馬𬁇）合集二七八八九

𡥉

 後下一三·七 从子、从來，《說文》所無。

卜辭義不明：………………（……子貞，……𡥉）後下一三·七

孖

 乙一八一四 从二子，《說文》所無。

《類篇》：「音茲」。《玉篇》：「雙生子也」。

卜辭義不明：……（……卜貞，……孖：艮）

乙一八一四 艮：祭祀用人牲。

毓袁：□合集三八二四 从毓育从袁，《說文》所無。卜辭同毓、：：戊□□（：戊女毓袁幼）合集三八二四幼：即嘉，生男曰嘉。疑毓袁為毓之繁文，所从之袁為聲，戊女毓袁即戊女生毓也。

孨

□懷八四五 从三子。

《說文》「孨，謹也，从三子。讀若翦」。

卜辭義不明：□：：□□：：（戊：：孨七：：）懷八四五 亡用

作典。

毓（育 后 後）

□合集二七三三二 □懷一三六八 □合集二七三〇八 □甲八四二

□簠游一五 □粹二三七 象婦女產子之形，為毓、育之初文。殷稱先人為毓，典籍作后，如毓祖乙讀后祖乙，或借為後。

商毓且丁卣作□，周早班毀作□，周中牆盤作□，春秋吳王光鑑作后。

《說文》：「育，養子使作善也，从𠫓肉聲。虞書曰：教育子。□，育或从每」。非初文之義。

卜辭稱殷先公、先王、先妣為毓：：□□□（：祭毓祖丁）合集二七三一六 毓祖丁即后祖丁。 □于□□（侑于毓祖乙）合集

丑

合集二三一四。毓祖乙即后祖乙。（其丑毓妣辛）合集二七四五六 又用作僖、祭名。用毓為后，借作先後之後，為廟號區别用字，與高相對：（高祖）粹四〇一 （毓祖）同版 高祖、毓祖同版對稱，可見毓祖即後祖。

 合集二三八四  合集二三九二 象手有指甲形，為叉、爪之初文。

周早天亡毀「丁丑」作 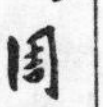，周早作冊大鼎作 ，周中競卣作 ，春秋鄀公毀「隹鄀正二月初吉乙丑」作 。

《說文》：「丑，紐也，十二月萬物動用事，象手之形。時加丑，亦舉手時也」。

卜辭十二支之一：（癸丑卜）合集二二一八四

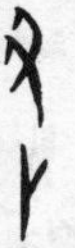（己丑卜）合集二三九一一 （辛丑卜貞）

合集三五七八四 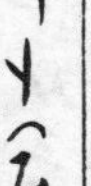（乙丑卜）合集二〇七二二 乙丑是干支表上第二天。

羞

 英二一七九  合集二二七六八  合集一八〇四八 象以手持

羊，亦進獻之意。與金文羞同。後世从丑，其形可通，亦聲也。

周早羞鼎作。周中師旋毁作。師同鼎作。

《說文》："羞，進獻也，从羊，羊所進也，从丑，丑亦聲"。

卜辭祭名，進獻之祭也。：（丁巳卜：祀其羞，王受又）合集三〇七六八 又用作祐。：：（貞，勿羞：用）合集一八一四七

（甲辰貞，羞、酌、拜，乙巳易日）屯二六〇五 羞、酌、拜均祭名；易日即賜日，賜，賞賜。：：（羞：：用三十小宰）合集一五四三〇 宰：圈養的，專供祭祀用羊。

寅

英一一二 甲七〇九 甲二三九四 前三、八、二 京津五三七七 存二七三五

為早期寅字，與矢同字，為了區別開來，寅之晚期从口作，或作兩手捧矢形，作。昔人謂音隨義異，此即一例。寅或作，與黃同，可从辭義中區別開來。

周中靜毁作。御鬲作。豆閉毁作。

寅

《說文》：「寅，髕也，正月陽气動，去黄泉欲上出，陰尚彊，象宀不達髕寅於下也。，古文寅」。

卜辭十二支之一：四卜（丙寅卜，行貞）合集三三八二六

丙寅為干支表上第三天。卜（庚寅卜）合集三三八七九

十卜（甲寅卜）合集三八六〇一　十卜（甲寅卜）合集三八六〇二

十卜（甲寅卜）合集三八六〇三

矣

屯一三一　合集三五二〇六　从矢，从口，構形不明。

卜辭人名：（王令矣）屯五〇八　出

（矣其出禍）合集四七九六　出用作有。出（矣延出疾）合集三七三七　三三（矣乞自骨三）合集三五一七〇　三

三三（矣乞骨乞自三）屯二一六　三八（矣乞骨八）合集三五二〇一　三（丁未，矣乞骨六）合集三五一九三　乞用作迄，至之迄。

卯

屯四四三九　象一物剖作兩半。卜辭卯既為干支之卯，

亦作用牲法，从辭義分析，疑是劉㓹（□、□、□、□）之省，卯古音與劉同，留、柳均以卯作聲。留字今河南口語亦音貿，如「你給家留（音貿）了多少錢？」另外，鉚、貿（音冒）亦从卯作聲，可見劉、留、貿等本同音之字。《釋詁》：「劉，殺也」，卜辭「卯一牛」（卯一牛）與「殺一牛」無別。

商亞中卯鼎作□，周中召卣作□。

《說文》：「卯，冒也，二月萬物冒地而出，象開門之形，故二月為天門。□，古文卯」。非初文形義。

卜辭人名：令卯往（令卯往）屯三四一八 貞叀卯令（貞，惟卯令）合集四九五九 卯令即令卯。 地名：在卯貞（在卯貞）前二、一〇、四 十二支之一：丁卯卜（丁卯卜）合集三四四四九 丁卯為干支表上第四天。 乙卯卜（乙卯卜）合集二三五五一 癸卯王卜貞（癸卯王卜貞）合集三九一五。 用牲法，對剖，殺也：癸巳貞卯＝羊一牛（癸巳貞，卯

辰

二羌、一牛）屯三五五二　（燎五牛，卯五牛）合集三四四五八　燎：祭名。　（卯五羊）屯一〇六二　合集二五七四七　　屯三五九九　象以辰蚌（蚌類）殼製成的農具蚌鐮形。

商切卣作　，周早辰父辛尊作　，周早盂鼎作　。旂鼎「辰在乙卯」作　。

《說文》：「辰，震也，三月陽气動，靁電振，民農時也，物皆生，从乙匕，象芒達，厂聲也。辰，房星，天時也。从二，二，古文上。　，古文辰」。

卜辭疑人名：　入　（貞，辰入駛，其[豖利]）合集二八一九六　入：入貢；駛：馬名；[豖利]：駒也。　地名：　（王其田辰，亡戋，擒）屯二四三二　田：田獵；亡用作無，戋同災。　（逐辰麋，亡戋）屯三五九九　表示時辰：　（雨不足辰）

還（振）

前七、三〇、二 即「雨下得不夠時晨」。（貞，戠吉辰）合集二五七四七 戠用作膱，將祭牲製成脯，即乾肉，用牲法。戠吉辰即吉辰膱。

十二支之一。（戊辰卜）英三三九 戊辰為干支表上第五天。

合集 三六四二六 从彳、止从辵，从目从辰，釋還，即後世振字。還字《說文》所無，與還鼎之還同。

還鼎作。

《說文》：「振，舉救也，从手，辰聲。一曰奮也」。《左傳・隱公五年》：「三年而治兵，入而振旅」註曰：「振，整也；旅，眾也」。《周禮・夏官大司馬》：「中春教振旅」。

卜辭還旅即振旅，整頓眾也。（丁丑，王卜貞，其還旅，延迖于孟，往來亡災）合集三六四二六 延：連續；迖亦作迖，巡遊；孟：地名；亡用作無。

巳

英二五二五 英二三六七 象小兒上肢貼體跪下不見雙手之形。

卜辭與祀通用。另外十二支之子（□）亦用作巳，如口子卜讀丁巳卜，但十□卜則讀甲子卜不變。□或□為十二支子之專字。

周早辛巳毁作□，周晚毛公鼎作□，春秋吳王光鑑作□，春秋欒書缶作□。

《說文》：「巳，巳也，四月陽气巳出，陰气巳藏，萬物見成文章，故巳為蛇，象形」。非初文形義。

卜辭十二支之一，用子為巳：□子卜（己巳卜）英六〇七 □子卜（辛巳卜）合集九七七五 用作祀，祭祀：□□告□（弜祀告祖辛）屯六五六 弜用如勿。□用□（弜祀用羌）屯四三二五 弜用如勿；羌，羌族人牲。 人名：□□□（令巳復出）合集二〇四八 □巳□□（婦巳示十 爭）合集一三三三八 示，整治；爭為簽收人。 地名：□巳（在巳）英二五二五

巳

□ 合集二〇九七四 象巳多一短橫，疑與巳同，用作祀。

卜辭巳疑祭祀用字，與雨、舞連用：口子卜□□：A

□〻□（丁亥卜，舞、巳〻今夕〻〻雨）合集二○九七四 舞〻祭名，
以無求雨之祭。 □□〻□□〻□〻□〻□〻□（乙酉，雨，巳
〻雨〻各〻雨）合集二○九七四 各〻落之初文。

圯

□ 合集二○二七八 从土，从巳，《說文》所無。疑為祀字。
卜辭祭名〻〻□□□□□（〻酉卜挾，王賓圯）
合集二○二七八 挾〻貞人名，賓、親自參加祭祀。

以

□ 屯一八○ □ 屯一八八 □ 懷一五七一 象古農具耒耜形，即今㠯

（㠯）日之犂，因是耕作之具，故卜辭借作以字，即《說文》㠯字，
多作用義。

周早矢方彝作□，周晚毛公鼎作□，春秋秦公𣪘作□。

戰國中山王鼎作□。

《說文》：「㠯，用也，从反巳，賈侍中說：巳意巳實也，象形」。

卜辭㠯以眔即用眔：：□□□□□□（：：以眔，不喪眔）合集二二五三七 □□□□□□（惟子畫以眔）英二四一二 ：：□□□□□□□□（：：以眔𢦔伐召方，受又）

𢦔二二四𢦔伐：：打伐、殺伐之義；又用作祐。連詞，與、和之義：：□□□□□□□□（王令吳以子方奠于并）合集三三二七八 奠：：祭奠。

午（杵）

□

□合集六六六四 □英二二六二 象杵形。卜辭舂字作□，象兩手執杵擣向臼形，□即杵也。秦字作□，象兩手執杵擣向二禾形，□即杵也。午、杵應為同源之字。

商切卣作□，周早睘卣作□，周中效卣作□，春秋曾伯簠作□。

或釋□□為午、玄、才（假作再）等，釋□為□□為不玄冥、不再墨等。可參。

《說文》：「午，啎也，五月陰气午逆陽，冒地而出，此予矢同意」。

卜辭十二支之一：□□□□（庚午卜，出貞）英一九九四

庚午為干支表上第七天。□□（丙午卜）英二三六二 □□□（甲午王卜）合集三六四八三

□ 英一三〇四 □ 合集五三七六 □ 合集二四六五 从□，从□或省作□義同。□為□言之省，□即十二支之一之午，故□當是許字。（應在言部）

周中衛鼎作□，周晚毛公鼎作□，戰國中山王鼎作□。

《說文》：「許，聽也，从言，午聲」。《廣韻》：「可也」。

卜辭作可也，不許即不可：□□□（不許䵷）合集一七七七八

䵷，今作蛛，借作朱色之朱，不許朱即不可在刻過的骨版上塗朱之義。□□□（不許䵷）合集一七七七五 䵷

借作墨色之墨，不許墨即不可在刻過的骨版上塗墨之義。象蜘蛛正面形，象蜘蛛在网上形。不許黽之黽本應作蛛、鼄，大概是與鼄、蛛互相關照，所以就以代了。不許鼄、不許黽為卜辭成語，或省作不許二字，其義無別。

（參閱八九五頁黽字、八九六頁鼄字註）

午廾

合集三八七 象雙手執午杵作擊打之狀，《說文》所無。

卜辭疑作動詞，侵犯之義：（貞舌方不其㞢午廾）合集六一五。㞢用作有。

未

英二五一八 英一〇八〇 甲二九〇七 象多枝條之木形。

周早矢方彝作，周中守毀作。

《說文》：「未，味也，六月滋味也。五行木老於未，象木重枝葉也」。

卜辭十二支之一：（辛未卜）合集三四一五。辛未為干支表上第八天。（癸未卜）合集二四四九

（乙未卜）合集二○四○二

申  英五七八  合集二○五七六 象閃電形，由于閃電申縮變化大，故用作申，為申、伸之初文。

（伸） 商宰椃角作 。周晚克鼎作 。春秋寡兒鼎「八月初吉壬申」作 。

《說文》：「申，神也，七月陰气成體自申束，从臼自持也。吏臣餔時聽事，申旦政也。，古文申。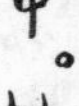，籀文申」。以改形之字論字，非初義。

卜辭十二支之一：卜（壬申卜）合集二○二七一 壬申為干支表上第九天。

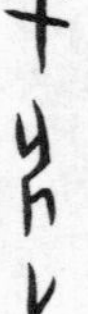卜（甲申卜）合集三三七四七

酉  英二四四三  合集二○四○九  合集一九五五七 象酒尊形。卜辭酉、酒通用。

商父辛爵作 ，周中多鼎作 。周晚師酉毁作 。

《說文》：「酉，就也，八月黍成，可為酎酒，象古文酉之形」。

卜辭十二支之一：卜（癸酉卜）合集六九四三 癸酉為干支表上第十

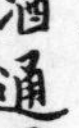

天。〔字形〕〔字形〕〔字形〕（辛酉貞）合集三三二七八 用作酒：〔字形〕〔字形〕〔字形〕（呼卿酉）合集三三八。呼：命令；卿用作饗，同享，祭名，饗食酉乃以酒祭饗也。 用作彭，以酒奉神之祭：于〔字形〕〔字形〕〔字形〕（于妃己酉）合集二三二七八 〔字形〕于〔字形〕（酉于𡚬）英二四四三 𡚬：高祖𡚬。 〔字形〕〔字形〕〔字形〕（酉象甲）合三三

〔字形〕合集二八二三一 〔字形〕合集九五六。从水，从酉，酉亦聲。釋酒。

周早盂鼎作〔字形〕，周晚㪉車父壺作〔字形〕，戰國陶作〔字形〕。

《說文》：「酒，就也，所以就人性之善惡。从水，从酉，酉亦聲。一曰造也，吉凶所造也。古者儀狄作酒醪，禹嘗之而美，遂疏儀狄，杜康作秫酒」。

卜辭地名：〔字形〕〔字形〕〔字形〕〔字形〕〔字形〕（在酒 盂田受禾）合集二八二三一

動詞，飲酒、酗酒之義：〔字形〕〔字形〕〔字形〕〔字形〕〔字形〕〔字形〕〔字形〕〔字形〕〔字形〕〔字形〕〔字形〕〔字形〕（戊子卜，方貞，𢀛酒才疾，不从王古）合集九五六。𢀛：人名；古即故，事也。即：𢀛飲酒才至於病，不能隨从商王辦事。

酉用作酒；□□□（呼卿酉）合集三二八。呼：命令；卿用作
饗食，同享，祭名。饗食酉乃以酒祭饗食神靈也。酉于□（酉于夒）
英二四四三 酉：祭名，以酒致祭也；夒即高祖夒。
□ □ 英二三七。□ 合集三四五八二 □ 合集二六七九九 □ 合集 □
六五六 象雙手提執酒尊形，《說文》所無。
卜辭疑方國名：□□□□□□□（壬寅，古
貞，永夲□）合集六五六 夲：今作幸，為古代手銬，即□
執字所从之□ 幸是也，本義是銬人雙手，引申為夾擊、抓
捕之義，與執通用。 祭名：□□□□□□□□
□（庚寅，出貞，于翌乙未，大□酉）合集二六七九九 翌：或作
□、□：次日或今後某一日。□□□□□□□
□□□□□（乙亥貞，其□，衣于亘，冓雨，十一月，
在甫，魚）合集六八九七 衣：祭名；亘同洹，水名，洹水即今安陽
河；冓同遘，遇也；甫，地名；魚用作魯，吉魯之省。 □□口

酉彡

[甲骨文]（貞，翌丁卯𠂤魚、益、畱）合集一八八〇三 翌：次日。或今後某一日；𠂤魚、益、畱均祭名。[甲骨文]（乙亥：貞，今：奏、畱）合集一一九七八 奏：奏樂祈雨之祭。

：[甲骨文]（：王畱）合集三四五八二 ：[甲骨文]（：畱，于今夕雨）合集二〇九五四

酉彡 乙二二七 酉彡 乙四三九七 [甲骨文] 英二一八一 [甲骨文] 乙四五一七 象以酒澆地，為酒祭之專用字。《說文》所無，見於金文，卜辭中常見之字。商戊寅鼎作[甲骨文]，商酉彡尊作[甲骨文]。

卜辭祭名，為酒祭之專字：[甲骨文]（貞，酉彡王亥）合集六七二 即：向王亥進行酉彡祭。

[甲骨文]（辛未，酉彡高祖）乙二五八四 [甲骨文]己（貞，酉彡用[甲骨文]于妣己）合集四五四 [甲骨文]（酉彡，五十牛于河）合集一四〇三 河：先公名。

[甲骨文]（丁巳卜，惟乙丑酉彡勺：伐）乙三一三 勺用作礿，酉彡、礿、伐均祭名。

[甲骨文]

配

田（甲申，酌彡自上甲）屯二五二 彡，即肜，祭名。

酌于（乙丑卜，酌，桒于祖乙，冓雨）懷一六〇四 桒同拜，拜求之祭；冓同遘，逢也。

酌于（丁卯，酌燎于父丁）屯九三五 燎，同尞，祭名。

（乙巳卜，㱿貞，來辛亥酌）合集三六九

（貞，惟今日酌）合集一五七一九

于（勿于新宗酌，八月）合集一三五四七 宗，宗廟。

（王勿令酌）合集五〇四六

懷七六七 英一八六四 合集一四二三八 象人蹲酉前，與金文配字同。

周晚㝬鐘「我隹司配皇天」作，周晚毛公鼎作，

戰國拍敦蓋「朕配平姬」作。

《說文》：「配，酒色也，从酉，己聲」。

卜辭疑作配合、匹配之義：卜：

（辛酉卜，王貞，=余配）合集五〇〇七 [甲骨文] 于[甲骨文]（庚寅卜五，余燎于其配）英一八六四 余=商王自稱。

[甲骨文]（甲午卜王，惟亯配）懷一六〇四。[甲骨文]（小配）合集三一八四一

醉

[甲骨文] 合集二六〇三九 从酉，从厥卒，《說文》所無。

卜辭疑祭名=[甲骨文]（翌乙丑，我醉、衣=蚩，三月）合集二六〇三九 衣、祭名；蚩=災害。

酘

[甲骨文] 合集二三五六六 从酉，从又持戈，《說文》所無。

卜辭疑祭名=：：[甲骨文]：：[甲骨文]：：[甲骨文]（=壬戌=歲=酘黃尹、十一月）合集二三五六六 戌=或作歲，象以杖擊手蛇形，用牲法，=歲=祭名，黃尹=為祭祀對象，舊臣名。

⿱丙酉

[甲骨文] 合集三〇九五七 从丙，从口，从酉，《說文》所無。

卜辭疑祭名=：：[甲骨文] [甲骨文]（=餗，王其⿱丙酉）合集三〇九五七

餗=同鬻，祭名。

[宀酉]

□ 合集二五九八四 □ 合集四七一 从酉在□中，構義不明。

卜辭作用牲法：：□三□□一牛（：：[宀酉]三牢、葡一牛）合集一五八二三 牢：圈養的，專供祭祀用牛，葡同備，用如劈刀（或釋箙），可參）。用牲法。：：□□：：（：：其[宀酉]羌：：）合集四七一 羌：羌俘，用為祭祀人牲。：：□□□：：（：：其[宀酉]羌：：）合集二五九八三

[酉柬]（[酉柬殳]）

□ 合集三六五二五 □ 合集三〇七七 □ 懷一二〇 从[酉柬]，从㞷往 从又或省作[酉柬]，疑與鬻同（見一四四頁鬻字註）。

卜辭作祭名：：王□□己□□□（：：王其在□[酉柬殳]正）合集三六五二五 □□□～：：（[酉柬]自祖乙：：）合集三〇七七 ：：□□：：（：：[酉彡]、[酉柬]：：）懷

[酉耒]

□ 懷六四九 从酉，从耒耤，《說文》所無。

一（：：三〇 [酉彡]：祭名。

卜辭義不明：：□：：（：：[酉耒]：：）懷六四九

[午酉]

□ 合集二六〇〇五 从午在酉上，《說文》所無。疑與□五酉 同。

卜辭疑祭祀用字：：：：卜：：□：：□：：□：：□□（：：卜，：：至壬：：歲：：[午酉]：：五牛）合集二〇六六五 歲：祭名，五牛：即

祭祀時用五頭牛。

酓 □ 懷一七〇八 从人，从酉，《說文》所無。

卜辭疑祭祀用字：：：□：：王□□：：□□：：

□□□：：（：：酓□：：王其祝：：帝至：：今日壬：：）懷一七〇八

酖 □ 合集一八五五五 □ 英五〇四 □ 合集八九三 象一人或二人伸手

於酒器之前。疑與□卿、饗同。

卜辭祭名，疑同饗，祭饗之義：：□□（酖羊）合集八九三

：：出□：：□（：：出酖：：年）合集九九〇一 出用作侑，祭名。

動詞，吉凶用語：：□十□□（大甲酖王）合集一四六四 □

□□□□□（王循方，帝酖王）合集六七三四 循：巡察：方：

方國。

氳 □ 合集三一一三四 从气，从酉，《說文》所無。

卜辭祭祀用字：：：□：：□：：（：：伐：：氳：：）合集

三一一三四 伐：祭名。

酉（畐）

酉 合集一七三〇一 屯六六七二 屯一〇二一 合集三二四五三 合集二七六六二。合集三四三八〇。英二四〇八 均象有嘴之酒器形，其嘴外之小點為散發出來之气味。象形字，當是某種酒器。或釋作畐，可參。

卜辭地名：田（在酉田）屯二四〇九 于 合集三〇三一。

祭名：辛卜（辛未，酉大乙）合集一九九四六

（壬午卜，其酉秋于上甲，卯牛）屯八六七 酉秋：祭名，卯：對剖，用牲法。（勿酉）屯四五三。弜用如勿。

用牲法：（其又、歲于父甲，酉宰）合集二七四四二 又用作侑、侑、歲均祭名，宰：圈養的，專供祭祀用牛。一牛（三酉一牛）合集二八五九三

尊

屯二〇三 懷一五七八 合集一七九四八 屯一七三 屯二二七九 象雙手或單手奉酒器向上進薦之狀。或增阜旁

（隮）

作[古文字]隮，阝本階形，強調了往上奉承之義。尊、隮一字，簡、繁與金文同。

商癸卣作[古文字]、[古文字]，周早父辛鼎作[古文字]，周中静卣作[古文字]。

《說文》："[古文字]，酒器也，从酋，廾以奉之。周禮六尊：犧尊、象尊、著尊、壺尊、太尊、山尊，以待祭祀賓客之禮。[古文字]，尊或从寸。」

卜辭祭名：[甲骨文]（翌庚子，其尊于兄庚，惟羊）合集二三五〇六 [甲骨文]（甲寅貞，來丁巳尊獻于父丁，圖三十牛）合集三二一三五 圖，即俎，用牲法。[甲骨文]（其尊，歲，三宰）合集三三五三六 歲，祭名，宰，圈養的，專供祭祀用牛。[甲骨文]（癸丑卜，史貞，其隮，壴、告于唐，一牛）合集一二九一 隮尊壴鼓均祭名。[甲骨文]（癸巳卜，鼓弜震，其尊）屯二三六 弜用

如勿；震、同振，動詞，敲擊。

合集二三〇六三 合集一五七七二 合集二三〇六三 象斧鉞類兵器，廣刃，與戉戍、鉞形近而有別。

周中師虎殷作，周中康鼎作，周中頌鼎作或。呂鼎「辰在壬戌」作。

《說文》：「戌，滅也，九月陽气微，萬物畢成，陽下入地也。五行土生於戊，盛於戌，从戊含一。」非初文之義。

卜辭干支用字，十二支之一：（甲戌卜，爭貞：）合集一三五二五 甲戌為干支表上第十一天。（戊戌卜）合集六五七二 （壬戌貞）屯一〇九九 （翌戊戌不雨）合二三八 翌：次日或今後某日。

疑用作本義，兵器名。：（：弗氏戌）合集二三〇六三 氏：動詞，帶來或使用之義。

疑人名：（貞，戌不其手：）合集一九六八六 手用作呼，命令。 （貞，黃

戲

尸蚩戌）前一、五六一 黃尹〻商之舊臣名；蚩〻動詞，為害也。

□ 英三九四 □ 屯二五七八 □ 合集三三五五七 从戌，从声，从旁，或省作砥，義同。《說文》所無。

（砥）

卜辭地名，田獵區〻。□□田□□□（王其田戲，亡災）屯六〇七 田用作畋，畋獵；亡用作無。□□□□□于□□□（王其涉滴，至于戲，亡戈）合集二八八八三 涉〻渡水，踏蹚河〻。滴〻水名；戈同災，亡戈即無災。□□□□□□□（王其射戲鹿，亡戈，擒）合集二八三四二 □□田于□□□（王其田于砥，亡戈）合集三三五五七 □田□□□□□（弜田戲，弗擒又大狐）懷一四四五 弜用如勿；又用作有。

戮

□ 合集一八四六五 从戌，从子，从矢，《說文》所無。

卜辭殘句，義不明〻。□□〻（〻字戮〻）合集一八四六五 字〻疑同□。□亦作□，□作□、□、□應為簡、繁字。

⿰奚戈

⿰奚戈 合集三二一九三　英五四二　合集八一。　合集五六三　从戈从奚，會以兵器殺奚之義。　象髮辮被揪、手被反綁之人形，所从之二為身軀被斷開之義。奚應為罪隸，為奴隸之一種，多被用作人牲，地位與艮、垂等相當。

卜辭動詞：殺砍之義：　（⿰奚戈隸）合集五六三

（甲午卜貞，⿰奚戈多隸，二月）合集五六四　（貞，勿⿰奚戈）合集二三八五　用作奚：

（御小辛三宰又⿰奚戈二，⿰酉彡萑雚至：）合集二一五三八　御用作禦，祭名；⿰酉彡，祭名；萑同雚，祭名，疑殺鳥之祭。

（御父庚三宰又⿰奚戈二、⿰酉彡、萑至：庚）同版　宰：圈養的，專供祭祀用牛。

⿰車戈

合集一四三九五　英一二八七　合集一六二一四　合集五七五　从戈，从東或　、　義同（東象橐囊形）。釋⿰車戈，《說文》

所無。

卜辭祭名：[甲骨文]（貞，⿰車戈王亥，十牛）合集一四七五五

王亥：亦作[甲骨文]，即高祖王亥，或高祖亥，為殷先公名。[甲骨文]于[甲骨文]（⿰車戈于祖乙）合集一四四八　祖乙：殷直系先王。[甲骨文]于[甲骨文]（⿰車戈于黃奭）合集五七五　黃奭：疑殷舊臣名。[甲骨文]于[甲骨文]（⿰車戈于丘商）合集九七七四　丘商：地名，地在今河南商邱。[甲骨文]于[甲骨文]（⿰車戈于南）合集一四三九五　[甲骨文]于[甲骨文]（⿰車戈于西北）同版　用牲法：[甲骨文]（乎雀⿰車戈一牛）合集六五七二　乎：同呼，命令。

⿰夏戉

[甲骨文]　合集六三〇〇　[甲骨文]　合集二八二五二　[甲骨文]　屯三〇八三　象一人倒提斧鉞之形，示戰勝者威武榮耀之義。卜辭中多作殷先公名，亦作動詞，有征伐之義，大概是字如戰神取其征伐必勝之意思吧！

卜辭殷先公名：[甲骨文]（癸未貞，

亥

禾于䖵）合集三三二七四 𠦪同拜，拜求之祭。□□□□于□□（壬申卜，燎于䖵，甬）合集二三三七二 燎：燎柴祭天，祈雨之祭。「燎于䖵」即「向䖵進行燎祭」。□□□□□于□三□二□（辛酉卜，宾貞，燎于䖵三牛，二月）合集一四三八〇 于□□⿰酉彡□□（于䖵宗⿰酉彡，又甬）合集三〇二九八 宗：宗廟；又用作有。 動詞，征伐之義：□□□□□（乎䖵吉方）合集六三〇〇 乎：同呼，命令。 □□□（呼䖵蒐）合集六五五六

□屯一〇六六 □合集四九九四 □合集五七〇八 與天亡毁亥字同，从□家，合集二〇九五二 字所从之□家分析，古亥、家當是同源一字。干支□之省文□與用作祭名、地名之□万同，但音義有别，可从辭義中區别開來（見五三六頁万字註）。另外先公王亥亦作王⿱隹亥，⿱隹亥為王亥之專字，與干支亥字有嚴格區别（見二二四頁⿱隹亥字註）。

周早天亡毁作□，周中虢季子白盤作□。

□

《說文》：「亥，荄也，十月微陽起接盛陰，从二，二古文上字。一人男一人女也。从乙，象褱子咳咳之形。春秋傳曰：亥有二首、六身。，古文亥為豕，與豕同。亥而生子，復從一起」。褱同懷，均為引申義，惟「亥為豕」之訓可取。

卜辭十二支之一：（乙亥卜）合集五七〇九 乙亥為干支表上第十二天 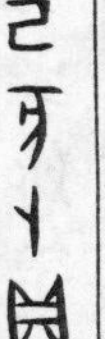（己亥卜貞）屯一一一六 （丁亥卜）合集七二四 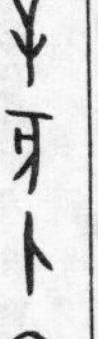（辛亥卜）合集二九一五七 殷先公名，王亥即高祖王亥：（燎于王亥，九牛）英一一七三

燎：燒木祭天、祈雨之祭。即：向王亥進行燎祭，用了九頭牛作祭牲。（惟王亥先又）屯三四二 先：先：首先、在前之義；又用作侑，祭名，侑祭是為了求得福祐和好年成。（乙巳貞大御其陟于高祖王亥）合集三二九一六 御用作禦，祭名；陟：陟，祭名。：：（：：高祖亥：：）屯六六五 

（燎于河、王亥、上甲、十牛、卯十宰）合集一一八二河：殷先公名；上甲：即上甲微，殷直系先王；卯：用牲法，將祭牲對剖；宰：圈養的專供祭祀用羊。全句大意是：向河、王亥、上甲進行燎祭，剖殺了十頭圈養的羊。

一九九一年六月於鄭州初稿

一九九五年五月於北京修正

劉興隆

引書簡介、

合集　甲骨文合集十三冊　郭沫若主編　胡厚宣總編輯

屯　小屯南地甲骨　中國社會科學院考古研究所編　中華書局出版　一九八〇

英　英國所藏甲骨集　中華書局出版　李學勤　艾蘭　齊文心

懷　懷特氏等所藏甲骨集　加拿大皇家安大略博物館出版　許進雄

鐵　鐵雲藏龜六冊　劉鶚　抱殘守缺齋石印本　一九〇四

前　殷墟書契前編八卷　羅振玉　珂羅版影印本　一九一三

京津　戰後京津新獲甲骨集四卷　胡厚宣　羣聯出版社珂羅版影印　一九五四

師友（戰後南北所見甲骨錄三卷中）南北師友所見甲骨錄　胡厚宣　來薰閣書店　一九五一

後　殷墟書契後編二卷　羅振玉　珂羅版影印本　一九一六

乙　殷墟文字乙編三冊　上中二輯商務印書館珂羅版影印　一九四九　下輯科學出版社影印

甲　殷墟文字甲編一冊　商務印書館珂羅版影印　一九四八

寧滬　戰後寧滬新獲甲骨集三卷　胡厚宣　來薰閣書店石印本　一九五一

佚　殷契佚存一卷　商承祚　珂羅版影印本　一九三三

京都　京都大學人文科學研究所藏甲骨文字二冊　貝塚茂樹　日珂羅版影印　一九五九

輔仁（戰後南北所見甲骨錄三卷中）輔仁大學所藏甲骨文字　胡厚宣　來薰閣書店石印　一九五一

粹 殷契粹編二卷 郭沫若 日本文求堂金屬版 一九三七

拾 鐵雲藏龜拾遺一卷 葉玉森 影印本 一九一七

明 殷墟卜辭一冊 明義士摹 石印本 一九一七

存 甲骨續存三卷 胡厚宣 羣聯出版社金屬版影印本 一九五四

庫 庫方二氏所藏甲骨卜辭 方法斂摹 白瑞華校 商務印書館石印 一九三五

明藏 （戰後南北所見甲骨錄中）明義士舊藏甲骨文字 胡厚宣 來薰閣書店石印本 一九五一

林 龜甲獸骨文字二卷 林泰輔 日本三省堂石印本 一九一七

燕 殷契卜辭一卷 容庚 瞿潤緡 合編石印本 一九三三

鄴 鄴中片羽三集 黃濬 珂羅版影印本 初集一九三五 二集一九三七 三集一九四二

簠 簠室殷契徵文十二卷 王襄 石印本 一九二五

菁 殷墟書契精華一卷 羅振玉 珂羅版影印本 一九一四

珠 殷契遺珠二冊 金祖同 珂羅版影印本 一九三九

戩 戩壽堂所藏殷墟文字一卷 王國維 藝術叢編三集石印本 一九一七

續 殷墟書契續編六卷 羅振玉 珂羅版影印本 一九三六

餘 鐵雲藏龜之餘一卷 羅振玉 珂羅版影印本 一九一五

掇 殷契拾掇二集 郭若愚 來薰閣書店珂羅版影印本 掇一一九五一 掇二一九五三

通纂　卜辭通纂一卷　郭沫若　日本文林堂金屬版　一九三三

通別　卜辭通纂別錄（《大龜四版》、《新獲卜辭》、《何氏甲骨》為別一，《日本所藏甲骨擇尤》為別二）　郭沫若　日本文林堂金屬版　一九三三

無想　（戰後南北所見甲骨錄中）無想山坊舊藏甲骨文字　胡厚宣　來薰閣書店石印本一九五一

周早　陝西岐山鳳雛村發現周初甲骨文　文物　一九七九、十

福　福氏所藏甲骨文字一卷　商承祚　珂羅版影印本　一九三三

七　甲骨卜辭七集　方法斂摹　白瑞華校　金屬版影印本　一九三八

金　金璋所藏甲骨卜辭一冊　方法斂摹　白瑞華校　金屬版影印本　一九三九

陳　甲骨文零拾一卷　陳邦懷　天津人民出版社石印本　一九五九

摭續　殷契摭拾續編一卷　李亞農　中國科學院珂羅版影印本　一九五〇

坊間　（戰後南北所見甲骨錄中）南北坊間所見甲骨錄　胡厚宣　來薰閣書店石印本一九五一

河　甲骨文錄一卷　孫海波　珂羅版影印本　一九三七

跋

劉興隆先生《甲骨文集句簡釋》、《甲骨文集聯書法篆刻專集》兩本巨著相繼出版之後，在社會上引起了一些人的震驚。默默無聞的人物，一個年逾花甲的退休幹部，出版兩本巨著何其神速，何其容易！然而它確實出版了，并且在社會上享有很高的聲譽。他的朋友爲之高興，曾有偏見的人也刮目相待，詆毁他的人在事實面前也沉默無語。甲骨文書法愛好者把其著作視爲楷模，天南海北素不相識的人，寄來了祝賀、羨慕和求教的信函，不少報刊也爲之宣傳介紹。巨著的出版，弘揚了優秀的傳統文化，在藝苑中猶如異軍突起，出現了一支引人注目的奇葩，因之，也驚動了北京科教電影制片廠，派人專程來到鄭州爲其拍攝記錄片，在當場表演中，他那精湛的刻、寫技藝和淵博的甲骨文知識，使編導和其他的攝制組同志們爲之傾倒。劉興隆先生不僅長于甲骨文和篆書、隸書書法，而且篆刻上亦有過人之處，刻印不起草，揮刀可成。他思維敏捷，可隨意用甲骨文爲人填寫吉祥如意詞和藏頭詩。他的書法作品和仿刻的甲骨文，深受海内外人士的歡迎，其作品遠銷日本及歐美各國。劉興隆先生不僅在書法和篆刻方面獨樹一幟，而且對甲骨學的研究也有很深的造詣，因之，倍受學術界的推崇。河南省炎黄文化研究會、黄河文化研究會均推選他爲理事，又被中國書法藝術研究院聘爲教授。

劉興隆先生博覽群書，刻苦學習，闖進了古文字學的殿堂，發現了甲骨文的大千世界，興致勃勃，壯心不已，在出版兩本巨著之後，又提出要編撰《新編甲骨文字典》。這是一部規模、難度更大的工具書。我作爲了解他的朋友，雖然知道他堅毅的性格和甲骨文的基礎，作孤軍奮戰完成這樣大的工程，

實在爲他提心吊膽。盡管如此，我還是采取鼓勵支持的態度。兩年時間過去了，劉興隆先生走完了曲折、艱難的道路，他勝利了，奇跡出現了，約三十萬字的《新編甲骨文字典》完成了。這三十萬字全爲手寫體，甲骨文、金文和小篆相對照，引經據典，廣採博收，去粗取精，矯訛從善，既繼承了前人的成果，又發揮了自己的創見。《新編甲骨文字典》收錄了單字（包括一些異體字）三千多個，最重要的是，新識出來八十多個生字。從事甲骨文研究的學者都會知道，能夠突破前人的基礎，新識出一個字也是值得慶幸的，新識出這麼多生字，該是多麼的艱難，該付出多大的心血！這一貢獻應該給以高度評價。鄭州大學李濂教授爲劉先生第一本著作題詞中說：「殷墟書契代結繩，中州薪傳召陵公，發揚恢宏有人在，巧綴秀語見天工。」這一公正的評語，說明發揚恢宏甲骨文後繼有人。我爲《新編甲骨文字典》寫跋感到高興，這一位自學成材的朋友，爲社會主義精神文明建設做了一件好事，爲甲骨文愛好者提供了一部學習的工具書，它將流芳百代。

我在劉興隆先生《甲骨文集聯書法篆刻專集》跋中，曾對劉先生作了介紹和評論，認爲他的成材之道主要有兩條，一條是刻苦學習，虛心求教；另一條是天才過人。通過他編撰《新編甲骨文字典》，我對他有了更進一步的認識。他光明磊落，心地善良，知識淵博，興趣廣泛，意志堅强，拼搏精神驚人，事業心很强。但是不了解他的人多認爲是個怪人，特別是近兩年，甚至怪得出奇。有的人千里迢迢慕名而來，他不接見；有的人想拜他爲師，他不收徒弟；有的人寫信想與他來往，他不回信；有人詢問他的家庭住址，一概不說，名片上印的地址和電話號碼是假的；他愛打乒乓球，兩年沒有拿過球拍；他愛看體育比賽和京戲，近兩年體育場、劇場很少有他的足跡，甚至自己的電視機也很少開動；最特殊的是，他老年新婚，找了一個十分喜愛的老伴，在北京的家裏結了婚，他的蜜月只有一星期，便回到鄭州，只是有事進京，才與老伴相處幾天，如果不是老伴深明大義，通情達理，理解他、支持

他，早該各自東西了。當然他也不是與社會隔絶，只有遇到摯友和外賓特訪，或者外出購物才會例外。他自己的生活也很古怪，不知道節假日，不分黑夜白天，饑則食，睏則睡，有時一天吃一頓飯，有時通宵達旦工作，有時半夜起床……等等。以上現象，好像失去了一般常人的理智，其實恰恰相反，正是這種現象，反映了超人的智慧，超人的毅力，超人的拼搏精神，超人的事業心，最後獲得了超人的成果。我在劉先生第二部巨著跋中，曾經説過他天才過人，而且是一個具有奇才的人，并且舉了許多生動事例，但是如果他没有發了迷的、嘔心瀝血的勤奮，也終將一事無成。先天的聰明是一個條件，但是只有通過後天的勤奮努力，才能使智慧升華。這是一條經驗，也是一個規律，凡治學者值得借鑒。

《新編甲骨文字典》是工具書，爲後學的範本，不僅體例要求嚴格，而且質量是至關重要的，稍有不慎便會差錯百出，誤人子弟。編撰辭書是一項百年大計、世代流傳的嚴肅的工作。劉興隆先生指導思想是明確的，態度是嚴謹的，對每一字的解釋，都是一絲不苟，反覆研究推敲，持之有據，言之成理。甲骨文能夠與金文或小篆對照的盡量做到，使之能看出文字發展的規律。不能解釋的，或有疑義的，一律采取慎重態度，不妄加評説。凡稍有差錯或書寫疏漏，作廢者約三百多頁，最後成書一千多頁，案頭堆放用過的禿筆達二百多支，其辛苦程度和工作量是可想而知的。這種難能可貴的精神，值得贊揚，值得學習。

《新編甲骨文字典》一書將要出版之際，我再次表示祝賀。我相信它對甲骨文的研究將會起到不可估量的作用。

河南省博物館名譽館長　許順湛

許順湛印

一九九一年一月二十日

劉興隆篆刻

兔　魯山縣石人山旅遊區　黃山雲無定則化如畫

人受教育才高李得冬雪果多　首長比如北辰　少侃別人　項須貯藏名人作品

花草鳥獸蟲魚　百聞不如一見　喜迎各國友人來華觀光　人稠少生育子女

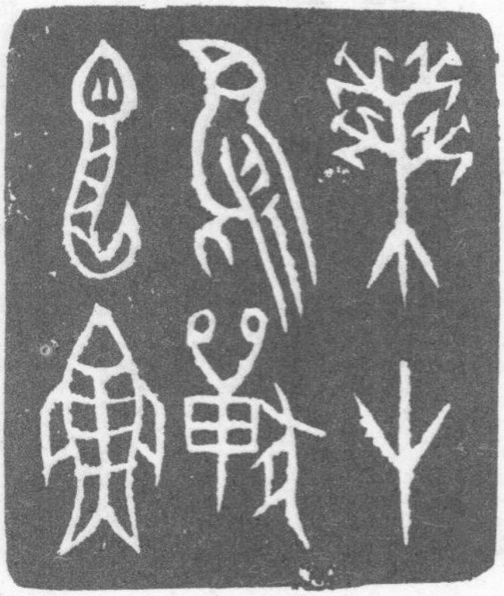

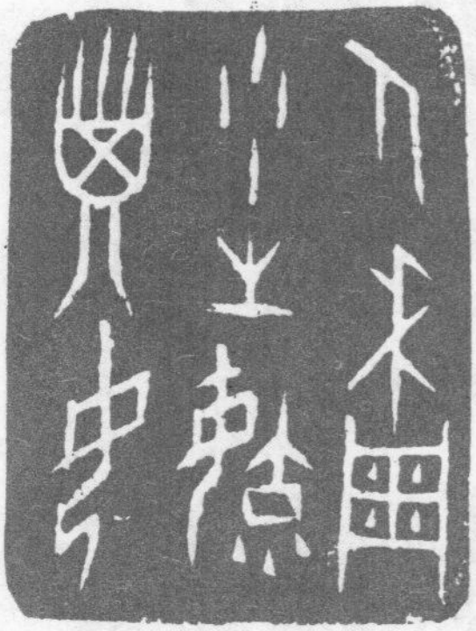

多攢　溫育華　姬好鯢　魯山縣城南人　元春　迎春

人長壽　多壽　興隆　達夫貯藏名人作品　小和田敏子藏寶

克己復禮天下歸仁　王熙鳳　吉祥　嚴石章

中國書畫十人作品展　長壽　金石壽　林黛玉　任君思印

長壽

靜

邁進

太和

新編甲骨文字典筆畫檢字表

匆 五九五	毋 八〇六	丑 九七二	叨 六七	目	匜 三五六	行 四九四	犯 六三〇	扔 七九七	弜 八七五
犬 六二八	刈 八四六	壬 九七三	乙止 七六	冉 二三九	出 三五六	仉 四九六	关 六六四	母 八〇六	它 八九〇
火 六三七	片 八四七	以 九八九	正 七九	玄 二四一	生 三五九	仲 五〇一	叔 六六五	幼 八〇九	圣 九〇一
卌 六四四	氏 八四八	呂 九八九	达 八八	幼 二四一	囚 三六六	仰 五〇三	太 六六八	奴 八一〇	田 九〇六
太 六六二	戈 八五〇	午 九九〇	疋 一〇八	歺 二四九	旦 三九〇	北 五〇八	太 六六八	如 八二〇	冗 九二〇
夬 六六八	匚 八六九		册 一二	肖 二四九	外 四〇四	丘 五一〇	夫 六七〇	外 八三八	且 九二〇
太 六六九	引 八七三	五畫	句 一一八	冎 二五二	仒 四一二	北 五一〇	火 六八四	妄 八三九	弗 九二九
矢 六七七	凡 九二〇	史 四	古 一一九	叻 二六〇	禾 四二〇	兊 五四一	立 七八七	民 八四六	阝 九三八
元 六八一	斤 九二一	示 八	卌 一三一	甘 二七一	安 四四四	兄 五四三	汉 七一八	弗 八四七	四 九四三
夫 六八五	斗 九二五	右 一六	弁 一三三	可 二七五	宄 四四六	兄 五四四	汃 七二五	氐 八四九	宁 九四三
心 六八九	廾 九二六	囬 二一	叹 一五五	乎 二七六	宂 四四九	次 五五五	沘 七三七	戊 八六一	𡿧 九四六
水 六九六	五 九四五	玉 二五	圦 一六三	皿 二八九	宁 四六二	参 五六三	泓 七三七	戉 八六三	巫 九四七
仌 七五三	六 九四八	牟 四七	攸 一六六	去 二九五	疒 四六五	司 五六五	汈 七三七	匃 八六七	吕 九四七
云 七六〇	切 九四九	召 五五	左 一六六	矢 三〇九	同 四六八	令 五六七	永 七五一	巨 八六九	甲 九五三
不 七七七	尤 九五五	卬 六五	占 一九三	央 三一五	白 四七九	卯 五六八	氷 七五三	弘 八七二	丙 九五六
户 七八三	巴 九六六	由 六五	用 一九四	合 三二一	乍 四八八	石 五八七	丕 七七七	弘 八七四	戊 九六二

妞 三六六	克 四一八	伯 四七九	充 五三八	豖 五九七	夾 六六三	沝 七二九	姘 八一五	妒 八四一	坐 九〇一
囬 三六七	匡 四二六	何 四八五	先 五四〇	豸 六〇五	吳 六六四	汕 七三四	妝 八一七	妹 八四四	巩 九〇四
困 三六七	秂 四二七	位 四八六	沇 五四二	庙 六二四	𤆍 六六六	沘 七三五	奸 八一八	或 八五二	画 九〇九
囨 三六九	奔 四三三	俌 四八八	先 五四二	尨 六二九	炇 六六九	汸 七三八	妥 八二〇	我 八五四	男 九一一
囲 三七〇	窔 四四六	作 四八八	皃 五四九	狾 六三〇	钦 六七二	沌 七四〇	姿 八二二	戠 八五四	杓 九一九
囸 三七一	宋 四四七	仲 五〇一	見 五五一	狄 六三六	抗 六八一	沐 七四三	妄 八二三	戕 八五八	彼 九一九
貝 三七二	寓 四四九	兆 五〇九	次 五五六	犾 六三六	忌 六九〇	汭 七四四	妌 八二四	戎 八五九	弤 九二三
忒 三七三	㝗 四五一	身 五一五	𠨎 五五八	旱 六四一	坙 六九二	秋 七五一	忩 八二八	呇 八六二	車 九二七
邑 三七九	㡯 四五二	求 五一九	百 五六一	灾 六四四	沁 七〇一	谷 七五二	斋 八二九	我 八六四	直 九三〇
邦 三八〇	牢 四五二	孝 五二四	卿 五六八	災 六四四	沖 七〇六	吾 七六〇	欮 八二九	医 八六八	防 九三五
旰 三八八	实 四五二	尾 五二六	卲 五七〇	𤆁 六四七	泛 七〇六	杏 七七七	娀 八三二	匜 八六九	迒 九三五
囧 四〇一	穿 四五三	肜 五二八	兕 五七〇	炙 六四八	沚 七一一	弆 七七九	敃 八三六	匼 八七一	阪 九三九
夙 四〇四	宊 四六〇	彤 五二八	告 五七一	炭 六五〇	沋 七一六	秅 七七九	姅 八三六	扶 八七四	陀 九三九
卣 四〇九	呂 四六三	另 五三六	抑 五七二	灸 六五二	沑 七一八	启 七八五	奴 八三六	㕛 八七五	肘 九四九
吅 四一四	网 四七〇	㕫 五三六	砍 五九三	㶳 六五四	阱 七二一	姓 八〇四	妊 八三七	弧 八七五	皂 九五九
将 四一五	𢆶 四七二	旁 五三六	砓 五九四	赤 六六〇	汫 七二一	妣 八〇七	妛 八四〇	系 八七六	两 九六〇

辛 九六九	沓 三六	伷 一〇〇	卉 一三七	旼 一九一	呼 二七六	畚 三三〇	昃 三八三	宜 四四二	尚 四八一
号 九七八	牨 四八	徐 一〇一	釩 一五〇	固 一九三	於 二七七	果 三三七	昏 三八四	宕 四四六	侚 四八五
辰 九八六	物 五二	延 一〇三	肱 一五三	兆 一九四	虎 二八五	枚 三三七	昔 三八五	宗 四四八	依 四八七
弅 九九二	周 五九	和 一一一	担 一五七	昌 二〇二	虎 二八六	杲 三三八	昕 三八五	宛 四五〇	咎 四九二
伸 九九三	朱 七四	冊 一一三	秉 一五九	创 二一〇	孟 二八九	𣏟 三三九	昌 三九一	底 四五二	叔 四九三
酉 九九三	歪 七五	酎 一一六	取 一六〇	隹 二一五	监 二九四	𣎆 三三九	朋 三九九	宨 四五八	倭 四九五
	蚩 七五	酌 一一八	蚑 一六三	羌 二三〇	粤 二九六	采 三四二	明 四〇一	甯 四五八	俄 四九五
八畫	走 七七	糾 一一八	服 一六四	卓 二三八	学 二九六	析 三四三	夜 四〇三	省 四六〇	佰 四九七
事 四	征 七九	侉 一二三	卑 一六七	叀 二四三	侖 三〇五	相 三四六	刺 四〇三	欥 四六五	佮 四九七
使 四	延 八二	咏 一二五	臤 一七〇	受 二四六	舍 三〇六	東 三四八	非 四一三	疛 四六六	侑 五〇二
祉 一三	迺 八八	妾 一二八	祋 一七六	争 二四七	紓 三一一	林 三四九	彔 四一八	坰 四六八	佩 五〇三
祈 二〇	迟 八八	弨 一二九	杸 一七六	咼 二五二	京 三一六	矻 三六一	秉 四二六	迥 四六八	侃 五〇三
玨 二六	泥 八八	供 一三〇	忮 一七九	其 二六七	享 三一八	垂 三六一	卣 四三四	两 四七〇	并 五〇六
殳 二六	卓 九三	承 一三一	将 一七九	典 二六七	亩 三二二	花 三六三	枚 四三五	免 四七一	並 五〇六
芰 三一	往 九七	畀 一三三	敃 一八〇	畀 二六八	來 三二五	固 三七〇	定 四三九	帚 四七七	坵 五一〇
荕 三五	𡉚 九七	具 一三六	牧 一八八	嗣 二七二	条 三二九	囿 三七一	宓 四四〇	帛 四七九	坴 五一〇

科 五二一	屁 五二五	𡰣 五二五	屚 五二六	屎 五二七	彭 五二八	俞 五三二	身 五三三	𠓗 五三三	洮 五四一	充 五四二	沘 五四三	覞 五四三	俔 五四五	兂 五四六	侁 五五〇
寛 五五二	飲 五五五	頁 五五九	首 五六一	豹 五七二	苟 五七五	畏 五七九	危 五八七	㧪 五八七	砅 五八九	砓 五九〇	砋 五九三	易 五九六	剢 六〇一	㲋 六二五	冕 六二七
狩 六三一	猶 六三五	烁 六四八	昊 六五〇	臾 六五二	奏 六五四	烱 六五五	畟 六五六	樊 六五九	俠 六六三	虔 六六四	爽 六六四	肰 六六九	戌 六七〇	奐 六七一	奚 六七四
拜 六八一	奏 六八四	洓 六八二	怱 六九一	茂 六九一	怘 六九一	念 六九一	恆 六九二	恒 六九二	忽 六九三	盈 六九四	恔 六九四	洛 七〇〇	淲 七〇〇	消 七〇三	洹 七〇四
消 七〇六	洧 七一九	洒 七二二	洗 七二二	泬 七二五	洑 七二八	洱 七三〇	洩 七三一	洞 七三五	泧 七三九	洌 七四〇	洎 七四一	洲 七四九	泉 七四九	球 七五二	翏 七五八
聿 七九四	聖 七九五	𦔮 七九五	栖 七九九	姘 八〇一	姜 八〇二	姪 八〇八	姼 八〇九	娘 八一二	笅 八一四	娋 八一六	敉 八一七	要 八二一	娟 八二三	姳 八二七	姬 八二八
姞 八三二	娀 八三三	婍 八三三	娣 八三四	虔 八三八	姡 八四五	戚 八五一	眂 八五七	𢧀 八五八	背 八六四	虹 八八七	城 九〇二	垔 九〇三	坐 九〇三	侄 九〇五	牲 九〇五
明 九一〇	劻 九一三	劦 九一三	協 九一三	俎 九二〇	斫 九二四	降 九三六	陵 九三七	险 九三七	屋 九四七	需 九五七	畚 九五七	𩃎 九五九	禹 九六〇	區 九六五	癸 九七三
㹀 九七八	猝 九七九	㜽 九八一	𠆸 九九九	酓 一〇〇〇		十畫	旁 八	紫 一七	皇 二五	訖 二七	草 二八	蜀 三二	埋 三三	音 三六	茶 三八
茯 四〇	個 四四	軠 四八	剛 四八	倎 五〇	咩 五九	唐 六〇	格 六一	敆 六一	展 六三	峕 七六	徒 八一	逢 八五	𢓭 八五	速 八五	通 八五

冓 八七	侌 一二三	效 一八三	雈 二二三	益 二九一	條 三三〇	春 三六五	娟 四一一	宼 四五七	俚 四九九
逐 九〇	弇 一三二	退 一八六	羑 二三一	卺 二九九	乘 三三二	國 三六八	傚 四一二	宿 四五八	僛 五〇一
途 九四	恭 一三五	酘 一九〇	兹 二四二	敉 三〇一	棉 三四〇	圖 三六八	秜 四二三	宮 四六二	挺 五一二
涂 九七	俱 一三六	圖 一九五	烈 二四九	飲 三〇三	臬 三四一	員 三七二	泰 四二五	害 四六四	裹 五二〇
徃 九七	卑 一三八	眔 一九九	剮 二五二	卿 三〇三	校 三四二	貣 三七三	祝 四二八	悟 四六四	袁 五二二
逞 九七	甬 一四二	智 二〇〇	戠 二五三	舍 三〇七	偖 三四三	晉 三八三	秼 四二九	眠 四六五	衮 五二三
統 九七	筑 一五〇	眣 二〇一	剎 二五七	倉 三〇七	桓 三四四	昨 三八八	敉 四三二	疾 四六五	厓 五二四
敳 九八	釩 一五一	眣 二〇一	刺 二五八	納 三〇八	棗 三四四	晒 三九〇	家 四三六	冣 四六九	朕 五二九
復 九九	致 一五一	眮 二〇五	鼻 二六四	候 三一〇	秋 三四五	旅 三九三	宰 四四二	冢 四七〇	般 五三〇
㝵 一〇〇	舤 一五一	朋 二〇五	摘 二六四	𥏝 三一二	黔 三四六	族 三九五	害 四四五	罕 四七六	航 五三三
術 一〇四	鬥 一五一	昕 二〇五	笑 二六五	𥎵 三一三	榜 三四七	旂 三九六	戚 四五一	帰 四七八	悦 五三八
韋 一〇五	𣈶 一六三	眚 二〇六	貢 二七〇	高 三一三	桑 三五四	旅 四九六	宾 四五二	尞 四八〇	晲 五三九
衝 一〇六	脈 一六五	臮 二〇九	咢 二七四	亳 三一四	師 三五六	朗 四九九	寊 四五四	郤 四八〇	鈗 五四六
街 一〇六	書 一六九	昔 二一〇	匌 二七六	畗 三二一	索 三五七	圉 四〇七	寐 四五四	帯 四八一	覓 五六四
席 一一六	散 一七五	隻 二一六	歔 二八五	夏 三二八	㐺 三六二	康 四〇七	宿 四五七	倗 四八五	疹 五六四
訊 一二二	殷 一八〇	邕 二二〇	盗 二九〇	彖 三二九	卷 三六三	栗 四一〇	宣 四五七	僥 四九九	鬼 五七六

畱五七九	狽六三四	叀六七八	派七三二	捈八〇〇	冥八四三	紐八八二	衒九三五	十一畫	梱七四	
島五八二	烄六四二	剮六八三	浮七三三	姬八〇二	娢八四四	[illegible]八八二	降九三六	祭一三	[illegible]八〇	
庭五八三	栽六四四	奚六八四	洛七三四	娠八〇五	娗八四四	紤八八二	陞九三八	祡一七	進八三	
砷五九二	癸六四六	竝六八八	溦七三八	娥八一一	姞八四五	紛八八四	級九三九	祰一九	徙八六	
胇五九七	[illegible]六四七	恙六九三	涑七四二	婡八一七	庳八五〇	蚩八八七	陰九四一	[illegible]二三	逴九三	
[illegible]五九七	煦六五〇	[illegible]六九五	洙七四五	娶八一八	捍八五三	蚩八八七	霝九五七	茾三七	徫九三	
豙六〇一	炏六五三	昷六九九	涉七四六	娘八一八	剗八五六	敘九〇一	廄九六八	荼三八	屠九四	
豝六〇一	裿六五五	涂六九九	祝七五二	郟八二〇	戜八五九	垷九〇三	脟九七〇	莫三九	値九六	
祟六〇三	烽六五六	浸七〇一	复七六一	倭八二一	戚八六〇	畜九〇八	亮九七一	荷四〇	得一〇〇	
豹六〇六	叕六五六	洚七〇五	宴七七一	嫁八二四	戕八六二	畚九〇九	猇九七九	冢五一	徿一〇一	
馬六〇七	威六五六	涿七一五	㲋七七六	娑八二七	哉八六五	畱九一〇	羞九八二	罵五一	徰一〇二	
唐六二四	挾六六三	酒七一九	登七七九	恕八二八	栽八六六	敕九一三	振九八七	𣫔五四	衛一〇五	
虎六二七	良大六六六	浥七二二	酥七八一	姰八三〇	匽八七〇	蛩九一六	酒九九四	問五六	跐一〇九	
狌六三〇	豖六六六	浴七二三	酟七八二	娃八三一	孫八七七	欸九三一	彭九九六	唯五六	跡一一三	
臭六三二	㒸六六七	沛七二六	毦七九二	姪八三六	桼八七八	旹九三一	配九九七	啼六八	商一一七	
狼六三三	焱六七〇	涂七二九	㪟七九四	鬯八三七	紕八八〇	陟九三三		逞七四	訥一二三	

龘 七七四　三○畫　知
[illegible] 八二六　[illegible] 五四八　三六畫　最 四六九
[illegible] 八九三　[illegible] 六二二　[illegible] 一七四　最
[illegible] 六五三　識 八五五
二七畫　補遺　鸛 二二六
鑾 一二四　三二畫　吽 五三　做 四八八
[illegible] 六一○　靃 二三二　牡
[illegible] 九一八　[illegible] 六○三　[illegible]
臨 一七一
二八畫　三三畫　[illegible] 二二二
雧 二三三　[illegible] 二三三　雄
[illegible] 六二二　鸛 二二四
二九畫　[illegible] 七六四　智 三三八
驪 六○九　智
[illegible] 七八七　三四畫　[illegible]
[illegible] 七七四　[illegible]

新編甲骨文字典索引總表（未標頁碼者與上一字通用）

晦 三八五	㫗 三八八	游 三九一	斿 三九六	朋	凩	婁 四一一	𣈻 四一五	稻 四二三	稠 四二七
昱 三八五	卯 三八九	斿	旄 三九六	朋 三九九	多 四〇五	姰	牆 四一五	秜 四二三	穓 四二七
昔 三八五	⿰日鬼 三八九	遊	⿸㫃奐 三九六	明 四〇〇	毌 四〇七	齊 四一一	⿰片免 四一五	⿰禾冊 四二三	鼏 四二八
昕 三八五	曑 三八九	旋 三九三	族 三九六	膝 四〇〇	貫	𠆢 四一三	⿱疾引 四一五	穅 四二三	穧 四二八
暈 三八六	晌 三八九	旅 三九三	⿸㫃疾 三九六	有 四〇〇	圅 四〇七	攸 四一二	鼎 四一六	糠	穳
旣 三八六	曣 三九〇	族 三九四	旅 三九六	屮	朿 四〇七	櫅 四一二	鼐 四一七	康	攢
㬎 三八六	晒 三九〇	鏃	⿸㫃丝 三九六	又	隸 四〇八	束 四一三	⿰絲鼎	年 四二三	⿰口余 四二八
顯	旦 三九〇	嗾	旋 三九七	明 四〇一	隷 四〇八	刺	⿱爿鼎 四一七	秋 四二四	⿰禾并 四二八
⿰日頁 三八七	壇	旃 三九五	旌 三九七	朙	卣 四〇九	片 四一三	克 四一八	⿺麥鬼	⿰禾凡 四二八
⿰日帚 三八七	暨 三九一	⿸㫃冓	晶 三九七	囧 四〇一	⿱卤卤 四〇九	非 四一三	彔 四一八	秦 四二五	秼 四二九
晭	昌 三九一	⿸㫃雈	星 三九七	盟 四〇二	⿰卤自 四〇九	⿰爿口 四一四	鯀 四一九	⿱𡗗秝	⿱人秝 四二九
⿰日人 三八八	朝 三九一	⿸㫃且	壘	盟	粟 四一〇	⿰爿句 四一四	禾 四二〇	⿰禾夸 四二六	穌 四二九
昕	倝	⿸㫃全 三九五	月 三九八	夕 四〇三	㮚	牁 四一四	穆 四二〇	⿷匚壬 四二六	垂 四二九
昨	㫃 三九一	放 三九五	霸 三九八	夜 四〇三	⿰卤攴 四一〇	⿰爿步 四一四	⿱亝冊 四二一	秉 四二六	乘 四三〇
飤	偃	⿸㫃高 三九五	朗 三九八	外 四〇四	刈	⿰爿子 四一五	穧	稱 四二七	⿰禾垂 四三〇
𩚍	旗 三九二	⿸㫃古 三九六	⿰月函	⿰女凡 四〇四	會 四一一	敝 四一五	稷	秂 四二七	⿰禾夆 四三〇

佽 五二一	卒 五一八	袁 五二二	屎 五二七	磐 五三二	兒 五三六	沇	兜 五四六	侊	效 五五五
眔 五二一	卒	衮 五二三	糞	𦨭 五三二	兀 五三七	涜	傹 五四七	見 五五一	殺
[illegible] 五一三	[illegible]	老 五二三	舟 五二七	俞 五三二	允 五三七	兖	呪 五四七	現	歔 五五五
[illegible] 五一二	褮 五一九	孝 五二四	彤 五二八	[illegible] 五三二	兑 五三八	[illegible] 五四二	呪 五四七	觀 五五三	次 五五五
𡈼 五一二	裘 五一九	耊 五二五	[illegible]	[illegible] 五三三	說	兂 五四二	訓	㝵 五五二	飲 五五五
挺	求	耋	彤	[illegible] 五三三	悅	兄 五四三	詋	覓 五五二	飲 五五五
朢 五一三	裹 五二〇	考 五二五	朕 五二九	艐 五三三	銳	兢 五四三	覍 五四八	覓	歆 五五六
望	[illegible]	老	朕	航 五三三	閱	況 五四四	先 五四八	覞 五五二	次 五五六
量 五一四	律 五二〇	尸 五二五	般 五三〇	斻	[illegible] 五三九	兄 五四四	簪	覓 五五三	延
監 五一四	[illegible] 五二一	屍	盤	杭	[illegible] 五三九	[illegible] 五四四	[illegible]	[illegible] 五五三	[illegible] 五五七
鑑	褎 五二一	[illegible] 五二五	槃	艀 五三四	夌 五四〇	[illegible] 五四五	簪	覞 五五三	佸
身 五一五	[illegible]	臀	鎜	方 五三四	陵	[illegible] 五四五	篸	欠 五五四	盜 五五七
殷 五一六	科 五二一	髀	俞 五三一	另 五三六	先 五四〇	[illegible] 五四五	皃 五四九	炊 五五四	旡 五五八
衣 五一六	椊 五二一	肩 五二六	艅	[illegible]	允 五四一	倪 五四五	貌	喫	[illegible] 五五八
褘 五一七	褻 五二二	[illegible]	䑰 五三一	旁 五三六	洗 五四一	鋭 五四六	皃 五四九	吃	頁 五五九
襄 五一七	[illegible] 五二二	尾 五二六	艒	方 五三六	洸	[illegible] 五四六	先 五五〇	[illegible] 五五四	順 五五九

顯五六〇	彡五六三	孃五七〇	傚	㠀五八二	廯五八七	砷五九二	勿五九五	豯六〇〇	㲋六〇四
頿五六〇	㐱五六三	兕五七〇	警	島	挽	碻五九二	易五九六	𧰲	豚六〇五
面五六〇	疹五六四	光五七一	鬼五七六	密五八二	石五八七	塙	暘	豙六〇〇	豸六〇五
首五六一	文五六四	髟五七一	䰠	峊五八二	砳	鄗	陽	彖六〇一	貘六〇六
百	后五六五	卮五七二	魆五七七	廳五八三	䃔五八八	確	昜	豺六〇一	貔
𩠐五六二	司五六五	丞五七二	魅	庭	磬五八九	碠五九二	而五二七	豝六〇一	豼
𩠐	詞五六六	卿五七二	醜五七八	廣五八三	殸	砋五九三	胏	𧳇六〇二	豹六〇六
𥃩五六二	卩五六六	印五七二	甶五七八	龐五八四	砅五八九	碵五九三	臑	𧴌六〇二	易六〇六
𥄉	令五六七	抑	甾五七九	𢋈五八四	濿	碍五九三	𢑡	豣六〇二	賜
縣五六二	命	色五七三	畏五七九	龏	䂵五九〇	礙	㶳	𧰳六〇二	象六〇七
縣	卯五六八	辟五七三	山五八〇	庶五八五	砧五九〇	砍五九三	豕五九七	希六〇二	馬六〇七
懸	夘	僻	嶽五八一	廲五八五	砓五九〇	砐五九四	豰五九八	崇	𩡧六〇八
須五六二	卬五六八	避	岳	仄五八六	硝五九一	磅五九四	豭五九九	豨六〇三	馵
鬚	𠬝五六九	旬五七四	嵒五八二	側	盾	庚五九四	猳	貐	媽
髯五六三	𠨐五六九	茍五七五	岩	广五八六	硊五九一	砐五九四	豢五九九	𧲝	馯
頯	卲	敬	巖	危	磺五九一	長五九四	豕五九九	𧳜	馬

馽	寫 六一三	廌	丽	唐 六二四	狤	炙 六三四	燓	熺	[illegible] 六四六
驪 六〇九	麀	麃 六一七	丽	[illegible]	犯 六三〇	獏 六三五	燔	烖 六四四	[illegible] 六四七
駠	驍 六一三	[illegible] 六一七	麗	[illegible]	狩 六三一	[illegible] 六三五	爇 六四〇	𢦏	[illegible]
駿 六〇九	駃 六一四	薦 六一七	儷	[illegible] 六二四	獸	狀 六三五	熱 六四〇	灾	[illegible]
騮 六一〇	駐 六一四	麟 六一八	儷	㲋 六二五	臭 六三二	猶 六三五	[illegible] 六四〇	災	[illegible] 六四七
驤 六一〇	騄 六一四	鹿 六一八	[illegible] 六二二	[illegible] 六二五	嗅	[illegible] 六三五	烈 六四一	巛	炒
騎 六一一	駱 六一四	麌 六一九	麈 六二二	[illegible] 六二五	[illegible] 六三二	狄 六三六	烝	光 六四四	[illegible] 六四八
奇	駐 六一五	麐	麤 六二三	[illegible] 六二六	猴 六三三	犾 六三六	夕	僬 六四五	煤 六四八
騾 六一一	駝 六一五	麟	麤	圄 六二六	猴	犾	熯 六四一	穌	灸 六四八
掫	騖 六一五	麋 六一九	粗	㲋 六二七	猱 六三三	獄 六三六	暵	煏	沫 六四八
[illegible] 六一二	焉 六一五	麋 六二〇	[illegible] 六二二	㲋 六二七	玃	鼠 六三七	堇	焙	某
[illegible]	[illegible] 六一六	[illegible]	[illegible] 六二三	虒 六二七	猶 六三三	火 六三七	旱	炘 六四六	[illegible]
駃 六一二	騼 六一六	麑 六二〇	麈	[illegible] 六二八	猷	尞 六三八	閃 六四二	燉	[illegible]
駛	駵 六一六	麛	[illegible] 六二三	犬 六二八	狼 六三三	燎	烄 六四二	[illegible] 六四六	[illegible]
馽 六一三	[illegible] 六一六	麗 六二一	麝	[illegible] 六二九	狐 六三三	[illegible]	燀 六四三	[illegible] 六四六	[illegible]
騂 六一三	廌 六一六	祈	[illegible] 六二四	[illegible] 六三〇	狽 六三四	焚 六三九	熹 六四三	[illegible] 六四六	[illegible]

恆 六九二	水 六九六	淮 七〇二	湒 七〇七	濘 七一二	涿 七一四	滖 七一九	沬	滻 七二八	湅 七三二
恒	河 六九七	澭 七〇二	灂 七〇七	潢 七一三	瀫 七一五	濞 七二〇	浴 七二三	濜 七二八	浯 七三二
恛	湔 六九八	灘	滄 七〇七	淄 七一三	瀧 七二五	漉	瀼 七二四	澮 七二九	派
外	溫 六九八	淯 七〇三	粮	湄 七一三	沈 七一六	渒	濤 七二四	洛	湑
亙	温	杈	餐	彌	湛	溫 七二〇	汃 七二五	濱 七二九	洋 七三二
羕 六九三	盈	濼 七〇三	𣶒 七〇八	昧	滓 七一七	灤 七二〇	泬	潾 七二九	沭 七三三
懈 六九三	沮 六九九	洹 七〇四	淵	浮 七一三	溷 七一七	灌 七二一	㕣 七二五	粼	沒 七三三
恖 六九三	涂 六九九	澶 七〇五	溜 七〇八	洇	涵	阱	汢 七二五	冰 七二九	泊 七三三
忽	塗	浲 七〇五	寖 七〇九	湝	溼 七一七	汫 七二一	沛 七二五	洱 七三〇	薄
忩	洛 七〇〇	演 七〇五	浸	泛 七一三	濕	湆 七二一	澮	泖 七三〇	瀨 七三三
盆	浝 七〇〇	沖 七〇六	湡 七〇九	㳍 七一四	隰	沓	漅 七二七	沘 七三〇	潐 七三三
念 六九四	淲	衝	澫 七一〇	氼	沑 七一八	浥 七二二	瀸 七二七	滈 七三一	羅
恔 六九四	淳	涌 七〇六	[illegible] 七一〇	溺	沒 七一八	洒 七二二	洸 七二七	洩 七三一	澑 七三四
戭 六九五	汝 七〇一	汎	滋 七一一	潦 七一四	汉 七一八	灑	虢 七二八	洩	添 七三四
咒 六九五	泌 七〇一	泛	沚 七一一	澇	洎 七一九	洗	湫 七二八	漬 七三一	泃 七三四
慶 六九五	淩	瀊	汜 七一一	濩 七一四	洦 七一九	縕 七二三	洫 七二八	渫 七三二	沿 七三四

洛 七三四	潋 七三八	⿰氵⿱冊口	⿱羊羊	⿱巛夕 七四八	⿰赤永 七五二	雪 七五六	雲 七五九	⿱雨眔 七六四	鮹 七六八
⿰氵网 七三五	滴 七三八	洎 七四一	羴	列	⿰王永 七五二	⿱雨孚	云	⿱雨舌 七六四	鰕 七六九
湢 七三五	汸 七三八	⿰氵虒 七四一	羶	烈	祝 七五二	雹 七五六	⿱云口 七六〇	⿱雨風 七六四	鯢
⿰氵北 七三五	⿰氵戈 七三九	灥 七四一	洋 七四五	州 七四八	谷 七五二	霝 七五七	爰 七六一	⿱雨龜 七六四	⿰魚殳
澎 七三五	濃 七三九	滲 七四二	濤 七四五	洲	仌 七五三	霊	⿱雨帝 七六一	⿱雨龍 七六四	鰔
⿰氵壴 七三六	澮 七三九	淶	灝 七四五	泉 七四九	冫	零	⿱雨龜 七六一	魚 七六五	⿱仌魚 七六九
漐 七三六	汩 七三九	涑 七四二	灝 七四六	⿰泉攵 七四九	冰	⿱雨各 七五七	⿱雨兮 七六一	魯	⿱白魚
槷	渝 七三九	洮 七四二	灝 七四六	⿰泉攵 七五〇	⿰仌永	霖 七五七	⿱雨炎 七六二	⿰魚冊 七六六	⿰魚冊 七七〇
⿰氵京 七三六	沔 七三九	災 七四三	淡 七四六	羕 七五〇	冰	⿱雨妻 七五七	⿱雨臾 七六二	鮻 七六六	⿰魚⿱氵皿 七七〇
没 七三六	消 七四〇	沐 七四三	⿰木水 七四六	⿱容永 七五〇	凝	⿱雨脊	票 七六二	⿰魚欠 七六六	⿰氵⿱仌魚 七七〇
潧 七三七	洌	⿰氵封 七四三	⿰氵⿰木水 七四六	永 七五一	雨 七五四	⿱雨手 七五八	⿱雨斫 七六二	⿱虍魚 七六七	漁
⿰氵彝 七三七	洌	葑	涉	泳	靁 七五四	雩	⿱雨禹 七六二	鮊 七六七	燕 七七一
沘 七三七	沌 七四〇	⿰氵羌 七四四	𡿨 七四七	𠂢	雷	⿱羽亏	⿱雨無 七六三	⿰魚力 七六七	宴
汯 七三七	瀘 七四〇	汭 七四四	巜 七四七	⿰永又 七五一	電 七五五	⿱雨貍 七五八	⿱雨散 七六三	鮭 七六八	⿰燕欠 七七一
澱 七三七	涇 七四〇	漊 七四四	⿰粦巛 七四七	⿱夵廾	震 七五五	⿱雨理	⿱雨爪 七六三	鯉	⿰燕耳 七七二
⿰氵刃 七三七	⿰氵冊 七四一	[illegible] 七四四	川 七四七	禫 七五二	⿰足辰	⿱雨舞 七五九	⿱雨𠀉 七六三	腥	龍 七七二

⿱幵龍 七七三	杈 七七八	康	闟 七八七	聝 七九二	餌	撳	嫛 八〇二	嘉	委 八一五
龏	卭 七七八	⿸广爾 七八四	會 七八八	聀	聘 七九六	捍	妻 八〇三	姼 八〇九	姘 八一五
⿱龍内 七七四	⿱大幵 七七九	⿸广啇 七八四	倉	戠	⿰⿱臼工几	毀	婦 八〇三	妙 八一〇	如 八一六
嚨 七七四	⿱癶止 七七九	廣 七八四	⿵門冉 七八八	聃 七九三	摧 七九六	⿰扌囟 七九九	帚	婢 八一〇	婐 八一六
龖 七七四	秅 七七九	戹 七八五	耳 七八八	⿱耳卩 七九三	飲	插 七九九	妃 八〇四	⿲辛女辛	嬪 八一六
䶬 七七四	至 七七九	門 七八五	聖 七八九	⿱聑各 七九三	噭	遷	妊 八〇四	奴 八一〇	娟 八一六
龔 七七四	⿱臸米 七八〇	户	聽 七八九	聤 七九三	摯 七九六	攏 七九九	娠 八〇五	娥 八一二	嫁 八一七
翼	⿱臸帀 七八〇	閔 七八六	聲 七九〇	⿱耳帀 七九四	撣 七九七	⿱龍手	嫋 八〇五	妸 八一二	娕
非 七七五	臺 七八〇	闌 七八六	馨	取 七九四	擊 七九七	⿰扌戊 七九九	母 八〇六	⿱阿女	嫀
非	⿰食坐	闝 七八六	聞 七九〇	⿰耳朮 七九四	⿱非手	捧 八〇〇	毋	娘 八一二	妝 八一七
⿰爿比 七七六	西 七八一	扉	⿰耳昏	聀 七九四	叟	捈 八〇〇	妣 八〇七	娘	敉
乳 七七六	酥 七八一	闞 七八七	婚	⿰耳非 七九四	扔 七九七	女 八〇〇	匕	婤 八一二	⿰女攵 八一八
不 七七七	⿰酉丑 七八二	⿱⺧門 七八七	聾 七九一	⿱耳王 七九五	拕 七九八	姓 八〇一	妹 八〇七	媢 八一三	婺
丕	⿰女西 七八二	⿵門豕 七八七	聯 七九二	⿱耳廾 七九五	拖	⿰女丰 八〇一	昧	好 八一三	奸 八一八
否	卤 七八二	⿵門⿰豕豕	聮	⿰耳虫 七九五	扡	姜 八〇二	姪 八〇八	⿱竹女 八一四	御
杯 七七七	户 七八三	⿵門⿰豕豕	⿰耳系	⿰虫耳	扦 七九八	姬 八〇二	⿰女力 八〇九	⿱竹婦 八一四	⿰女⿱彐甲 八一八

婁 八一九	媒 八二三	夋 八二七	娵 八三一	㚵 八三四	奴 八三六	艱	妥 八四三	民 八四六	戈 八五〇
妓 八一九	㚴 八二三	𡜋 八二七	嬰	媪 八三四	㚓 八三七	囍	娀 八四三	盲	肇 八五〇
娘 八一九	嫉	姃 八二八	娘 八三一	婭 八三四	毳 八三七	侸	嫂 八四四	岷	肇
孃	㚢 八二三	婘 八二八	媗 八三一	媓 八三四	㛾 八三七	妥 八四〇	㛕 八四四	丿 八四七	庫
妥 八二〇	婞 八二四	忩 八二八	妨 八三二	姊 八三四	婚 八三七	妥 八四一	妹 八四四	片	戜 八五一
綏	姅 八二四	恕	㚧 八三二	妱 八三五	妊 八三七	妬 八四一	㚱 八四四	乂 八四七	戎
郊 八二〇	嫁 八二四	娛 八二八	娀 八三二	媹	外 八三八	妙	㛔 八四四	弗 八四七	戍 八五二
如	㚽 八二四	斉 八二九	嬂 八三二	嫪 八三五	㚸 八三八	姛 八四一	𡛟 八四四	隸 八四七	或 八五二
佞 八二一	𡤓 八二五	媢 八二九	嫜 八三二	娆 八三五	嬙 八三八	嫥 八四二	姞 八四五	弋 八四七	或
婞 八二一	𡠚 八二五	倣 八二九	㜵 八三二	㜙 八三五	虔 八三八	嫞 八四二	𡠦 八四五	戔 八四八	國
妥 八二一	𡤛 八二六	嬲	嫀 八三二	媘 八三五	妗 八三八	媞 八四二	嬟 八四五	氏 八四八	戕 八五三
嫦 八二一	㜶	姖 八二九	㚘 八三三	妞 八三六	𡚹 八三九	嫼 八四二	蔑	氏	戰 八五三
𡜏 八二一	婋 八二六	姡 八三〇	媻	敃	安 八三九	嫇 八四三	刈 八四六	抵	捍
妥 八二二	婋 八二六	𡣿 八三〇	嫫 八三三	婎 八三六	吳	冥	御	卑 八四九	㦸 八五四
姝 八二二	婉 八二七	姰 八三〇	媆 八三三	姅 八三六	嬉 八三九	娩	嬭 八四六	厥	𢦏
嫖 八二二	姕 八二七	娃 八三一	婍 八三三	妦	𡟁 八三九	𡚶 八四三	妳	乇	𢦟 八五四

坐 九〇一	垷	野 九〇六	黄 九一二	鐙 九一六	鑯	學 九二五	次	迨	隲 九四〇
望	肯 九〇三	田 九〇六	男 九一二	𧯞	几 九二〇	學 九二五	寶 九三一	衍	𨽗 九四〇
埽 九〇一	㘴 九〇三	疇 九〇七	力 九一二	剄	且 九二〇	廾 九二六	飲 九三一	陶 九三五	隥 九四〇
掃	望 九〇四	禱	敕 九一三	𧿑	组 九二〇	𥙹	昔 九三一	降 九三六	陰 九四〇
㪉	植	壽	動	鉦	回 九二一	𥙹	皀 九三二	厗	阦 九四〇
圣 九〇二	壇 九〇四	睃 九〇八	励 九一三	賤 九一七	斤 九二一	車 九二七	阜	陴 九三七	陖 九四〇
望	圣 九〇四	畜 九〇八	劦 九一三	錢	斧 九二二	鞴 九二七	陰 九三二	埤	陪 九四一
墾	坈 九〇四	𤰪 九〇九	砮	錞	新 九二三	輶 九二八	龠	壀	陪
貇	佳 九〇五	𤰞 九〇九	協	鑒 九一八	弼 九二三	輒	罹	陝 九三七	暗
懇	於 九〇五	畬 九〇九	恊	勺 九一九	所 九二三	台 九二八	陸 九三三	陛 九三八	陾 九四一
城 九〇二	社 九〇五	明 九一〇	秣 九一四	杓	肵 九二三	官 九二八	陮 九三三	陛 九	陦 九四一
𩐁	墐 九〇五	明	旅 九一五	礿	訢 九二四	館	陟 九三三	卲 九三八	𨻐
毀 九〇二	臬	明	鑄 九一五	鈹 九一九	欣	錧	隊 九三四	阪 九三九	隝 九四二
壘 九〇三	牲 九〇五	䀛	鑊 九一六	㲉	斳 九二四	師 九二九	墜	級	隯
垂 九〇三	堯 九〇六	畕 九一〇	醭	㩧	斫 九二四	巿	墮	陎 九三九	阳 九四二
墀 九〇三	堇 九〇六	畺	雋	亢 九二〇	斗 九二五	皀 九三〇	防 九三五	阸 九三九	陽 九四二

隮 九四三	七 九四九	丙 九五六	舊 九六〇	亏	咢 九七五	⿰孑亏 九七九	寅 九八三	申 九九三	⿰酉乚 一〇〇〇
躋	切	⿱丙巾 九五七	丁 九六一	辥 九七〇	子 九七五	⿰孑出 九七九	寅 九八四	伸	亂 一〇〇〇
四 九四三	九 九四九	离 九五七	戊 九六二	胯	李 九七六	⿰孑兂 九七九	卯 九八四	酉 九九三	酋 一〇〇一
宁 九四三	肘	冢 九五七	成 九六二	孶	孕 九七六	⿰孑叟 九八〇	辰 九八六	酒 九九四	畐
卓 九四三	⿱吅帀 九五〇	⿱丙丙 九五七	己 九六四	孽 九七〇	⿰孑尧 九七七	⿰孑㝵 九八〇	還 九八七	畱 九九五	尊 一〇〇二
亞 九四五	[illegible] 九五〇	尚 九五八	巽 九六四	亮 九七一	婎	⿰孑盧 九八〇	振	⿰酉彡 九九六	⿰阝尊 一〇〇二
五 九四五	蟬	⿱丙廾 九五八	邑 九六五	辭 九七二	娩	⿰孑來 九八〇	巳 九八七	配 九九七	戌 一〇〇三
⿱五大 九四六	萬 九五〇	⿱丙廾 九五九	巴 九六六	辤	冥	⿰孑予 九八〇	邑 九八八	醉 九九八	[illegible] 一〇〇四
吾	⿱子萬 九五一	⿱丙口 九五九	庚 九六七	辝	⿰孑力 九七七	孖 九八一	圯 九八九	酸 九九八	⿰石戌
廡	⿱東萬 九五一	⿱丙巳 九五九	[illegible] 九六八	嗣	⿰孑丙 九七八	毓 九八一	以 九八九	⿱吅酉 九九八	⿰疑戌 一〇〇四
屋	僤 九五二	⿱子丙 九五九	⿸广矢 九六八	⿰口辛	⿰孑刂 九七八	育	㠯	⿱冖酉 九九九	⿰糸戌 一〇〇五
五 九四七	⿱單子 九五二	⿱羊丙 九六〇	⿸庚鶇 九六八	詞	号 九七八	后	午 九九〇	⿰酉柬 九九九	⿰車戌 一〇〇五
五 九四七	蘄 九五二	禹 九六〇	⿸庚⿰米光 九六八	士 九七三	予 九七八	後	杵	醙	⿰豕戌 一〇〇六
⿱五酉 九四七	甲 九五三	⿱丙卜 九六〇	廠 九六九	壬 九七三	臀	⿰每衰 九八一	許 九九一	⿰酉柬 九九九	亥 一〇〇七
六 九四七	乙 九五四	⿱丙夕 九六〇	辛 九六九	癸 九七三	尻	丑 九八二	⿱午廾 九九二	⿱午酉 九九九	
廬	尤 九五五	⿱隹丙 九六〇	卞	乇 九七四	⿱宀辛 九七九	羞 九八二	未 九九二	酓 一〇〇〇	

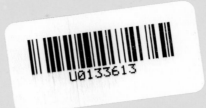